HET OOG VAN DE ORKAAN

Clive Cussler
met Jack du Brul

HET OOG VAN
DE ORKAAN

the house of books

Oorspronkelijke titel
Skeleton Coast
Uitgave
Berkley Books, New York
Copyright © 2006 by Sandecker, RLLLP
By arrangement with Peter Lampack Agency, Inc., 551 Fifth Avenue, Suite 1613,
New York, NY 10176-0187 USA and Lennart Sane Agency AB
Copyright voor het Nederlandse taalgebied © 2009 by The House of Books,
Vianen/Antwerpen

Vertaling
Pieter Cramer
Omslagontwerp
Jan Weijman
Omslagillustratie
Woestijn: Ron & Patty Thomas/Getty Images
Schip: Hulton Archive/Getty Images
Foto auteur
© Jack DeBry
Opmaak binnenwerk
ZetSpiegel, Best

ISBN 978 90 443 2532 4
D/2009/8899/122
NUR 332

www.thehouseofbooks.com

1

Kalahariwoestijn
1896

Hij had nooit het bevel mogen geven om de wapens achter te laten. Dat besluit zou hen nu allemaal het leven kosten. Maar wat had hij dan moeten doen? Toen één van de lastdieren kreupel bleek, moesten ze de lading herverdelen, en dat betekende dat ze spullen moesten achterlaten. Er was geen discussie over mogelijk dat de waterflessen die het dier had gedragen mee moesten, evenals de met ruwe stenen volgestouwde tassen. De tenten, het beddengoed, zo'n vijftien kilo voedsel en het Martini-Henry geweer waarmee alle vijf mannen bewapend waren, plus alle munitie, moesten achterblijven. Maar zelfs zonder het gewicht van al deze spullen waren de overgebleven paarden veel te zwaar beladen, en nu de opkomende zon de woestijn weer met haar verzengende hitte zou gaan teisteren, verwachtte niemand dat hun dieren de avond zouden halen.

H.A. Ryder wist dat hij nooit op het aanbod om de anderen door de Kalahariwoestijn te leiden had moeten ingaan. Hij was een oude Afrikarot, die in de tijd dat Kimberley werd overspoeld door gelukszoekers die hun fortuin in de diamantvelden zochten, het knechtenbestaan op een kwijnende boerderij in Sussex vaarwel had gezegd. Toen hij er in 1868 aankwam, was Colesberg Kopje, de heuvel waarin de eerste diamanten waren gevonden, al volledig afgepaald, evenals de velden in een straal van enkele kilometers eromheen. Vandaar dat Ryder zich op de levering van vlees aan het leger van harde werkers was gaan richten.

Met een stel wagens en honderden zakken zout voor de conservering van het vlees bevoorraadde hij met een groepje inheemse gidsen een gebied van enkele duizenden vierkante kilometer. Het was

5

een eenzaam bestaan waar Ryder aan gehecht was geraakt, net als aan het land met de ontzagwekkende zonsopgangen en dichte bossen, het glasheldere water in de beken en een horizon die altijd weer onmogelijk ver weg leek. Hij leerde de taal van diverse stammen, zoals de Matabele, de Mashona en de trotse krijgshaftige Herero. Hij kende zelfs de betekenis van sommige van de vreemde klikgeluiden en fluitsignalen waarmee de Bosjesmannen in de woestijn communiceerden.

Hij had als safarigids gewerkt en er zo aan bijgedragen dat rijke Engelsen en Amerikanen de muren van hun villa's met trofeeën konden versieren. Ook had hij in opdracht van een telefoonmaatschappij enige tijd doorgebracht met het zoeken van geschikte routes voor de aanleg van kabels door het zuidelijk deel van het continent. Hij was in een tiental schermutselingen verstrikt geraakt waarin hij minstens eenzelfde aantal tegenstanders had gedood. Hij kende en begreep de Afrikaanse bewoners en was zich maar al te goed bewust van de ongemene woestheid van het land zelf. Hij wist dat hij deze klus, om de anderen van Bechuanaland in een snelle oversteek door de uitgestrekte Kalahariwoestijn naar de kust te brengen, had moeten afslaan. Maar de belofte van het grote geld was sterker geweest, het sirenenlied van snelle rijkdom dat hem oorspronkelijk ook naar Afrika had gelokt.

Als ze dit op de een of andere manier overleefden, wanneer de meedogenloze woestijn hen niet te grazen nam, wachtte H.A. Ryder het fortuin waar hij altijd van had gedroomd.

'Volgens mij zijn ze daar weer, toch H.A.?'

Ryder tuurde in de richting van de opkomende zon, waarbij zijn ogen bijna tussen de plooien van zijn verweerde huid verdwenen. In de als opwalmende rook flikkerende hitte zag hij niets aan de verre horizon. Tussen hen en de felle zon lag een duinenveld van puur wit zand – een golvend landschap dat niet onderdeed voor de branding in een hevige storm. Met het opkomen van de zon kwam ook de wind, die over de duintoppen gierde en het zand in bijtende wolken van de kruinen deed opstuiven.

'Tja, jongen,' zei hij, zonder de man naast hem aan te kijken.

'Hoe weet je dat zo zeker?'

H.A. draaide zich om naar zijn metgezel, Jon Varley. 'Na wat wij ze hebben aangedaan, achtervolgen ze ons tot aan de poorten van de hel als het moet.'

De zelfverzekerdheid die uit H.A.'s schorre stem klonk, maakte dat Varley onder zijn zongebruinde huid wit wegtrok. Net als Ryder waren ook de overige vier mannen van het gezelschap geboren Engelsen die op zoek naar fortuin naar Afrika waren getrokken, hoewel geen van hen er zo goed thuis was als hun gids.

'We kunnen beter doorgaan,' zei Ryder. Ze hadden steeds in de relatieve koelte van de duisternis gereisd. 'We kunnen nog een paar kilometer doen voordat de zon te heet wordt.'

'Volgens mij kunnen we beter hier ons kamp opslaan,' zei Peter Smythe. Hij was het groentje van de groep en er verreweg het slechtst aan toe. Al vrij snel nadat ze de zandzee waren ingetrokken, was het met zijn praatjes gedaan en nu sleepte hij zich voort met de slome gang van een stokoude man. In zijn mond- en ooghoeken hadden zich witte korsten gevormd en er lag een diepe dofheid in zijn ooit zo heldere blauwe ogen.

Ryder keek Peter aan en herkende de symptomen meteen. Toen ze tien dagen eerder hun veldflessen en jerrycans met water uit een brakke bron hadden gevuld, hadden ze allemaal eenzelfde waterrantsoen gekregen, maar Smythes lichaam had kennelijk meer nodig dan de anderen. Het was geen kwestie van te weinig wilskracht of doorzettingsvermogen, de jongen had om te overleven gewoon meer water nodig. H.A. wist tot op de druppel nauwkeurig hoeveel water ze nog hadden, en als hij niet nog ergens een bron vond, was Smythe de eerste die het loodje legde.

De gedachte om hem wat extra water te geven kwam geen moment bij Ryder op. 'We gaan door.'

Hij keek naar het westen en zag het spiegelbeeld van het terrein waar ze al doorheen waren getrokken. De zandduinen strekten zich in eindeloze rijen voor hen uit. Door de weerkaatsing van het zonlicht op de onmetelijke zandvlakte kreeg de lucht een geelbruine tint. Ryder controleerde zijn paard. Het dier leed en daarom voelde hij zich schuldig – dit greep hem meer aan dan zijn gevoelens voor de jeugdige Smythe, want het arme dier had geen andere keuze gehad dan hem door deze meedogenloze woestenij te torsen. Met een vouwmes verwijderde hij een steentje uit een hoef van het paard en verschoof het zadelkleed naar de plekken waar de riemen van de tassen begonnen te schuren. De voorheen glanzende huid van het dier was dof geworden en plooide zich op plaatsen waar het onderhuidse vet was verdwenen.

Hij wreef het paard over zijn kaak en mompelde een paar lieve woordjes in zijn oor. Het was uitgesloten dat een van hen zijn paard kon berijden. De dieren hadden het ook onder hun verminderde last zwaar te verduren. Hij pakte de teugels en begon te lopen. Ryders laarzen zakten tot aan het bovenleer weg, terwijl hij het paard over de helling van een duin leidde. Het zand gleed knarsend en slippend onder zijn voeten weg en dreigde bij een misstap paard en begeleider onderuit te trekken. H.A. keek niet om. De mannen moesten hem wel volgen, anders wachtte hen onherroepelijk de dood.

Hij liep een uur door terwijl de zon onstuitbaar langs de wolkeloze lucht omhoog klom. Hij hield een gladde kiezelsteen tussen zijn kiezen geklemd in een poging zijn lichaam de indruk te geven dat hij nog niet al te erg was uitgedroogd. Toen hij bleef staan om de binnenkant van zijn grote slappe hoed droog te wrijven, stak de hitte op zijn rode kale kruin. Hij wilde nog een uur doorgaan, maar hij hoorde de mannen achter hem zwoegen. Het was nog niet zo erg dat hij al overwoog hen achter te laten, dus leidde hij hen naar de beschutting van een langwerpig duin en maakte van de paardendekens een zonnescherm. De mannen ploften zwaar hijgend op de grond, terwijl hij het eenvoudige kamp opzette.

H.A. bekeek Peter Smythe. De lippen van de jongeman waren een en al opengebarsten blaren waaruit helder vocht drupte en de topjes van zijn jukbeenderen zagen eruit alsof ze met een gloeiende ijzeren staaf in aanraking waren geweest. Ryder herinnerde hem eraan dat hij alleen de veters van zijn schoenen moest losmaken. Hun voeten waren zo opgezwollen dat die niet meer in hun schoenen zouden passen als ze die uittrokken. Ze keken hem verwachtingsvol aan toen hij eindelijk uit een zadeltas een paar veldflessen pakte, waarvan hij er een openschroefde. Een van de paarden reageerde meteen hinnikend op de geur van water en kwam samen met de andere dieren op hem af. Zijn eigen paard wreef met zijn snuit over H.A.'s schouder.

Om te voorkomen dat er ook maar één druppel verloren ging, schonk Ryder wat water in een kommetje en hield dat voor het dier, zodat het kon drinken. Het paard slurpte luidruchtig, en zijn maag rommelde toen er voor het eerst in drie dagen wat water in terechtkwam. Hij schonk nog wat in en gaf het paard opnieuw te drinken. Ondanks zijn eigen brandende dorst en de boze blikken van zijn metgezellen deed hij dit vervolgens bij alle dieren.

'Hun dood is ook jullie dood.' Meer hoefde hij niet te zeggen om de anderen te doen beseffen dat hij gelijk had.

Nadat ze elk nog niet eens een liter water hadden gedronken, konden de paarden worden overgehaald wat uit de voedseltassen met haver te eten die een ervan had meegetorst. Hij bond hun benen zodanig aaneen dat ze niet weg konden lopen, en pas daarna gaf hij het kommetje door, zodat ook de mannen wat konden drinken. Met hun rantsoen ging hij nog strikter te werk. Ze kregen allemaal één volle slok, waarna Ryder het water in de veldfles terugdeed. Niemand protesteerde. H.A. was van hen de enige die deze troosteloze woestenij ooit eerder had doorkruist, en ze vertrouwden erop dat hij hen erdoorheen sleepte.

De schaduwrand van de paardendekens was erbarmelijk smal in de omringende kokende hitte van de Kalahariwoestijn, een van de heetste en droogste plekken op aarde, een landstreek waar het hoogstens één keer per jaar regende, en dat stelde dan nog niet veel voor. Terwijl de zon het zand met schroeiende hamerslagen bewerkte, lagen de mannen in een diepe lethargie verzonken bijeen en bewogen alleen wanneer een hand of een been door de verschuivende schaduw aan de meedogenloze straling van het zonlicht werd blootgesteld. Daar lagen ze met hun allesverterende dorst en hun folterende pijnen, maar bovenal met hun hebzucht, want het waren mannen met een doel voor ogen, mannen die op het punt stonden rijker te worden dan ze ooit hadden durven dromen.

Toen de zon het hoogste punt bereikte, leek hij nog feller te worden, waardoor het normaal zo simpele inademen een steeds terugkerende strijd werd tussen de behoefte aan lucht en de wens om de stekende hitte buiten het lichaam te houden. Die zoog met de geringste ademtocht vocht uit de mannen en zette hun longen in brand.

Met het toenemen van de hitte leek de zwaarder wordende lucht hen als een verstikkende deken tegen de grond te verpletteren. Ryder kon zich niet herinneren dat het toen hij jaren eerder de woestijn was doorgetrokken, zo erg was geweest. Het was alsof de zon uit de hemel was gevallen en nu bij hen op aarde lag, woedend over het feit dat zo'n stelletje stervelingen dacht dat ze hem wel konden trotseren. Dit was erg genoeg om een gezonde vent krankjorum te maken, maar ze hielden het de hele middag vol, biddend dat de dag spoedig voorbij zou zijn.

Zo snel als de hitte was opgekomen, zo snel zakte ze ook weer weg toen de zon eindelijk naar de westelijke horizon daalde en het zand in stroken rood, paars en roze kleurde. De mannen kropen traag vanonder het zonnescherm tevoorschijn en veegden het stof van hun vuile kleren. Ryder beklom het duin dat hen tegen de wind had beschut en zocht door een uitschuifbare koperen verrekijker de woestijn achter hen af op zoek naar tekenen van hun achtervolgers. Hij zag niets in de stuivende duinen. De aanhoudende westenwind had hun sporen uitgewist, maar zo geruststellend was dat ook weer niet. De mannen die hen achtervolgden behoorden tot de beste spoorzoekers ter wereld. Zelfs in deze vormeloze zandzee zouden ze hen weten te vinden met een trefzekerheid alsof Ryder een spoor van stenen voor hen had achtergelaten.

Wat hij niet wist, was hoeveel terrein ze gedurende de dag op hen hadden gewonnen, want gezien hun weerstand tegen de zon en de hitte leken ze over haast bovenmenselijke krachten te beschikken. H.A. schatte dat ze een voorsprong van vijf dagen op hun achtervolgers hadden toen ze de woestijn introkken. Hij ging ervan uit dat daar nu hoogstens nog een dag van over was, en morgen misschien nog net een halve dag. En wat dan? Dan zouden ze moeten boeten voor het feit dat ze zich van hun wapens hadden ontdaan toen het paard kreupel was geraakt.

Hun enige hoop was dat ze vannacht zoveel water voor de paarden zouden vinden dat ze er weer op konden rijden.

Hun voorraad van het kostbare vocht was niet toereikend meer om de paarden te drinken te geven, en het rantsoen voor de mannen was nog maar de helft van wat ze bij zonsopgang hadden gekregen. Voor Ryders gevoel versterkte het slokje water zijn dorst alleen maar. De warme druppel leek in zijn tong weg te kruipen in plaats van zijn dorst te lessen, die nu als een knagende pijn in zijn maag lag. Hij dwong zich een stuk gedroogd vlees te eten.

Toen hij een blik op de uitgemergelde gezichten om zich heen wierp, besefte H.A. dat de tocht die nacht een marteling zou worden. Peter Smythe stond wankelend op zijn benen, en met Jon Varley was het niet veel beter gesteld. Alleen de broers Tim en Tom Watermen leken nog enigszins in orde, maar zij waren al langer dan Smythe of Varley in Afrika en hadden de afgelopen tien jaar als boerenknechten op een grote veeboerderij in de Kaapkolonie gewerkt. Hun lichamen waren meer gehard tegen de meedogenloze Afrikaanse zon.

H.A. streek met zijn handen over zijn dikke bakkebaarden en

kamde met zijn vingers het zand uit de borstelige grijze haren. Toen hij vooroverboog om zijn veters vast te maken, voelde hij zich twee keer zo oud als hij met zijn vijftig jaar was. Er schoten pijnscheuten door zijn rug en benen, en zijn ruggengraat kraakte toen hij weer overeind kwam.

'Het komt goed, jongens. Ik beloof dat jullie je vanavond te barsten kunnen drinken,' zei hij, om hun gezonken moraal weer wat op te krikken.

'Waarmee dan? Met zand?' grapte Tim Watermen om te laten zien dat hij dat nog kon.

'De Bosjesmannen, die zichzelf de San noemen, leven al meer dan duizend jaar in de woestijn. Men zegt dat ze water op honderdvijftig kilometer afstand kunnen ruiken, en dat is helemaal niet zo overdreven. Toen ik twintig jaar geleden door de Kalahari trok, had ik een San als gids. En dat gozertje vond water op plekken waar ik van m'n leven niet zou zijn gaan zoeken. 's Morgens schepten ze de ochtenddauw van de planten en ze dronken uit de pens van de dieren die ze met hun giftige pijlen hadden gedood.

'Wat is dat, pens?' vroeg Varley.

Ryder wisselde een veelbetekenende blik met de gebroeders Watermen alsof dat iets was wat je toch eigenlijk zou moeten weten. 'Dat is de eerste maag van dieren als koeien of antilopen waarin ze hun herkauwde voedsel opslaan. Het vocht dat erin zit bestaat voornamelijk uit water en plantensappen.'

'Daar zou ik nu best wat van willen,' wist Peter Smythe hakkelend uit te brengen. In een hoek van zijn opengebarsten lippen hing een bruinrode druppel bloed. Hij likte hem weg voordat hij op de grond zou vallen.

'Maar waar de San nog veel beter in zijn, is het vinden van water onder het zand van uitgedroogde rivierbeddingen waar al een generatie lang geen water meer doorheen is gestroomd.'

'Kun jij dat ook, op die manier water vinden?' vroeg Jon Varley.

'Ik heb in alle beddingen gezocht die we in de afgelopen vijf dagen gepasseerd zijn,' antwoordde H.A.

De mannen keken verbaasd. Geen van hen had gemerkt dat ze uitgedroogde beddingen waren overgestoken. Voor hen was de woestijn overal hetzelfde en even leeg geweest. Dat H.A. had geweten dat er wadi's waren, sterkte hun vertrouwen dat hij hen uit deze nachtmerrie zou loodsen.

'Eergisteren was er een veelbelovende plek, maar ik was er niet honderd procent zeker van, en we konden ons het tijdverlies niet veroorloven in het geval ik fout zat. Ik schat dat het nog zo'n twee, hooguit drie dagen tot de kust is, wat betekent dat dit deel van de woestijn al iets van vochtigheid van de oceaan krijgt, plus af en toe een stevige plensbui. Ik ga water vinden, jongens. Daar kunnen jullie zeker van zijn.'

Zo lang had hij, sinds hij de mannen had bevolen hun geweren achter te laten, niet meer aan één stuk gesproken, en het had het gewenste effect. De gebroeders Watermen grinnikten, Jon Varley slaagde erin zijn rug te rechten en zelfs de jonge Smythe stond weer wat vaster op zijn benen.

Achter hen kwam een koele maan op, terwijl de laatste stralen van de zon in de verre Atlantische Oceaan zakten, en al spoedig was de lucht met meer sterren bespikkeld dan je in honderd levens zou kunnen tellen. De woestijn was zo stil als een kerk, afgezien van het geknars van onder schoenen en hoeven wegschuivend zand en af en toe een krakende riem van het zadeltuig. Met afgemeten passen stapten ze stevig door. H.A. was zich maar al te goed bewust van hun zwakke conditie, maar de hordes die hen beslist op de hielen zaten waren geen moment uit zijn gedachten.

Om middernacht laste hij een eerste pauze in. De aard van de woestijn was enigszins veranderd. Terwijl ze nog door enkeldiep zand waadden, verschenen er in de dalen plekken met los grind. In enkele van die kuilen had H.A. oude waterplaatsen herkend. Het waren plekken waar elanden en antilopen op zoek naar grondwater in de harde aarde hadden gewroet. Hij zag geen tekenen van menselijk gebruik, waaruit hij afleidde dat ze al eeuwen geleden waren drooggevallen. Hij zei hier niets over tegen de mannen, maar het versterkte zijn vertrouwen dat hij een actieve bron zou vinden.

Hij gunde de mannen een dubbele portie water, nu hij ervan overtuigd was dat er nog voor zonsopkomst water zou zijn om de veldflessen te vullen en de paarden te drinken te geven. En zo niet, dan had rantsoenering ook geen zin meer, want dan had de woestijn hen de volgende dag definitief te pakken. Ryder gaf zijn halve rantsoen aan zijn paard, terwijl de anderen hun portie zonder medelijden met de lastdieren gulzig zelf opdronken.

Een halfuur nadat ze hun weg hadden vervolgd, verduisterde een eenzame wolk het maanlicht, en toen de maan weer tevoorschijn kwam, viel Ryder iets op in het over het zand verschuivende licht. Volgens zijn kompas en de stand van de sterren waren ze steeds recht naar het westen getrokken, en geen van de mannen zei er iets van toen hij plotseling naar het noorden afboog. Aandachtig luisterend naar de vlokkerig knarsende grond onder hun schoenen liep hij voor de anderen uit, en op een bepaald punt gekomen liet hij zich op zijn knieën vallen.

Het was een onaanzienlijk kuiltje van nog geen meter doorsnee in het verder vlakke dal. Hij bekeek de plek en glimlachte flauwtjes toen hij stukjes van een gebroken eierschaal ontdekte, plus een ei dat nog bijna gaaf was op een lange barst na die als een breuklijn over het gladde oppervlak liep. De eierschaal was zo groot als zijn vuist. Boven-op was er een keurig gaatje in geboord dat met een plukje gedroogd gras gemengd met een inheemse lijm was dichtgestopt. Voor de San was dit een van de meest kostbare bezittingen, want zonder deze struisvogeleieren hadden ze niets om water in te vervoeren. Het exem-plaar dat bij het vullen was gebroken, had de Bosjesmannen die de bron voor het laatst hadden gebruikt misschien wel het leven gekost.

H.A. had haast het gevoel dat hun dolende zielen vanaf de oevers van de oude rivierbedding op hem neerkeken: spookachtige wezen-tjes die alleen getooid waren met een kroon van riet op hun hoofd en een riem van ongelooide huid om hun middel die voorzien was van buidels voor de struisvogeleieren en kokers voor de giftige pijl-tjes die ze voor de jacht gebruikten.

'Wat heb je gevonden, H.A.?' vroeg Jon Varley, terwijl hij naast de gids in het grind knielde. Zijn ooit glanzende donkere haren hingen vettig op zijn schouders, maar op de een of andere manier had hij een roofzuchtige glinstering in zijn ogen behouden. Het waren de ogen van een wanhopige intrigant, een man gedreven door dromen van snelle rijkdom en de bereidheid om voor dat doel zijn leven op het spel te zetten.

'Water, meneer Varley.' Hoewel hij twintig jaar ouder was, beje-gende H.A. al zijn klanten met dezelfde egards.

'Wat? Waar? Ik zie niks.'

De gebroeders Watermen waren op een rotsblok gaan zitten. Peter Smythe zakte voor hun voeten in elkaar. Tim hielp de jongen zover overeind dat hij met zijn rug tegen de door water afgesleten kei leun-de. Zijn hoofd klapte op zijn magere borst en zijn ademhaling was onnatuurlijk zwak.

13

'Het zit onder de grond, dat heb ik toch gezegd?'

'Hoe krijgen we het eruit?'

'Graven.'

Zonder nog iets te zeggen begonnen de twee mannen de aarde weg te krabben die een Bosjesman er bewust had neergegooid om de kostbare bron te bedekken opdat hij niet zou uitdrogen. H.A. had zulke brede en eeltige handen dat hij ze als schep kon gebruiken. Zonder op de scherpe steentjes te letten wroette hij in de rulle grond. Varley had de handen van een gokker, glad en in betere tijden keurig gemanicuurd, maar hij wroette net zo fel als de gids. Zijn razende dorst maakte dat hij zich niets meer aantrok van krassen, sneetjes en het bloed dat van zijn vingertoppen droop.

Ze groeven een kuil van een halve meter diep, maar er was nog steeds geen water. Ze moesten het gat verbreden omdat ze veel groter waren dan de krijgers van de Bosjesmannen die deze bronnen moesten uitgraven. Op een kleine meter diepte schepte H.A. een handvol aarde op en toen hij het zand wegwierp, bleef er een dun laagje op zijn hand kleven. Hij rolde het tussen zijn vingers tot een modderballetje. Toen hij erin kneep, glinsterde er een trillende druppel water in het licht van de sterren.

Varley slaakte een kreet, en zelfs om H.A.'s lippen krulde een glimlach.

Met verdubbelde kracht vervolgden ze hun werk en slingerden de modder met roekeloze overgave uit het gat. Ryder legde een hand op Varley's schouder om hem tot kalmte te manen toen hij merkte dat ze diep genoeg hadden gegraven.

'Nu even wachten.'

De anderen verdrongen zich rondom de bron en keken verwachtingsvol toe hoe de donkere bodem van de kuil opeens wit werd. Het was de weerschijn van het maanlicht op het uit de omringende grondlaag sijpelende water. Met een van zijn hemd gescheurde lap als filter doopte H.A. zijn veldfles in het modderige water. Het duurde een paar minuten tot hij halfvol was. Peter kreunde toen hij het water hoorde klotsen in de fles die H.A. uit het gat omhoog haalde.

'Alsjeblieft, jongen,' zei Ryder, terwijl hij hem de veldfles aangaf. Peter strekte er begerig zijn hand naar uit, maar Ryder liet de fles niet los. 'Rustig aan, kerel. Langzaam drinken.'

Smythe was te ver heen om nog naar H.A.'s raad te luisteren. Na zijn eerste gulzige slok barstte hij uit in een spastische hoestbui, waarbij hij een mondvol water op het woestijnzand verspilde. Nadat hij zich had hersteld, dronk hij met voorzichtige slokjes, schaapachtig om zich heen kijkend. Het duurde vier uur voordat de mannen voldoende water hadden opgehaald om zich ongans te drinken en ze eindelijk in staat waren voor het eerst in dagen een fatsoenlijke maaltijd te eten.

H.A. was nog druk bezig met het geven van water aan de paarden, toen de zon zich aan de oostelijke horizon vertoonde. Hij ging heel voorzichtig te werk om te voorkomen dat ze zouden opzwellen of krampen zouden krijgen. Hij voerde de dieren mondjesmaat, maar onder het eten klonk er een tevreden geknor uit hun enorme buiken, en na dagen lukte het voor het eerst weer om te wateren.

'H.A.!' Tim Watermen was naar de andere kant van de rivierbedding gelopen om te plassen. Scherp tegen het schemerlicht afstekend, stond hij heftig met zijn hoed te zwaaien, waarbij hij naar de opkomende zon wees.

Ryder diepte de verrekijker uit zijn zadeltas op en rende als een bezetene van de paarden weg de helling op. Hij wierp zich op Watermen, waardoor beide mannen in het zand tuimelden. Voordat Tim kon protesteren, drukte hij een hand op de mond van zijn reisgezel en siste: 'Niet zo luid. Geluiden dragen heel ver in de woestijn.'

Plat op de grond liggend trok H.A. zijn verrekijker uit en hield hem voor zijn rechteroog.

Moet je ze daar zien, dacht hij. *Mijn god, wat een schitterend gezicht.*

Uiteindelijk was het de pure haat van Peter Smythe voor zijn vader die deze vijf mannen bij elkaar had gebracht. Lucas Smythe was een imponerende persoonlijkheid die beweerde dat hij in een visioen de aartsengel Gabriël had gezien. De engel had hem gezegd alles te verkopen en naar Afrika te gaan om daar het woord van God onder de wilden te verspreiden. Hoewel hij tot dat visioen niet bijzonder vroom was geweest, wijdde Smythe zich vanaf dat moment met zo'n ijver aan de Bijbel dat de mensen van de London Missionary Society, toen hij zich bij hen aanmeldde, overwogen hem af te wijzen omdat ze hem te fanatiek vonden. Maar ten slotte namen ze hem toch aan, al was het maar om in hun kantoren van hem verlost te zijn. Ze zonden hem met zijn niet te benijden vrouw en zoon naar Bechuanaland, waar hij een voorganger verving die aan malaria was gestorven.

In die piepkleine missiepost in het hart van het land van het Herero-volk, ver weg van alle maatschappelijke beperkingen, ontwikkelde Smythe zich tot een religieuze tiran, want zijn God was een wraakzuchtige God, die een totale zelfopoffering eiste en zware straffen voor zelfs de geringste overtredingen. Voor Peter was het geen uitzondering dat hij van zijn vader stokslagen kreeg omdat hij de laatste woorden van een gebed had ingeslikt, of dat hij zonder eten naar bed werd gestuurd omdat hij niet op commando een bepaalde psalm had kunnen opzeggen.

Toen het gezin er arriveerde, was de koning van de Herero, Samuel Maharero, die al enkele decennia eerder was gedoopt, in een felle strijd verwikkeld met de koloniale overheersers, en hij meed elk contact met de Duitse missionarissen die door de Rijnlandse Missie naar zijn gebied werden gezonden. Lucas Smythe en zijn gezin was de koning echter gunstig gezind, ook al reageerde Maharero terughoudend op Smythes tirades over hel en verdoemenis.

Terwijl de kleine Peter volop genoot van zijn vriendschap met de talrijke kleinkinderen van de koning, was zijn leven als tiener in de koninklijke kraal dodelijk saai, afgewisseld door momenten van vreselijke angst wanneer zijn vader weer eens de geest kreeg en hij daar alleen nog maar weg wilde.

Ten einde raad bereidde hij zijn vlucht voor en vertelde Assa Maharero, een kleinzoon van de koning en zijn boezemvriend, in vertrouwen wat hij van plan was. Tijdens een van hun vele gesprekken over hoe hij het zou aanpakken ontdekte Peter Smythe iets wat zijn leven zou veranderen.

Hij bevond zich in een *rondoval*, een ronde hut waarin de Herero droog veevoer opsloegen in tijden dat de weilanden te kaal waren voor hun duizenden koeien. Het was de plek die hij en Assa als schuilplaats hadden gekozen, en hoewel Peter er al tientallen keren was geweest, viel het hem nu pas voor het eerst op dat de hard aangestampte aarde langs een van de met leem opgetrokken muren was opengebroken. De zwarte aarde was weer aangestampt, maar met zijn scherpe blik zag hij de kleurverschillen.

Met zijn blote handen begon hij te graven en ontdekte dat er onder slechts een dunne laag aarde een twaalftal grote aarden bierkruiken verborgen lag. De kruiken waren ongeveer zo groot als zijn hoofd en met een stuk strakgetrokken koeienhuid afgesloten. Hij tilde er een op. De kruik was nogal zwaar en er rammelde iets binnenin.

Voorzichtig maakte Peter de draad rond de rand los en trok de huid net zover open dat er, terwijl hij tegen de kruik tikte, een paar onaanzienlijke steentjes in zijn handpalm vielen. Hij begon te trillen. Hoewel ze in niets leken op de gestileerde tekeningen van in facetten geslepen stenen die hij wel eens had gezien, besefte hij door de manier waarop ze in het karige licht in de hut schitterden, dat hij zes ongeslepen diamanten in zijn hand hield. De kleinste had de omvang van zijn duimnagel en de grootste was ruim twee keer zo groot.

Op dat moment stapte Assa gebukt door de gewelfde doorgang de hut in en zag wat zijn vriend had ontdekt. Met van schrik wijd opengesperde ogen keek hij snel over zijn schouder of er niet ergens volwassenen in de buurt waren. Aan de andere kant van een met een palissade afgezet terrein stonden een paar jongens naar een stel koeien te kijken, en een paar honderd meter verderop liep een vrouw met een bundel gras op haar hoofd. Hij spurtte door de *rondoval* op de geschrokken Peter af en rukte de bierkruik uit zijn vingers.

'Wat heb je gedaan?' siste Assa in het Engels met een raar Duits accent.

'Niets, Assa, ik zweer 't,' riep Peter schuldbewust. 'Ik zag dat daar iets was begraven en ik was nieuwsgierig wat dat was, meer niet.'

Assa stak een hand uit en Peter gaf hem de steentjes. Terwijl de jonge Afrikaanse prins de stenen terugstopte onder de leren afsluiting, zei hij: 'Het wordt je dood als je hier ooit met iemand over praat.'

'Dat zijn diamanten, ja toch?'

Assa keek zijn vriend aan. 'Ja.'

'Hoe kan dat? Er zijn hier helemaal geen diamanten. Die zijn alleen in de Kaapkolonie, bij Kimberley.'

Assa ging met gekruiste benen voor Peter zitten, inwendig heen en weer geslingerd tussen de belofte die hij aan zijn grootvader had gedaan en zijn trots over wat zijn stam had gepresteerd. Hij was net dertien, drie jaar jonger dan Peter, en zijn jeugdige overmoed won het van zijn plechtige gelofte. 'Wat ik nu ga zeggen, mag je nooit doorvertellen.'

'Dat zweer ik, Assa.'

'Al direct nadat er voor het eerst diamanten waren gevonden, zijn er mannen van de Herero-stam naar Kimberley getrokken om er in de mijnen te werken. Ze werkten er op basis van jaarcontracten en kwamen terug met het geld dat ze daarvoor van de blanke mijneigenaren kregen. Maar ze hadden meer bij zich. Ze hadden ook stenen gestolen.'

'Ik heb gehoord dat iedereen wordt gefouilleerd voordat ze het mijnwerkerskamp mogen verlaten, zelfs tot in hun reet toe.'

'Onze mannen sneden met messen in hun huid en verstopten de stenen in de wonden. Behalve de littekens was er verder niets meer van te zien. Na hun terugkomst sneden ze de wonden met een assagaai weer open en haalden de stenen eruit om ze aan mijn overgrootvader te geven, het opperhoofd Kamaharero, die hen aanvankelijk naar Kimberley had gestuurd.'

'Assa, sommige stenen zijn behoorlijk groot – die hadden ze toch moeten vinden?' redeneerde Peter.

Assa schoot in de lach. 'Herero-krijgers zijn soms ook behoorlijk groot, hoor.' Daarop was hij meteen weer serieus en vervolgde zijn verhaal. 'Dit is jarenlang zo doorgegaan, wel een jaar of twintig. Tot de blanke mijneigenaren ontdekten wat de Herero deden. Er werden er honderd gearresteerd, en zelfs zij die nog niet de kans hadden gehad een steen onder hun huid te verbergen, werden schuldig bevonden. Ze zijn allemaal ter dood gebracht.

'Als de tijd er rijp voor is zullen we met behulp van deze stenen het juk van de Duitse kolonisten van ons afwerpen,' vervolgde hij met glinsterende ogen, 'en zullen we weer vrij zijn. Maar Peter, je moet me nog een keer plechtig beloven dat je nooit zult doorvertellen dat je die schat hebt ontdekt.'

Peters blik kruiste die van zijn jonge vriend en hij antwoordde: 'Ik zweer 't.'

Zijn eed hield nog geen jaar stand. Toen hij achttien werd, vertrok hij uit de kleine missiepost in het hart van de koninklijke kraal. Hij had niemand verteld dat hij weg zou gaan, zelfs zijn moeder niet, en vooral dat laatste knaagde aan zijn geweten. Zij was nu de enige die de tirades van Lucas Smythe over de goddelijke gerechtigheid te verduren kreeg.

Peter had zich altijd een overlevingskunstenaar gevoeld. Hij en Assa hadden talloze keren in het veld overnacht, maar toen hij ten slotte een handelspost op zo'n tachtig kilometer van de missie bereikte, was hij meer dood dan levend van uitputting en dorst. Daar gaf hij iets van het weinige kleingeld uit dat hij stiekem van de verjaardagsgeschenken van zijn moeder had gespaard. Zijn vader had hem nooit iets gegeven, in de overtuiging dat de enige geboorte die

18

er in het gezin gevierd moest worden de geboorte van Jezus Christus was.

Het was maar net genoeg om een koetsier, die met een lading ivoor en gezouten vlees naar het zuiden terugkeerde, over te halen hem op de bok van zijn met twintig ossen bespannen wagen tot Kimberley mee te nemen. De koetsier was een wat oudere man met een enorme witte hoed en de dikste bakkebaarden die Peter ooit had gezien. In het gezelschap van H.A. Ryder verkeerde nog een stel broers aan wie het koloniaal bestuur van de Kaapkolonie grasland had beloofd dat bij aankomst al door de Matabele in gebruik bleek te zijn genomen. Omdat ze het niet tegen een heel leger wilden opnemen, hadden ze besloten op hun schreden naar het zuiden terug te keren. Het laatste lid van het gezelschap was een zekere Jon Varley, een broodmagere man met een haviksneus.

In de weken dat ze naar het zuiden sjokten, kreeg Peter er geen enkele hoogte van wat Varley deed of wat hem daar zo ver van de Kaapkolonie had gebracht. Het enige wat hij zeker wist, was dat hij de man nog voor geen cent vertrouwde.

Op een avond in het kamp dat ze hadden opgeslagen nadat ze een rivier met een gevaarlijke stroming waren overgestoken, waarbij Peter het leven van een van Ryders ossen had gered door op de rug van het dier te springen en het als een paard te berijden, kwam Varley met een geheime voorraad sterkedrank op de proppen. Het was hoogprocentuele Kaapse brandy, puur vuurwater, maar de mannen die rondom een kampvuur een voedzame maaltijd nuttigden die uit het parelhoen bestond dat Tim Watermen met zijn jachtgeweer had geschoten, dronken met z'n vijven twee flessen leeg.

Het was Peters eerste kennismaking met alcohol, en de brandy steeg hem, in tegenstelling tot de anderen, al na de eerste voorzichtige slokjes naar het hoofd.

Onvermijdelijk kwam het gesprek op het zoeken naar bodemschatten, want het speuren naar mineralen was voor iedereen in de wildernis een tweede natuur geworden. Het leek haast of er elke dag wel een nieuw veld voor de winning van diamanten of goud of de exploitatie van een kolenmijn was afgebakend en er weer iemand in één klap miljonair was geworden.

Peter besefte dat hij zijn mond had moeten houden. Hij had het Assa plechtig beloofd. Maar hij wilde bij deze door de wol geverfde mannen horen die zo zelfverzekerd over zaken spraken waar hij nog niets van afwist. Het waren mannen van de wereld, met name Varley en H.A., en Peter wilde niets liever dan dat zij ook hem respecteerden. Dus met een door de brandy losgemaakte tong vertelde hij hun over de twaalf aardewerken kruiken vol ruwe diamanten in de koninklijke kraal van koning Maharero.

'Hoe weet je dat, jongen?' had Varley als een adder gesist.

'Omdat z'n vader priester is in Herero-land,' had H.A. geantwoord, waarna hij met een blik op Peter vervolgde: 'Ik herken je nu weer. Ik heb die ouwe van jou een paar seizoenen geleden ontmoet toen ik de koning bezocht om over jachtconcessies op zijn land te praten.' Met een strakke blik keek hij de kring rond. 'Hij heeft bij de Herero gewoond. Een jaar of vijf, is 't niet?'

'Bijna zes,' antwoordde Peter trots.

Nog voordat er een kwartier verstreken was, spraken ze er openlijk over hoe ze de bierkruiken zouden kunnen stelen. Peter ging alleen met het plan akkoord op voorwaarde dat ze alle vijf elk maar één kruik voor zichzelf zouden meenemen en de overige zeven voor het Herero-volk zouden achterlaten. Zo niet, dan zei hij niet waar de stenen verborgen lagen.

Op een handelspost nog zo'n honderdvijftig kilometer verder naar het zuiden verkocht H.A. Ryder zijn wagen en de kostbare lading voor de helft van de prijs die hij in Kimberley voor het ivoor zou hebben gekregen, waarna hij voor de mannen goede paarden en een gedegen uitrusting aanschafte. Ook had hij al besloten langs welke route ze het rijk van de Herero na de roof weer zouden verlaten; de enige route die een kans op ontsnapping bood wanneer de diefstal eenmaal was ontdekt. De handelspost lag aan het uiteinde van een nieuw aangelegde telegraaflijn. De mannen wachtten drie dagen tot Ryder de afspraken rond had met een handelaar in Kaapstad die hij kende. H.A. schudde alle bezwaren tegen de oplopende kosten van alles wat hij bestelde van zich af met de gedachte dat hij hierna ofwel miljonair zou zijn met voldoende geld om de schulden af te betalen, ofwel een rottend lijk in de verzengende hitte van de Kalahariwoestijn.

Het was onmogelijk om ongezien de koninklijke kraal binnen te sluipen. Zodra ze zich op zijn grondgebied waagden, rapporteerden verkenners hun aanwezigheid aan de koning. Maar de koning kende H.A., en Peters vader keek beslist reikhalzend uit naar de terugkeer van zijn zoon, hoewel Peter vreesde dat de ontvangst eerder als die van Job zou zijn dan als van de verloren zoon.

Vanaf de grens duurde het een week voordat ze de kraal bereikten, en Samuel Maharero kwam de ruiters persoonlijk begroeten toen ze uiteindelijk in zijn dorp aankwamen. Hij en H.A. spraken een uur lang in de inheemse taal van de koning met elkaar, waarbij de gids hem allerlei nieuwtjes uit de buitenwereld vertelde, omdat de koning op bevel van de Duitse koloniale overheerser op zijn eigen grondgebied in ballingschap leefde. De koning vertelde Peter tot diens enorme opluchting dat zijn ouders net de rimboe waren ingetrokken om er een groep vrouwen en kinderen te dopen en dat ze pas de volgende dag zouden terugkeren.

De koning stond hun toe de nacht in de kraal door te brengen, maar wees, net als vier jaar eerder, het verzoek van H.A. om op het land van de Herero te mogen jagen af.

'Neem me niet kwalijk dat ik nog een poging waagde, Hoogheid.'

'Volharding is een slechte eigenschap van de blanken.'

Die nacht slopen ze heimelijk naar de *rondoval*. De hut stond tot de nok toe vol met hooibalen, en ze moesten zich als muizen door de berg heen werken om bij de plek te komen waar de diamanten begraven lagen. Pas toen Jon Varley een tweede kruik uit de aarde tilde en de inhoud in een zadeltas deponeerde, besefte Peter Smythe dat hij vanaf het begin was bedrogen. Ook de gebroeders Watermen leegden meerdere kruiken in hun tassen. Alleen H.A. hield zijn woord en nam de inhoud van maar één bierkruik.

'Als jij ze niet neemt, doe ik het,' fluisterde Varley in de duisternis.

'Moet jij weten,' reageerde Ryder lijzig. 'Maar ik hou me aan mijn woord.'

Ze hadden niet genoeg tassen voor alle stenen, en nadat ze ook hun broekzakken en alle andere plekken die ze konden vinden hadden volgepropt, bleven er vier kruiken onaangeraakt over. H.A. begroef ze weer zorgvuldig onder de grond en probeerde zo goed mogelijk alle sporen van de diefstal ongedaan te maken. Ze verlieten het kamp bij zonsopkomst, nadat ze de koning voor zijn gastvrijheid hadden bedankt. Maharero vroeg Peter of hij nog een boodschap voor zijn moeder had, maar Peter kon alleen maar mompelen dat het hem speet.

Liggend op de top van het duin boven het watergat gunde H.A. zich een ogenblik de tijd om de mannen van de koning te observeren.

Toen ze aan de jacht op de dieven begonnen, zaten ze hen vanaf het grondgebied van de stam met een complete *impi*, een leger van duizend krijgers, achterna. Maar dat was achthonderd kilometer terug, en door de ontberingen van de tocht was hun aantal afgenomen. H.A. schatte dat er nog ruim honderd man over waren, de allersterksten, en ondanks hun eigen honger en dorst vorderden ze met een verbeten snelheid. De zon stond net hoog genoeg om het licht te zien glinsteren in de geslepen ijzeren punten van hun assagaaien, de werpsperen waarmee ze iedereen die hen in de weg stond te lijf gingen.

H.A. tikte Tim Watermen op zijn been en samen kropen ze terug naar de bodem van de droge bedding, waar de anderen zenuwachtig bijeen stonden. De paarden hadden de plotselinge stemmingsverandering opgepikt. Ze schraapten hun hoeven over het harde zand en hun oren trilden alsof ze het naderende gevaar hoorden aankomen.

'Opstijgen, jongens,' zei Ryder, terwijl hij de teugels van Peter Smythe aannam.

'Gaan we rijden?' vroeg hij. 'In het daglicht?'

'Ja, jongen. Of wil je dat de krijgers van Maharero zijn hut met jouw ingewanden gaan versieren? Opschieten. We hebben nog maar anderhalve kilometer voorsprong, en ik weet niet hoelang de paarden het in de hitte volhouden.'

Ryder was zich ervan bewust dat als ze die nacht geen water hadden gevonden, de Herero zich nu als een horde wilde honden op hen zouden hebben gestort. Terwijl hij een mager been over de brede kont van zijn paard zwaaide, realiseerde hij zich dat maar een van zijn veldflessen gevuld was. Zij aan zij reden ze tegen de oever van de bedding op, en ze keken alle vijf om toen ze uit de schaduw van het dal klommen en de felle stralen van de zon in hun nek voelden steken.

De eerste uren hield H.A. een stevige draf aan waarmee ze per vijf kilometer anderhalve kilometer op de achtervolgende Herero-*impi* uitliepen. De zon schroeide de aarde en droogde hun zweet al meteen wanneer het uit hun poriën kwam. Onder de beschutting van zijn grote slappe hoed kneep H.A. zijn ogen tot spleetjes tegen het verblindende zonlicht dat van het duinzand weerkaatste.

In de uren dat de Kalahari in een gloeiende bakplaat veranderde, was het liggen in de schaduw van een zonnescherm al geen pretje, maar om te proberen deze lege woestenij onder die meedogenloze omstandigheden te doorkruisen was het zwaarste wat H.A. ooit in zijn leven had meegemaakt. De hitte en het licht waren een gek makende kwelling, en het leek of het vocht in zijn schedel het kookpunt had bereikt. De slok water die hij af en toe nam, brandde in zijn keel en versterkte zijn schrijnende dorstgevoel alleen maar.

Hij verloor elk gevoel van tijd, en het kostte Ryder de grootste moeite zich te concentreren op het besef dat hij zijn kompas moest raadplegen om niet van hun westelijke richting af te dwalen. Zonder herkenbare oriëntatiepunten in het landschap was zijn navigatie meer giswerk dan kennis, maar ze reden door omdat ze geen alternatief hadden.

Net als de zon week ook de wind geen moment van hun zijde. H.A. gokte dat ze zich onderhand op niet veel meer dan een kilometer of dertig van de Zuid-Atlantische Oceaan bevonden, en hij verwachtte een zeebries die hen tegemoet zou waaien, maar de wind bleef van achteren komen en joeg hen als het ware vooruit. Ryder bad dat zijn kompas hem niet in de steek had gelaten en dat de naald die hem naar het westen moest leiden hen niet juist dieper de verschroeiende woestijn instuurde. Hij keek er voortdurend op en was blij dat de mannen niet zo alert meer waren dat ze de zorgelijke trek op zijn gezicht opmerkten.

De wind nam alleen maar toe, en toen hij omkeek om te zien hoe het met zijn mannen was gesteld, zag hij dat de duinen haast letterlijk werden weggeblazen. Het zand stoof in lange slierten van de toppen. De korrels prikten in zijn huid en de tranen sprongen hem in de ogen. Dit beviel hem helemaal niet. Ze gingen de goede kant op, maar dat gold niet voor de wind. Als ze zonder adequate bescherming door een zandstorm werden overvallen, was hun overlevingskans niet groot.

Hij dacht erover om een pauze in te lassen voor het maken van een schuilplaats. Daarbij woog hij omstandigheden als de kans dat er inderdaad een hevige storm opstak, de nabijheid van de kust en het woedende leger dat niet zou stoppen voordat hun laatste man bezweken was, tegen elkaar af. Over een uur zou de zon ondergaan. Hij draaide zijn rug weer in de wind en spoorde zijn paard aan. Ondanks de sukkelgang was het dier nog altijd sneller dan een voetganger.

Met een zo plotselinge snelheid dat hij er duizelig van werd, stoof H.A. naar de top van weer een vormeloze duinenrij en zag dat het de laatste was. Voor hem strekte zich de metaalgrijze watervlakte van de Zuid-Atlantische Oceaan uit, en voor het eerst rook hij de karakteristieke jodiumgeur. De aanrollende golven spatten wit schuimend op het brede strand.

Hij liet zich van zijn paard zakken. Zijn benen en rug deden pijn van de lange tocht. Hij had zelfs de kracht niet meer voor een vreugdekreet en hij bleef zwijgend staan met een zweem van een glimlach rond zijn mondhoeken, terwijl de zon zich in het koude donkere water terugtrok.

'Wat is er, H.A.? Waarom blijf je staan?' riep Tim Watermen, die op een meter of twintig afstand de top van het laatste duin nog niet had bereikt.

Ryder keek omlaag naar de zwoegende figuur en zag dat zijn broer vlak achter hem reed. Iets verder weg hing de jonge Smythe tegen de hals van zijn paard, dat het spoor van de beide broers volgde. Jon Varley was nog niet zicht. 'We hebben het gehaald.'

Meer hoefde hij niet te zeggen. Tim gaf zijn paard de sporen voor de laatste meters omhoog en toen hij de oceaan zag, slaakte hij een triomfantelijke kreet. Hij gleed uit het zadel en kneep H.A. in zijn schouder. 'Ik heb geen seconde aan je getwijfeld, Ryder, geen seconde.'

H.A. moest lachen. 'Dat had eigenlijk wel gemoeten. Ikzelf wel, hoor.'

Binnen tien minuten hadden ook de anderen zich bij hen gevoegd. Varley was er het slechts aan toe, en H.A. vermoedde dat Jon in plaats van zijn water over de dag te verdelen, het meeste 's ochtends had opgedronken.

'Dus we zijn bij de oceaan,' gromde Varley in de gierende wind. 'Wat nu? Er zit nog steeds een troep wilden achter ons aan, en voor het geval je 't nog niet wist, dat daar kunnen we niet drinken.' Met een trillende vinger wees hij naar de oceaan.

H.A. ging hier niet op in. Hij diepte zijn Baumgart savonethorloge uit zijn zak op en hield het in het schemerlicht van de ondergaande zon om te zien hoe laat het was. 'Daar anderhalve kilometer verderop langs het strand is een hoge top. Over een uur moeten we daar bovenop staan.'

'Wat is er over een uur?' vroeg Peter.

'Dan weten we of ik als navigator wel zo goed ben als jullie hopen.'

Het bewuste duin was met een hoogte van minstens zestig meter vanaf het strand veruit het hoogste in de omgeving, en op de top blies een snijdende wind die zo krachtig was dat de paarden ongedurig draaiend aan hun leidsels trokken. De lucht zat vol zand en hoe langer ze op de heuvel bleven, des te verstikkender de lucht leek. Ryder zei dat de gebroeders Watermen en Jon Varley het strand naar het noorden in de gaten moesten houden, terwijl hij en Peter in zuidelijke richting tuurden.

De zon was al volledig onder en H.A.'s zakhorloge gaf aan dat het over zevenen was. *Ze hadden nu toch eigenlijk iets moeten kunnen zien.* De spanning drukte als een loden last op zijn maag. Het was ook te veel gevraagd: na een tocht van honderden kilometers door een lege woestijn mocht je niet verwachten dat je op een paar kilometer van een bepaald punt aan de kust uitkwam. Het was niet ondenkbaar dat ze meer dan honderdvijftig kilometer van de afgesproken plek waren afgedwaald.

'Daar!' schreeuwde Peter, in de verte wijzend.

H.A. tuurde in de duisternis. Ver weg op het strand lichtte langs de waterlijn een roodgloeiend stipje op. Het was maar een fractie van een seconde zichtbaar voordat het weer was verdwenen.

Iemand op zeeniveau heeft een zichtwijdte van ongeveer vijf kilometer tot voorwerpen dicht bij de grond door de kromming van de aarde niet meer te zien zijn. Door op het hoge duin te gaan staan, had H.A. die afstand naar beide richtingen tot dertig kilometer vergroot. Rekening houdend met de hoogte van het vuursignaal gokte hij dat het afgesproken punt zich op zo'n tweeëndertig kilometer afstand bevond. Hij had hen na die tocht door de verlaten woestenij tot op zichtafstand van het doel gebracht, een sterk staaltje.

De mannen waren al achtenveertig uur aan één stuk in touw, maar de gedachte dat het einde van de marteling aanstaande was, met bovendien een vorstelijke beloning in het vooruitzicht, hield hen ook die laatste kilometers nog op de been. Op het strand boden de duinen enige beschutting tegen de aanwakkerende zandstorm, maar de waterlijn was door het opstuivende zand vrijwel onherkenbaar. De eerder zo witte koppen van de golven kleurden donkerbruin, en het leek alsof de branding door een loodzware deken van aangevoerd zand werd getemd.

Rond middernacht zagen ze de lichten van een klein schip dat op zo'n honderd meter van de kust voor anker lag. Het was een stalen, op kolen gestookte kustvaarder van een meter of zestig lang. De bovenbouw, met in het midden één hoge schoorsteen, stond op het achterdek, terwijl boven het voorste deel van de romp de contouren van vier afzonderlijke ruimluiken uitstaken, geflankeerd door twee spillepootachtige dekkranen. In het stuivende zand kon H.A. niet zien of het schip onder stoom lag. De maan was door de storm vrijwel volledig verduisterd, waardoor het onmogelijk te zien was of er rook uit de schoorsteen kwam.

Toen ze tegenover het stoomschip stonden, haalde H.A. een kleine toorts uit zijn zadeltas. Het was het enige voorwerp dat hij, afgezien van de stenen, niet had willen achterlaten. Hij stak de toorts aan en zwaaide ermee boven zijn hoofd, terwijl hij zijn longen uit zijn lijf schreeuwde in de hoop dat ze hem in de bulderende storm zouden horen. De mannen volgden luid gillend zijn voorbeeld, in de overtuiging dat ze over enkele ogenblikken in veiligheid zouden zijn.

Op de schommelende brug flitste een zoeklicht aan. De lichtstraal boorde zich door het stuivende zand en viel op het groepje mannen. Ze dansten zo wild dat de paarden ervan terugdeinsden. Het volgende moment zakte er uit de houder voor de reddingsboot een sloep in het water en overbrugden twee mannen met snelle vakkundige halen van de roeispanen de afstand naar het strand. Achter in de sloep zat een derde man. De groep rende het water in op de boot af, terwijl de kiel net achter de branding over het strand schuurde.

'Ben jij dat, H.A.?' vroeg een stem.

'Dat hoop ik wel voor je, Charlie.'

Charles Turnbaugh, eerste stuurman van de HMS *Rove*, sprong uit de sloep en stond tot zijn knieën in het water. 'Is dit het sterkste verhaal dat ik ooit heb gehoord of is het je echt gelukt?'

H.A. tilde zijn zadeltassen op. Hij schudde ze, maar de wind maakte te veel kabaal om de rammelende stenen te kunnen horen. 'Laten we het er maar op houden dat jouw tocht ook niet voor niks is geweest. Hoe lang lig je al op ons te wachten?'

'We zijn hier vijf dagen geleden aangekomen, en sindsdien hebben we iedere nacht een toorts aangestoken, zoals je had gevraagd.'

'Je moet de chronometer van het schip maar eens nakijken. Hij loopt een minuut achter.' In plaats van de anderen voor te stellen, zei H.A.: 'Luister, Charlie, er zitten een kleine honderd Herero-negers achter ons aan, dus haal ons snel van het strand af, want pas achter de horizon ben ik echt gerust.'

Turnbaugh hielp de uitgeputte mannen in de sloep. 'Van het strand kunnen we je wel halen, maar achter de horizon voorlopig niet.'

Ryder legde een hand op zijn vettige uniformjas. 'Wat is er dan?'

'We zijn vastgelopen toen het eb werd. De zandbanken voor de kust verschuiven voortdurend. Zodra het weer vloed wordt, komen we los. Maak je geen zorgen.'

'O ja, nog één ding,' zei Ryder voordat hij in het bootje stapte. 'Heb je een pistool?'

'Wat? Waarom?'

H.A. knikte met zijn hoofd over zijn schouder naar de paarden, die in de toenemende storm steeds angstiger bijeenhokten.

'Ik geloof dat de kapitein een oude Webley heeft,' zei Turnbaugh.

'Ik zou je zeer dankbaar zijn als je die voor me ging halen.'

'Het zijn maar paarden,' zei Varley, die ineengedoken in de sloep zat.

'Maar na wat ze voor ons hebben gedaan, verdienen ze wel beter dan hier op dit godvergeten strand van de honger te moeten sterven.'

'Ik doe 't wel,' zei Charlie.

H.A. hielp met duwen tot het bootje losschoot, waarna hij bij de paarden bleef wachten. Over hun hoofd en hals wrijvend, sprak hij ze geruststellend toe. Turnbaugh was in een kwartier terug en overhandigde hem zwijgend het wapen. Een minuut later klom H.A. moeizaam aan boord van de sloep, waar hij roerloos op het bankje zat terwijl hij naar de vrachtvaarder werd geroeid.

Hij trof zijn mannen in de officierskajuit, waar ze enorme borden eten verslonden en zoveel water dronken dat ze er haast groen van zagen. H.A. nam voorzichtige slokken om zijn lichaam de tijd te geven eraan te wennen. En net toen H.A. een eerste hap nam van de stoofpot die ze voor hem hadden overgelaten, stapte Charlie met kapitein James Kirby de kleine ruimte binnen.

'H.A. Ryder, jij hebt meer levens dan een kat,' bulderde de kapitein. Hij was een beer van een vent met een dikke donkere haardos en een baard die tot halverwege zijn borst hing. 'En als 't een ander was geweest die met dit absurd bizarre verzoek was gekomen, had ik gezegd dat-ie de pot op kon.'

De mannen schudden elkaar hartelijk de hand. 'Gezien het geld dat je hiervoor vraagt, wist ik wel dat je hier lang zou wachten.'

'Over geld gesproken.' Een van Kirby's borstelige wenkbrauwen schoof tot halverwege zijn voorhoofd omhoog.

Ryder zette zijn zadeltas op de grond en maakte met theatrale bewegingen de gespen los om de hebzucht van de bemanningsleden nog even op de proef te stellen. Hij sloeg de klep open, rommelde met zijn hand in de inhoud van de tas tot hij een steen vond die hem geschikt leek en legde hem op tafel. De adem stokte de omstanders in de keel. De officierskajuit werd spaarzaam verlicht door twee lampen die aan haken aan het plafond hingen, maar het schijnsel activeerde de glinstering van de diamant die ervan afspatte alsof ze midden in een regenboog stonden.

'Hiermee is jouw moeite toch goed betaald, dacht ik zo,' zei H.A. met een uitgestreken gezicht.

'Op nog wat kleingeld na, dan,' bracht kapitein Kirby zwaar ademend uit, terwijl hij de steen voorzichtig aanraakte.

De volgende ochtend werd H.A. ruw gewekt. Hij probeerde het te negeren en draaide zich om in de smalle kooi, waar hij kon liggen zolang Charlie Turnbaugh dienst had. 'H.A., verdomme, opstaan.'

'Wat is er?'

'We hebben een probleem.'

Door de ernstige toon waarop Turnbaugh dit zei, was Ryder in één klap klaarwakker. Hij sprong de kooi uit en greep zijn kleren. Er viel nogal wat zand op de vloer toen hij zich in zijn broek en hemd wurmde. 'Wat is er?'

'Je moet 't zelf zien, anders geloof je 't niet.'

Ryder merkte dat het alleen maar harder was gaan stormen. De wind gierde over het schip als een dier dat uit alle macht naar binnen wilde, terwijl felle windstoten het schip hevig deden schudden. Turnbaugh leidde hem naar de brug. Er schemerde nauwelijks licht door de voorruit en op vijftig meter afstand was de boeg van de *Rove* zogoed als niet te zien. H.A. herkende het probleem onmiddellijk. Door de storm was er zoveel zand op het dek van het vrachtschip gewaaid dat het gewicht van deze extra lading de kiel diep in de bodem drukte, zodat ze ondanks de opkomende vloed niet loskwamen. Bovendien was de strook water die hen van het strand scheidde van ruim honderd meter afgenomen tot minder dan de helft.

De Kalahari en de Atlantische Oceaan waren in hun eeuwige strijd om terreinwinst verwikkeld, een gevecht tussen de afkalvende werking van de golven en de ontzagwekkende hoeveelheden zand die de woestijn in het water kon storten. Die strijd voerden ze al sinds het begin der tijden, waarbij de kustlijn zich voortdurend vervormde en het zand zich door het eeuwige trekken van stromingen en getijden liet meeslepen, steeds terugvechtend, in een poging de woestijn met een centimeter, meter of kilometer te vergroten. En dat spel werd gespeeld zonder enige clementie voor het schip dat in het tumult verstrikt was geraakt.

'Voor het wegscheppen heb ik alle mankracht nodig die we hebben,' zei Kirby somber. 'Als de storm niet gauw afzwakt, ligt het schip nog voor de avond valt aan land.'

Turnbaugh en Ryder haalden ieder hun mannen uit bed en uitgerust met kolenschoppen uit de machinekamer, pannen uit de keuken en een chique waskom uit de badkamer van de kapitein renden ze de woedende storm in. Met voor hun mond gebonden sjaals schepten ze in de bulderende windvlagen, die spreken onmogelijk maakten, hele bergen zand van het dek het water in. Ze zwoegden tegen de storm, die ze luidkeels vervloekten, omdat het leek alsof elke schep zand die ze overboord kieperden met volle kracht in hun gezichten werd teruggesmeten.

Het was alsof ze het tij probeerden af te houden. Ze slaagden erin om een van de dekluiken schoon te krijgen, waarna de laag zand op de andere drie alleen maar dubbel zo dik leek. Vijf avonturiers plus een scheepsbemanning van twintig was geen partij voor een storm die over een vlakte van vele duizenden vierkante kilometer losliggend zand woedde. Het zicht was vrijwel nihil, waardoor de mannen zogoed als blindelings hun werk deden, de ogen stijf gesloten tegen het prikkende gruis dat de *Rove* vanuit alle kompasrichtingen teisterde.

Na een uur keihard doorwerken meldde H.A. zich weer bij Charlie. 'Dit is zinloos. We moeten wachten en hopen dat de storm gaat liggen.' Met zijn lippen bijna tegen Turnbaughs oor aan gedrukt moest Ryder zijn woorden drie keer herhalen voordat hij hem in het geraas van de wind had verstaan.

'Je hebt gelijk,' schreeuwde Charlie terug, en samen liepen ze over het dek om hun mannen terug te roepen.

De bemanningsleden liepen, zich met moeite overeind houdend, terug naar de beschutting van de bovenbouw. Bij elke stap gleed het zand in straaltjes van hen af. H.A. en Jon Varley waren de laatsten die door het luik naar binnen stapten: H.A. uit plichtsbesef om te zien of iedereen oké was en Varley omdat hij over de doortraptheid van een rat beschikte om nooit op te geven voordat de beloning binnen zijn bereik was.

Ook binnen op de kampanjetrap was het moeilijk om elkaar in het kabaal van de wind te verstaan.

'Mijn god, wanneer houdt dit eindelijk eens op?' Doodziek van het geweld waarmee de natuurkrachten zich tegen hem keerden, stonden bij Peter de tranen in zijn ogen.

'Hebben we iedereen?' vroeg Charlie.

'Ik geloof 't wel.' H.A. leunde tegen de tussenwand. 'Heb je de koppen geteld?'

Turnbaugh begon zijn mannen te tellen tot er opeens hard op het luik werd geklopt.

'Jezus, er is nog iemand buiten,' riep een van de mannen.

Varley stond het dichtst bij het luik en opende de vergrendeling. De wind die over het schip raasde, sloeg het luik haast uit zijn hengsels. Door de klap spatten de verfschilfers ervan af. Zo te zien was er niemand buiten. Er was waarschijnlijk iets van het schip losgeschoten en tegen het luik geknald.

Varley sprong naar voren om het opengeslagen luik dicht te trekken en had het bijna dicht, toen er opeens een zilverglanzend lemmet uit zijn rug priemde. Er droop bloed van de scherpe punt, en toen de speer uit de verse wond werd losgetrokken spoten de bloedspetters over de verbijsterde bemanning. Om zijn as draaiend stortte Jon tegen het dek. Zijn mond bewoog geluidloos, terwijl zijn hemd rood kleurde. Er stapte een donkere schim met een assagaai in zijn handen over Varley heen. Achter de slechts in een lendendoek en een verentooi gehulde man verdrongen zich nog meer gestalten om tot de aanval over te gaan. Hun strijdkreten overstemden zelfs het kabaal van de storm.

'Herero,' fluisterde H.A. gelaten, terwijl de horde krijgers het schip overspoelde.

De storm was een gril van de natuur, een uitschieter zoals maar eens in de honderd jaar voorkwam en die nog ruim een week voortraasde, waarna de zuidwestkust van Afrika onherkenbaar was veranderd. Reusachtige duinen waren volkomen weggeslagen, terwijl er op andere plaatsen nieuwe en nog veel hogere waren ontstaan. Waar voorheen inhammen waren geweest, strekten zich nu lange schiereilanden van zand in het koude water van de Zuid-Atlantische Oceaan uit. Het continent was op sommige plaatsen acht kilometer breder geworden en op enkele plekken zelfs vijftien. De Kalahari had de strijd tegen zijn aartsvijand glorieus gewonnen. Over een afstand van vele honderden kilometers moest de kaart van de kust ingrijpend worden herzien, als er überhaupt iemand de wens koesterde deze afgelegen kust in kaart te brengen. Alle zeelieden wisten maar al te goed dat ze deze verraderlijke kustwateren moesten mijden.

In de officiële rapporten staat de *Rove* vermeld als met alle opvarenden op zee vergaan. En dat is niet ver bezijden de waarheid, hoewel het schip niet onder tientallen meters water begraven ligt, maar onder een even dikke laag puur wit zand op bijna dertien kilometer landinwaarts van de plek waar de ijskoude golven van de Benguelastroom tegen de Afrikaanse Geraamtekust beuken.

2

De laboratoria van Merrick/Singer
Genève, Zwitserland
Heden

Susan Donleavy zat gekromd als een gier over het oculair van haar microscoop gebogen. Ze bekeek wat er op het objectglaasje gebeurde en voelde zich als een god uit de Griekse mythologie die zich met stervelingen vermaakt. En in zekere zin was ze dat ook, want wat er op het glaasje lag, was door haarzelf gecreëerd: een kunstmatig organisme dat ze tot leven had gewekt zoals de goden de mens uit klei hadden gevormd.

Zo zat ze bijna een uur roerloos te kijken, gebiologeerd door wat ze zag en verbaasd dat haar werk al zo snel positieve resultaten opleverde. Tegen alle wetenschappelijke principes in maar vol vertrouwen in haar vakmanschap verwijderde Susan Donleavy het objectglaasje van de microscoop en legde het op de werkbank naast haar. Ze liep door het vertrek naar een industriële koelkast die tegen de muur stond, en pakte er een van de vierliterkannen uit, gevuld met water dat er op exact twintig graden Celsius werd bewaard.

Het water stond er nog geen dag. Het was onmiddellijk nadat het uit zee was gehaald naar het laboratorium overgevlogen. De noodzaak om verse watermonsters in voorraad te houden was een van de grootste onkostenposten van haar experimenten – bijna net zo kostbaar als de gedetailleerde genetische bestudering van haar onderzoeksobjecten.

Ze opende de kan en rook de zoute geur van zeewater. Ze doopte een druppelbuisje in het vocht en trok een kleine hoeveelheid op, die ze vervolgens op een glaasje druppelde. Nadat ze het glaasje onder de microscoop had gelegd, tuurde ze weer in het rijk van het allerkleinste. Het monster krioelde van het leven. In slechts een paar

32

milliliter water wemelde het van zoöplankton en diatomeeën, eencellige wieren die voor de hele oceaan de eerste schakel in de voedselketen vormen.

De microscopisch kleine diertjes en planten waren gelijk aan die ze al eerder had bestudeerd, alleen waren deze nog niet genetisch gemanipuleerd.

Nadat ze had vastgesteld dat het watermonster niet door het vervoer was beïnvloed, schonk ze er wat van in een glazen beker. Toen ze deze boven haar hoofd hield, zag ze in het schijnsel van de tl-verlichting een paar grotere diatomeeën glinsteren. Susan was zo op haar werk geconcentreerd dat ze de deur van het lab niet open hoorde gaan, en omdat het al zo laat was, verwachtte ze niet dat iemand haar nog zou storen.

'Wat heb je daar?' Ze schrok van de stem en liet de beker haast vallen.

'O, meneer Merrick. Ik hoorde u helemaal niet binnenkomen.'

'Ook voor jou Geoff, alsjeblieft. Net als tegen iedereen in ons bedrijf had ik je dat toch al eerder gezegd?'

Susan keek hem licht fronsend aan. Geoffrey Merrick was eigenlijk geen onaardige man, maar ze hield niet van die gemaakte vriendelijkheid van hem, alsof zijn miljarden geen invloed mochten hebben op de manier waarop de mensen met hem omgingen, en dan vooral de stafmedewerkers van Merrick/Singer die nog aan hun doctoraat werkten. Hij was eenenvijftig en hield zijn conditie op peil door het hele jaar door te blijven skiën. In de zomer verruilde hij de Zwitserse Alpen voor de sneeuw in de wintersportgebieden van Zuid-Amerika. Hij was dus wel ijdel wat zijn uiterlijk betreft, en zijn gezicht was door een facelift net iets te glad. Hoewel hij ook zelf doctor in de scheikunde was, hield Merrick het laboratoriumwerk al heel lang voor gezien en had hij zich volledig gericht op de leiding van het onderzoeksbedrijf dat de naam van hem en van zijn ex-compagnon droeg.

'Is dit het vlokproject dat je promotor me een paar maanden geleden heeft voorgesteld?' vroeg Merrick, terwijl hij de beker van Susan overnam en zelf bestudeerde.

Omdat ze hem niet met een leugentje uit het lab kon wegsturen, antwoordde Susan: 'Ja meneer, ik bedoel, Geoff.'

'Het leek me een interessante these zoals het me werd verteld, hoewel ik verder geen flauw idee heb wat je ermee zou kunnen,' rea-

33

geerde Merrick, terwijl hij de beker teruggaf. 'Maar dat is nu precies wat we hier doen. We volgen onze bevliegingen en zien wel waar we op uitkomen. Hoe verloopt het project?'

'Goed, geloof ik,' antwoordde Susan enigszins timide, want hij intimideerde haar wel, hoe aardig hij ook deed. Maar als ze eerlijk was, moest ze toegeven dat de meeste mensen haar intimideerden, van haar baas tot en met de oudere vrouw van wie ze haar flat huurde, en de man achter de bar in het café waar ze 's ochtends koffiedronk. 'Ik wilde net een nogal onwetenschappelijk experiment gaan doen.'

'Goed, dan bekijken we 't samen. Ga lekker door.'

Omdat haar handen begonnen te trillen, zette Susan de beker op een houder. Ze verwijderde het eerste objectglaasje, het glaasje met haar gemanipuleerde fytoplankton, en zoog met een schone druppelaar een nieuw monster op. Vervolgens injecteerde ze de inhoud in de beker.

'De details van wat je aan het doen bent, zijn me even ontschoten,' zei Merrick, die over haar schouder meekeek. 'Wat zouden we nu moeten zien?'

Susan deed een stapje opzij om niet te laten merken dat zijn nabijheid haar irriteerde. 'Zoals je weet heeft dit soort diatomeeën celwanden van silica. Wat ik heb gedaan, nou ja, wat ik probeer te doen, is kijken of het mogelijk is die wand te smelten en de dichtheid van het celvocht in de vacuole te verhogen. Mijn gemanipuleerde stalen zouden de onveranderde diatomeeën in het water moeten aanvallen en zich als een razende gaan vermenigvuldigen, als het goed is tenminste...' Haar stem stierf weg toen ze de beker weer wilde pakken, maar eerst stak ze haar hand in een isolatiehandschoen, waarmee ze de glazen beker veilig kon optillen. Ze hield hem scheef, maar in plaats van dat ze water morste, bleef het met de viscositeit van kokende olie aan het glas kleven. Ze draaide de beker weer recht voordat er iets van de inhoud op de laboratoriumtafel zou vallen.

Merrick klapte in zijn handen, blij als een kind dat zojuist een goocheltruc had gezien. 'Je hebt water in een soort brij veranderd.'

'Zoiets ja. De diatomeeën hebben zich zodanig met elkaar verbonden dat ze het water in een matrix van hun vocht gevangen hebben. Het water is er nog, maar is opgenomen in het celvocht.

'Ongelooflijk. Heel goed gedaan, Susan, goed gedaan.'

'Het is geen volledig succes,' bekende Donleavy. 'Het is een exotherme reactie. Er komt warmte bij vrij. Onder de juiste condities een graad of zestig. Daarom heb ik deze dikke handschoen aan. Het gel valt al na zo'n vierentwintig uur weer uiteen, als de gemanipuleerde diatomeeën afsterven. Het proces achter de reactie heb ik niet kunnen achterhalen. Dat is duidelijk chemisch, maar ik weet niet hoe je het moet stoppen.'

'Ik geloof dat je al een schitterend begin hebt gemaakt. Vertel eens, je hebt vast al een idee wat we met deze uitvinding kunnen doen. De gedachte om water in een kleverige stof te veranderen is niet zomaar uit het niets in je opgekomen. Toen Dan Singer en ik op zoek gingen naar organische manieren om zwavel in te kapselen, dachten we aan toepassingsmogelijkheden bij de uitstootreductie van elektriciteitscentrales. Zo'n soort gedachte moet er toch ook achter jouw project zitten?'

Susan knipperde met haar ogen, maar ze had moeten weten dat Geoffrey Merrick dit allemaal nooit had bereikt als hij geen uitgekiende visie had gehad. 'Je hebt gelijk,' gaf ze toe. 'Ik dacht dat het misschien kan worden gebruikt voor het indammen van water in mijnen en waterkrachtcentrales, en mogelijk ook als een manier om de verspreiding van bij lekkages vrijgekomen olie te stoppen.'

'Dat is waar ook. Ik herinner me nu weer dat ik in je cv heb gelezen dat je uit Alaska komt.'

'Uit Seward in Alaska, ja.'

'Dan heb je als tiener meegemaakt dat de *Exxon Valdez* daar op een rif liep en de Prince William Sound met enorme hoeveelheden olie heeft vervuild. Dat moet een geweldige invloed op jou en je familie hebben gehad. Dat moet vreselijk zijn geweest.'

Susan haalde haar schouders op. 'Niet echt. Mijn ouders hadden er een klein hotel en met de komst van al die schoonmaakploegen hadden ze geen klagen. Maar ik had veel vrienden van wie de ouders alles kwijt waren. De ouders van mijn beste vriendin zijn zelfs gescheiden als indirect gevolg van die vervuiling, want haar vader verloor zijn werk in een conservenfabriek.'

'Dan is dit onderzoek voor jou ook van persoonlijk belang.'

Susan kreeg kippenvel van het licht aanmatigende toontje waarop hij dat zei. 'Ik denk dat er een persoonlijk belang is voor iedereen die om het milieu geeft.'

Hij glimlachte. 'Je weet wat ik bedoel. Je bent als de man die kankeronderzoek gaat doen omdat hij een van zijn ouders aan leukemie heeft verloren, of als de jongen die brandweerman wordt omdat zijn huis is afgebrand toen hij klein was. Je bevecht een demon uit je jeugd.' Dat ze niet reageerde, beschouwde Merrick als bevestiging dat hij gelijk had. 'Er is niets mis met wraak als motivatie, Susan. Wraak op kanker, op vuur of op een ecologische ramp. Het maakt dat je je veel meer op je werk richt dan wanneer je het alleen voor het geld zou doen. Ik juich dat juist toe, en uitgaande van wat ik hier vanavond heb gezien, denk ik dat je op de goede weg bent.'

'Dank je,' zei Susan verlegen. 'Er gaat nog heel veel tijd in zitten. Jaren, misschien wel. Ik weet 't niet. Van een klein proefje in een reageerbuis is het nog een lange weg naar het indammen van olierampen.'

'Blijf je ideeën volgen, dat is 't enige wat ik kan zeggen. Ga er stug mee door, net zo lang als je nodig hebt.' Van ieder ander was dit als een cliché overgekomen, maar uit de mond van Geoffrey Merrick klonk het oprecht en overtuigend.

Voor het eerst sinds hij het laboratorium was binnengekomen, keek Susan hem in de ogen. 'Dank je... Geoff. Dit betekent veel voor me.'

'En wie weet. Nadat we onze zwavelzuiveraars gepatenteerd hadden, was ik voor de milieubeweging de gebeten hond, omdat ik volgens haar niet genoeg deed om de vervuiling tegen te gaan. Misschien kun jij mijn reputatie hiermee weer wat opvijzelen.' Glimlachend liep hij het lab uit.

Nadat hij was vertrokken, concentreerde Susan zich weer op haar bekers en reageerbuisjes. Met de vuurvaste handschoen pakte ze de beker met haar genetisch gemanipuleerde diatomeeën en hield hem opnieuw voorzichtig schuin. Na de eerste keer waren er tien minuten verstreken, en nu kleefde het watermonster op de bodem als lijm aan het glas. Pas toen ze de hete beker volledig op zijn kop hield, begon het traag als afgekoelde stroop naar beneden te zakken.

Susan dacht aan de stervende otters en zeevogels die ze als kind had gezien en vervolgde met dubbele inzet haar werk.

3

De rivier de Congo
Ten zuiden van Matadi

Ooit zal de jungle de verlaten plantage en de negentig meter lange aanlegsteiger langs de rivier volledig hebben verzwolgen. Het hoofdgebouw op anderhalve kilometer landinwaarts was al ten prooi gevallen aan de verwoestende gevolgen van verwaarlozing en de woekerende vegetatie. Het was nog maar een kwestie van tijd voordat de aanlegplaats was weggeslagen en de nabijgelegen ijzeren opslagloods was ingestort. Het dak ervan was ingezakt als de holle rug van een paard en de golfplaten waren bespikkeld met roestplekken en afbladderende verf. Het was een spookachtig, desolaat oord waaraan zelfs het zachte melkachtige schijnsel van de maan geen glans kon geven.

Het vrachtschip dat naar de kade gleed was zo groot dat zelfs de opslagloods erbij in het niet verdween. Met de stroomafwaarts gerichte boeg en de motoren in hun achteruit, kolkte het water woest onder de schroef die het schip op volle kracht draaiend tegen de stroom in op zijn plaats hield. Vooral door de beruchte tegenstromen en draaikolken in de Congo was stilliggen een kwestie van uitgekiend balanceren.

Met een walkietalkie tegen zijn lippen en zijn andere hand theatraal gebarend liep de kapitein op de brugvleugel aan stuurboordzijde heen en weer en schreeuwde instructies naar de roerganger en de machinist. Met uiterst minieme bewegingen van de gashendels werd het honderdzeventig meter lange schip exact gemanoeuvreerd waar hij het hebben wilde.

Op de steiger stond een groep mannen in zwarte werkkleding het tafereel afwachtend te bekijken. Op een na hadden ze allemaal een automatisch geweer. De man zonder AK-47 droeg een enorm holster op zijn heup. Hij tikte met een leren rijzweepje tegen zijn been en droeg ondanks de duisternis een pilotenbril met spiegelende glazen.

De kapitein was een grote zwarte man met een Griekse visserspet op zijn kaalgeschoren hoofd. Zijn borst- en armspieren drukten bollend tegen het strakke, witte uniformhemd. Er stond nog iemand naast hem op de brugvleugel: hoewel deze man iets kleiner was en minder gespierd, was hij toch een indrukwekkender verschijning dan de kapitein. Zijn attente oogopslag en de ontspannen nonchalance waarmee hij zich bewoog, straalden autoriteit uit. Op de brugvleugel, die drie verdiepingen boven de kade uitstak, kon hun gesprek onmogelijk door anderen worden gehoord. De kapitein stootte zijn metgezel aan, die meer aandacht aan de bewapende troep besteedde dan dat hij de lastige manoeuvres volgde.

'Onze rebellenleider lijkt zo uit de cast van een film gestapt, vind je ook niet?'

'Helemaal, inclusief rijzweep en zonnebril,' was de president-directeur het met hem eens. 'Maar wij voldoen ook graag aan de verwachtingen die de mensen van ons hebben, *kapitein* Lincoln. Dat was leuk geacteerd, daarnet met die walkietalkie.'

Linc keek naar de walkietalkie in zijn grote hand. Er zaten niet eens batterijen in het apparaatje. Hij giechelde zachtjes. Als het oudste Afro-Amerikaanse lid van de bemanning was Lincoln door de eigenlijke kapitein van het schip, Juan Cabrillo, uitgekozen voor het spelen van die rol in deze fase van de operatie. Cabrillo wist dat de vertegenwoordiger van Samuel Makambo, de leider van het Congolese Revolutieleger, zich meer op zijn gemak zou voelen als hij met iemand met dezelfde huidskleur te maken kreeg.

Linc keek weer over de reling en stelde vast dat het enorme vrachtschip nu keurig langs de steiger lag. 'Oké, jongens,' blafte hij in de duisternis. 'Kom maar met de trossen, voor en achter.'

Op de boeg en de achtersteven lieten dekknechten dikke meertouwen door de kluisgaten zakken. Op een knikje van hun commandant slingerden twee rebellen hun wapen over hun schouder en sjorden de trossen over de roestige meerklampen. Met lieren werden de touwen strakgetrokken, waarop de grote vrachtvaarder zachtjes tegen de oude vrachtwagenbanden botste die als stootkussens langs de gehele lengte van de steiger hingen. Aan de achterkant van het schip spatte het water nog steeds wit schuimend op door het geweld van de tegen de stroming zwoegende schroef. Zonder deze tegenkracht had het schip onvermijdelijk de meerklampen van de vervallen houten steiger gerukt en was het met de stroming meegesleurd.

Cabrillo nam maar heel even de tijd voor een controle van de status van het vrachtschip en bekeek met een snelle blik op het bedieningspaneel de roerstand, windsterkte, plaatsbepaling, stroomsterkte en het motorvermogen. Tevredengesteld knikte hij naar Linc. 'Op naar de deal.'

De twee stapten het hoofdgedeelte van de brug binnen. De ruimte werd slechts door een paar rode nachtlampen verlicht, wat het geheel een nogal helse aanblik verleende, nog versterkt door de vervallen toestand van het interieur. Op de vloer lag mat linoleum dat op veel plekken gebroken was en in de hoeken omkrulde. De ruiten waren vanbinnen stoffig en aan de buitenkant met zoutkorsten bevlekt. De vensterbanken waren dodenakkers voor een bonte verzameling bezweken insecten. Een van de naalden van het dof uitgeslagen koperen seintoestel was al lang geleden afgebroken, en aan het stuurrad ontbraken diverse spaken. Het schip beschikte slechts over een paar moderne navigatiemiddelen, en de radio in de hut achter de brug had een bereik van nauwelijks twintig kilometer.

Cabrillo knikte naar de stuurman, een potige Chinees van begin veertig, die zijn baas een zuur lachje toewierp. Cabrillo en Franklin Lincoln daalden een aantal door zwakke peertjes in ijzeren houders schaars verlichte kampanjetrappen af. Tot ze het hoofddek bereikten, waar een ander bemanningslid hen opwachtte.

'Klaar om voor junglejuwelier te spelen, Max?' zei Juan.

Max Hanley was met zijn vierenzestig jaar het op een na oudste lid van de bemanning, maar de ouderdom had nauwelijks vat op zijn uiterlijk. Zijn haren hadden zich teruggetrokken tot een rossige rand rondom zijn kruin en er was een eerste aanzet van een buikje zichtbaar. Maar in een gevecht hield hij zich nog uitstekend staande, en hij stond al aan Cabrillo's zijde vanaf de eerste dag dat Juan zijn Corporation had opgericht, het bedrijf dat de vrachtvaarder beheerde. Ze koesterden een op wederzijds respect gebaseerde vriendschap die door de vele gevaren die ze samen hadden doorstaan tot een hechte band was gegroeid.

Hanley tilde een attachékoffertje van het slecht onderhouden dek. 'Je weet wat ze altijd zeggen: diamanten zijn des koopmans beste vriend.'

'Dat heb ik ze nog nooit horen zeggen,' zei Linc.

'Nou, reken maar van wel.'

Aan de deal was een maand lang gewerkt, en de voorbereidingen gingen gepaard met talloze onderbrekingen en verscheidene illegale ontmoetingen. Op zich was het tamelijk simpel. In ruil voor een kwart pond ruwe diamanten kreeg Samuel Makambo's Congolese Revolutieleger van de Corporation vijfhonderd AK-47 automatische geweren, tweehonderd raketgranaten, vijftig RPG-granaatwerpers en vijftigduizend stuks 7,62mm-munitie, afkomstig uit het Warschaupact. Makambo had niet gevraagd hoe de bemanning van een vrachtschip op de wilde vaart aan een dergelijke hoeveelheid wapentuig kwam, en Cabrillo had de rebellenleider niet naar de herkomst van al die diamanten gevraagd. Omdat ze uit dit deel van de wereld kwamen, was hij ervan overtuigd dat het bloeddiamanten waren, gewonnen door slaven en met de bedoeling er de revolutie mee te financieren.

Omdat Makambo jongens van dertien voor zijn leger rekruteerde, had hij eerder gebrek aan wapens dan aan soldaten, en deze scheepslading wapens verhoogde de kans op succes van zijn poging om de zwakke regering omver te werpen aanzienlijk.

Een bemanningslid liet de loopplank op de steiger neer en Linc liep voor Cabrillo en Hanley uit de kade op. De enige rebellenofficier maakte zich los uit zijn pretoriaanse garde en kwam Franklin Lincoln tegemoet. Hij salueerde met een strak gebaar voor Lincoln, die deze begroeting met een nonchalant tikje tegen de klep van zijn visserspet beantwoordde.

'Kapitein Lincoln, ik ben kolonel Raif Abala van het Congolese Revolutieleger.' Abala sprak Engels met een mengeling van een Frans en een inheems accent. Zijn stem was vlak, zonder dat er ook maar een spoortje gevoel in doorklonk. Hij zette zijn zonnebril niet af en bleef met zijn rijzweep tegen de zoom van zijn camouflagebroek tikken.

'Kolonel,' zei Linc met opgeheven armen, terwijl een adjudant met een pokdalig gezicht hem op wapens fouilleerde.

'Onze grote leider generaal Samuel Makambo laat u groeten, en het spijt hem dat hij u niet persoonlijk kan verwelkomen.'

Makambo leidde zijn nu al jaren durende opstand vanuit een geheime basis ergens diep in de jungle. Men had hem sinds hij de wapens had opgenomen niet meer gezien. Tot nu toe had hij alle pogingen van de regering om in zijn hoofdkwartier te infiltreren kunnen verijdelen, waarbij hij tien zorgvuldig geselecteerde soldaten had gedood die zich bij het CRL probeerden aan te sluiten met het doel hem te vermoorden. Net als bij Bin Laden of Abimael Guzman, de voormalige leider van het Lichtend Pad in Peru, had het air van onoverwinnelijkheid die Makambo uitstraalde, zijn aantrekkingskracht alleen maar vergroot, ondanks al het bloed van de duizenden slachtoffers dat aan zijn handen kleefde.

'U hebt de wapens bij u.' Het was meer een vaststelling dan een vraag.

'En u krijgt ze te zien, zodra mijn compagnon hier de stenen heeft gecontroleerd.' Lincoln wees met een achteloos gebaar op Max.

'Zoals afgesproken,' zei Abala. 'Kom.'

Op de kade hadden ze een tafel neergezet met een lamp die door een draagbare generator van stroom werd voorzien. Abala zwaaide een been over de rugleuning van een stoel en ging zitten, waarna hij zijn zweep op tafel legde. Voor hem stond een bruine jutezak met de naam van een Franse fabrikant van voedingsmiddelen op de zijkant. Max nam tegenover de Afrikaanse rebel plaats en rommelde ijverig in de inhoud van zijn attachékoffertje. Hij haalde er een elektronische weegschaal uit, plus een stel gewichtjes om hem te kalibreren, en een paar plastic, met een heldere vloeistof gevulde cilinders die van een schaalverdeling waren voorzien. Ook had hij notitieboekjes, potloden en een rekenmachientje bij zich. Er stonden bewakers achter Abala, en een nog groter aantal posteerde zich achter Max Hanley. Een derde groep stelde zich zo dicht bij Cabrillo en Linc op dat ze hen op het geringste teken van de rebellenkolonel konden neersteken. Er hing een nerveuze spanning in de vochtige avondlucht, het angstige gevoel dat het elk moment tot een geweldsuitbarsting kon komen.

Abala legde een hand op de zak. Hij keek op naar Linc. 'Kapitein, dit lijkt me het moment dat ook u laat zien dat u te vertrouwen bent. Ik wil nu de container met wapens zien.'

'Zo was 't niet afgesproken,' reageerde Linc op een toon waarin slechts een vage zweem van bezorgdheid doorklonk. Abala's adjudant grinnikte.

'Zoals ik al zei,' vervolgde Abala op dreigende toon, 'het gaat hier om vertrouwen. Een gebaar van goede wil van uw kant.' Hij nam zijn hand van de zak en stak een vinger op. Er doken nog eens twin-

41

tig soldaten uit de duisternis op. Abala gebaarde dat ze weer konden gaan, waarop ze net zo snel als ze gekomen weer in het donker verdwenen. 'Ze kunnen uw bemanning doden en de wapens gewoon meenemen. Dus mijn goede wil is wel bewezen.'

Omdat hij geen keuze had, draaide Linc zich om naar het schip. Er stond een bemanningslid aan de reling. Linc maakte een draaibeweging met zijn hand boven zijn hoofd. De dekknecht zwaaide en even later sloeg er puffend een dieselmotor aan. De middelste van de drie kranen op het voordek van het enorme vrachtschip kwam krakend in beweging en ratelend schoven er dikke kabels over katrollen, terwijl er een zware last uit het vrachtruim werd gehesen. Het was een standaardcontainer van veertig voet, iets meer dan twaalf meter lang, met hetzelfde weinig spectaculaire uiterlijk van de honderdduizenden stalen bakken die dagelijks over de gehele wereld worden verscheept. De kraan hees hem tot boven de rand van het ruim en liet hem met een zwaai op het dek zakken. Twee bemanningsleden openden de deuren en stapten de container in. Na een schreeuw naar de man die de kraan bediende, ging de container weer omhoog tot ver boven de reling, waarna hij over de zijkant van het schip draaide. Hij daalde nog een stuk, maar bleef op tweeënhalve meter boven de steiger hangen.

Met zaklampen beschenen de mannen in de container de inhoud. Langs de wanden stonden rekken met AK-47-geweren. Ze glansden vettig van de olie in het schaarse licht. De lichtbundels streken ook over een aantal donkergroene kisten. Nadat ze er een hadden opengemaakt, slingerde een van de twee bemanningsleden een lege lanceerbuis voor RPG's op zijn schouder en demonstreerde het wapen als een vertegenwoordiger op een handelsbeurs. Enkele jongere rebellen juichten. Zelfs Raif Abala kon een licht opkrullen van zijn mondhoeken niet voorkomen.

'Tot zover mijn bewijs van goed vertrouwen,' zei Lincoln, nadat de beide bemanningsleden uit de container waren gesprongen en zich weer bij hun maten op het schip hadden gevoegd.

Zonder een woord te zeggen leegde Abala de inhoud van de zak op de tafel. Gekliefd en geslepen hebben diamanten de grootste brekingsindex van alle op aarde aanwezige stoffen en kunnen ze wit licht in zo'n duizelingwekkend kleurenspectrum breken dat de stenen al sinds onheuglijke tijden uiterst begerenswaardige objecten zijn. Maar in ruwe staat zijn de edelstenen nauwelijks van gewone kiezels te onderscheiden. Er glinsterde niets in het hoopje stenen. Op tafel lag een weinig spectaculaire verzameling doffe brokjes kristal. De meeste in de vorm van een vierzijdige piramide met een afgevlakte onderkant, terwijl andere er helemaal als doodnormale, vormeloze kiezels uitzagen. Qua kleur varieerden ze van zuiver wit tot vaalgeel, en hoewel een paar ervan helder en glad leken, waren de meeste gekliefd en gespleten. Maar Max en Juan zagen onmiddellijk dat er geen enkele kleiner was dan een karaat. In de diamanthandel van New York, Tel Aviv of Antwerpen vertegenwoordigden ze een waarde die ver boven die van de inhoud van de container lag, maar zo was deze handel nu eenmaal. Het verkrijgen van diamanten was voor Abala geen probleem, maar voor wapens lag dat een stuk lastiger.

Instinctief pakte Max de grootste steen, een kristal van minstens tien karaat. Gekliefd en geslepen tot een steen van vier à vijf karaat zou hij, afhankelijk van de kleurgraad en helderheid, zo'n veertigduizend dollar opbrengen. Hij bestudeerde hem aandachtig door een juweliersloep, waarbij hij de steen met een nors trekje om zijn mond in het licht heen en weer draaide. Zonder commentaar legde hij hem neer, bekeek een volgende steen en daarna nog een. Hij schudde een paar keer zijn hoofd alsof hij teleurgesteld was door wat hij zag en diepte uit de borstzak van zijn hemd een leesbril op. Toen hij hem had opgezet, keek hij Abala even teleurgesteld aan en sloeg een van zijn notitieboekjes open, waarin hij met een balpen een paar strepen trok.

'Wat noteert u daar?' vroeg Abala, opeens wat minder zelfverzekerd tegenover de kennelijke deskundigheid van Max.

'Dat deze stenen eerder geschikt zijn voor een grindpad dan voor een juwelierszaak,' antwoordde Max met een snerpende stem en een afschuwelijk Hollands accent. Bij deze belediging wilde Abala al haast opspringen, maar een kalmerend handgebaar van Max weerhield hem daarvan. 'Maar na nader onderzoek zijn ze goed genoeg voor onze deal.'

Uit zijn broekzak haalde hij een platte topaas tevoorschijn die onder de krassen zat. 'Zoals u weet,' zei hij op een belerende toon, 'is diamant het hardste natuurlijke materiaal op aarde. Tien op de Mohsschaal, om precies te zijn. Kwarts, nummer zeven op de schaal, wordt vaak gebruikt om mensen die er geen verstand van hebben te doen geloven dat ze de deal van hun leven maken.'

Uit dezelfde zak diepte hij een achthoekig kristallen staafje op.

Met een krachtige haal trok hij het kwarts over het oppervlak van de platte topaas. De scherpe rand ketste af zonder dat er een kras achterbleef. 'Zoals u ziet is topaas harder dan kwarts. Er is geen kras te zien, en topaas is dan ook nummer acht op de Mohsschaal.' Vervolgens pakte hij een van de kleinere diamanten en haalde hem langs de topaas. Met een kippenvel veroorzakend gepiep maakte de diamant een diepe kras in de blauwe halfedelsteen. 'De hardheid van deze steen is dus in elk geval hoger dan acht op de Mohsschaal.'

'Diamant,' reageerde Abala zelfvoldaan.

Max zuchtte alsof een recalcitrante student een domme opmerking had gemaakt. Hij genoot van zijn rol als edelsteendeskundige. 'Of korund, nummer negen op de Mohsschaal. Om er absoluut zeker van te kunnen zijn dat dit diamant is, moeten we het soortelijk gewicht vaststellen.'

Hoewel Abala al heel wat keren met diamanten had gehandeld, wist hij er niet veel meer van dan wat ze waard waren. Zonder dat hij het besefte, had Hanley zijn belangstelling gewekt, waardoor zijn waakzaamheid verslapte. 'Wat is dat, soortelijk gewicht?' vroeg hij.

'De verhouding van massa en volume van een steen tot die van water. Voor diamant is dat exact 3,52.' Max prutste wat aan zijn weegschaal en kalibreerde hem met een stel koperen gewichtjes die hij uit een met fluweel bekleed kistje haalde. Zodra de weegschaal op nul stond, legde hij de grootste steen in het schaaltje. 'Twee komma twee gram. 11½ karaat.' Hij opende een van de plastic buisjes met schaalverdeling en liet de steen erin vallen, waarna hij in zijn notitieboekje opschreef hoeveel het water was gestegen. Vervolgens toetste hij de getallen in het rekenmachientje. Nadat hij de uitkomst had afgelezen, keek hij Raif Abala dreigend aan.

Abala keek met een verbolgen blik in zijn wijd opengesperde ogen terug. Zijn mannen verdichtten hun omsingeling. Juan voelde de loop van een wapen in zijn rug drukken.

Niet onder de indruk van deze plotselinge opwelling van agressie liet Max zijn kritische blik varen en er verscheen heel geleidelijk een glimlach op zijn gezicht. 'Drie komma tweeënvijftig. Dit, heren, is echte diamant.'

Kolonel Abala liet zich langzaam in zijn stoel naar achteren zakken, en de vingers die de omstanders om de trekker gekromd hielden, ontspanden zich. Juan kon Hanley wel vermoorden om dit onnodig overtrokken staaltje toneelspel.

Max testte nog acht willekeurige stenen met steeds hetzelfde resultaat.

'Ik heb me aan mijn deel van de afspraak gehouden,' zei Abala. 'Een kwart pond diamanten voor de wapens.'

Terwijl Hanley nog meer stenen testte, liep Linc met Abala naar de openstaande container en gaf een van de mannen op het schip een teken dat hij de container tot op de steiger kon laten zakken. De houten pijlers onder de steiger kraakten onder het enorme gewicht. Er liepen vijf rebellen met hen mee. In het schijnsel van een zaklamp pakten Abala en zijn mannen tien AK-47's uit diverse rekken en zo'n honderd stuks munitie, waarna ze de met was bestreken papieren munitieverpakkingen met een machete openhakten.

Terwijl hij er angstvallig voor zorgde dat hij vlak bij Abala bleef voor het geval zijn mannen op foute ideeën kwamen, keek Linc toe hoe ze de glanzende koperen patronen omzichtig in het voor de AK zo karakteristieke banaanvormige magazijn schoven. Juan, die een lichtgewicht kogelvrij vest onder zijn wijde sweatshirt droeg, bleef om dezelfde reden in de buurt van Max. Met alle tien aanvalsgeweren werden tien schoten gelost, twee salvo's met drie kogels en vier losse schoten op een doelwit dat aan de zijkant van de vervallen opslagloods was opgesteld. Het geweervuur schalde over het brede oppervlak van de rivier met als gevolg dat er tientallen vogels met klapperend geraas opvlogen. Een van de soldaten rende naar de loods om er de schade op te nemen, waarna er een triomfantelijke schreeuw klonk. 'Da's mooi, heel mooi,' gromde Abala tegen Linc.

Terug aan tafel vervolgde Hanley zijn inspectie, waarbij hij ook de lege zak op de weegschaal legde en het gewicht noteerde. Daarna pakte hij een lepel met een extra lange steel en schepte er de ruwe stenen mee terug in de zak. Toen ze er allemaal inzaten, woog hij de zak opnieuw. Op het rekenmachientje trok hij het gewicht van de zak af van het totaal. Met een blik over zijn schouder naar Cabrillo fluisterde hij: 'Het is acht karaat te weinig.'

Afhankelijk van de kwaliteit van de stenen vertegenwoordigde die acht karaat een waarde van enkele tienduizenden dollars. Juan haalde zijn schouders op. 'Ik ben al blij als we hier levend wegkomen. Laat maar zitten.' Cabrillo richtte zich tot Linc, die een van de RPG's aan Abala en een rebel met het professionele uiterlijk van een sergeant liet zien, en riep: 'Kapitein Lincoln, de havenautoriteiten houden onze ligplaats in Boma niet eeuwig vrij. Hoog tijd om te vertrekken.'

Linc draaide zich naar hem om. 'Natuurlijk, meneer Cabrillo. Bedankt.' Hij keek weer naar Abala. 'Ik wilde dat ik nog meer wapens voor u had, kolonel, maar dat we deze lading te pakken kregen, was al een hele verrassing voor mij en mijn bemanning.'

'Als u nog eens zo'n, uh... verrassing hebt, weet u waar u ons kunt vinden.'

Ze waren terug bij de tafel. 'Alles ingepakt?' vroeg Linc aan Max.

'Ja, kapitein, alles is in orde.'

Abala's glimlach werd nog kruiperiger dan hij al was. Het afdingen op de afgesproken hoeveelheid was bewust gebeurd, in de overtuiging dat de overmacht van zijn gewapende mannen zo intimiderend zou werken dat ze met minder stenen genoegen zouden nemen. De ontbrekende stenen zaten in het borstzakje van zijn overhemd en zouden uiteindelijk het saldo van zijn Zwitserse bankrekening flink aandikken.

'Oké, heren, laten we gaan.' Linc nam de zak met diamanten van Max aan en liep met zulke stevige stappen naar de loopplank dat Cabrillo en Hanley hem maar met moeite bijhielden. Vlak voordat ze de loopplank bereikten, kwamen Abala's mannen in actie. De twee die het dichtstbij stonden stapten naar voren om de doorgang te blokkeren, terwijl er tientallen rebellen, in de lucht schietend en gillend als jammergeesten, uit de jungle stormden. Een man of twaalf verdrong zich rond de container en probeerde uit alle macht de haak van de kraan los te wrikken.

Het effect was overrompelend geweest als het team van de Corporation dit bedrog niet had voorzien.

Een seconde voordat Abala zijn bevel om aan te vallen riep, hadden Cabrillo en Linc het op een rennen gezet. Ze waren al bij de twee rebellen die bij de loopplank stonden voordat een van hen de kans had gekregen zijn wapen te richten. Linc ramde de jongste van de twee met een flinke schouderduw in de goot tussen het schip en de steiger, terwijl Juan zijn vingers zo krachtig om de keel van de andere soldaat sloot dat deze kokhalsde. Hierop rukte Juan de hoestende rebel de AK-47 uit zijn handen en ramde de kolf ervan in zijn maag. In foetushouding stortte hij voorover.

Cabrillo zwaaide om zijn as en dekte met een maaiend salvo de aftocht van Max en Linc, waarna ook hij de schuine loopplank opstapte en op een knop onder de zijleuning drukte. De anderhalve meter van het opklapbare uiteinde van de loopplank sprong recht omhoog. De stevige randen van het nu loodrecht omhoog gerichte uiteinde boden de drie mannen een afdoende beschutting tegen de salvo's van Abala's mannen. De kogels floten hen om de oren, sloegen in de zijwand van het vrachtschip en ketsten af tegen het staal langs het gangboord, terwijl het drietal veilig in hun gepantserde cocon bijeenhurkte.

'Alsof we hier geen rekening mee zouden hebben gehouden,' zei Max achteloos boven het kabaal uit.

Op het schip ontfermde een bemanningslid zich over het bedieningsmechanisme van de loopplank en schoof hem van de steiger af, zodat de mannen zich veilig in de bovenbouw van het schip konden terugtrekken. Nu het spelletje gespeeld was, nam Juan de leiding onmiddellijk weer op zich. Hij sloeg op de knop van een aan de wand bevestigde intercom. 'Status, Murphy.'

Diep in het binnenste van het vrachtschip keek Mark Murphy, eerste artillerieofficier, naar een monitor met beelden van een camera die op een van de vijf kranen was gemonteerd.

'Nu de loopplank is opgehaald, wordt er nog maar door een enkeling geschoten. Ik heb het idee dat Abala een aanval voorbereidt. Hij heeft zeker honderd man om zich heen verzameld en staat nu bevelen uit te delen.'

'En de container?'

'De mannen hebben de kabels zogoed als los. Wacht. Ja, 't is ze gelukt. We zijn ervan af.'

'Zeg tegen Stone dat-ie maakt dat we wegkomen.'

'Hé, baas,' reageerde Murphy aarzelend. 'We liggen nog vast aan de meertrossen.'

Cabrillo wreef met een vinger een druppel bloed weg van de plek waar een bij een kogelinslag weggespatte verfsplinter zijn oor had geraakt. 'Ruk maar los. Ik kom eraan.'

Hoewel het schip perfect in het beeld paste, zo naast de vervallen steiger, verborg het een geheim dat, behalve de bemanning, maar weinig mensen kende. De roestige romp met de afbladderende verf, de vervallen kranen, het smoezelige dek en het algehele verwaarloosde uiterlijk van het schip waren bewust in scène gezet om zijn ware mogelijkheden te verhullen. Het was een particulier gefinancierd spionageschip, in eigendom van de Corporation en onder bevel van Juan Cabrillo. De *Oregon* was zijn geesteskind en zijn enige grote liefde.

Achter de armzalige façade stond het schip stijf van de meest ge-avanceerde wapensystemen ter wereld: kruisraketten en torpedo's van een malafide Russische admiraal, 30mm Gatling-kanonnen en een 120mm-kanon, dat over dezelfde doelzoektechnologie beschikte als een M1A2 Abrams-tank, plus op afstand bestuurde .30-machine-geweren om enteraars mee af te weren. Alle wapens waren achter stalen platen langs de romp gemonteerd of waren vermomd als op het dek rondslingerende troep. De op afstand bediende .30-machine-geweren zaten verborgen in roestige vaten die op strategische punten aan de reling stonden. Met een druk op een knop klapten de deksels open en schoven de wapens, voorzien van schijnwerpers en infra-roodcamera's naar buiten.

Een paar dekken onder de brug, waar Cabrillo en Lincoln bij het afmeren van de *Oregon* hadden gestaan, bevond zich het controle-centrum, het kloppend hart van het schip. Van hieruit bestuurde de bemanning van gepensioneerde Amerikaanse leger- en CIA-officie-ren het gehele schip, van de motoren en het dynamische plaatsbepa-lingssysteem tot en met alle wapens. Bovendien beschikten ze over radar- en sonarapparatuur die tot het beste behoorde wat, uiteraard voor heel veel geld, op de markt verkrijgbaar was.

Het was dan ook Eric Stone, de uitmuntende stuurman van de *Oregon*, geweest die het schip vanuit deze controlekamer aan de gammele steiger had afgemeerd met behulp van dwars op de boeg en het achterschip geplaatste stuwschroeven en informatie van de gps-apparatuur, gekoppeld aan een supercomputer die windsnelheid, stromingsinvloeden en tientallen andere factoren mat. De computer berekende de exacte hoeveelheid tegengas die de schroef moest leve-ren om de *Oregon* tegen de stroming van de Congo in op zijn plaats te houden.

Cabrillo en Max stapten een naar terpentijn stinkende toiletruim-te binnen, terwijl Linc snel doorliep naar Eddie Seng en de overige leden van de speciale eenheid voor landoperaties, die paraat stonden om eventueel tot op het dek doorgedrongen rebellen af te weren. Juan hanteerde de kraan van de spoelbak alsof hij een kluis met een draaischijf opende, waarop de achterwand van het toilet wegdraaide en er een gang zichtbaar werd.

In tegenstelling tot de linoleumvloer en de afbladderende verf op de brug en andere delen van de bovenbouw, was deze geheime gang met een mooie mahoniehouten lambrisering en een pluchen vloerbedekking, goed verlicht. Aan de zijmuur hing een schilderij van een walvisvaarder, een echte Winslow, en aan het einde van de gang stond in een glazen vitrine een zestiende-eeuws ridderharnas, compleet met zwaard en maliënkolder.

Ze passeerden een hele reeks hutdeuren tot ze het controlecentrum in de diepste contreien van het vrachtschip bereikten. Qua moderne techniek deed het met de uitgebreide computerapparatuur en een wand die voornamelijk uit een levensgrote flatscreenmonitor met beelden van de chaotische taferelen op de steiger bestond, niet onder voor het controlecentrum van de NASA. Mark Murphy en Eric Stone zaten aan computerpanelen recht voor het reusachtige scherm, terwijl de werkplek van Hali Kasim, de eerste communicatieofficier, zich rechts daarvan bevond. Tegen de achterwand stond de controleapparatuur voor de in het schip geïntegreerde veiligheidssystemen, en een rij computers waarmee Max Hanley de werking van de revolutionaire magnetohydrodynamische motoren van de *Oregon* in de gaten hield.

Het was zonder meer waar dat het controlecentrum met de centraal geplaatste console met ruime zitgelegenheid sterk deed denken aan de brug van het door de televisieserie beroemd geworden ruimteschip *Enterprise*. Juan ging zitten op wat door de bemanning 'De Kirk Stoel' werd genoemd, klikte een minuscule headset aan zijn oor en zette zijn eigen kleine computerscherm aan.

'Ik heb hier een stel inkomers,' zei Hali. In het schijnsel van het radarscherm lag er een spookachtig groene glans over zijn donkere gezicht. 'Ze vliegen rakelings over de grond, waarschijnlijk heli's. Verwachte aankomst over vier minuten.'

'Er zijn geen aanwijzingen dat Makambo over helikopters zou beschikken,' zei Mark Murphy, zich tot de voorzitter wendend. 'Maar Hali heeft zojuist bericht gekregen dat er twee helikopters van een oliemaatschappij zijn gestolen. Het verslag is nogal vaag, maar je kunt eruit afleiden dat de piloten zijn ontvoerd.'

Juan knikte, nog niet goed wetend wat hij met deze ontwikkeling aan moest.

'Er is beweging achter ons,' riep Eric Stone. Hij schakelde zijn eigen monitor over op het grote scherm, waarop nu de beelden van een op de achtersteven gemonteerde camera verschenen.

Vanuit een bocht in de rivier waren twee patrouilleboten opgedoken. Door de lichten boven op de stuurhutten was het niet goed te zien hoe ze bewapend waren, maar Mark Murphy achter het controlepaneel van de wapensystemen dook onmiddellijk in het computerbestand met alle gegevens over de vervoermiddelen van het Congolese leger.

'Dit zijn Amerikaanse Swift-boten.'

'Dat méén je niet,' reageerde Max. Hij had in Vietnam twee uur op een Swift-boot gediend.

Murph vervolgde alsof hij Hanley niet had gehoord: 'Waterverplaatsing twaalf ton, een bemanning van twaalf man en bewapend met zes .50-machinegeweren. Topsnelheid twaalf knopen. Verder staat hier dat de Congolese rivierwacht ook mortieren aan boord heeft en mogelijk draagbare raketwerpers.'

Nu de situatie met de seconde verslechterde, besloot Cabrillo knopen door te hakken. 'Hali, roep Benjamin Isaka voor me op.' Isaka was hun contactman in de Congolese regering. 'Zeg hem dat onderdelen van zijn leger lucht van onze missie hebben gekregen zonder te weten dat wij aan hun kant staan. Of dat twee van zijn Swift-boten door mensen van Makambo zijn gekaapt. Eric, zorg dat we hier wegkomen. Murph, hou een oogje op uh… nou ja, alles, maar niet schieten voordat ik het heb gezegd. Als we laten zien wat we in huis hebben, weet Abala dat hij er ingeluisd is en raakt hij de wapens verder niet aan. Hoe zit 't daar overigens mee, Hali?'

Hali Kasim veegde een lok van zijn krullende zwarte haren van zijn voorhoofd en typte ijverig op het toetsenbord van zijn computer. 'De gps-chips zijn geactiveerd en de ontvangst is optimaal.'

'Prima.' Cabrillo maakte een zwaai op zijn stoel en wendde zich tot Max Hanley. 'Hoe staat 't bij jou?'

'Je weet dat we alleen op de accu's varen,' antwoordde Hanley. 'Meer dan twaalf knopen zit er niet in.'

De *Oregon* beschikte over het modernste voortstuwingssysteem dat ooit voor schepen was gebouwd. De werking van de magnetohydrodynamische motoren was gebaseerd op een techniek waarbij supergeleidende, door vloeibaar helium gekoelde inductiespoelen elektronen uit zeewater onttrokken. Die elektriciteit werd vervolgens gebruikt voor de aandrijving van vier enorme straalmotoren in uitwendige straalpijpen aan de achtersteven van het schip. Met deze motoren behaalde het elfduizend ton zware schip snelheden die niet onderdeden voor een zeewaardige speedboot, en aangezien ze de brandstof aan zeewater onttrokken was de actieradius feitelijk onbeperkt. Omdat er twee jaar eerder brand was uitgebroken op een door magnetohydrodynamische motoren voortgedreven cruiseschip hadden de meeste maritieme veiligheidsorganisaties het gebruik van deze motoren aan banden gelegd tot er verder onderzoek naar was gedaan. Dat was dan ook de reden dat de *Oregon* onder Iraanse vlag voer, een land dat het bewust niet zo nauw nam met het zeerecht.

Hier aan die steiger in de rivier de Congo honderddertig kilometer landinwaarts vanaf de Atlantische Oceaan lag de *Oregon* in zoet water en had dus geen brandstof voor de motoren. Voor de stuwing van water door de straalpijpen moest de energie uit een lange rij zilver-zink deepcycle accu's komen.

Omdat Cabrillo bij de ombouw van de voormalige conventionele houtschuit nauw had samengewerkt met de scheepsbouwkundig ingenieurs, wist hij dat de accu's, als ze op volle snelheid voeren en zelfs nu ze de stroming mee hadden, voldoende energie konden leveren voor het overbruggen van maximaal honderd kilometer, en dan kwamen ze zo'n dertig kilometer te kort tot het punt waar de rivier in de oceaan uitmondde.

'Stone, wat is het tij over drie uur?' vroeg Cabrillo aan zijn stuurman.

'Over tweeënhalf uur is het vloed,' antwoordde Eric Stone, zonder dat hij daar zijn apparatuur voor hoefde te raadplegen. Het behoorde tot zijn taak om met de toewijding van een accountant die op de centjes in zijn spreadsheets jaagt, alle getijdebewegingen en weersverwachtingen voor de eerstvolgende vijf dagen bij te houden.

'Dan wordt 't krap,' reageerde Juan tegen niemand in het bijzonder. 'Oké, Eric, laten we 'm smeren voordat Abala's mannen hun aanval inzetten.'

'Aye, aye, sir.'

Geroutineerd voerde Eric Stone het vermogen van de straalmotoren op. Zonder het gejank van de cryogene pompen en aanvullende installaties van de magnetohydrodynamische motoren klonk er alleen een laag geronk van het water dat door de buizen werd geperst en door het hele schip vibreerde. Hij draaide de stuwschroeven aan de boeg- en achtersteven op volle kracht, waarop het enorme schip zijwaarts van de steiger wegschoof en tegelijkertijd de trossen straktrok.

Nu ze voelden dat hun prooi ervandoor dreigde te gaan, openden de rebellen die op de kade stonden het vuur met lang aangehouden salvo's uit hun automatische wapens. De kogelregen bestreek het schip van voor- tot achtersteven. De ruiten van de brug exploteerden uit de sponningen en het glas in de patrijspoorten barstte in lawines van scherven uiteen. De vonken spatten van de romp van de *Oregon* door de honderden kogels die op de gepantserde huid afketsten. Hoewel het een spectaculair gezicht was, bereikten de rebellen er niets meer mee dan wat krassen in de verf en dat er een aantal eenvoudig te vervangen ruiten aan barrels gingen.

Van de andere kant voegde het ratelende ritme van de .50-machinegeweren aan boord van de patrouilleboten zich in de strijd. Om het vertrek te versnellen werd het water uit de speciale ballasttanks gepompt die voor het simuleren van een zware lading langs de zijkanten waren aangebracht, waardoor de *Oregon* hoger op het water kwam te liggen. De schutters die langs de oever renden, kregen zo een beter zicht op het roer. Ze concentreerden hun geweervuur nu op de roerstang, in de hoop het besturingssysteem zodanig te beschadigen dat het vrachtschip stuurloos aan de grillen van de stroming was overgeleverd. Bij een normaal schip was dat een zinnige strategie geweest. Als het echt nodig was, in een haven bijvoorbeeld, onder het toeziend oog van de havenautoriteiten, kon de *Oregon* met behulp van het roer bestuurd worden. Maar haar wendbaarheid kwam toch voornamelijk van stuwschroeven in de uitwendige besturingsbuizen, die zich goed beschermd onder de waterlijn bevonden.

Eric Stone liet zich niet afleiden door de aanval en had zijn volledige aandacht op de monitoren van de camcorders gericht en op de ijzeren meerklampen op de steiger, die daarop te zien waren. De trossen trokken steeds strakker, terwijl het schip verder van de steiger wegschoof. Twee ondernemende rebellen snelden naar het touw aan het achterschip en klommen er, met hun wapen over de schouder, als ratten in. Stone voerde het vermogen van de stuwschroef aan de achtersteven op. Met het gekraak van splijtend verrot hout schoot de paddenstoelvormige klamp als een rotte kies los van de steiger. Door het gewicht zwiepte hij met een enorme slingerbeweging door de lucht en sloeg met een galmende dreun als de klepel van een kerkklok tegen de zijkant van de *Oregon*.

Een van de rebellen stortte in het water en werd in de bladen van de schroef gezogen toen Eric gas terugnam om het schip bij te sturen. Aan de andere kant van het schip vormde zich slechts een donkere vlek die het water rood kleurde alvorens in de stroming op te lossen. De andere schutter wist zich aan het touw vast te klampen, terwijl het door automatische kaapstanders werd ingehaald. Toen hij het kluisgat bereikte, probeerde hij aan boord te klauteren, waar hij werd opgewacht door Eddie Seng en Franklin Lincoln, die zijn enterpoging op een aan hun gevechtskleding bevestigd schermpje hadden gadegeslagen.

Eddie was bij de Corporation gekomen nadat hij bij de CIA met vervroegd pensioen was gegaan, en al bezat hij dan niet de praktijkervaring van Linc, die bij de SEAL's had gediend, met zijn vastberaden doorzettingsvermogen maakte hij dat gemis meer dan goed. Daarom ook had Juan hem hoofd landoperaties gemaakt, ofwel commandant van de jachthonden, zoals Max hun harde kern van voormalige SEAL's, mariniers en commando's noemde.

De ogen van de rebel puilden haast uit hun kassen toen hij zich opdrukte om op het dek te springen. Linc keek hem aan door het vizier van een Franchi SPAS-12 semiautomatisch geweer, terwijl Eddie de loop van een Glock tegen de slaap van de soldaat duwde.

'De keuze is aan jou, beste vriend,' zei Eddie mild.

De rebel ontspande zijn vingers en viel met een plons terug in het schuimende water.

In het controlecentrum hield Eric de tweede meerklamp in de gaten. Ondanks de tonnenzware kracht die erop werd uitgeoefend, kwam hij niet los van de steiger. In plaats daarvan verschenen er lange scheuren in het houtwerk eromheen, doordat de ondersteunende balken uit positie werden gewrikt. Er brak een stuk van een meter of vijf van de steiger af, waarbij nog eens vijf soldaten werden meegesleurd het water in, terwijl een veel groter deel van de steiger vervaarlijk heen en weer zwaaide.

'We zijn los,' meldde Eric.

'Heel goed,' reageerde Juan, die op zijn eigen schermpje keek. De heli's, die met ruim honderdvijftig kilometer per uur naderden, zouden er over twee minuten zijn. Hij ging ervan uit dat de van de oliemaatschappij gestolen helikopters groot en ultramodern waren. Cabrillo wist dat ze met het in zijn schip verborgen wapenarsenaal alle nog op de steiger overgebleven soldaten konden neermaaien, de beide heli's uit de lucht konden halen en de achtervolgende patrouilleboten tot wrakhout konden reduceren, maar dat was niet het doel van de missie waarvoor hij was ingehuurd. 'Snelheid naar twintig knopen.'

'Twintig knopen, akkoord.'

Het grote vrachtschip voerde het tempo soepeltjes op en door de verhoogde waterdruk schoot ook het deel van de steiger los dat nog aan de klamp hing. Het machinegeweervuur van de oever stopte, maar de beide patrouilleboten bleven de *Oregon* met lange salvo's van hun .50's bestoken.

'Rpg onderweg,' riep Mark Murphy schel.

Abala's mannen hadden kennelijk in de jungle verborgen voertuigen paraat gehad en daarmee volgden ze de in het midden van de Congo varende *Oregon* langs de oever. Het kleine projectiel spoot met een boog uit het struikgewas, scheerde over het water en sloeg tegen de boeg. De bepantsering van het schip beschermde de binnenruimtes, maar de explosie was oorverdovend, terwijl er een vuurbal over het dek rolde. Vrijwel direct daarop schoot er een tweede RPG uit een raketwerper op de schouder van een schutter op een van de Swift-boten. Dit projectiel werd onder een lage hoek afgeschoten en scheerde zo rakelings over de reling van het achterdek dat de verf ervan afspatte, waarna de granaat de schoorsteen van het schip vol trof. Ondanks de zware bepantsering ter bescherming van de geavanceerde radarkoepel in de schoorsteen, ontplofte de granaat met zoveel kracht dat het systeem uitviel.

'Ik ga kijken,' riep Hali toen zijn scherm de geest gaf. Hij rende het controlecentrum uit, terwijl ook de automatisch door de boordcomputer gealarmeerde brandweerteams en elektronica-experts in actie kwamen.

Linda Ross, een elfachtige vrouw met sproeten en een hoge, bijna meisjesachtige stem nam zijn werk achter de computer naadloos over. 'Aankomst heli's over een minuut, baas. En het laatste radarbeeld toont stroomafwaarts tegemoetkomend verkeer.'

Juan verhoogde de resolutie van de naar voren gerichte camera's. Ingeklemd tussen de in het maanlicht zilverachtig glanzende heuvels was de rivier zo zwart als olie. Na een bocht doemde een grote rivierpont op. Ze had drie dekken en een stompe boeg, maar de aandacht van de bemanning was vooral op de beelden van de infraroodcamera's gericht. Het bovendek was afgeladen vol met mensen, en zo te zien waren ook de overige dekken stampvol met passagiers, op weg naar de verder landinwaarts gelegen haven van Matadi.

'Mijn hemel, daar zitten minstens vijfhonderd mensen op,' zei Eric.

'En ik durf te wedden dat de maximale capaciteit hoogstens tweehonderd is,' reageerde Cabrillo. 'Hou ze aan bakboordzijde. Ik wil dat de *Oregon* tussen de RPG's en die badkuip door vaart.'

Stone stelde zijn apparatuur bij en keek op de dieptemeter. De rivierbedding kwam snel omhoog. 'Voorzitter, we hebben nu minder dan zes meter onder de kiel. Vijf, vier, drie meter nog.'

'Houden zo!' zei Juan, terwijl er vanuit de jungle een nieuw spervuur losbarstte van AK-47's en een reeks met de repeteersnelheid van een Romeinse kaars afgevuurde RPG's.

Trillend en schuddend door de knallen stoof het vrachtschip bij elke treffer scherp tegen de hemel oplichtend op de tuffende veerboot af. Een van de raketten zwaaide af en leek een angstaanjagend moment lang recht op de brede zijkant van de veerboot af te stevenen. Maar in de laatste seconde sloeg de motor af, waarop het projectiel vlak voor de romp explodeerde en de passagiers, die in paniek uiteenstoven, een nat pak bezorgde.

'Max, ga er vol tegenaan, alsjeblieft,' zei Juan, kwaad en doodziek over de harteloosheid van Kabala's troepen. 'We moeten die mensen beschermen.'

Max Hanley ontkoppelde de veiligheidsvergrendeling van de accu's en haalde er voor de straalmotoren nog een paar ampères extra uit. De *Oregon* versnelde nog eens drie knopen, maar daarmee verloren ze minstens drie kilometer van hun actieradius, kilometers die ze hard nodig hadden.

De veerboot week uit naar het midden van de rivier, waardoor de *Oregon* net voldoende ruimte kreeg om te passeren zonder dat ze vastliep. Even later stoven de beide Swift-boten met hoog opspattende waterstralen uiteen en passeerden het tegemoetkomende schip elk aan een kant. In het tumult dook er plotseling een in het kielzog van de veerboot varende motorsloep op. Een van de Swift-boten knalde er door de golven bovenop en verpletterde de twee inzittenden zonder ook maar een moment vaart te minderen.

Juan keek naar Eric aan de besturingsconsole. Het manoeuvreren met een dergelijk groot schip in de nauwe vaargeul van de rivier was al lastig genoeg, maar dat daarbij tevens tegemoetkomend verkeer ontweken moest worden terwijl het schip van twee kanten beschoten werd, was iets wat de jonge Stone nog niet eerder had meegemaakt. Juan had volledig vertrouwen in zijn stuurman, maar in zijn achterhoofd hield hij er rekening mee dat hij Erics werk vanaf zijn eigen plek elk moment kon overnemen.

In Cabrillo's headset klonk een stem. 'Voorzitter, met Eddie. Ik heb de heli's in zicht. Het model herken ik niet, maar ze lijken groot genoeg voor minstens tien passagiers. Dit is een goed moment om ze neer te halen.'

'Nee. Om te beginnen zijn de piloten burgers die door Makambo's rebellen zijn ontvoerd om met de heli's te vliegen. En ten tweede mogen we nog niet verraden wat we in huis hebben. Dit hebben we op de heenreis besproken. We krijgen een pak slaag, maar deze oude dame brengt ons heelhuids thuis. Hou er alleen rekening mee dat ze misschien mensen op het dek willen neerlaten.'

'We staan klaar.'

'Nou, God moge hen bijstaan, dan.'

Een uur lang stoven ze, achtervolgd door de Swift-boten, over de Congo en werden zo nu en dan vanaf de oever onder schot genomen, op plaatsen waar de weg zo dicht langs de rivier liep dat de rebellen tot een verrassingsaanval konden overgaan. De heli's bleven boven de *Oregon* hangen zonder dat ze probeerden te landen of mensen af te zetten. Juan nam aan dat ze pas aan boord van het schip wilden komen als het door de RPG's was lamgelegd.

Ze voeren langs de Ingadam, een massief betonnen bruggenhoofd dat het water van een zijrivier van de Congo tegenhield. Deze dam vormde, samen met een tweede exemplaar, de belangrijkste elektriciteitscentrale voor dit deel van Afrika. Het schip kwam in ruw water terecht waar de beide stromen elkaar ontmoetten, en Eric moest met de stuwschroeven tegenstuur geven om te voorkomen dat de *Oregon* dwars op de stroming kwam te liggen.

'Voorzitter, ik heb Benjamin Isaka aan de lijn,' zei Linda Ross. 'Ik verbind 'm door.'

'Onderminister Isaka, u spreekt met kapitein Cabrillo. Ik neem aan dat u op de hoogte bent van onze situatie?'

'Ja, kapitein. Kolonel Abala wil zijn diamanten terug.' De onderminister had zó'n zwaar accent dat Juan hem nauwelijks kon verstaan. 'En hij heeft twee van onze patrouilleboten gestolen. Er is een melding dat er in Matadi tien van onze mannen dood op de kade liggen waar onze boten gestationeerd waren.'

'Hij heeft ook twee helikopters van een oliemaatschappij.'

'O ja,' reageerde Isaka onbewogen.

'We zouden wat hulp kunnen gebruiken.'

'Onze gemeenschappelijke vriend bij Langley die u heeft aanbevolen, zei dat u uitstekend in staat bent voor uzelf te zorgen.'

Juan had de regeringsfunctionaris het liefst luidkeels uitgekafferd.

'Meneer Isaka, wanneer ik de mannen van Abala uitschakel, zal hij heel argwanend zijn ten opzichte van de wapens die hij zojuist heeft gekocht. De met radio traceerbare chips die we erin hebben aangebracht, zitten goed verstopt, maar zijn niet onvindbaar. Het plan is erop gebaseerd dat ze de wapens meenemen naar Makambo's hoofdkwartier in de jungle, waarna uw militairen voortdurend op de hoogte zullen zijn waar zich dat bevindt. Dan hebt u die opstand binnen een paar dagen volledig de kop ingedrukt, maar niet als Abala de wapens bij de steiger van de plantage laat liggen.' Het was nu al de derde of vierde keer dat hij Isaka deze logica uit de doeken deed sinds Langston Overholt van de CIA Juan zijn fiat voor deze missie had gegeven.

Het eerste deel van Isaka's antwoord werd overstemd door het geluid van mortiervuur van de Swift-boten. Dat sloeg nu zo dichtbij in dat het een muur van water tegen de zijkant van de *Oregon* opwierp. '… ze vertrekken nu uit Boma en zijn over een uur bij u.'

'Kunt u dat herhalen, minister?'

De voltallige bemanning in het controlecentrum klapte voorover doordat de kiel van de *Oregon* met een geweldige dreun tegen de rivierbodem sloeg. In de officiersmess kletterde er door de plotselinge schok een hele lading duur serviesgoed tegen de grond en in de eerstehulppost viel een draagbaar röntgenapparaat kapot dat dokter Julia Huxley had vergeten vast te zetten.

Juan stond als een van de eersten weer overeind. 'Eric, wat is er gebeurd?'

'De bodem kwam opeens omhoog. Ik heb het niet zien aankomen.'

'Max, hoe is 't met de motoren?'

Het was een ingebouwde veiligheidmaatregel dat de computer de motoren uitschakelde zodra het enorme schip op de grond liep. Max bestudeerde zijn computerscherm met een fronsende blik, die met de seconde versomberde. Even ging hij als een razende tekeer op zijn toetsenbord.

'Ma-ax?' vroeg Juan, de naam van zijn oude vriend lang uitrekkend.

'Bakboordbuis zit vast, met modder. Aan stuurboord krijg ik nog twintig procent, maar alleen achteruit. Als we het vooruit proberen, loopt die ook vast.'

'Eric,' zei Juan, 'ik neem het roer.'

'Overdracht roer, oké.'

De buizen van de straalmotoren waren volgens een exacte normering zo glad als geweerlopen van een exotische legering gefreesd om het ontstaan van cavitatie uit te sluiten, de vorming van microscopische luchtbelletjes die tot weerstand konden leiden. Juan begreep dat de modder en het slik de buizen waarschijnlijk al hadden beschadigd, en als ze nu nog eens extra werden belast, zouden ze door de rommel volledig uitvallen. De verantwoording voor verdere beschadiging van het schip lag vanaf nu bij hem.

Hij zette de bakboordbuis op standby en voerde het vermogen van de stuurboordmotor geleidelijk op, waarbij zijn ogen heen en weer schoten tussen het kolkende water onder de boeg op de schermen van de buitencamera's en de displays die de status van de motoren registreerden. Hij gaf iets meer gas, tot vijfentwintig procent, in het bewustzijn dat de buizen hieronder leden alsof hij er persoonlijk met een staalborstel schurend doorheen kroop.

De *Oregon* bewoog nog geen millimeter en zat door de druk van haar eigen enorme gewicht muurvast in een stevige greep van de modder.

'Juan,' zei Max op een waarschuwende toon.

Cabrillo schakelde de pompen al uit. Zijn besluitvorming balanceerde op het scherpst van de snede, maar er waren weinig alternatieven. Hij had hoogstens vijftien seconden om een plan te bedenken voordat de heli's omlaag kwamen om de rebellen te droppen die ze aan boord hadden. Twee salvo's van vijf seconden van het Gatling 30mm-boordkanon waren voldoende om de heli's uit de lucht te halen, maar daarmee zouden ze ook de beide burgerpiloten doden en de ware potentie van het schip blootgeven. Vervolgens moesten ze nog met de Swift-boten afrekenen, en met alle overige vaartuigen die Abala zou inzetten zodra hij doorhad dat de *Oregon* aan de grond was gelopen. De gedachte om de stenen terug te geven of het welslagen van de missie op het spel te zetten kwam geen moment bij hem op.

'Max, we hebben de wind in de rug, leg een rookgordijn waar het hele schip in verdwijnt en activeer dan de vuuronderdrukkingskanonnen.' Dit waren vier op de hoeken van de bovenbouw gemonteerde waterkanonnen die elk een kleine vierduizend liter water per minuut verwerkten, aangevoerd door middel van pompen die door speciale dieselmotoren werden aangedreven. 'De waterstralen hebben een bereik van zestig meter. Dat moet genoeg zijn om de heli's op afstand te houden.' Hij pakte zijn microfoon. 'Eddie, ik neem de waterkanonnen, dus blijf paraat. Als dat de heli's niet weghoudt, mogen jouw mensen uitsluitend geweren en pistolen inzetten. Dat zijn geloofwaardige wapens op een schip in deze wateren.'

'Akkoord.'

'En, Eddie, ik wil dat jij en Linc naar de botenhal komen. Ik heb een missie voor jullie. Volledige uitrusting, voor alle zekerheid.'

Cabrillo was al uit zijn stoel gesprongen en halverwege op weg naar de lift die hem twee dekken lager naar de op de waterlijn van de *Oregon* gesitueerde botenhal zou brengen, toen Hanley hem met een gebaar tegenhield. 'Het inzetten van rook en de waterkanonnen is beslist een meesterzet, maar wat ben je met Linc en Eddie van plan?'

'Ik heb deze oude dame over een halfuurtje weer drijvend.'

Max had in de loop der jaren geleerd dat hij nooit aan dergelijke uitlatingen van de baas hoefde te twijfelen, maar hij had gewoon geen flauw idee hoe Juan hen deze keer uit deze ogenschijnlijk hopeloze situatie dacht te redden. 'Je hebt iets verzonnen waar we een paar duizend ton lichter van worden?'

'Beter nog. Ik ga de waterstand in de rivier tien meter verhogen.'

4

Het zuiden van de Walvisbaai
Namibië

Het zand dat over de weg stoof was zo fijn als stof en vloog in wervelingen op waar de koele woestijnlucht het nog warme asfalt raakte. Het leken rookslierten of uitwaaierende sneeuwvlagen. De zon was al enige tijd onder en de landinwaarts gelegen duinen lagen wit glanzend in het schijnsel van de maan.

De eenzame auto op de weg was, afgezien van de wind en de zachte branding op het strand, het enige wat bewoog. De pick-up 4x4 bevond zich zo'n dertig kilometer ten zuiden van Swakopmund en de aangrenzende haven aan de Walvisbaai, maar hij leek de laatste auto die nog op aarde rondreed.

De vrouw achter het stuur, Sloane Macintyre, rilde.

'Kun jij het stuur even overnemen?' vroeg ze aan haar metgezel. Terwijl hij dat deed, wurmde zij zich in een sweatshirt met capuchon en trok met beide handen haar lange haren onder de kraag uit om ze over haar schouders te spreiden. Haar haren hadden dezelfde koperrode kleur als de duinen in de avondschemering en accentueerden haar heldere grijze ogen.

'Ik blijf erbij dat we tot morgen hadden moeten wachten en een vergunning voor Sandwichbaai hadden moeten halen,' klaagde Tony Reardon voor de derde keer nadat ze uit hun hotel waren vertrokken. 'Je weet hoe geïrriteerd de plaatselijke autoriteiten reageren op toeristen die zomaar veiligheidszones binnenkomen.'

'We gaan naar een vogelreservaat, Tony, en niet naar een concessieveld van een diamantbedrijf,' reageerde Sloane.

'Toch is het illegaal.'

'Bovendien beviel het me helemaal niet dat Luka ons een bezoek aan Papa Heinrick uit het hoofd probeerde te praten. Het leek wel of hij iets te verbergen heeft.'

'Wie, Papa Heinrick?'

'Nee, die vermaarde gids van ons, Tuamanguluka.'

'Waarom denk je dat? Luka is sinds onze komst alleen maar behulpzaam geweest.'

Sloane keek hem van opzij aan. In de gloed van de dashboardverlichting zag de Engelsman eruit als een nukkig kind dat koppig doet uit pure koppigheid. 'Heb je niet het gevoel dat hij een beetje té behulpzaam is? Hoe groot is de kans dat je in ons hotel een gids treft die toevallig alle vissers in de Walvisbaai kent en ons ook nog eens een goede deal bezorgt met een lokaal helikoptermaatschappijtje?'

'We hebben gewoon geluk gehad.'

'Ik geloof niet in geluk.' Sloane richtte haar aandacht weer op de weg. 'Toen we Luka over de oude visser vertelden die het over Papa Heinrick had gehad, stelde hij alles in het werk om ons ervan te weerhouden hem op te zoeken. Eerst zei Luka dat Heinrick alleen maar een strandvisser was en geen enkel verstand had van de zee op meer dan anderhalve kilometer van de kust. Daarna vertelde hij dat de man niet goed bij zijn hoofd zou zijn. En toen dat ook niet werkte, zei hij dat Heinrick gevaarlijk is en dat er geruchten zijn dat hij iemand heeft vermoord.

'Was dat de indruk die we van Papa Heinrick kregen na wat de visser ons in eerste instantie over hem vertelde?' vervolgde Sloane. 'Nee. Die vent zei dat Papa Heinrick meer over de wateren langs de Geraamtekust was vergeten dan een ander er ooit over had vergaard. Zo heeft hij dat ongeveer letterlijk gezegd. En dat maakt die Heinrick voor dit project de perfecte persoon om te interviewen, en onze o zo behulpzame gids wil gewoon niet dat we met hem praten. Tony, hier wringt iets, en dat weet jij ook.'

'We hadden best tot morgen kunnen wachten.'

Sloane wachtte even voordat ze reageerde. 'Je weet dat elke minuut telt. Er komt een moment dat iemand gaat uitzoeken wat we aan het doen zijn. Als dat gebeurt, wemelt de hele kust binnen de kortste keren van de mensen. De regering zal de kust waarschijnlijk tot verboden gebied verklaren, de visserij stilleggen en de noodtoestand uitroepen. Jij hebt dit soort expedities nog niet meegemaakt. Ik wel.'

'En, heb je iets gevonden?' vroeg Tony korzelig, hoewel hij het antwoord kende.

'Nee,' gaf Sloane toe. 'Maar dat betekent nog niet dat ik niet weet wat ik doe.'

In tegenstelling tot elders in Afrika zijn de wegen in Namibië goed onderhouden en vlak, zonder kuilen. De Toyota 4x4 zoefde door de nacht tot ze bij een afslag kwamen die gedeeltelijk schuilging onder zandverstuivingen zo hoog als de wielen van de auto. Sloane schakelde terug en reed de zijweg in. Daar ploegden ze door zandbergen waarin elke auto zonder vierwielaandrijving hopeloos zou zijn vastgelopen. Na een minuut of twintig bereikten ze een parkeerterrein bij een hoge cycloonbestendige omheining. Aan het hek hingen borden met de mededeling dat het gebied erachter voor auto's verboden was.

Ze waren bij Sandwichbaai, een uitgestrekte, moerasachtige lagune die door een waterhoudende grondlaag van zoetwater werd voorzien en waar elk jaar meer dan vijftigduizend trekvogels overwinterden. Sloane zette de pick-uptruck in z'n vrij maar liet de motor draaien. Zonder op Tony te wachten sprong ze van haar stoel, waarbij haar laarzen in het zachte zand wegzonken, en liep naar de achterkant van de Toyota. In de open bak lagen een opblaasboot en een elektrische luchtpomp die op het twaalfvoltsysteem van de auto was aangesloten.

Ze had de boot snel opgepompt en haar spullen klaargelegd, waarna ze de batterijen van hun zaklampen controleerde. Ze stapelde hun rugzakken en de roeispanen in de boot en sjorde hem naar het water. De van de open zee afgeschermde lagune was zo vlak als een spiegel.

'De visser zei dat Papa Heinrick aan de meest zuidelijke oever van de lagune woont,' zei Sloane, toen ze in de boot zaten en hem met de roeiriemen van de kant afduwden. Ze pakte een kompas, vergeleek de stand met de nachthemel en duwde haar peddel door het gladde water.

Ondanks wat ze tegen Tony had gezegd, besefte ze dat ze weliswaar een klapper konden maken, maar dat het ook pure tijdverspilling kon zijn, met dat laatste als het meest waarschijnlijke. Het najagen van geruchten, halve waarheden en vage tips leverde in verreweg de meeste gevallen niets op, maar dat was nu eenmaal de aard van haar werk. Alsmaar vasthoudend stug doorgaan zou uiteindelijk tot dat ene eurekamoment leiden. Een moment dat ze nog niet had mogen smaken, maar dat als een lokaas fungeerde om haar te laten doorploeteren, en eenzaamheid, uitputting, stress en pessimistische eikels als Tony Reardon te weerstaan.

Terwijl ze naar het zuiden peddelden, plonsde er zo nu en dan een vis terug in het water van de donkere lagune, en zette een vogel in het riet zijn veren op. Na anderhalf uur bereikten ze het uiterste zuiden van de baai, en was er niets te zien wat afweek van de rest van de omgeving: een muur van rietsoorten die in het brakke water overleefden. Sloane liet de lichtbundel van haar zaklamp over de oever gaan en zo zochten ze de hele oever af. Na een minuut of twintig, waarin haar twijfel aanzienlijk was gegroeid, ontdekte ze een smalle geul in het riet, waardoor een beekje in de lagune stroomde.

Ze wees er zwijgend op, waarna ze hun opblaasbootje in de opening manoeuvreerden.

Het tot ver boven hen uit reikende riet boog boven hun hoofden bijeen en vormde zo een tunnel waarin het zilveren schijnsel van de maan niet doordrong. De stroming van het smalle beekje was nauwelijks waarneembaar en ze kwamen snel vooruit. Toen ze zo'n honderd meter in het moeras hadden afgelegd, bereikten ze een open vijver in het rietveld met een eilandje in het midden waarvan maar een klein stukje droog bleef als de vloed op z'n hoogst was. In het licht van de maan zagen ze een primitieve hut van wrakhout en aangespoelde pallets. De deur bestond uit een aan de latei gespijkerde deken en er vlak voor was een vuurplaats waarin onder een laag as nog stukjes gloeiend hout smeulden. Rechts ervan stonden een paar roestige vaten voor de opslag van zoetwater en een rek voor het drogen van vis. Aan een boomstronk lag met één touw een houten sloep afgemeerd. Het zeil was strak om de mast gewonden en het roer en de kielzwaarden lagen in de kuip. De platbodem was niet bepaald ideaal voor het vissen in open water, waaruit Sloane afleidde dat Luka gelijk had gehad over het feit dat Papa Heinrick dicht bij de kustlijn bleef.

Het kampement was primitief, maar een doorgewinterd buitenmens zou het hier beslist wel uithouden.

'Wat zullen we doen?' fluisterde Tony toen ze de rubberboot op het strand trokken.

Sloane liep naar de deur en overtuigde zich ervan dat het geluid dat ze hoorde het snurken van een mens was en niet van de wind of van de branding, waarna ze terugliep. Ze ging met haar achterwerk op het zandstrand zitten, pakte haar laptop uit haar rugzak en begon met haar onderlip tussen haar tanden geklemd te typen.

'Sloane?' fluisterde Tony, nu ietsje scherper.

'We wachten tot hij wakker wordt,' antwoordde ze.

'Maar als dit Papa Heinrick helemaal niet is? Als hier iemand anders woont? Piraten of bandieten, of weet ik veel?'

'Ik heb je al gezegd dat ik niet in geluk geloof. Maar ik geloof ook niet in toeval. Nadat we een hut hebben gevonden precies op de plek waar ons is verteld dat Papa Heinrick woont, kunnen we rustig stellen dat we hem hebben gevonden. Ik jaag die ouwe knakker niet graag de stuipen op het lijf zo midden in de nacht en praat liever morgenochtend met hem.'

Het zachte snurken vanuit de hut veranderde niet van timbre of sterkte, maar plotseling schoof een verweerde Afrikaan met alleen een klein sportbroekje aan de deken opzij. Hij stond op o-benen, was zo mager dat je zijn ribben kon tellen, terwijl er onder en boven zijn sleutelbeen diepe holtes lagen. Hij had een brede platte neus en grote flaporen, die met een soort hoornen oorringen waren versierd. Zijn haar was spierwit en zijn ogen glansden gelig.

Hij snurkte nog steeds, en heel even dacht Sloane dat hij slaapwandelde, tot hij zich opeens heftig krabde en in het nagloeiende vuur spuwde.

Sloane krabbelde overeind. Ze was minstens een hoofd groter dan de Namibiër en ze besefte dat hij met dat kleine lichaam waarschijnlijk van de Bosjesmannen afstamde. 'Papa Heinrick, we zijn van ver gekomen om u op te zoeken. Een visser in Walvisbaai zegt dat u van hen de wijste bent.'

Men had Sloane verzekerd dat Papa Heinrick Engels sprak, maar het dwergachtige mannetje toonde geen tekenen dat hij haar verstond. Ze interpreteerde het feit dat hij met snurken ophield als een aanmoediging om door te gaan. 'We willen u wat vragen stellen over waar u vist, plekken die lastig zijn, waar u lijnen en netten verliest. Wilt u daarover praten?'

Heinrick liep zijn hut in en trok de deken weer voor de ingang. Een ogenblik later dook hij weer op met een gevoerd dekbed over zijn schouders. Het bestond uit met grove steken aan elkaar genaaide lappen, en bij iedere beweging dwarrelden er veren uit de zomen. Hij liep een eindje weg en plaste met een kletterende straal in het water, waarbij hij loom over zijn buik krabde.

Hij ging op zijn hurken naast zijn vuurplaats zitten, met zijn rug naar Tony en Sloane gekeerd. De botten van zijn ruggengraat glommen als een zwarte parelketting. Hij blies weer leven in het gloeiende vuur en legde stukken drijfhout in de smeulende as tot er vlammetjes oplaaiden. 'In de wateren hier zijn veel lastige plekken om te vissen,' zei hij met een verrassend lage stem voor zo'n iel lichaam. Hij had zich niet omgedraaid. 'Ik heb overal gevist en daag iedereen uit om mee te gaan waar Papa Heinrick gaat. De vislijn die ik ben kwijtgeraakt reikt van hier tot aan de baai van Kaap Kruis.' Die lag ruim honderdtwintig kilometer noordelijker. 'En terug,' voegde hij er nog aan toe alsof hij hen uitdaagde zijn grootspraak tegen te spreken. 'Met de netten die ik kwijt ben geraakt kun je de hele Namibwoestijn bedekken. Ik heb met golven gevochten die de stoerste mannen aan het janken hadden gebracht en hen kotsmisselijk hadden gemaakt. En ik heb vissen gevangen groter dan de grootste schepen, en ik heb dingen gezien die andere mannen tot waanzin hadden gedreven.'

Hij draaide zich om. In het flakkerende licht van het vuur lag er een demonische blik in zijn ogen. Hij glimlachte, waarbij hij drie tanden toonde die als de haken van een grijper ineenstaken. Zijn glimlach ging over in gegrinnik en vervolgens in een bulderende lach, die door een hoestbui werd gesmoord. Toen hij was bijgekomen, spuwde hij weer in het vuur. 'Papa Heinrick geeft zijn geheimen niet prijs. Ik weet dingen die u wilt weten, maar die zult u nooit te horen krijgen, omdat ik niet wil dat u ze te weten komt.'

'Waarom wilt u dat niet?' vroeg Sloane, nadat ze zijn zinsbouw nog eens goed had geanalyseerd om er zeker van te zijn dat ze het goed had gehoord. Ze hurkte naast hem.

'Papa Heinrick is de beste visser die er ooit is geweest. Waarom zou ik u dat vertellen en u tot mijn concurrent maken?'

'Ik wil hier helemaal niet gaan vissen. Ik ben op zoek naar een schip dat hier heel lang geleden is gezonken. Mijn vriend en ik' – ze gebaarde naar Tony, die, toen hij de geur van Papa Heinricks lichaam rook, een paar stappen terug had gedaan – 'willen dat schip vinden omdat...' Sloane pauzeerde even om iets te verzinnen. 'Omdat ons is gevraagd iets terug te vinden wat een rijke man is kwijtgeraakt toen het schip zonk. Wij denken dat u ons hierbij kunt helpen.'

'Betaalt die rijke man daarvoor?' vroeg Heinrick sluw.

'Een beetje, ja.'

De visser zwaaide met zijn hand als een door de nacht fladderende vleermuis. 'Papa Heinrick heeft geen geld nodig.'

'Wat kunnen we voor u doen opdat u ons wel helpt?' vroeg Tony opeens. Sloane had een naar gevoel over wat de oude man zou willen en keek hem met een vernietigende blik aan.

'U wil ik niet helpen,' zei Heinrick tegen Tony, waarna hij zich tot Sloane richtte. 'Maar u wel. U bent een vrouw en u vist niet, dus u zult nooit mijn concurrent zijn.'

Sloane was niet van plan hem te vertellen dat ze in Fort Lauderdale was opgegroeid en daar hele zomers op de gepachte vissersboot van haar vader was meegevaren tot ze het vissen van hem had overgenomen toen hij op zijn vijftigste alzheimer kreeg. 'Bedankt, Papa Heinrick.' Sloane trok een grote kaart uit haar rugzak en spreidde die naast het vuur uit. Tony kwam naast haar staan en lichtte met zijn zaklamp bij. Het was een kaart van de Namibische kust. Vlak langs de kust waren er een heleboel sterretjes op getekend. De meeste rondom Walvisbaai, maar ook verschillende erboven en eronder.

'We hebben met veel vissers gesproken en gevraagd waar zij lijnen en netten kwijtraken. We denken dat een van die plekken een gezonken schip kan zijn. Als u hier goed naar kijkt, ziet u dan nog plekken die zij hebben overgeslagen?'

Heinrick bekeek de kaart aandachtig, waarbij zijn blik van sterretje naar sterretje schoot en hij met zijn vingers de kustlijn volgde. Ten slotte keek hij naar Sloane op. Ze bespeurde iets van een verwarring in hem, alsof zijn realiteit niet bepaald de hare was. 'Ik ken dit niet.'

Confuus legde ze haar vinger op Walvisbaai en zei de naam. Vervolgens bewoog ze hem naar het zuiden en zei: 'Dit is Sandwichbaai, waar we nu zijn.' Daarna tikte ze met haar vinger aan de bovenkant op de kaart. 'En hier is Kaap Kruis.'

'Ik begrijp 't niet. Kaap Kruis is daar.' Hij wees nadrukkelijk naar het noorden. 'Hier kan het niet zijn.' Hij wees de plek op de kaart aan.

Sloane realiseerde zich dat Papa Heinrick weliswaar zijn hele leven op zee had doorgebracht, maar nog nooit een zeekaart had gezien. Ze gromde inwendig.

De volgende twee uur nam Sloane met de oude visser moeizaam alle plekken door waar hij netten was kwijtgeraakt of zijn lijnen verstrikt waren geraakt. Omdat de woestijn vanaf de kust nog honderden kilometers onder de oceaan doorliep, konden de plekken waar lijnen vasthaakten of netten kapotscheurden alleen uitstekende rotspunten of scheepswrakken zijn. Papa Heinrick vertelde haar dat er op twee dagen varen ten zuidwesten van Sandwichbaai zo'n plek was, en ook een op vijf dagen varen naar het noordwesten. Alle plaatsen die hij beschreef kwamen overeen met sterretjes op de kaart die ze daar had gezet naar aanleiding van de gesprekken die ze de afgelopen dagen met beroepsvissers en kapiteins van excursieschepen in Walvisbaai had gevoerd.

Maar er was één plek die alleen Papa Heinrick noemde. Sloane schatte dat deze zich op een afstand van bijna honderdvijftien kilometer bevond, veel verder weg dan alle andere. In feite had geen van de andere vissers gezegd dat ze überhaupt in dat gebied visten. Papa Heinrick vertelde dat er vrijwel niets was dat zeeleven aantrok en dat hij er alleen maar was geweest omdat hij door een stevige storm uit de koers was geraakt.

Sloane omcirkelde de plek op de kaart en zag dat het er ruim vijfenveertig meter diep was, net aan de grens van haar duikmogelijkheden, maar wel te doen. Zelfs in het helderste water was het te diep om vanboven de contouren van het schip op de zandbodem te zien liggen; ook niet vanuit de helikopter die ze wilden huren om de andere plekken te onderzoeken.

'Daar moet u niet naartoe gaan,' waarschuwde Papa Heinrick toen hij de afwezige blik in Sloanes ogen bemerkte.

Door zijn opmerking was ze meteen weer bij de les. 'Hoezo?'

'Daar leven metalen slangen in de zee. Zwarte magie, volgens mij.'

'Metalen slangen?' reageerde Tony spottend.

De oude man sprong overeind, met een kwaad gezicht. 'Twijfelt u aan Papa Heinrick?' bulderde hij, waarbij hij Reardon met klodders speeksel besproeide. 'Het stikt ervan, minstens zestig meter of langer, zwaaiend en slingerend in het water. Eentje wilde me opeten en heeft mijn boot haast tot zinken gebracht. Ik ben de enige die aan die gevaarlijke bek heeft kunnen ontsnappen, want ik ben de beste zeeman die ooit heeft bestaan. U had in uw broek gepist van angst en was krijsend als een kind gedood.' Hij richtte zich weer tot Sloane met een blik waarin die zweem van krankzinnigheid al iets scherper glinsterde. 'Papa Heinrick heeft u gewaarschuwd. Als u ernaartoe gaat, wordt u levend opgegeten. Ga nu weg.' Hij hurkte weer naast zijn rokende vuurtje en schommelde lichtjes op zijn hielen, zachtjes in een taal mompelend die Sloane niet verstond.

Ze bedankte hem voor zijn hulp, maar daar reageerde hij niet meer op. Met Tony liep ze terug naar hun opblaasboot en langzaam peddelden ze bij Papa Heinricks afgelegen kampement vandaan. Toen ze de geheime geul door het riet uitvoeren, slaakte Tony een diepe zucht. 'Die vent is volslagen geschift. Metalen slangen? Alsjeblieft zeg!'

'Er zijn meer dingen tussen hemel en aarde, Horatius, dan we in onze stoutste dromen kunnen bevroeden.'

'Wat wil je daarmee zeggen?'

'Dat is een citaat uit *Hamlet* over het feit dat de wereld soms vreemder in elkaar zit dan wij ons kunnen voorstellen.'

'Je gelooft hem toch niet, hè?'

'Dat over die metalen slangen? Nee, maar hij heeft daar wel iets gezien waar hij behoorlijk van geschrokken is.'

'Wedden dat het een opduikende onderzeeër is geweest? De Zuid-Afrikaanse marine schijnt er een aantal te hebben waarmee ze in deze wateren patrouilleren.'

'Dat zou kunnen,' gaf Sloane zich gewonnen. 'En voorlopig hebben we genoeg locaties zonder zeeslangen of duikboten om te onderzoeken. Vanmiddag gaan we met Luka om de tafel zitten om te bekijken hoe we het gaan doen.'

Net toen de zon opkwam, waren ze terug in hun kamers in het chique Swakopmund Hotel. Sloane stond lang onder de douche en spoelde al het zand en het plakkerige zout van haar huid. Omdat ze nodig haar benen moest scheren, werkte ze eerst dat karwei af, waarna ze onder de harde straal bleef staan en het water de gespannen spieren in haar rug en schouders liet masseren.

Nadat ze zich had afgedroogd schoof ze naakt tussen de lakens op haar bed. In haar dromen zag ze monsterlijke slangen die op open zee een felle strijd met elkaar uitvochten.

5

Terwijl Juan Cabrillo naar de direct achter de bovenbouw gelegen botenhal holde, luisterde hij door zijn headset naar de bijzonderheden over de averij die ze hadden opgelopen. De onderruimen waren droog, wat geen verbazing wekte. De rivierbedding bestond uit modderig slib dat in de romp geen gaten kon slaan. Hij maakte zich meer zorgen over de kielluiken. In de bodem van de *Oregon* zaten twee naar buiten openslaande luiken voor het duikersgat. Door die opening konden ze de beide duikboten die het schip aan boord had rechtstreeks in zee laten zakken. Een van deze miniduikboten, die voornamelijk voor geheime operaties in verboden gebieden werden ingezet, had een duikbereik van driehonderd meter en was uitgerust met een robotarm, terwijl de kleinste van de twee, een Discovery 1000, alleen voor ondiep water geschikt was.

Tot zijn enorme opluchting meldde de technicus van dienst dat de luiken niet beschadigd waren en dat de duikboten nog keurig in hun stellingen lagen.

Juan bereikte de botenhal die zich op gelijke hoogte met de waterlijn bevond. De grote hal werd verlicht door rode lampen die een rossig schijnsel verspreidden, en het rook er naar zout water en dieselolie. Het enorme luik in de zijwand van de *Oregon* was stevig vergrendeld. Enkele bemanningsleden prepareerden een zwarte Zodiac-opblaasboot. Met de zware buitenboordmotor op de hekplaat haalde de boot een snelheid van ruim veertig knopen, maar hij had ook een kleine elektrische motor voor geruisloze operaties. In de hal stond verder nog een SEAL-aanvalsboot, die met een vervoerscapaciteit van tien gewapende soldaten nog aanmerkelijk sneller was.

Even later meldden Eddie en Linc zich in de hal. Eddie Seng had de rol van roerganger op zich genomen toen Linc voor kapitein speelde. Qua uiterlijk had het verschil tussen de twee niet groter kunnen zijn. Lincs lichaam stond bol van de spierbundels, die hij zorgvuldig had opgekweekt gedurende talloze uren zwoegen met gewichten in het krachthonk van het schip, terwijl Eddie juist broodmager was met een taai lijf, het resultaat van zijn levenslange toewijding aan diverse oosterse gevechtssporten.

Ze droegen zwarte gevechtspakken met om hun middel een koppel met patroontassen, messen en dergelijke. Ze hadden allebei een M-4A1-karabijn, een speciaal voor de Special Forces ontwikkelde versie van de M-16.

'Wat gaan we doen, baas?' vroeg Eddie.

'Zoals je weet, zijn we aan de grond gelopen en hebben we geen tijd om op de voorjaarsregens te wachten. Heb je de dam gezien die we een paar kilometer terug zijn gepasseerd?'

'Wil je dat we die opblazen?' vroeg Linc ongelovig.

'Nee, nee. Jullie moeten ernaartoe gaan en de sluisdeuren openzetten. Ik betwijfel of er bewakers zijn, maar zo ja, geen doden als het even kan.' Beide mannen knikten. 'Jullie zullen ons waarschijnlijk niet meer inhalen als het water eenmaal stroomt, maar dan pikken we jullie in Boma aan de kust wel weer op.'

'Klinkt als een goed plan,' concludeerde Linc nonchalant, en vol vertrouwen dat ze in hun missie zouden slagen.

Juan drukte op een wandmicrofoon. 'Eric, laat me weten wanneer het zijluik van de botenhal veilig open kan om een Zodiac uit te zetten. Waar zijn die patrouilleboten?'

'Eén blijft er iets achter. Die bereidt zich waarschijnlijk voor op een nieuwe mortieraanval. De andere is net bij ons achterlangs gevaren en nadert nu aan bakboordzijde.'

'En op de oever?'

'Met infraroodkijkers niets te zien, maar jij en ik weten dat Abala niet treuzelt om ons te grazen te nemen.'

'Oké, bedankt.' Juan knikte naar een bemanningslid dat hij het zijluik kon openen. De indringende geur en drukkende warmte van de jungle stroomden de hal in toen het luik omhoogschoof. De lucht was zo vochtig dat je hem haast kon drinken. Hij was ook doordrongen van de chemische stank van het rookgordijn dat Max om het schip had gelegd. De rivieroever was donker en dichtbegroeid met overhangend struikgewas. Ondanks Erics melding dat de oever veilig was, voelde Juan ogen op zich gericht.

Omdat de *Oregon* zo hoog in het water lag, bevond het platform voor de tewaterlating zich zo'n anderhalve meter boven de rivier. Linc en Eddie duwden de boot over de gladde rand van het platform en sprongen erachteraan het water in. Ze doken weer uit de rivier op en hesen zich over de zachte zijkant van de boot. Langzaam varend en in het duister van de nacht was de Zodiac zogoed als onzichtbaar.

Toen ze van de *Oregon* wegvoeren, moest Linc tussen de krachtige stralen door laveren waarmee de waterkanonnen de beide helikopters op afstand hielden. De heli's scheerden in duikvluchten laag over, maar als ze tot een meter of dertig genaderd waren, werden de piloten steeds weer door de sterke waterstraal uit een van de kanonnen gedwongen scherp uit te wijken.

Eddie kon zich de taferelen wel voorstellen die zich afspeelden in de heli's, waar de rebellen de piloten van de oliemaatschappij onder druk zetten, terwijl ze heel goed wisten dat bij een rechtstreekse confrontatie met zo'n waterstraal de motoren van de helikopter zouden verzuipen, met als onvermijdelijk gevolg een onfortuinlijke duik in de rivier.

Toen ze uit het rookgordijn tevoorschijn kwamen, zagen ze dat de patrouilleboten zo ver van hen verwijderd waren dat Linc de buitenboordmotor van de Zodiac kon starten. De grote viertaktmotor was goed gedempt, maar maakte nog wel een lage bastoon die over het water rolde nadat Linc de snelheid van de lichte boot had opgevoerd.

Bij een vaart van veertig knopen is praten onmogelijk, dus voeren ze in gedachten verzonken stroomopwaarts. De spanning verhoogde het adrenalinegehalte in hun aderen en ze waren op alles voorbereid. Het hoge gejank van een naderende boot hoorden ze pas toen hij vanachter een vlak onder de oever gelegen eiland tevoorschijn schoot.

Linc stuurde de Zodiac met een ruk naar stuurboord en wist een aanvaring op het nippertje te voorkomen. Hij herkende het angstige gezicht van Abala's adjudant op hetzelfde moment dat ook de rebellenofficier hem herkende. Linc draaide de gashendel helemaal open, terwijl de adjudant zijn boot met een scherpe draai keerde en de achtervolging inzette. De boot was mooi gestroomlijnd, met twee buitenboordmotoren en een romp die speciaal voor een hoge ligging op het water was ontworpen. Er zaten vier mannen bij hem in de boot, stuk voor stuk met een AK-47 bewapend.

'Ken je hem?' riep Eddie.

'Ja, hij is Abala's rechterhand.'

Met een hoog opspattende hekgolf begon de rebellenboot op de Zodiac in te lopen.

'Linc, als hij radio aan boord heeft, kunnen we het verder vergeten.'

'Verdomme, daar had ik niet aan gedacht. Wat doen we?'

'Laat maar dichterbij komen,' zei Eddie, terwijl hij Lincoln een van de M-4's aanreikte.

'En pas schieten als ik het wit van hun ogen zie?'

'Dacht 't niet. Uitschakelen zodra ze binnen bereik zijn.'

'Oké, daar komt-ie.' Linc draaide het gas dicht, en terwijl de Zodiac in het water terugzakte, maakte hij een scherpe bocht, waarbij de platte bodem als een steen op het water ketste. De boot lag met een ruk stil en schommelde op de golven die hij zelf veroorzaakt had, maar dat was voor Linc en Eddie stabiel genoeg.

Ze brachten hun wapen naar hun schouder, terwijl de rebellenboot met ruim tachtig kilometer per uur recht op hen afstoof. Op tweehonderd meter afstand openden ze het vuur. De AK's zwaaiden onmiddellijk in hun richting, maar de rebellen schoten aan hun doel voorbij, omdat hun boot te snel voer. Ver voor en links van de stilliggende Zodiac spatten kleine fonteintjes uit het water op. De mannen van de Corporation hadden dat probleem niet, en terwijl de boot met de seconde dichterbij kwam, verhoogde dat hun trefzekerheid.

Linc vuurde drie salvo's af waarmee hij de kleine vooruit verbrijzelde en hele stukken polyester uit de boeg aan flarden schoot. Eddie concentreerde zich op de stuurman en vuurde losse schoten op hem af tot de man opeens in elkaar zakte. De boot zwenkte heel even naar opzij voordat een van de andere rebellen het stuurwiel kon overnemen, terwijl de rest het ene magazijn na het andere bleef leegschieten. Een van de salvo's kwam zo dicht in de buurt dat de kogels Eddie en Linc om de oren vlogen, maar geen van beiden bukte of knipperde ook maar met de ogen. Ze schoten systematisch op de naderende boot tot er nog maar één rebel over was, die gedekt door de lange boeg achter het stuurwiel weggedoken zat.

In perfecte samenwerking bleef Eddie hem met aanhoudende salvo's bestoken, terwijl Linc terugliep naar de stationair draaiende motor. De rebellenboot was tot op minder dan vijftig meter genaderd en kwam nog steeds als een aanvallende haai recht op hen af. Het was duidelijk dat de stuurman van plan was hen dwarsscheeps te rammen. Linc liet hem komen.

Toen hij nog zo'n zes meter van hen verwijderd was, draaide Linc het gas open, waarop de Zodiac uit het water oprijzend wegspoot. Eddie hield al een handgranaat met uitgetrokken veiligheidspin paraat. Hij wierp hem met een boog in de kuip van de langsrazende speedboot en telde door steeds een van zijn opgestoken vingers in te trekken de seconden af. Hij kromde zijn laatste vinger, waarop de speedboot omhoog sprong en de knal van de granaat vrijwel onmiddellijk werd gevolgd door een spectaculaire explosie van de brandstoftanks in de boot. De romp tolde stuiterend over het water in een uitwaaierende wolk van brokken polyester, lichaamsdelen van de bemanning en een vlammenregen van brandende benzine.

'Rechterhand uitgeschakeld,' concludeerde Linc tevreden.

Vijf minuten later meerde de Zodiac af aan een houten steiger vlak bij de voet van de Ingadam. Het massieve bouwwerk torende hoog boven hen uit. Door de kunstmatige waterkering van gewapend beton en staalconstructies was een reusachtig reservoir in de rivier de Congo ontstaan. Omdat vrijwel alle elektriciteit die overdag door de waterkrachtcentrale werd opgewekt door de mijnen van Shaba, het voormalige Katanga, werd gebruikt, sijpelde er slechts een iel straaltje water door het afvoerkanaal. Ze sjorden de boot een heel eind de oever op en legden hem vast aan een boom, omdat ze ook niet precies wisten tot hoe hoog het water zou stijgen. Ze pakten hun wapens en maakten zich op voor de lange klim omhoog langs een trap die in de wand van de dam was aangebracht.

Halverwege de trap werd de nachtelijke stilte verstoord door geweervuur dat onder hen losbarstte. Granaatscherven, brokken beton en kogels floten de beide ongedekte mannen op de trap om de oren. Ze lieten zich op hun buik vallen en vuurden onmiddellijk terug. Beneden lagen twee inheemse boten aan de steiger afgemeerd. Terwijl een paar rebellen vanaf de kade omhoog schoten, snelden anderen de trap op.

'Ik geloof dat die gozer van Abala toch een radio aan boord had,' zei Eddie, die zijn leeggeschoten M-4 weglegde en zijn Glock trok. Hij schoot snel achter elkaar, terwijl Linc de steiger met 5,56mm-kogels uit zijn automatische geweer bestookte.

De drie rebellen die de trap op stormden gingen na dubbele treffers uit Eddies pistool neer, waarna hun lichamen in een kluwen van bloedende ledematen over de treden omlaag stuiterden. Nadat hij het magazijn van de M-4 had verwisseld, was er van het spervuur vanaf de kade nog maar één AK-47 over, en Linc blies de overgebleven rebel met een laatste salvo uit zijn wapen van de steiger. De man werd onmiddellijk door de stroom meegesleurd en verdween in de rivier.

Boven hen was een alarmsirene gaan loeien.

'Laten we opschieten,' zei Linc, waarna de beide mannen met twee en soms drie treden tegelijk de trap op snelden.

Boven op de dam aangekomen, zagen ze het enorme reservoir erachter, en aan het andere uiteinde van de dam een laag gebouw waar licht achter de ramen scheen.

'De controlekamer?' fluisterde Linc.

'Moet wel.' Eddie trok de microfoon in zijn kraag naar zijn mond. 'Baas, Eddie hier. Linc en ik staan op de dam en lopen nu naar de controlekamer.' Dat hun aanwezigheid al was opgemerkt, hoefde hij hem niet te vertellen.

'Ga door zo. Laat weten wanneer je de sluizen gaat openen.'

'Roger.'

Diep bukkend om te voorkomen dat ze tegen de lichtere sterrenhemel zouden afsteken, renden ze over de bovenrand van de dam. Aan hun linkerhand lag het reservoir; een kalm meer dat door de witte schittering van het maanlicht in tweeën werd gedeeld. Rechts ging het dertig meter steil omlaag naar rotsblokken die in een rommelige rij langs de voet van de dam lagen.

Bij het blokhuis aangekomen, een hoekig gebouw met een deur en twee ramen, zagen ze dat erachter de sluispoorten en aanvoerbuizen lagen waardoor het water naar de turbines van de centrale werd geleid, een langwerpig gebouw aan de voet van de dam. Er stroomde net voldoende water door het kanaal voor de productie van elektriciteit voor de stad Mabati.

Terwijl Linc zich aan de andere kant posteerde, probeerde Eddie de deur van het blokhuis te openen. Hij bleek stevig afgesloten. Eddie maakte een gebaar alsof hij een sleutel in een slot omdraaide en trok een wenkbrauw op naar Linc. Franklin Lincoln was de slotenexpert van de Corporation, en er werd zelfs gefluisterd dat hij na een weddenschap met Linda Ross de wapenkluis van Juan had open gekregen, maar nu haalde hij zijn schouders op en tikte op zijn zakken. Hij was vergeten zijn lopers mee te nemen.

Eddie rolde met zijn ogen en opende een van de patroontasjes aan zijn koppel. Met semtex kneedde hij een plasticbom rond de deurklink en stak er een elektronische ontsteker in. Vervolgens liepen ze bij de deur vandaan.

Net toen Eddie de ontsteker wilde activeren, verscheen er een bewaker om de hoek van het blokhuis. Hij droeg een donker uniform en was bewapend met een zaklamp en een pistool. Linc nam de man in een reflex onder schot en stelde in de seconde voordat hij afdrukte zijn oordeel over de situatie bij. Hij schoot het pistool uit de hand van de bewaker. De man sloeg gillend, met zijn arm tegen zijn borst gedrukt, tegen de grond. Linc rende naar hem toe en trok een stel plastic boeistrips uit zijn scherfvest tevoorschijn. Snel controleerde hij de wond en zag tot zijn opluchting dat die niet ernstig was, waarna hij de bewaker aan handen en voeten boeide.

'Sorry, vriend,' zei hij, en voegde zich weer bij Eddie.

Eddie activeerde de kneedbom. Door de ontploffing knalde het slot uit elkaar, waarna Linc de deur opende, terwijl Eddie hem met zijn M-4 dekte.

De felverlichte controlekamer was een open ruimte met lange panelen vol knoppen en metertjes langs de muren en een paar consoles met verouderde computerapparatuur. De drie mannen van de nachtdienst staken onmiddellijk hun handen in de lucht toen Linc en Eddie de ruimte binnenstormden en schreeuwden dat ze op de grond moesten gaan liggen. Ze gebaarden met hun geweren, waarop de mannen zich met van angst wijd opengesperde ogen op de betonnen vloer lieten zakken.

'Doe wat we zeggen dan gebeurt u niets,' zei Eddie, beseffend dat dit voor die doodsbange operateurs niet erg vertrouwenwekkend klonk.

Linc maakte een snelle rondgang door het gebouw. Achter de controlekamer trof hij een lege vergaderruimte aan en een wc ter grootte van een kast, waarin zich, afgezien van een vingerlange kakkerlak, ook niemand bevond.

'Spreekt iemand van u Engels?' vroeg Eddie, terwijl hij de drie Afrikanen boeide.

'Ik,' antwoordde een van hen. Volgens het naamkaartje op zijn blauwe overall heette hij Kofi Baako.

'Oké, Kofi, zoals ik al zei, we doen u niks. Ik wil alleen dat u me vertelt hoe je de noodsluizen openzet.'

'Dan loopt het reservoir leeg!'

Eddie wees op een kleine telefooncentrale met meerdere lijnen. Vier van de vijf lampjes knipperden. 'U hebt al contact opgenomen met uw meerderen, en die gaan beslist hulptroepen sturen. Die sluizen zijn over een uur weer dicht. Maar laat me nu zien hoe dat moet.'

Kofi Baako bleef aarzelen, waarop Eddie zijn pistool trok, waarbij hij erop lette dat hij de loop niet op de drie mannen gericht hield. Zijn stem veranderde van vriendelijk in dreigend. 'Ik geef u nog vijf seconden.'

'Dat paneel daar.' Baako knikte naar de verst verwijderde muur. 'Met de bovenste vijf knoppen schakel je de veiligheidssystemen uit. Met de middelste vijf sluit je de stroom van de sluismotoren af, en met de onderste vijf gaan de sluizen automatisch open.'

'Kunnen ze handmatig worden gesloten?'

'Ja, er is een ruimte in de dam met een handdraaimechanisme. Voor elk rad zijn twee mannen nodig.'

Terwijl Linc bij de deur postte om te zien of er niet nog meer bewakers opdoken, klikte Eddie een voor een de schakelaars om en zag hoe de in het paneel ingebouwde lampjes bij elke omgezette schakelaar van rood in groen veranderden. Voordat hij aan de laatste rij begon, trok hij de microfoon weer voor zijn mond. 'Baas, ik ben 't. We zijn zover. Ik zet de sluizen nu open.'

'Geen minuut te vroeg. Abala heeft de mortieren van de Swiftboten verwijderd en ze op de oever gezet. Als ze nog even doorgaan, hebben ze ons te pakken.'

'Zet je maar schrap voor de grote golf,' waarschuwde Eddie, terwijl hij de laatste rij schakelaars overhaalde. Vrijwel onmiddellijk klonk er in de diepte een dof gerommel dat razendsnel aanzwol tot een donderend geraas dat met een trilling door het bouwwerk trok. De sluispoorten schoven omhoog en het water gleed als een gladde muur over de rand van de dam. Onderaan de damwand kletterde de massieve watermassa met bulderend geweld en woest schuimend op de rotsblokken en vormde een tweeënhalve meter hoge golf die over de rivier rolde en de oevers overstroomde, waar bomen en struikgewas door de stroming werden meegesleurd.

'Zo moet het maar goed zijn,' zei Eddie, waarop hij zijn magazijn op het controlepaneel leegschoot. De kogels doorboorden het dunne metaal en verwoestten de oude elektronica in een wolk van rook en vonken.

'En dat geeft ons de tijd om weg te komen,' vulde Linc aan.

De technici lieten ze aan een tafel gebonden achter en renden terug naar de trap. Het kabaal en het geweld waarmee het water zich langs de damwand stortte, ervoeren ze aan den lijve toen ze bij het afdalen van de trap drijfnat werden van het opspattende water.

Tegen de tijd dat ze beneden waren en de Zodiac naar de rivieroever hadden gesleept, was het water al zo ver gestegen dat de opblaasboot haast vanzelf het water in gleed en ze direct de steven op het stoomafwaarts gelegen Boma konden richten.

Op de *Oregon* begon Juan zich zorgen te maken. Abala had beseft dat de Swift-boten voor de mortieren niet stabiel genoeg waren, waarop hij ze van boord had laten halen. En nu konden zijn mannen ze op een aanzienlijk kortere afstand inzetten. Het laatste projectiel was op nog geen zes meter voor de stuurboordreling ingeslagen.

De situatie werd er niet beter op nu er steeds meer met rebellen volgestouwde boten de rivier af kwamen. Terwijl de waterkanonnen onverminderd hun werk deden – ze hadden er maar vier, en twee werden constant ingezet om te voorkomen dat de rondcirkelende heli's zo dicht naderden dat ze de manschappen aan boord op het vrachtschip konden afzetten – was Hali Kasim door Juan van de radarapparatuur gehaald om de onderlinge communicatie te coördineren, zodat Lina Ross het commando van Eddies landingstroep op zich kon nemen. Slechts gewapend met geweren en pistolen renden ze naar de zijkant van het schip, waar volgens Mark Murphy een boot te dichtbij dreigde te komen. Wegduikend voor de flitsende salvo's van zowel de oever als van de sloepen openden ze het vuur op de rebellen.

'Oké,' riep Hali door de intercom. 'Mijn technici hebben weer radarbeeld.'

'Kunnen jullie de golf zien aankomen?' vroeg Juan.

'Sorry, baas, maar door de bochten in de rivier zien we die pas als hij er al bijna is.'

'Beter dan niets.'

Opnieuw sloeg er een mortier vlak bij het schip in. Deze keer op maar enkele centimeters van de bakboordreling. De rebellen richtten steeds beter. De volgende granaten zouden straffeloos op de *Oregon*

77

neerkomen en de dekken waren lang niet zo goed gepantserd als de zijkanten.

'Reparatieploegen paraat,' zei Juan door de intercom. 'We krijgen klappen.'

'Mijn god!' riep Hali.

'Wat is er?'

'Schrap zetten!'

Juan drukte op de knop van het alarmsysteem toen hij de golf op zowel het radarbeeld in een hoek van het grote scherm als op de monitors met beelden van de camera's op de achtersteven zag opduiken. De golf bestreek de hele breedte van de rivier. Met een hoogte van drie meter en een vaart van minstens twintig knopen raasde de kolkende watermassa onstuitbaar op hen af. Een van de Swift-boten zwenkte weg en probeerde de golf voor te blijven, maar werd al halverwege de draai gegrepen. De golf raakte de boot overdwars. Het patrouilleschip sloeg om en sleurde de rebellen met zich mee in de maalstroom, waar ze door de rondtollende romp werden verpletterd.

De inheemse bootjes verdwenen simpelweg zonder dat er ook maar iets van overbleef, en de rebellen die vanaf de oever in het wilde weg de *Oregon* beschoten, sloegen in paniek op de vlucht voor het aanstormende en alles op zijn weg verwoestende water.

Vlak voordat de golf de *Oregon* bereikte, trok Juan zijn handen van het bedieningspaneel, rekte zijn vingers als een pianist die zich op een lastige ouverture voorbereid en legde ze lichtjes terug op de hendels en de joystick van het besturingssysteem.

Exact op het moment dat de golf het achterschip van de *Oregon* uit de modder tilde, voerde hij het vermogen van de vrijliggende straalmotor op naar twintig procent. Als door een tsunami meegesleurd, sprong het schip vanuit stilstand in één keer naar twintig knopen. Op hetzelfde moment explodeerden er twee mortiergranaten in het kielzog, granaten die de achterste ruimen zouden hebben getroffen, inclusief de Robinson R44-helikopter die daar op een ingedaald liftplatform stond.

Juan las met een snelle blik de gegevens van de motoren, de temperatuur van de pompen, de snelheid ten opzichte van de bodem, de snelheid door het water plus de positie en koers. Onafgebroken flitsten zijn ogen tussen de verschillende schermen heen en weer. Ten opzichte van het omringende water was het schip slechts drie knopen sneller, maar het voer met een snelheid van zo'n vijfentwintig knopen door de rivier, voortgestuwd door de geweldige druk van het water dat door de Ingadam stroomde.

'Max, laat me direct weten wanneer de tweede buis schoon is,' riep hij. 'Ik heb te weinig snelheid voor de besturing.'

Hij schoof de gashendel verder open in een poging tegen de stroom in te sturen die de *Oregon* naar een midden in de rivier gelegen eiland stuwde dat plotseling voor hen opdoemde. Zijn vingers dansten over het bedieningspaneel. Met inzet van de stuwschroeven in de voor- en achtersteven slaagde hij erin het schip onder controle te houden en zoveel mogelijk in het midden van de langs flitsende, donkere jungleoevers te houden.

Ze stoven door een scherpe bocht in de rivier waar de stroming hen recht naar een klein vrachtschip dwong dat door de golf tegen de oever was gedrukt en met de achtersteven in de Congo uitstak. Juan schoof de gashendels van de stuwschroeven helemaal open, waardoor de *Oregon* zijdelings zo ver mogelijk naar stuurboord zwenkte. De romp schuurde met een hemeltergend snerpend gekras langs de kustvaarder en schoot toen weer los.

'Dat laat sporen na,' meldde Eric spitsvondig, ook al was hij tegelijkertijd diep onder de indruk van Juans stuurkunsten. Hij wist dat hij die draai niet had kunnen maken zonder vol op dat schip te zijn geknald.

Met het om hen heen kolkende water raasden ze als een in een goot meegesleurd herfstblad steeds verder stroomafwaarts, waarbij ze hun koers nauwelijks onder controle hadden, tot Juan er uiteindelijk beter in slaagde de kracht van de motoren te benutten. Steeds weer was het een gevecht om te voorkomen dat de *Oregon* aan de grond liep of zich in een van de oevers boorde. Dat het goed ging, leek elke keer weer een wonder. Op een gegeven moment raakten ze een zandbank. Het schip verloor veel snelheid terwijl het een diepe voor door de modderige bedding trok. Heel even vreesde Juan dat het vrachtschip volledig tot stilstand zou komen, omdat de computer automatisch de straalmotor had uitgeschakeld. Maar de stroming bleek sterk genoeg om hen erdoorheen te drukken, en zodra de bodem weer loskwam, schoten ze als een uit het startblok wegsprintende hardloper vooruit.

Ondanks het gevaar, of misschien juist daardoor, genoot Juan van de uitdaging. In de strijd tegen de grillen van de razende stroming werden zijn vaardigheden en de mogelijkheden van het schip zwaar op de proef gesteld – het heroïsche gevecht van de mens tegen de natuur. Hij was niet het type mens dat snel ergens voor terugschrok, want hij kende zijn beperkingen, en een situatie waarvan hij dacht dat hij die niet aankon, had hij nog niet meegemaakt. Bij een ander zou een dergelijke houding van arrogantie getuigen, maar bij Juan Cabrillo was het simpelweg een ijzersterk vertrouwen in eigen kunnen.

'Tweede straalbuis schoon na spoelactie,' kondigde Max aan. 'Wees er een beetje voorzichtig mee tot ik een onderhoudsploeg de schade kan laten opnemen.'

Juan voerde het vermogen van de tweede buis op en voelde dat het schip onmiddellijk reageerde. Het was nu merkbaar feller en hij hoefde steeds minder met de stuwschroeven bij te sturen. Hij keek hoe snel ze gingen: achtentwintig knopen ten opzichte van de bodem en acht in het water. De snelheid was nu hoog genoeg om het vrachtschip onder controle te houden, en omdat ze ondertussen al diverse kilometers over de onstuimige rivier waren gevorderd, begon de golf af te vlakken. De mannen van kolonel Abala dreven dood in de rivier of ze hadden hen ver achter zich gelaten, terwijl de twee gestolen heli's hun achtervolging al snel na de komst van de golf hadden gestaakt.

'Eric, ik denk dat je het van hier tot Boma wel weer over kunt nemen.'

'Oké, baas,' antwoordde Stone. 'Ik neem het roer.'

Juan leunde achterover in zijn stoel. Max Hanley legde een hand op zijn schouder. 'Een machtig staaltje stuurkunst, mag ik wel zeggen.'

'Bedankt. Maar denk niet dat ik dit nu vaker wil doen.'

'Ik had graag gemeld dat we het bos uit waren, maar dat is niet zo. De accu's hebben nog dertig procent. Zelfs met de stroming mee zijn ze ruim vijftien kilometer voor de monding leeg.'

'Heb je dan helemaal geen vertrouwen meer in me?' reageerde Juan gepikeerd. 'Je was er toch bij toen Eric zei dat de vloed over...' – Juan keek op zijn horloge – '... anderhalf uur op z'n hoogst zou zijn? Dan stroomt het zeewater zo'n vijfentwintig tot dertig kilometer landinwaarts en maakt de Congo behoorlijk brak. Het is alsof je gewone benzine in een Formule 1-racewagen gooit, maar het zoutgehalte is hoog genoeg voor het magnetohydrodynamisch systeem.'

Max vloekte. 'Waarom denk ik daar niet aan?'

'Dat is precies de reden waarom ik meer betaald krijg dan jij. Ik ben intelligenter, dubbel zo slim, en qua uiterlijk ook een stuk knapper.'

'En die bescheidenheid van jou zit je gegoten als een maatpak.'

Waarna Max weer serieus werd. 'Zodra we in Boma zijn, laat ik een paar van mijn technici de buizen nakijken, maar als ik de computer mag geloven, denk ik dat ze oké zijn. Misschien geen honderd procent, maar ik voel aan mijn water dat ze niet gereviseerd hoeven worden.'

Hoewel hij officieel directeur van de Corporation was en de dagelijkse beslommeringen die nu eenmaal met het leiding geven aan een succesvolle onderneming gepaard gaan tot zijn belangrijkste taak behoorden, genoot Max toch het meest van zijn rol als hoofdingenieur op de *Oregon*, en de hypermoderne motoren waren zijn lust en zijn leven.

'Godzijdank.' Het vervangen van de voering van de straalpijpen zou vele miljoenen kosten. 'Maar uit Boma wil ik zo snel mogelijk weer weg. Zodra we Linc en Eddie hebben opgepikt, wil ik naar internationale wateren, voor het geval minister Isaka ons, na het openzetten van de dam, de hand niet meer boven het hoofd kan houden,' zei Juan.

'Mijn idee. We kunnen de buizen net zo makkelijk op open zee controleren, dat hoeft niet per se aan een kade.'

'Heeft de schadecontrole nog iets anders opgeleverd?'

'Alleen een kapot röntgenapparaat in de ziekenboeg, en Maurice kankert over een hoop gebroken serviesgoed, maar verder hebben we het perfect doorstaan.' Maurice was de hoofdsteward van de *Oregon*, de enige van de bemanning die ouder was dan Max. Zo trouw als hij was aan een conventionele levensstijl, was hij ook de enige niet-Amerikaan aan boord. Hij had bij de Britse marine gediend en op diverse vlaggenschepen de scepter over de officiersmess gezwaaid tot hij om leeftijdsredenen werd afgedankt. In het jaar dat hij bij de Corporation werkte, was hij bij de bemanning al snel zeer geliefd geraakt. Vooral vanwege de perfecte feestjes die hij op verjaardagen organiseerde, en het feit dat hij precies wist welke van de door het hoog opgeleide keukenpersoneel bereide gerechten ze het lekkerst vonden.

'Zeg tegen hem dat hij het bijbestellen deze keer iets bescheidener aanpakt. Toen een paar maanden geleden bij die actie om Eddie te redden al het serviesgoed aan gruzelementen ging, heeft Maurice het door Royal Doulton vervangen, van zeshonderd dollar per couvert.'

Max trok een wenkbrauw op. 'Gaan we op de centen zitten?'

'We waren toen vijfenveertigduizend dollar aan vingerkommetjes en sorbetschaaltjes kwijt.'

'Oké, het zijn een paar centen. Maar vergeet niet dat ik onlangs onze boekhouding heb bekeken – we kunnen ons wel iets veroorloven.'

En dat was waar. De Corporation had er financieel nog nooit zo goed voorgestaan. Met zijn gok om een eigen beveiligingsdienst op te zetten had Juan de meest optimistische verwachtingen overtroffen, maar dat had dus ook een negatieve kant. Dat er na de Koude Oorlog behoefte bleek te zijn aan een dergelijke organisatie, was een ontnuchterend feit in het leven van de eenentwintigste eeuw. Hij was zich bewust dat zonder de polariserende werking van twee dominante supermachten over de gehele aardbol regionale conflicten en terrorisme de kop op zouden steken. De mogelijkheid dat conflicten hun winst opleverden, vooropgesteld dat ze zelf konden bepalen welke partij ze hun hulp aanboden, was zowel een zegen als een vloek, een dilemma dat Cabrillo wel eens slapeloze nachten bezorgde.

'Dat heb ik van m'n oma,' zei Juan. 'Die keerde elk dubbeltje twee keer om, en dan had ze nog wisselgeld over. Ik kwam niet graag bij haar thuis, want ze kocht altijd oud brood, om een paar centen te sparen. Dat roosterde ze dan, maar jij weet ook: een geroosterde boterham met worst, smeriger kun je het niet verzinnen.'

'Oké, ter ere van je oma zal ik Maurice zeggen dat hij het deze keer op Limoges houdt,' zei Max, waarna hij naar zijn werkplek terug kuierde.

Hali Kasim kwam met een touchscreenlaptop in zijn hand op Juan af. Er lag een zorgelijke trek rond zijn mondhoeken, waar zelfs zijn gangstersnor van ging hangen.

'Baas, de Snuffer heeft dit een paar minuten geleden opgepikt.' De Snuffer was hun naam voor de waarnemingsapparatuur die met ultragevoelige elektronica de omgeving rond het schip binnen een straal van enkele kilometers aftastte. Alles, van normale radio-uitzendingen tot en met gecodeerde gsm-berichten, werd uit de ether geplukt. De scheepscomputer scande elke halve seconde alle binnengekomen informatie in een poging het kaf van het koren te scheiden. 'De computer heeft deze code zojuist gekraakt. Ik zou zeggen op burgerniveau een bijzonder knappe, maar voor een militair een gemiddelde codering.'

'Wat is de bron?' vroeg Juan, terwijl hij het oplichtende scherm van zijn communicatieofficier overnam.

'Satelliettelefoon op twaalf kilometer hoogte.'

'Dat betekent dus een militair vliegtuig of een zakenjet,' concludeerde Juan. 'De commerciële lijndiensten vliegen zelden boven de elvenhalve kilometer.'

'Dat dacht ik ook. Sorry, maar we hebben alleen het begin van het gesprek. Snuffer viel samen met de radar uit, en toen we hem weer in de lucht hadden, was het vliegtuig buiten bereik.'

Juan las de ene regel hardop voor. '...zo snel nog niet. Merrick is om vier uur in de ochtend in de Duivelsoase.' Hij las het nog eens zwijgend en keek Hali met een strak gezicht aan. 'Zegt me niets.'

'Wat de Duivelsoase is, weet ik ook niet, maar toen jullie op de steiger de wapens overhandigden, kwam Sky News met het bericht dat Geoffrey Merrick met een medewerker uit het hoofdkantoor van zijn firma in Genève is ontvoerd. Gezien de informatie via de officiële kanalen is het goed mogelijk dat Merrick en zijn ontvoerders net over ons heen vlogen toen we dat gesprek opvingen.'

'Ik neem aan dat we het over de Geoffrey Merrick van Merrick/Singer hebben?' vroeg Cabrillo.

'De miljardair die de industrie met zijn uitvindingen op het gebied van schone kolen een wereld van nieuwe mogelijkheden heeft gegeven. Dat heeft hem voor milieugroeperingen tot een van de meest gehate mensen op aarde gemaakt, omdat zij kolen nog altijd te vervuilend vinden.'

'Is er al een eis om losgeld bekend?'

'Niet op het nieuws.'

Juan nam een snel besluit. 'Zet Murph en Linda Ross hier op.' Met haar ervaring als inlichtingendeskundige op zee was zij de aangewezen persoon om dit onderzoek te leiden, en Murph was ongeëvenaard in het opsporen van obscure patronen in de meest overweldigende informatielawines. 'Zeg hun dat ik precies wil weten wat er aan de hand is. Wie heeft Merrick? Wie leidt het officiële onderzoek? Wat en waar is de Duivelsoase? Hoe ze te werk zijn gegaan. Plus info over Merrick/Singer.'

'Vanwaar die belangstelling voor hem?'
'Altruïsme,' antwoordde Cabrillo met een schalks lachje.
'Niet het feit dat hij miljardair is, hè?'
'Dat je dat van me denkt, doet me echt pijn,' reageerde Juan op een overtuigend verbolgen toon. 'Aan zijn rijkdom heb ik voortdurend... ik bedoel, geen moment gedacht.'

6

Juan Cabrillo zat aan zijn bureau met zijn voeten op het ingelegde hout. Op zijn laptop las hij de actieverslagen van Eddie en Linc. Hoewel het verslagen waren van een reeks huiveringwekkende gebeurtenissen, hadden ze er een uiterst saai verhaal van gemaakt, waarin ze de inzet van de ander extra aandikten ten opzichte van hun eigen bijdrage en de gevaren zodanig bagatelliseerden dat het las als een stereotiep instructieverslag. Met een lichtpen voegde hij wat aantekeningen toe en sloeg de digitale verslagen op in het computerarchief.

Vervolgens bekeek hij het weerbericht. In het noorden was de negende zware storm boven het Atlantisch gebied aan het ontstaan. Hoewel de storm geen directe bedreiging voor de *Oregon* vormde, was Juan toch geïnteresseerd omdat al drie stormen zich tot orkanen hadden ontwikkeld, terwijl het seizoen nog geen maand oud was. De meteorologische instituten voorspelden dat het dit jaar wel eens erger zou kunnen worden dan in 2005, toen een recordaantal orkanen de Verenigde Staten teisterden en New Orleans plus een groot deel van de Texaanse kust verwoestten. De deskundigen beweerden dat deze frequentie in een normale cyclus van zware orkanen paste, waar milieubewegingen met veel tamtam tegen inbrachten dat deze superstormen een direct gevolg waren van de opwarming van de aarde. Juan zette zijn kaarten op de meteorologen, maar de trend was verontrustend.

Het weer langs de zuidwestkust van Afrika leek de komende vijf dagen rustig.

In tegenstelling tot het onverzorgde uiterlijk de vorige avond van een hebzuchtige officier aan boord van een vrachtschip op de wilde vaart, begroette een fris gedouchte Cabrillo de ochtendzon in een spijkerbroek van Engelse makelij, een hemd met V-hals van Turnbull and Asser en blauwe bootschoenen zonder sokken. Omdat de mensen zo zijn enkels zouden zien, had hij een met vleeskleurig rubber afgewerkt kunstbeen aangedaan in plaats van een meer mechanisch uitziende prothese. Zijn haar was vrij kort, net iets langer dan stekeltjeshaar, en ondanks zijn latinonaam en -afkomst was zijn haar tot haast wit verbleekt door een jeugd die hij voornamelijk in de Californische zon en branding had doorgebracht.

De pantserluiken voor de patrijspoorten waren opengeschoven, waardoor zijn hut in fel daglicht baadde. De teakhouten lambrisering, de vloer en het plafondbeschot glansden door een verse laag vernis. Vanachter zijn bureau kon hij in zijn slaapkamer kijken, die werd gedomineerd door een kolossaal met handsnijwerk versierd hemelbed, met achter het hoofdeinde een met Mexicaanse tegels afgewerkte douchecel, een koperen bubbelbad en een zinken wastafel. In de kamers hing de masculiene geur van Juans aftershave en de Cubaanse La Troya Universales-sigaren die hij af en toe opstak.

Het decor was eenvoudig en elegant en gaf blijk van Juans eclectische smaak. Aan een van de wanden hing een schilderij van de door een woeste zee ploegende *Oregon*, terwijl een andere wand deels schuilging achter met glas afgesloten planken die vol stonden met curiosa die hij van zijn reizen had meegenomen, zoals een aardewerken beeldje van een Egyptische *ushabti*, een stenen kom uit het Azteekse rijk, een gebedsmolen uit Tibet, een schelpensculptuur, een Gurkha-mes, een pop van zeehondenhuid uit Groenland, en een brok ruwe smaragd uit Colombia. Het meubilair was vooral donker, en de verlichting was onopvallend en gedempt. Op de vloer lagen felgekleurde tapijten van Perzische zijde.

Het enige opmerkelijke in de hut was dat er nergens foto's te zien waren. Bij de meeste mannen op zee stonden portretten van hun vrouw en kinderen, maar dat soort kiekjes ontbrak volledig in Juans hut. Hij was getrouwd geweest, maar het verkeersongeluk dat ze in dronkenschap had veroorzaakt en waarbij ze was omgekomen, was een pijn die hij diep had weggestopt en waar hij niet aan herinnerd wilde worden.

Hij nam een slok van zijn Kona-koffie, bekeek het dienblad en glimlachte.

De twee belangrijkste dingen die het hem mogelijk maakten de beste mensen uit het Amerikaanse leger en de inlichtingendiensten te rekruteren, waren dat hij hen goed betaalde en niet op de onkosten voor zijn mannen beknibbelde. Of dat nu duur serviesgoed in de mess en de topkoks in de kombuis betrof of de extra toelage die hij iedere nieuwe medewerker gaf om de privéhut geheel naar eigen smaak in te richten. Mark Murphy had het grootste deel van zijn budget aan een geluidsinstallatie besteed waarmee hij de zeepokken van de scheepsromp kon schudden. Linda Ross had de inrichting door een binnenhuisarchitect uit New York laten doen, en de hut van Linc was even spartaans als een marinekazerne. Hij had het geld liever uitgegeven aan de Harley-Davidson die in het ruim stond.

De *Oregon* was uitgerust met een flinke fitnessruimte, en wanneer ze niet in actie waren, deed een van de ballastbassins, indien half gevuld, dienst als een zwembad van olympische afmetingen. De mannen en vrouwen van de Corporation hadden een prima leven, dat, zoals bij deze laatste missie weer eens was gebleken, ook heel gevaarlijk kon zijn. Alle leden van de bemanning waren aandeelhouders, en terwijl de officieren het leeuwendeel van de winst deelden, vond Juan het tekenen van de bonuscheques voor de technici en het onderhoudspersoneel na de goede afloop van een missie een van de leukste dingen om te doen. Na de klus die ze zojuist hadden afgerond, zou het in totaal algauw om een bedrag van rond de 500.000 dollar gaan.

Hij wilde juist aan zijn verslag beginnen voor Langston Overholt, zijn oude vriend bij de CIA en een belangrijke opdrachtgever voor de Corporation, toen er op de deur werd geklopt.

'Binnen.'

Linda Ross en Mark Murphy stapten de hut in. Naast Linda, die kwiek en klein was, kwam Murph nogal slungelig en onbeholpen over met zijn woeste donkere haardos, een sikje dat je met één haal van een scheermes kon wegvagen, en zijn gewoonte om zich uitsluitend in het zwart te kleden. Als een van de weinigen op het schip zonder een militaire achtergrond was Mark een gediplomeerd genie. Nadat hij al op zijn twintigste was afgestudeerd, was hij onderzoekswerk gaan doen in dienst van een aan defensie gelieerde firma, waar hij Eric Stone had ontmoet die toen een deeltijdbaan bij de marine had en op contractbasis ook klussen voor Juan deed. Eric had Cabrillo ervan overtuigd dat de jonge wapendeskundige een perfecte aanwinst voor de Corporation zou zijn, en in de drie jaar die sindsdien waren verstreken had Juan zijn besluit om hem in dienst te nemen, ondanks Murphs voorliefde voor punkmuziek en het enthousiasme waarmee hij het scheepsdek in een skateboardparcours kon veranderen, geen moment betreurd.

Cabrillo keek op de antieke chronograaf die achter op zijn bureau stond. 'Jullie zijn meteen met drie slag uitgegooid of jullie hebben een homerun geslagen, dat jullie zo snel alweer voor m'n neus staan.'

'Laten we zeggen dat er nog een derde mogelijkheid is,' reageerde Murph, terwijl hij de bundel papieren onder zijn arm recht schoof. 'En voor de goede orde, ik hou niet zo van sportvergelijkingen, want die begrijp ik meestal niet.'

'Dus dit was meer een dunk dan een driepunter,' zei Juan grinnikend. 'Jij zegt 't.'

Ze gingen tegenover Juan zitten, die een stapel papieren van zijn bureau opruimde. 'Oké, zeg 't maar.'

'Waar zullen we beginnen?' vroeg Linda. 'De ontvoering of het bedrijf?'

'Laten we maar met de achtergrond beginnen, zodat ik tenminste weet met wie we te maken hebben.' Juan vouwde zijn handen achter zijn hoofd ineen en staarde naar het plafond, terwijl Linda verslag deed. Het leek misschien onbeleefd dat hij haar niet aankeek, maar dit was nu eenmaal een van zijn gewoontes als hij zich concentreerde.

'Geoffrey Merrick, eenenvijftig jaar, is gescheiden en heeft twee volwassen kinderen, die zich beiden bezighouden met het over de balk smijten van hun vaders geld, in de hoop de aandacht van de paparazzi te trekken om in de roddelbladen te schitteren. Zijn vrouw is beeldend kunstenares en leeft teruggetrokken in New Mexico.

'Merrick is aan het Massachusetts Institute of Technology afgestudeerd in de scheikunde en was op de dag dat hij zijn bul ontving precies een dag jonger dan toen Mark de zijne kreeg. Samen met een van zijn studiegenoten, Daniel Singer, richtte hij vervolgens Merrick/Singer op, een commercieel onderzoeksinstituut. De firma heeft in de afgelopen vijfentwintig jaar tachtig patenten aangevraagd en geregistreerd, en is van een tweemansbedrijfje in een gehuurde loods buiten Boston uitgegroeid tot een in het Zwitserse Genève gevestigd concern met een personeelsbestand van honderdzestig medewerkers.

'Zoals je misschien weet, betreft hun belangrijkste patent een organisch procedé waarmee negentig procent van de zwavel uit de uitlaatgassen van kolencentrales kan worden gefilterd. Een jaar na de registratie bracht Merrick/Singer het op de markt, wat beide mannen tot miljardair maakte. Wat niet wil zeggen dat die introductie niet met veel controverses gepaard is gegaan, die tot op de dag van vandaag doorwerken. Milieugroeperingen stellen dat kolencentrales zelfs met deze zuiveringsinstallaties te verontreinigend zijn en gesloten moeten worden. Het heeft tot talloze rechtszaken geleid, en daar komen nog jaarlijks nieuwe bij.'

'Is het denkbaar dat Merrick door milieuactivisten is ontvoerd?' onderbrak Juan haar.

'De Zwitserse politie onderzoekt ook die mogelijkheid,' antwoordde Linda. 'Maar het is niet erg waarschijnlijk. Wat zou 't voor zin hebben? Maar om op mijn verhaal terug te komen: tien jaar nadat ze die enorme klapper maakten, kwam het tot een breuk tussen Merrick en zijn compagnon. Tot dan toe waren ze steeds als broers geweest. Ze verschenen altijd samen op persconferenties. Hun gezinnen gingen met elkaar op vakantie. Maar opeens, in een tijdsbestek van enkele maanden, leek Singer een heel ander mens geworden. In de rechtszaken die tegen zijn eigen bedrijf waren aangespannen, koos hij de kant van de milieubewegingen en uiteindelijk dwong hij Merrick hem volledig uit te kopen. Zijn aandeel werd op 2,4 miljard bepaald, en Merrick moest dat bedrag aan contanten zien op te hoesten. Dat betekende dat hij persoonlijk alle aandelen van Merrick/Singer moest terugkopen. Dat bracht hem aan de rand van een faillissement.'

'Kaïn en Abel waren er niks bij,' interrumpeerde Mark Murphy. 'Indertijd was het voorpaginanieuws van alle financiële bladen.'

'Hoe is het Singer daarna vergaan?'

'Na de scheiding van zijn vrouw is hij aan de kust van Maine gaan wonen, in de streek waar hij is opgegroeid. Tot zo'n vijf jaar geleden besteedde hij een aanzienlijk deel van zijn rijkdom aan de ondersteuning van alle mogelijke milieu-initiatieven, tot zelfs tamelijk extreme aan toe. Maar plotseling diende hij aanklachten wegens fraude in tegen een aantal milieubewegingen en beschuldigde ze van oplichting. Hij beweerde dat de hele beweging uitsluitend uit lieden bestond die onder het mom van de diverse goede doelen geld voor zichzelf inzamelden en dat ze niets deden om de planeet te redden. De rechtszaken lopen nog, hoewel Singer zelf zich nauwelijks in de openbaarheid toont.

'Is hij een kluizenaar geworden?'

'Nee, gewoon teruggetrokken. Terwijl ik hiermee bezig was, kreeg ik sterk de indruk dat Merrick in feite de woordvoerder was en Singer het brein op de achtergrond, ook al stonden ze dan samen op het podium. Merrick schudde iedereen de hand en kende de weg in het Capitool en later ook in de hogere kringen in Bern, toen ze met het bedrijf naar Zwitserland verhuisden. Hij droeg peperdure maatpakken, terwijl Singer in een spijkerbroek met een slordig geknoopte stropdas rondliep. Ik denk dat hij na zijn vertrek uit het bedrijf naar zijn introverte leventje is teruggekeerd.'

'Dat klinkt niet bepaald als een crimineel meesterbrein,' merkte Juan op.

'Dat denk ik ook niet. Hij is gewoon een wetenschapper met een dikke portemonnee.'

'Goed, dan zitten we dus met een ontvoering puur voor het losgeld. Of is er nog iemand anders die het op Merrick heeft gemunt?'

'Sinds de breuk met Singer gaat het prima met het bedrijf.'

'Wat doen ze eigenlijk precies?'

'Nu ze helemaal een eigen bedrijf zijn, doen ze voornamelijk onderzoek dat door Merrick wordt bekostigd. Ze verkrijgen nog altijd een paar octrooien per jaar, maar niets opzienbarends: een betere moleculaire lijm voor een of andere geheime toepassing, of een soort schuimrubber met net een paar tienden van een graad hogere weerstand tegen hitte dan een andere stof die al op de markt is.'

'Nog iets wat iemand door middel van bedrijfsspionage zou willen stelen?'

'Dat ben ik niet tegengekomen, maar het kan dat ze in het geheim aan iets werkten.'

'Goed, dat houden we in ons achterhoofd. Hoe was de ontvoering georganiseerd?'

Mark rechtte zijn rug. 'Een bewaker van de beveiliging heeft gezien dat Merrick en een zekere Susan Donleavy, een onderzoekster, gisteravond om zeven uur samen pratend naar de uitgang van het hoofdgebouw liepen. Merrick had een dinerafspraak om acht uur. Donleavy woont alleen en had kennelijk geen plannen.

'Ze verlieten Merrick/Singer ieder in hun eigen auto, Merrick in zijn Mercedes en Donleavy in een Volkswagen. Beide auto's zijn op een kilometer afstand van het bedrijfsterrein teruggevonden. Na bestudering van de bandensporen heeft de politie de conclusie kunnen trekken dat er een derde auto – gezien de lengte van de wielbasis waarschijnlijk een bestelwagen – beide auto's op hoge snelheid van de weg heeft gedrukt. In de Mercedes waren de airbags geactiveerd, maar niet in de Volkswagen. Vermoedelijk kreeg eerst Merrick een opdonder en heeft Susan Donleavy nog kunnen remmen voordat ook zij door de bestelwagen werd geraakt. Het zijraam aan de bestuurderskant van Merricks auto was van buitenaf ingeslagen, zodat het portier kon worden geopend. De Volkswagen had geen automatische vergrendeling, en zij is zonder meer uit haar auto gesleurd.'

'Waarom is men zo zeker dat het om een ontvoering gaat en dat het niet een barmhartige Samaritaan was die hen heeft gered en naar het plaatselijke ziekenhuis heeft gebracht?' vroeg Cabrillo.

'Omdat ze niet in een van de plaatselijke ziekenhuizen liggen, heeft de politie de conclusie getrokken dat ze in de kelder van die barmhartige Samaritaan zijn beland.'

'Oké.'

'Tot dusver is er geen losgeld geëist en heeft een zoekactie naar de bestelwagen niets opgeleverd. Die zullen ze later nog wel op het vliegveld vinden, omdat wij weten dat Merrick, en Susan Donleavy hoogstwaarschijnlijk ook, met een vliegtuig het land zijn uitgesmokkeld.'

'Heb je alle chartervluchten van gisteravond uit Genève gecontroleerd?'

'Daar is Eric nu mee bezig. Het zijn er meer dan vijftig, omdat er juist een economisch zomercongres was afgelopen en alle hotemetoten naar huis gingen.'

Juan rolde met zijn ogen. 'Mooie boel.'

'Waarschijnlijk niet zomaar botte pech voor ons, maar een uitgekiende planning van hun kant,' zei Linda.

'Goed gezien.'

'Voorlopig heeft de politie nog geen idee wat ze ermee aan moet. Ze stellen zich afwachtend op tot de ontvoerders zich melden.'

'Is het mogelijk dat niet Geoffrey Merrick maar Susan Donleavy het eigenlijke doelwit is?' vroeg Juan.

Mark schudde zijn hoofd. 'Dat betwijfel ik. Ik heb gegevens opgezocht in het computerbestand van het bedrijf. Ze is twee jaar bij hem in dienst als onderzoekster op het gebied van de organische scheikunde en ze werkt nog aan haar proefschrift. Zoals ik al eerder zei, ze woont alleen en heeft geen man of kinderen. In de biografieën van de meeste medewerkers staat wel iets over interesses of hobby's.

91

In die van haar staan uitsluitend referenties die met haar beroep te maken hebben. Niets persoonlijks.'

'Dus niet iemand die interessant genoeg is voor een kostbare ontvoering met een privévliegtuig?'

'Het lijkt niet waarschijnlijk, hoe je het ook bekijkt,' zei Linda. 'Merrick was het doelwit, en ik ga ervan uit dat Donleavy is meegenomen omdat ze getuige was.'

'En die Duivelsoase, wat is dat?' vroeg Juan om te voorkomen dat ze te veel afdwaalden.

'We hebben er op internet niets over kunnen vinden,' antwoordde Linda. 'Het is waarschijnlijk een codenaam, en dan kan het overal zijn. Gerekend vanaf het moment dat we het gesprek oppikten en ze zeiden dat ze er om vier uur in de ochtend zouden aankomen, krijg je een cirkel die tot aan de oostpunt van Zuid-Amerika reikt. Of als ze terug naar het noorden zijn gegaan tot in Europa.'

'Dat is niet erg waarschijnlijk. Laten we aannemen dat ze de koers in zuidelijke richting vanuit Zwitserland tot het punt waar ze gisteravond waren in een rechte lijn hebben vervolgd. Waar kom je dan ongeveer uit?'

'Ergens in Namibië, Botswana, Zimbabwe of Zuid-Afrika.'

'En waarom denk je dat het met een beetje pech in Zimbabwe zou kunnen zijn?' mompelde Mark.

Door de jarenlange corruptie en een desastreus economische beleid was dat ooit zo welvarende land in een van de armste landen van het continent veranderd. De onderhuids borrelende woede tegen de onderdrukkende regering dreigde tot uitbarsting te komen. De berichten over aanvallen op afgelegen dorpen waarvan de inwoners zich tegen het regime hadden gekeerd, namen toe, terwijl hongersnood en infectieziektes de bevolking op de rand van de wanhoop brachten. Alle signalen wezen erop dat er binnen enkele maanden of misschien zelfs weken een burgeroorlog zou uitbreken.

'Nogmaals, van pech is hier geen sprake, het gaat om een uitgekiend plan,' zei Linda. 'Een oorlogsgebied is de laatste plek waar je een ontvoerde industrieel gaat zoeken. De heersende macht is er met steekpenningen makkelijk toe te bewegen de andere kant op te kijken als je hem het land binnenbrengt.'

'Goed, concentreer je bij het zoeken naar de Duivelsoase op Zimbabwe, maar sluit andere locaties niet uit. Wij blijven naar het zuiden varen, en hopelijk weet je iets meer tegen de tijd dat we de Steenbokskeerkring hebben bereikt. Ondertussen neem ik contact op met Langston en vraag of de CIA hier iets over weet. Misschien krijg ik hem ook zover dat hij wat voelhoorns bij de Zwitserse regering en de raad van bestuur van Merrick/Singer uitsteekt. Om ze te laten weten dat er alternatieven zijn.'

'Dat is niet zoals we dat normaal doen, baas.'

'Dat weet ik, Linda, maar we zouden hiervoor weleens op het juiste moment op de juiste plaats kunnen zijn.'

'Of de ontvoerders maken vandaag hun eisen bekend, betaalt Merrick/Singer het losgeld en is de brave Geoffrey weer netjes op tijd thuis voor het eten.'

'Je vergeet een cruciaal punt.' Juan had de licht schertsende toon waarop ze dit zei niet opgemerkt. 'Dat ze hem het land uit hebben gebracht, is een risico dat ze niet hadden genomen als het puur om losgeld zou gaan. In dat geval hadden ze hem ergens in Zwitserland verborgen, hun eisen gesteld en de zaak afgerond. Als hun planning zo uitgekiend in elkaar zit als jij vermoedt, moet er toch iets achter zitten waar wij nog geen vat op hebben.'

Linda Ross knikte ten teken dat ze de ernst van de zaak inzag. 'Zoals?'

'Vind de Duivelsoase, dan weten we misschien meer.'

7

De koptelefoon op Sloanes oren was zo zweterig dat haar haren aanvoelden alsof ze op haar huid vastgeplakt zaten, maar wanneer ze het apparaat ter verkoeling afzette, hoorde ze het ronkende kabaal van de motor en de rotorbladen van de helikopter. Het was een aanhoudende afweging van ongemakken die nu al twee dagen van vruchteloos zoeken duurde.

Ook de rug van haar hemd was kletsnat. Steeds als ze op haar stoel verschoof, bleef de stof aan de zitting plakken. Ze wist inmiddels dat ze het hemd moest vastpakken als ze bewoog, om te voorkomen dat het om haar borsten straktrok, wat haar steevast een schuinse blik opleverde van Luka, die naast haar op de achterbank zat. Ze had liever voorin naast de piloot gezeten, maar hij had gezegd dat hij Tony's kilo's voor een betere gewichtsverdeling van de kleine heli voor in de cockpit nodig had.

Tot Sloanes opluchting, maar tegelijkertijd ook frustratie, was dit de laatste keer dat ze naar Swakopmund terugvlogen. Ze waren nu zeven keer over dit deel van de oceaan gevlogen en hadden alle op haar kaart omcirkelde plekken afgezocht, waarna ze zeven keer waren teruggegaan om bij te tanken zonder dat ze iets anders dan natuurlijke rotsformaties hadden gevonden. De draagbare metaaldetector die ze aan een lange kabel tot in het water konden laten zakken, had geen metaal gelokaliseerd dat groot genoeg was om een anker te kunnen zijn, laat staan een heel schip.

Haar lichaam deed overal pijn van de eindeloze uren in de hete heli, en ze vreesde dat Luka's zweetlucht zich voor eeuwig in haar neus had vastgezet. Ze was er zo zeker van geweest dat de plaatselijke vissers haar met hun kennis van de kustwateren bij het vinden van de plek konden helpen dat ze geen moment aan het welslagen van haar plan had getwijfeld. Maar nu ze naar de kleine helihaven in de duinen even buiten Swakopmund terugkeerden, sloeg de angst voor een mislukking haar om het hart, terwijl de schittering van het water onder haar door haar zonnebril stak en haar hart sneller deed kloppen.

Tony draaide zich in zijn stoel naar haar om en gebaarde dat ze haar koptelefoon weer op de intercom moest aansluiten. Ze had hem eruitgetrokken omdat ze bij het verwerken van haar teleurstelling even niet gestoord wilde worden.

'De piloot zegt dat de actieradius van de heli niet toereikend is om ook naar die laatste plek op de kaart te gaan. De locatie die Papa Heinrick ons heeft aangewezen.'

'Hoezo Papa Heinrick?' vroeg Luka, waarbij hij Sloane zijn onwelriekende adem in het gezicht blies.

Iets had Sloane ervan weerhouden om hem te vertellen over hun nachtelijke boottochtje naar de Sandwichbaai, waar ze de zonderlinge oude visser hadden bezocht. Vooral ook omdat ze met tegenzin moest toegeven dat Luka achteraf gelijk had gehad en ze de gids die triomf gewoon niet gunde.

Sloane, die wilde dat Tony zijn mond had gehouden, haalde haar schouders op. 'Laat maar zitten. Hij was zo gek als een deur. We hebben ruim tweeduizend dollar aan benzine verspild met het controleren van de informatie van betrouwbare bronnen. Dus ik zie niet in waarom we nog eens een hap geld aan Papa Heinrick en zijn reuzenslangen zouden besteden.'

'Reuzen wát...?' vroeg de piloot, een Zuid-Afrikaan met een zwaar Afrikaans accent.

'Reuzenslangen,' herhaalde Sloane beschaamd. 'Hij beweert dat hij door reusachtige metalen slangen is aangevallen.'

'Da's ongetwijfeld een delirium geweest,' zei de piloot. 'Iedereen hier kent Papa Heinrick als een onverbeterlijk drankorgel. Ik heb hem een stel Australische rugzaktoeristen onder tafel zien drinken, en dat waren kleerkasten van kerels. Rugbyspelers geloof ik. Als hij zegt dat-ie slangen heeft gezien, durf ik er m'n laatste Rand om te verwedden dat-ie had gezopen toen-ie ze zag.'

'Reuzenslangen.' Luka giechelde. 'Had ik je niet gezegd dat Papa Heinrick hartstikke gek is? Praten met hem is pure tijdsverspilling.

Vertrouw Luka. Ik vind de plek waar jullie naar zoeken. Weet je, er zijn nog best plaatsen waar het zou kunnen zijn.'

'Niet voor mij,' zei Tony. 'Ik moet overmorgen thuis zijn, en ik wil nog even van het zwembad genieten.'

'Dat is prima,' zei Luka, met een vluchtige blik op de plek waar Sloanes been uit haar korte broek stak. 'Dan neem ik mevrouw Sloane wel mee in een boot met een grotere actieradius dan deze helikopter.'

'Dat dacht ik niet,' reageerde Sloane, zó scherp dat ze Tony's aandacht trok. Ze keek hem strak aan, en het duurde even voordat hij begreep waar hun gids werkelijk op uit was.

'We houden het nog even in beraad. Eens kijken hoe ik me morgenochtend voel, toch?' zei hij. 'Misschien is een boottochtje zo gek nog niet.'

'Je verspilt je tijd,' mompelde de piloot.

Sloane was dat hartgrondig met hem eens.

Twintig minuten later hing de helikopter boven de stoffige helihaven. De rotorbladen waaierden een gigantische zandwolk op die de grond verduisterde en de slappe windzak tot een vage roze kegel reduceerde. De piloot zette zijn toestel zachtjes aan de grond en deed meteen de motor uit. Dat had onmiddellijk effect. Het doordringende gegier van de motor viel weg en ook de snelheid van de rotorbladen zwakte af. Nog voordat ze goed en wel stil hingen, opende hij de deur, waardoor de verstikkende zweetlucht in de cabine plaatsmaakte voor de hete droge buitenlucht. En die was al heel verfrissend.

Sloane opende haar deur en stapte uit de heli, waarna ze instinctief bukkend onder de nog traag doordraaiende rotorbladen haar plunjezak pakte en om de neus van de heli heen liep om Tony te helpen bij het losmaken van de metaaldetector en de kabelspoel van de linker landingsski. Samen sjouwden ze het vijftig kilo zware apparaat naar de bak van de pick-uptruck die ze hadden gehuurd. Luka bood niet aan hen te helpen en zoog verwoed aan zijn eerste sigaret in twee uur.

Tony rekende af met de piloot, waarna hij nog maar twee reischeques overhield, die hij speciaal voor in het casino van het hotel had bewaard. De piloot schudde hen allebei de hand, bedankte hen voor hun klandizie en vertrok na nog een laatste goede raad. 'Ik weet dat Luka in jullie ogen een oplichter en een dief is, maar wat Papa Heinrick betreft heeft hij gelijk. Die ouwe vent is niet goed bij zijn hoofd. Dat zoeken naar een gezonken schip is hartstikke leuk geweest, en geniet nog maar lekker van die laatste vakantiedag. Maak een wandeling door de duinen of luier nog wat bij het zwembad, zoals Tony zei.'

Omdat Luka veilig buiten gehoorsafstand was, antwoordde Sloane: 'Piet, we hebben de halve wereld afgereisd om hier te komen. Wat maakt een dagje meer dan nog uit?'

De piloot grinnikte. 'Dat vind ik nou zo leuk aan jullie, aan yankees. Jullie geven nooit op.'

Ze schudden elkaar nogmaals de hand, waarna Luka in de bak van de 4x4 pick-uptruck klauterde. Ze zetten hem af voor een bar in zijn arbeiderswijk aan de oever van de Walvisbaai. Ze betaalden hem zijn dagloon, en ondanks hun tegenwerpingen dat ze hem waarschijnlijk niet meer nodig hadden, beloofde hij dat hij de volgende ochtend om negen uur bij het hotel zou zijn.

'Wat is die vent onuitstaanbaar, zeg,' zei Sloane.

'Ik begrijp echt niet wat je tegen hem hebt. Ja, een douche en een ademverfrisser zouden hem goed doen, maar hij heeft ons goed geholpen.'

'Probeer eens te zien hoe hij op vrouwen reageert, dan begrijp je het misschien.'

Swakopmund lijkt op geen enkele andere stad in Afrika. Omdat Namibië vroeger een Duitse kolonie was, is de overheersende bouwstijl er puur Beiers, met opzichtig versierde voorgevels en robuuste lutherse kerken. De door palmen omzoomde straten zijn breed en goed onderhouden, ondanks dat de woestijnwind er voortdurend vanuit alle hoeken zand overheen blaast. Door de ligging aan een diepe inham van de Walvisbaai werd de havenstad een steeds populairdere bestemming voor cruiseschepen.

Sloane sloeg Tony's voorstel af om na het dinerbuffet in het hotel de rest van de avond in het casino door te brengen. 'Ik denk dat ik naar het restaurant bij de vuurtoren ga en eens rustig van de zonsondergang ga genieten.'

'Ga je gang,' zei Tony, waarna hij zich naar zijn kamer haastte.

Na het douchen trok Sloane een zonnige bloemetjesjurk aan, stak haar voeten in een paar sandalen en sloeg een trui over haar schouders. Ze liet haar roodbruine haren los op haar schouders hangen en werkte met wat make-up de zongebruinde vlekjes op haar wangen een beetje bij. Hoewel Tony zich de hele reis uiterst keurig had gedragen, had ze het donkerbruine vermoeden dat hij haar die avond na een paar uurtjes voor James Bond te hebben gespeeld het hof zou gaan maken. En daar kon ze dan maar beter niet bij aanwezig zijn, was haar opstelling.

Ze wandelde de Bahnhofstrasse uit en bekeek de inheemse houten beelden en beschilderde struisvogeleieren die daar in de etalages voor de toeristen uitgestald stonden. De wind van zee verfriste het straatbeeld en blies het zand uit de lucht. Aan het einde van de straat lag het Palmenstrand aan haar rechterhand en liep het Havenhoofd rechtdoor. Het Havenhoofd was een natuurlijke landtong die het Palmenstrand afschermde, en aan het uiteinde ervan stond een spichtige vuurtoren. Na een paar minuten bereikte ze haar bestemming. Het op een rotsformatie boven een bulderende branding gelegen restaurant had een spectaculair panoramisch uitzicht, en er zaten verschillende toeristen die hetzelfde idee als Sloane hadden gehad.

Aan de bar bestelde ze een groot glas Duits bier en liep ermee naar een vrij tafeltje vanwaar ze op zee uitkeek.

Sloane Macintyre was niet gewend dat iets niet lukte, en ze had dan ook extra de pest in. Natuurlijk, het was van begin af aan een gok geweest, maar ze vond nog steeds dat ze een goede kans hadden de HMS *Rove* hier te vinden.

Maar wat dan? vroeg ze zich voor de honderdste keer af. Hoe groot was de kans dat de geruchten waar waren? Eén op de duizend? Op de miljoen? En wat zou het haar opleveren als ze wel succes had? Een schouderklopje en een bonus. Ze vroeg zich ernstig af of dat het verdragen van Tony's humeurigheid, Luka's geile blikken en Papa Heinricks idiote verhalen wel waard was. Ze dronk met drie driftige slokken haar glas leeg en bestelde een tweede plus een visschotel.

Terwijl de zon in zee zonk, zat ze peinzend over haar leven te denken. Ze had een zus met een man, een carrière en drie kinderen, terwijl zij maar zo zelden in haar Londense flat was dat ze haar vaste kamerplanten voor plastic exemplaren had verwiseld omdat ze door gebrek aan verzorging steeds de geest gaven. Ze dacht over haar laatste relatie na en hoe ook die was verpieterd omdat ze er nooit was. Maar wat haar nu vooral dwarszat, was hoe het toch mogelijk was dat een vrouw, afgestudeerd aan de universiteit van Columbia, haar tijd doorbracht met reizen naar derdewereldlanden om daar vissers te ondervragen over waar ze hun netten kwijtraakten.

Toen ze klaar was met eten, besloot ze dat ze zodra ze weer thuis was, haar leven nog eens serieus onder de loep zou nemen om te kijken wat ze eigenlijk van dat leven verwachtte. Over drie jaar was ze veertig, en hoewel haar dat nu helemaal zo oud niet leek, herinnerde ze zich hoe bejaard dat had geleken toen ze twintig was. Ze had haar carrièredoelen op geen stukken na gehaald en had het gevoel dat ze ook geen stap hoger op de maatschappelijke ladder zou komen als ze geen drastische maatregelen nam.

Ze had gedacht dat ze die al had genomen door naar Namibië te gaan, maar nu dit op een fiasco dreigde uit te lopen, werd haar logica een cirkelredenering en nam ze het zichzelf kwalijk dat ze er zo naast had gezeten.

Het werd frisjes in de wind die van over het koude water kwam. Ze wrong zich in haar trui en gaf bij het afrekenen een gulle fooi, hoewel in haar reisgids stond dat bedienend personeel dat niet verwachtte.

Op de terugweg naar het hotel nam ze een andere route dan waarlangs ze gekomen was om nog iets meer van het oude stadje te zien. Afgezien van wat drukte bij een paar restaurants waren de trottoirs vrijwel leeg en er was ook op straat nauwelijks verkeer. Namibië was volgens Afrikaanse normen rijk, maar toch was het een arm land, en de bevolking leefde volgens het ritme van de dag. De meeste mensen gingen om acht uur slapen, dus scheen er weinig licht in de huizen.

Sloane hoorde de voetstappen toen de wind plotseling even wegviel. Zonder het zachte ruisen van de zeebries was het tikken van schoenen op het beton duidelijk herkenbaar. Ze draaide zich om en zag nog net een schaduw om een hoek wegduiken. Als die persoon gewoon was doorgelopen, had ze haar reactie als een moment van paranoia afgedaan. Maar deze figuur wilde dat zij niet wist dat hij er was, en Sloane besefte opeens dat ze dit deel van de stad niet goed kende.

Ze wist dat haar hotel zich links van haar moest bevinden, een straat of vijf in die richting. Het was een opvallend gebouw aan de Bahnhofstrasse, dus als ze die straat terug kon vinden, was het hotel zelf geen probleem meer. Ze zette het op een rennen, waarbij ze al na een paar passen een sandaal verloor. Snel trapte ze ook de andere uit, toen haar achtervolger op haar reactie een geschrokken gegrom liet volgen en achter haar aan kwam.

Sloane rende zo hard als ze kon. Haar blote voeten klapperden over de stoep. Net voordat ze een hoek omging, keek ze vluchtig om. Ze waren met zijn tweeën! Even dacht ze dat het misschien vissers waren met wie ze had gesproken, maar ze zag dat ze allebei blank waren en dat het leek alsof een van hen een pistool in zijn hand had.

Ze stoof de bocht om en versnelde nog. Ze wist dat de mannen harder liepen dan zij, maar als ze het hotel kon halen, zouden ze beslist afdruipen. Met haar armen meebewegend schoot Sloane nog een zijstraat in. Ze wou dat ze een sport-bh had aangetrokken en niet voor een kanten niemendalletje had gekozen. De mannen waren net even uit zicht toen ze een steegje zag, waar ze instinctief in dook.

Ze was bijna aan het einde, waar de steeg weer op een straat uitkwam, toen ze tegen een blikje trapte dat ze in het donker niet had zien liggen. De pijn in haar gekneusde teen ging verloren in haar woede over het feit dat ze het blikje niet had gezien. Het rinkelde als een alarmbel, en toen ze het steegje uit rende, besefte ze dat haar achtervolgers het ook hadden gehoord. Ze sloeg nogmaals linksaf en zag een auto aankomen. Sloane rende wild zwaaiend met haar armen de straat op. De auto minderde vaart. Ze zag dat er een man en een vrouw in zaten met kinderen op de achterbank.

De vrouw zei iets tegen haar man, waarop hij schuldbewust wegkeek, gas gaf en doorreed. Sloane vloekte. Ze had kostbare seconden verloren in de hoop dat ze haar zouden helpen. Ze begon weer te rennen en raakte buiten adem.

Het volgende moment klonk er een pistoolschot en spatten er betonscherven van de gevel van het gebouw naast haar. De schutter had haar hoofd op nog geen halve meter gemist. Ze verdrong haar intuïtieve neiging om te bukken omdat dat haar snelheid zou hebben afgeremd en bleef als een gazelle doorrennen, waarbij ze scherp naar links en rechts zwenkte om geen al te makkelijk doelwit te zijn.

Ze zag een bord met Wasserfallstrasse en wist nu dat ze nog maar een half blok van haar hotel verwijderd was. Met een snelheid waarvan ze nooit had gedacht dat ze ertoe in staat was, zette ze door en bereikte de Bahnhofstrasse. Haar hotel lag vrijwel recht aan de overkant en er reed een lange rij auto's door de brede straat. Er brandde veel licht rondom het oude tot hotel omgebouwde station. Ze laveerde door het verkeer, negeerde het getoeter, en bereikte ten slotte de ingang van het hotel. Ze draaide zich om. Aan de overkant van de straat keken de twee mannen in haar richting. De schutter had zijn pistool onder zijn jasje verborgen. Hij hield zijn handen als een toeter voor zijn mond en riep: 'Dit was een waarschuwing! Verdwijn uit Namibië, want de volgende keer schiet ik raak.'

In een vlaag van bravoure wilde Sloane haar middelvinger naar hen opsteken, maar in plaats daarvan zakte ze schokschouderend en met tranen in haar ogen op de grond in elkaar. Vrijwel meteen kwam er een portier aangerend.

'Alles in orde, mevrouw?'

'Ja hoor,' zei Sloane, terwijl ze overeind krabbelde en haar zitvlak afklopte. Met haar knokkels veegde ze het vocht uit haar ogen. De plek waar de mannen hadden gestaan was leeg. Ondanks een trillende onderlip en benen die van rubber leken, rechtte Sloane haar schouders, hief bewust haar rechterarm op en maakte alsnog het gebaar met haar middelvinger.

8

De dikke stenen muren absorbeerden haar gegil niet. De muren zogen de hitte van de zon in zich op tot de stenen te heet waren om aan te raken, maar het wanhopige schreeuwen van Susan Donleavy weerkaatsten ze alsof ze in de cel ernaast stond. In het begin had Geoff Merrick zich gedwongen ernaar te luisteren, alsof het meeleven met haar smart de jonge vrouw op de een of andere manier althans enige verlichting bood. Hij had haar doordringende gegil een uur lang stoïcijns aangehoord, waarbij hij steeds weer ineenkromp wanneer ze zo schril uithaalde dat het aanvoelde alsof zijn schedel als een kristallen bol uit elkaar spatte. Maar nu zat hij gehurkt op de lemen vloer van zijn cel met zijn handen stijf tegen zijn oren gedrukt en neuriede om haar geschreeuw niet te hoeven horen.

Ze hadden haar net na zonsopkomst opgehaald, toen het in de gevangenis nog niet zo verstikkend was en het licht door het enige, glasloze raam hoog in de oostelijke muur nog veelbelovend was. Het cellenblok had een oppervlak van minstens vijftien meter in het vierkant en was zo'n tien meter hoog. Het bestond uit een groot aantal gevangeniscellen, bestaande uit drie stenen muren, terwijl de vierde wand werd gevormd door ijzeren tralies, plus een plafond. In de ruimte erboven was nog een tweede en derde laag cellen, waar smeedijzeren wenteltrappen naartoe leidden. Ondanks de overduidelijke ouderdom van het gebouw waren de ijzeren tralies niet minder stevig dan in de meest moderne gevangenissen.

Merrick had de gezichten van zijn ontvoerders nog altijd niet gezien. Ze droegen skimaskers toen ze zijn auto net buiten zijn laboratorium van de weg ramden, en ook tijdens de vlucht naar dit hellegat. Uit de verschillen in lichaamslengte had hij afgeleid dat ze minstens met z'n drieën waren. Een van hen was groot en fors en droeg uitsluitend strakke mouwloze T-shirts. Van de overige twee was er een slank en had felblauwe ogen, terwijl de derde alleen opviel omdat hij niet een van de beide anderen was.

In de drie dagen sinds de ontvoering hadden de gevangenbewaarders geen woord tegen hen gesproken. In de bestelwagen waarmee ze hen van de weg hadden geramd, hadden ze hen al hun kleren uitgetrokken en voor een overall verwisseld. Al hun sieraden waren hen afgenomen, en in plaats van schoenen hadden ze plastic slippers gekregen. Ze kregen twee maaltijden per dag en in Merricks cel zat bij wijze van wc een gat in de vloer waar hete lucht en zand uit opsteeg wanneer de wind buiten aanwakkerde. Sinds ze in de gevangenis waren gedumpt, hadden de bewakers zich alleen laten zien als ze hun eten kwamen brengen.

Maar vanochtend waren ze voor Susan gekomen. Omdat haar cel zich in een andere rij van het blok bevond, wist Merrick het niet zeker, maar het had geklonken alsof ze haar aan haar haren overeind hadden getrokken. Ze hadden haar langs zijn cel naar de enige deur in de ruimte gesleurd, een dik metalen geval met kijkgaten.

Susan was lijkbleek en had een wanhopige blik in haar opengesperde ogen. Hij had haar naam geroepen en zich tegen de tralies gedrukt, in een poging haar aan te raken en haar althans een teken van zijn medeleven te geven. Maar de kleinste bewaker had met een knuppel een mep op de tralies gegeven, waarop Merrick machteloos achteroverviel terwijl ze haar wegsleepten. Te oordelen naar de hitte die zich in de tussentijd in de ruimte had opgestouwd, schatte hij dat er sindsdien vier uur was verstreken. Het was eerst lange tijd stil geweest voordat het gegil begon. En nu was de foltering van Susan het tweede uur ingegaan.

In de eerste uren van hun ontvoering was Merrick ervan overtuigd dat het om geld ging – dat hun ontvoerders losgeld in ruil voor hun vrijlating zouden eisen. Hij wist dat de Zwitserse autoriteiten bij ontvoeringen een nultolerantiebeleid voerden, maar hij wist ook dat er bedrijven waren die zich hadden gespecialiseerd in het onderhandelen met kidnappers. Vanwege de recente hausse aan ontvoeringen in Italië had Merrick zijn directie geïnstrueerd met dergelijke onderhandelaars in zee te gaan als hem ooit zoiets zou overkomen en er alles aan te doen om hem, ongeacht de kosten, weer vrij te krijgen.

Maar nadat hij minstens zes uur geblinddoekt in een vliegtuig had gezeten, had Merrick geen idee wat er aan de hand was. Hij en Susan hadden tot diep in de nacht fluisterend gespeculeerd wat de ontvoerders eigenlijk met hen van plan waren. Terwijl Susan volhield dat het puur om geld ging en zij er als getuige bij betrokken was geraakt, was Merrick daar niet zo zeker van. Ze hadden hem niet gevraagd met iemand van het bedrijf in contact te treden over de wijze waarop ze het losgeld bij elkaar konden krijgen. Er was zelfs geen enkele aanwijzing dat zijn mensen wisten dat hij en Susan nog in leven waren. Tot dusver paste niets in het beeld dat hij van ontvoeringen had. Toegegeven, het was alweer jaren geleden dat hij een oppervlakkige veiligheidscursus voor directieleden had gevolgd, maar hij herinnerde zich wel dat zijn ontvoerders niet aan het gebruikelijke profiel voldeden.

En nu dit. Ze waren die arme Susan Donleavy aan het folteren, een loyale, toegewijde medewerkster, buiten haar werk met reageerbuisjes en maatbekers zo groen als gras. Merrick herinnerde zich hun gesprek van een paar weken geleden over haar idee om olievlekken met kunstplankton te bestrijden. Hij had haar niet gezegd dat hij haar concept, hoewel haar bedoelingen heel nobel waren, wel lichtelijk bizar vond. Zijn hele betoog over wraak als een goede motivering was dan ook niet meer dan dat, een verhaal dat hij al talloze keren in talloze variaties had afgestoken. Het was beter geweest als ze haar jeugdtrauma met een psychiater had verwerkt dan alleen in haar laboratorium.

Nu hij over haar project nadacht, nam hij ook de andere onderzoeken waaraan op dit tijdstip bij Merrick/Singer werd gewerkt onder de loep. Dat had hij sinds hij in de cel zat al diverse keren gedaan. Er was niets, maar dan ook niets waarmee zij bezig waren dat reden tot bedrijfsspionage gaf. Ze stonden niet op het punt een patent aan te vragen voor iets nieuws of revolutionairs. In feite hadden ze geen enkel werkelijk winstgevend patent meer gehad sinds hij met Dan Singer hun zwavelzuiveraars op de markt had gebracht. Het bedrijf was nu meer een speeltje voor hem geworden, een manier om nog een vinger in de wereld van het wetenschappelijk onderzoek te hebben en uitnodigingen te krijgen om op symposia te spreken.

Het gegil stopte. Het was niet geleidelijk afgezwakt, maar in één kreet gesmoord die het afschuwelijkste deed vermoeden.

Geoff Merrick schoot overeind en drukte zijn gezicht tegen de ijzeren tralies, zodat hij net iets van de deur kon zien. Een paar minuten later schoven de grendels weg en zwaaide de zware stalen deur krakend open.

Ze moesten haar met de armen over de nek van twee bewakers geslagen naar binnen dragen, terwijl een derde met een zware sleutelbos rinkelde. Toen ze dichterbij kwamen, zag Merrick dat er bloed in Susan Donleavy's haren kleefde. Haar overall was bij de hals opengescheurd en haar huid was daar tot ver op haar schouder diep paars gekleurd. Ze keek op toen ze haar langs zijn cel zeulden. Merrick hapte naar adem. Haar gezicht was vreselijk toegetakeld. Een van haar ogen was dicht en opgezwollen, terwijl ze het andere door een enorme buil nauwelijks open kreeg. Uit haar mond en gebarsten lippen liepen straaltjes bloed en slijm.

Er flikkerde nog een flauwe glans in haar oog toen ze naar hem opkeek.

'Mijn god, Susan. Ik vind dit zo erg.' Hij probeerde niet zijn tranen in te houden. Ze bood zo'n jammerlijke aanblik dat hij ook in huilen zou zijn uitgebarsten als ze een volslagen vreemde was geweest. Dat ze een medewerkster van hem was en dat hij in zekere zin verantwoordelijk was voor wat ze haar hadden aangedaan, sneed hem dwars door zijn ziel.

Ze spuugde een rode klodder op de stenen vloer en zei met schorre stem: 'Ze hebben niet eens vragen gesteld.'

'Klootzakken!' schreeuwde hij woedend tegen de bewakers. 'Ik betaal alles wat jullie vragen. Dit hadden jullie niet hoeven doen. Ze is onschuldig.'

Ze hadden net zogoed doof kunnen zijn, want ze reageerden totaal niet op zijn uitbarsting. Ze sleepten haar uit zijn zicht. Hij hoorde haar celdeur opengaan en hoe ze met een smak naar binnen werd geduwd. De ijzeren deur werd dichtgeslagen en afgegrendeld.

Merrick nam zich voor dat hij, als ze hem kwamen halen, zou terugvechten en zich met alle macht zou verzetten. Als ze hem in elkaar wilden slaan, zou hij hen eerst gevoelig te grazen nemen. Hij wachtte hen in zijn cel met gebalde vuisten en gespannen nekspieren op.

De kleinste bewaker, de man met de helblauwe ogen, verscheen. Hij hield iets in zijn hand, en voordat Merrick herkende wat het was of zelfs maar kon reageren, drukte hij af. Het was een Tazer waarmee de bewaker vijftigduizend volt in zijn lichaam schoot. Zijn centraal zenuwstelsel kreeg een pijnlijke opdonder. Merrick verstijfde heel even en zakte vervolgens in elkaar. Toen hij bijkwam, hadden ze hem al uit de cel gesleurd en waren ze bijna bij de buitendeur. De dreun van de elektrische schok had elke gedachte aan verzet in de kiem gesmoord.

9

Sloane Macintyre droeg een honkbalpet om haar haren te beschermen tegen de wind die de met een vaart van twintig knopen voortstuivende vissersboot veroorzaakte. Haar ogen gingen schuil achter een Oakley-sportzonnebril aan een vrolijk gekleurde band, en haar aan het zonlicht blootgestelde huid was ingesmeerd met een factor 30 zonnecrème. Ze droeg een korte kakibroek en een wijdvallend safarihemd met veel zakken. Haar voeten staken in canvas bootschoenen. In het zonlicht schitterde een gouden enkelkettinkje.

Altijd als ze op het water was, voelde ze zich weer een tiener, zoals ze op haar vaders huurboot voor de oostkust van Florida had gewerkt. Nadat ze de taak van haar zieke vader had overgenomen, was er een aantal vervelende incidenten geweest met dronken vissers, die meer belangstelling voor haar dan voor marlijnen of snappers toonden. Maar over het geheel genomen was het de mooiste tijd van haar leven. De zilte geur van de zeelucht leek haar tot in het diepst van haar ziel rust te geven, terwijl de geïsoleerde omgeving van een snelvarende boot haar de gelegenheid gaf zich te concentreren.

De kapitein van de gehuurde boot, een joviale Namibiër, herkende in haar een verwante geest, en toen ze naar hem keek, glimlachte hij begrijpend terug. Sloane beantwoordde die blik van verstandhouding. Met de beide Cummins-dieselmotoren die op de hekbalk bulderden, was een gesprek vrijwel onmogelijk, dus stond hij zwijgend uit zijn stoel op en gebaarde Susan het roer over te nemen. Haar glimlach veranderde in een grijns. De kapitein tikte op het kompas om haar op de koers te wijzen die ze volgden en liep bij het stuurrad vandaan. Sloane nam zijn positie over en legde haar handen losjes op het versleten stuur.

Hij bleef een paar minuten naast haar staan om te controleren of ze een rechte lijn aanhield. Toen hij tevreden had vastgesteld dat zijn veronderstelling dat zijn passagier de veertien meter lange kruiser kon besturen juist was geweest, daalde hij de korte ladder af. Hij knikte naar Tony Reardon, die onderuitgezakt in de verankerde vissersstoel zat, en liep door naar de wc.

Sloane had haar speurtocht opgegeven als die mannen haar de vorige avond niet hadden achtervolgd. Het had haar overtuiging gesterkt dat ze op het goede spoor was om de HMS *Rove* te vinden. Waarom zouden ze haar anders hebben willen afschrikken? Ze had Tony niets over de aanval verteld. Maar ze had 's ochtends meteen haar baas gebeld en hem het hele verhaal voorgelegd. Hoewel hij zich zorgen maakte om haar veiligheid, gaf hij haar toestemming om haar verblijf met een dag te verlengen, zodat ze ook het gebied kon onderzoeken waar Papa Heinrick zijn metalen slangen had gezien.

Ze wist dat ze roekeloos was. Ieder ander met een gezond verstand had de waarschuwing serieus genomen en had het land met het eerste het beste vliegtuig verlaten, maar dat was niet haar aard. In haar hele leven had ze nog nooit iets niet afgemaakt. Hoe slecht ze een boek ook vond, ze las het tot het eind toe uit. Hoe lastig een kruiswoordraadsel ook was, ze ging door tot ze het af had. En hoe moeilijk een klus ook was, ze zou hem hoe dan ook afmaken. Die hardnekkige volharding was waarschijnlijk ook de reden dat ze veel te lang tot mislukking gedoemde relaties aanhield, maar het gaf haar ook de kracht om alles te trotseren wat haar ervan probeerde te weerhouden dat schip te vinden.

Sloane was extra voorzichtig geweest bij het huren van de boot, en ze had ervoor gezorgd dat de kapitein een andere was dan degene met wie ze hadden gesproken toen zij en Tony nog aan hun kaart werkten. Bij het verlaten van het hotel hadden ze zich in een groep toeristen verscholen die voor een eigen vistochtje naar de kade liepen. En in de bus had ze erop gelet dat niemand hen volgde. Als ze ook maar iets verdachts had opgemerkt, zou ze de hele onderneming onmiddellijk hebben afgeblazen, maar niemand besteedde ook maar enige aandacht aan hun auto.

Pas toen ze al een aantal kilometers van de kust verwijderd waren, vertelde Sloane de kapitein waar ze precies naartoe wilden. Hij antwoordde dat er in het gebied waar ze wilde gaan vissen zogoed als geen zeeleven was, maar aangezien zij betaalde, had hij er verder niets tegen in te brengen.

Sindsdien waren er zes saaie uren verstreken, en met elke kilometer die ze ongehinderd vorderden voelde Sloane zich steeds meer op haar gemak. De mannen die haar achterna hadden gezeten, gingen er waarschijnlijk vanuit dat ze hun waarschuwing ter harte had genomen.

Met een aantrekkende zuidenwind werden de golven hoger. Het brede schip had er weinig last van, maar helde bij elke golf naar stuurboord over en kwam daarna weer keurig recht te liggen. De kapitein klom weer naar boven en kwam op enige afstand achter haar staan, maar liet het roer verder aan haar over. Hij haalde vanonder een bank een verrekijker tevoorschijn en speurde de horizon af. Hij gaf hem aan haar en wees naar een punt iets ten zuiden van het westen.

Sloane stelde de verrekijker in en hield hem voor haar ogen. Aan de horizon voer een groot schip, een vrachtvaarder met één schoorsteen, die zo te zien op de Walvisbaai afkoerste. Op deze enorme afstand viel er weinig meer te herkennen dan het vage silhouet van een donkere romp en een klein woud aan laadbomen en kranen op het voor- en achterdek.

'Zo'n soort schip heb ik hier nooit eerder gezien,' zei de kapitein van de huurboot. 'De enige schepen die naar Walvis komen, zijn kustvaarders of cruiseschepen. De vissers blijven allemaal dichter onder de kust, en de tankers die de Kaap ronden, varen zo'n zeventot achthonderd kilometer verder buitengaats.'

De wereldzeeën zijn in zeewegen verdeeld die haast net zo duidelijk zijn gemarkeerd als snelwegen. De strikte deadlines en de dagelijkse kosten van honderdduizenden dollars om een supertanker in de vaart te houden maakten dat schepen onveranderlijk kozen voor de kortste route tussen hun bestemmingen en daar zelden meer dan een paar kilometer van afweken. Dus terwijl het in sommige delen van de oceaan wemelde van de schepen, was er in veel andere gebieden soms jarenlang geen schip te zien. De huurboot voer in zo'n lege zone: ver genoeg van de kust om geen kustvaarders op weg naar de Walvisbaai tegen te komen, maar nog ver binnen de internationale route die voor het ronden van Kaap de Goede Hoop werd gebruikt.

'Er is nog iets raars,' zei Sloane. 'Er komt geen rook uit de schoorsteen. Zou het niet een verlaten schip kunnen zijn? Misschien is het in een storm op drift geraakt en is de bemanning van boord gegaan.'

Tony liep de ladder op. Sloane was met haar gedachten bij het mysterieuze schip en het mogelijke lot van de bemanning, waardoor ze hem niet had gehoord, en ze schrok toen hij haar schouder aanraakte.

'Sorry,' zei hij. 'Kijk eens achter ons. Er komt nog een schip deze kant op.'

Sloane draaide zich zo snel om dat haar handen het stuurrad meetrokken en de boot naar bakboord zwenkte. Het schatten van afstanden op zee is altijd lastig, maar ze besefte dat de boot die zichtbaar heel snel voer niet meer dan een paar kilometer achter hen lag en hen spoedig zou inhalen omdat hij veel sneller was dan de huurboot. Ze gaf de verrekijker aan de kapitein en duwde de gashendels zo ver mogelijk open.

'Wat krijgen we nou?' riep Tony, die naar voren schoot toen de boot plotseling versnelde.

De kapitein voelde de angst bij Sloane en zei voorlopig niets, terwijl hij de verrekijker op het naderende vaartuig richtte.

'Herken je het?' vroeg Sloane aan hem.

'Ja. Het komt bijna elke maand naar Walvis. Een jacht. Van een meter of vijftien. Ik weet niet hoe het heet of wie de eigenaar is.'

'Zie je iemand?'

'Er staan mensen op de brug. Blanke mannen.'

'Ik wil weten wat er aan de hand is!' gilde Tony met een rood aangelopen gezicht.

Opnieuw negeerde Sloane hem. Ze hoefde hen niet te zien om te weten wie er op die boot achter hen aan zaten. Ze stuurde een klein beetje bij en voer zo hard mogelijk in de richting van het vrachtschip, in de hoop dat haar achtervolgers zich door de aanwezigheid van getuigen zouden laten afschrikken. Ze was ervan overtuigd dat ze hier op open zee zou worden vermoord en dat ze de vissersboot tot zinken zouden brengen. Ze duwde tegen de gashendels, maar de dieselmotoren draaiden al op volle toeren. Ze beet op haar lippen, terwijl ze in stilte bad dat het vrachtschip niet verlaten was, zoals ze aanvankelijk vermoedde. Als dat wel zo was, waren ze dood zodra het jacht hen had ingehaald.

Tony greep haar arm. Zijn ogen schoten vuur. 'Verdomme, Sloane, wat is hier gaande? Wat zijn dat voor mensen?'

'Ik denk dat het dezelfde mannen zijn die mij gisteravond naar het hotel hebben achtervolgd.'

'Achtervolgd? Wat bedoel je, achtervolgd?'

'Precies wat ik zeg,' snauwde ze. 'Op de terugweg naar het hotel ben ik door twee mannen achtervolgd. Een van hen had een pistool. Ze zeiden dat ik moest zorgen dat ik het land uitkwam.'

Tony barstte haast uit zijn vel van woede, en zelfs de kapitein keek haar met een ondoorgrondelijke blik aan. 'En je vond het niet nodig me dat te vertellen? Ben je helemaal van de pot gerukt? Je wordt door mannen met pistolen achtervolgd en brengt ons vervolgens naar een plek ergens in de middle of nowhere? Mijn hemel, meid, wat denk jij eigenlijk wel?'

'Ik dacht niet dat ze ons zouden volgen,' schreeuwde Sloane terug. 'Helemaal mijn fout, ja! Als we dicht genoeg bij dat vrachtschip kunnen komen, doen ze ons niks.'

'Maar verdomme, wat was er gebeurd als dat vrachtschip er níét was geweest?' Bij elk woord spatte het speeksel van Tony's lippen.

'Nou, 't is er wel, dus niets aan de hand.'

Tony richtte zich tot de eigenaar van de boot. 'Hebt u een wapen?' Hij knikte traag. 'Dat gebruik ik voor haaien, als dat nodig is.'

'Dan stel ik voor dat je dat als een haas gaat pakken, vrind, want dat zullen we dan wel nodig hebben.'

De boot was steeds dwars op de golven rustig met de deining meegegaan, maar nu Sloane van koers was veranderd, sneden ze er recht doorheen, waarbij de boeg op en neer klapte en het water elke keer als ze terugvielen hoog opspatte. Er was een stevige golfslag, en Sloane zette zich met gebogen knieën schrap tegen elke klap. De kapitein kwam terug aan dek en overhandigde Sloane een oud 18,5mm-geweer en een handvol patronen in de intuïtieve overtuiging dat zij een kracht bezat waaraan het Tony Reardon ontbrak. Hij nam het roer weer van haar over en corrigeerde na elke golf met subtiele beweginkjes de koers, om zo min mogelijk snelheid te verliezen. Het luxejacht was minstens anderhalve kilometer dichterbij gekomen, terwijl het vrachtschip nog even ver weg leek.

Ze tuurde door de verrekijker naar het grote schip en de moed zonk haar in de schoenen. Het vaartuig verkeerde in een deplorabele toestand. De romp bestond uit een veelheid van donkere vlekken, die deden vermoeden dat hij tientallen keren met stalen platen was gerepareerd. Ze zag geen beweging op het dek en ook niemand op de brug. En hoewel het leek alsof er schuimend water van de boeg

111

spatte alsof het schip wel degelijk voer, kon dat eigenlijk niet omdat er geen rook uit de schoorsteen kwam.

'Hebt u een radio?' vroeg Sloane aan de kapitein.

'Beneden,' antwoordde hij. 'Maar hij heeft onvoldoende bereik voor Walvis, als u dat bedoelt.'

Sloane wees over de boeg naar het vrachtschip. 'Ik wil hen laten weten wat er aan de hand is, zodat ze alvast een ladder kunnen laten zakken.'

De kapitein keek over zijn schouder naar het snel naderende jacht. 'Dat gaat krap worden.'

Sloane gleed, alleen haar handen gebruikend, het steile trapje af en rende de hut in. De radio bleek een oude zender/ontvanger, die aan het lage plafond was bevestigd. Ze zette hem aan en draaide de knop op kanaal 16, de internationale frequentieband voor noodoproepen.

'Mayday, mayday, mayday, hier de vissersboot *Pinguïn* voor het vrachtschip op koers naar Walvisbaai. We worden achtervolgd door piraten, antwoord alstublieft.'

Er klonk luid gekraak in de hut.

Sloane stelde de radio iets beter af en drukte haar duim weer op de microfoon. 'Dit is de *Pinguïn* voor onbekend vrachtschip op koers naar Walvis. We hebben hulp nodig. Antwoord alstublieft.'

Opnieuw hoorde ze luid gekraak, maar in de witte ruis ving ze toch iets van een stem op. Ondanks de wilde bewegingen van de boot waren Sloanes vingers zo fijngevoelig als een chirurg terwijl ze de draaiknop met fracties van een millimeter bijstelde.

Plotseling schalde er een stem uit de luidspreker. 'U had gister-avond naar me moeten luisteren. U had uit Namibië weg moeten gaan.' Ondanks de vervorming herkende Sloane de stem van de vorige avond en ze trok lijkbleek weg.

Sloane kneep de microfoon haast fijn. 'Laat ons met rust, dan gaan we terug,' smeekte ze. 'Dan neem ik het eerste vliegtuig het land uit. Dat beloof ik.'

'Dat is geen optie meer.'

Ze keek over de achtersteven. Het jacht had de achterstand tot een paar honderd meter ingelopen en was nu zo dichtbij dat ze op de brug twee mannen zag staan met geweren in de hand. Het vracht-schip bevond zich nog op minstens twee kilometer afstand.

Dat haalden ze niet meer.

'Wat denk je, baas?' vroeg Hali Kasim van zijn plek achter de communicatieapparatuur.

Cabrillo zat voorovergeleund in zijn stoel, een elleboog op de leuning en een hand om zijn ongeschoren kin. Op een van de schermen voor hem waren de beelden te zien van een in de mast gemonteerde camera. Het beeld van de draaibare videocamera was scherp en stabiel en zoomde in op de beide boten die de *Oregon* met een flinke vaart naderden. De vissersboot voer met een snelheid van zo'n twintig knopen en werd achtervolgd door een motorjacht dat met vijfendertig knopen snel dichterbij kwam.

Ze hadden de twee boten al zeker een uur op de radar gevolgd en er verder weinig aandacht aan besteed omdat de wateren voor de kust van Namibië bekendstonden als een populair visgebied. Pas toen de voorste boot, waarvan ze nu wisten dat deze *Pinguïn* heette, van koers veranderde en recht op de *Oregon* af kwam, hadden ze Cabrillo uit zijn hut gehaald, waar hij net na een uurtje trainen in de fitnessruimte onder de douche wilde stappen.

'Ik begrijp er werkelijk geen hout van,' zei Juan ten slotte. 'Waarom zouden piraten met een peperduur jacht een oude vissersboot tot honderdvijftig mijl buiten de kust achtervolgen? Daar zit een luchtje aan. Wepps, zoom eens in op dat jacht. Kijken of we kunnen zien wie er aan boord zijn.'

Mark Murphy had geen dienst, en daarom hanteerde het bemanningslid achter de knoppen van de wapensystemen de joystick van de camerabesturing en haalde het beeld op Cabrillo's instructie dichterbij. Bij een dergelijke extreme vergroting had zelfs de beste computergecorrigeerde gyroscoop moeite het beeld stil te houden. Maar het was scherp genoeg. Het zonlicht weerkaatste in de schuine ruiten van de brug, maar door de schittering heen ontwaarde Juan vier mannen op de brug van het slanke jacht, en twee van hen waren met een automatisch geweer bewapend. Terwijl ze keken, schouderde een van hen zijn wapen en vuurde een salvo af.

Vooruitlopend op Juans instructies zwenkte de artillerieofficier de camera terug naar de vluchtende *Pinguïn*. Zo te zien was ze niet geraakt, maar ze zagen dat een vrouw met roodbruine haren en een jachtgeweer achter de hekbalk dekking zocht.

'Wepps,' zei Juan scherp, 'maak de Gatling gereed, maar laat het luik in de romp nog dicht. Richt de vuurmond op het jacht en zet de punt dertigers aan stuurboord op scherp, voor het geval dat.'

'Vier mannen met automatische geweren tegen een vrouw met een jachtgeweer,' zei Hali peinzend. 'Een nogal ongelijke strijd als wij niet ingrijpen.'

'Ik ben al bezig,' reageerde Cabrillo, met een knikje naar zijn communicatiespecialist. 'Verbind me maar door.'

Kasim drukte op een toets van een van zijn drie toetsenborden. 'Je bent in de lucht.'

Cabrillo boog zijn microfoon voor zijn mond. '*Pinguïn, Pinguïn, Pinguïn*, dit is het motorschip *Oregon*.' Op het scherm zagen ze de vrouw omkijken op het moment dat ze zijn stem door de radio hoorde. Ze kroop terug naar de hut en even later klonk haar hijgende stem in het controlecentrum. '*Oregon*, o godzijdank. Ik dacht al dat het een verlaten schip was.'

'Niet zo gek bedacht,' reageerde Linda Ross met een uitgestreken gezicht. Hoewel ze geen dienst had, had Juan het elfje Ross gevraagd om hem in het controlecentrum te assisteren voor het geval hij haar kennis als veiligheidsofficier nodig had.

'Uw urgentie graag,' vroeg Juan, zonder te laten merken dat ze beschikten over uitstekende luchtbeelden van wat er gebeurde. 'U had 't over piraten.'

'Ja, en ze hebben ons zojuist met machinegeweren beschoten. Ik ben Sloane Macintyre. We zitten op een gehuurde vissersboot en zij doken plotseling op.'

'Dat ligt volgens mij toch anders,' zei Linda, op haar onderlip zuigend. 'Die vent op het jacht zei dat hij haar al eens voor iets had gewaarschuwd.'

'Dus ze liegt,' vond ook Juan. 'Er werd zonet op haar geschoten en ze liegt. Interessant, vind je ook niet?'

'Ze verbergt iets.'

'*Oregon*,' riep Sloane, 'bent u daar nog?'

Juan zette de microfoon aan. 'We zijn er nog.' Met een snelle blik op het scherm peilde hij de situatie en probeerde in te schatten waar de beide boten over een minuut zouden zijn en vervolgens over twee minuten. Het tactisch beeld was onheilspellend. Maar het ergste was dat hij de feiten niet kende. Wat hem betrof, was Sloane Macintyre de grootste drugsdealer van zuidelijk Afrika en stond ze op het punt door een concurrent te worden geliquideerd. Misschien kregen zij en de anderen op de *Pinguïn* wat ze verdienden. Maar mogelijk was ze ook totaal onschuldig.

'Maar waarom loog ze dan?' fluisterde hij tegen zichzelf.

Als hij de ware aard van de *Oregon* geheim wilde houden, was de marge waarbinnen ze in actie konden komen waanzinnig klein – in feite te klein. In de luttele seconden dat hij aan zijn kin krabde, overwoog hij tientallen scenario's en nam een besluit.

'Roer, scherp naar stuurboord. We moeten de afstand tussen ons en de *Pinguïn* verkleinen. Verhoog snelheid tot twintig knopen. Machinist, zet de rookpot aan.' Zolang ze alleen op zee waren, produceerde de *Oregon* geen vervuilende uitstoot, maar wanneer ze zich in het zicht van andere schepen bevonden, werd er een speciale rookmachine ingeschakeld om de indruk te wekken dat het bijzondere schip op gangbare dieselmotoren voer.

'Die heb ik een paar minuten geleden al aangezet,' rapporteerde de tweede machinist vanuit het achterste deel van het controlecentrum. 'Dat had ik meteen moeten doen, toen ze binnen zichtbereik kwamen, maar dat ben ik vergeten.'

'Geeft niet. Ik betwijfel of iemand iets heeft gemerkt,' zei Juan, voordat hij zijn microfoon weer aanklikte. 'Sloane, dit is de gezagvoerder van de *Oregon*.'

'Zeg 't maar, *Oregon*.'

Juan verbaasde zich over de koelheid van haar optreden, en hij moest even aan Tory Ballinger denken, een Engelse vrouw die hij een paar maanden geleden uit de Japanse Zee had gered. Ze hadden hetzelfde soort temperament. 'We zijn gedraaid om u af te schermen. Zeg tegen de kapitein van de *Pinguïn* dat hij ons aan bakboordzijde passeert, maar laat van tevoren niet merken dat u dat gaat doen. Ik wil ervoor zorgen dat het jacht ons aan stuurboord passeert. Begrijpt u dat?'

'Wij passeren u aan bakboordzijde, maar pas op het laatste nippertje.'

'Klopt. Maar ook weer niet te krap. Het jacht kan met die snelheid geen scherpe bochten maken, dus blijf zoveel mogelijk uit de buurt van onze boeggolf. Ik ga onze ladders laten zakken, maar ga er niet naartoe voordat ik het zeg. Begrepen?'

'We komen niet naar u toe voordat u een seintje geeft,' herhaalde Sloane.

'Het gaat goed komen, Sloane,' zei Juan, en het vertrouwen in zijn stem was zelfs in de krakende radioverbinding hoorbaar. 'Dit zijn niet de eerste piraten met wie mijn bemanning en ik te maken hebben gehad.'

Op het scherm zag hij dat de schutters de *Pinguïn* opnieuw met hun automatische geweren bestookten, maar de afstand was nog te groot voor gerichte schoten vanaf een dergelijke onstabiele ondergrond. Zo te zien kwam nog geen van de salvo's in de buurt van de vissersboot. Toch kreeg Juan steeds sterker het gevoel dat zijn besluit om Sloane en haar gezelschap te redden juist was geweest.

'Hali, instrueer een paar dekknechten dat ze de loopbrug laten zakken en ook de touwladder. Wepps, hou de punt dertiger op de boeg paraat.'

'Het doel is ingesteld.'

De *Pinguïn* kwam fel aangestormd en was het kolossale vrachtschip tot op minder dan driehonderd meter genaderd, met het jacht een krappe honderd meter erachter. Juan had het automatisch geschut liever niet ingezet, maar hij zag dat er niets anders opzat. De huurboot zou binnen het bereik van het jacht komen voordat de *Oregon* tussenbeide kon glippen. Net toen hij zijn artillerieofficier opdracht tot vuren wilde geven om het jacht af te remmen, zag hij Sloane naar de achtersteven van de *Pinguïn* kruipen. Ze stak haar hoofd en schouders boven de hekbalk uit en loste met het jachtgeweer een schot, dat ze onmiddellijk nadat ze een goed overzicht had door een tweede liet volgen.

De kans dat ze het jacht zou raken was nihil, maar met de onverwachte schoten dwong ze het jacht vaart te minderen en bij het naderen voorzichtiger te zijn. Ze won er de seconden mee die ze voor het uitvoeren van Cabrillo's plan nodig hadden.

'Wat gebeurt hier?' Max Hanley dook naast Cabrillo op. Hij rook naar pijptabak. 'Terwijl ik van m'n vrije dag probeer te genieten, zitten jullie kat en muis te spelen met... ja, wat eigenlijk? Een oude vissersboot en een drijvend bordeel?'

Juan had na hun jarenlange samenwerking nog altijd geen idee hoe Max Hanley aan een soort zesde zintuig kwam waarmee hij feilloos aanvoelde wanneer er problemen dreigden. 'Die gasten op het jacht hebben het op de bemanning van de vissersboot voorzien, en dat anderen daar getuigen van zijn, lijkt hen niet te deren.'

'En dat feestje wil jij voor hen bederven, zie ik.'

Juan keek hem met een scheve grijns aan. 'Heb jij wel eens meegemaakt dat ik mijn neus níét in andermans zaken stak?'

'Onvoorbereid? Nee.' Max keek naar het scherm en vloekte.

Het jacht gaf plotseling gas, terwijl machinegeweervuur de *Pin-*

guïn vol trof. Delen van het dikke hout van de voorsteven versplinterden en de ruit in de deur van de benedendeks gelegen hut spatte in gruzelementen uiteen. Sloane lag in dekking achter de hekbalk, maar de kapitein en een tweede man op de brug stonden hopeloos in de vuurlinie.

Ter bescherming de snelheid variërend, begon de Namibische schipper wild te laveren, terwijl ze op het hun tegemoetkomende vrachtschip afstevenden. Hevig schommelend probeerde hij de schutters af te schudden. Sloane droeg daaraan haar steentje bij met nogmaals schoten uit beide lopen. Ze misten hun doel zo jammerlijk dat ze in het water niet eens de fonteintjes van de inslag van de kogels zag.

Een volgend salvo van het jacht dwong haar weer in dekking te gaan. Vanaf haar positie op de ruwe planken vloer van het achterdek kon ze het vrachtschip niet zien, maar de boot gedroeg zich anders op de golven die de enorme romp van het snel naderende schip maakte. Met een schouder die pijn deed van het schieten begreep ze dat hun lot nu in handen van de kapitein van de *Pinguïn* en de geheimzinnige gezagvoerder van de *Oregon* lag. Ze leunde tegen de hekbalk, zwaar ademend van angst, vermengd met een prikkelende spanning: hetzelfde gevoel van uitdagende trots waardoor ze überhaupt in deze situatie was terechtgekomen.

Aan boord van de *Oregon* keken Juan en Max toe hoe de beide boten dichterbij kwamen. De schipper van de *Pinguin* koerste nog altijd op hun stuurboordzijde aan met het jacht iets verder naar rechts. Het schip naderde zo snel dat de schutters hun prooi nu elk moment binnen handbereik hadden en dodelijk konden toeslaan.

'Nog even wachten,' zei Max tegen niemand in het bijzonder. Als hij de leiding had gehad, had hij Sloane gezegd bij de radio te blijven en zelf het sein gegeven om weg te draaien. Op datzelfde moment besefte hij dat Juan gelijk had om dat aan de schipper zelf over te laten. Hij kende de mogelijkheden van zijn boot en wist exact wanneer hij de draai moest maken.

De *Pinguïn* was de *Oregon* tot op dertig meter genaderd, zo dichtbij dat ze de boot met de camera in de mast niet meer konden volgen. De artillerieofficier schakelde over naar de camera van de punt dertiger op de boeg.

Het bootje werd opnieuw door een salvo van het jacht getroffen en als de afstand ook maar iets groter was geweest, had Juan van zijn plan afgezien en het luxejacht met de punt dertiger of met de Gatling, die het doel ook vanachter de stalen platen volgde, uitgeschakeld.

'Nu,' fluisterde hij.

Hoewel de microfoon van Cabrillo niet aanstond, leek het alsof de kapitein van de *Pinguïn* hem hoorde. Op nauwelijks vijftien meter voor de vlijmscherpe boeg van de *Oregon* draaide hij het stuurrad met een ruk naar links en stuurde zijn boot als een surfer over de kam van de boeggolf.

De roerganger van het jacht draaide aan het stuurwiel alsof hij wilde volgen, maar corrigeerde zijn koers onmiddellijk toen hij zich realiseerde dat ze te snel gingen om achter de *Pinguïn* te kunnen blijven. Hij zou het vrachtschip wel aan stuurboordzijde passeren, en door hun veel hogere snelheid zouden ze eerder de achtersteven bereiken om hun prooi daar de pas af te snijden.

'Roer,' zei Juan doodkalm, 'op mijn teken geef je de stuwschroeven aan stuurboord volle kracht en het roer scherp rechts. Voer de snelheid op naar veertig knopen.' Juan klikte diverse camera-instellingen aan tot hij de *Pinguïn* in beeld had. Hij wilde er zeker van zijn dat ze de boot bij deze manoeuvre niet verpletterden. Met een kennersoog schatte hij snelheden en afstanden in en begreep dat hij levens riskeerde voor het behoud van het geheim van zijn schip. Het jacht was vrijwel waar hij het hebben wilde en de *Pinguïn* was zogoed als buiten gevaar, maar ze hadden geen tijd meer.

'Ja!'

Met het indrukken van een paar toetsen en een miniem rukje aan een joystick deed het elfduizend ton zware schip iets waartoe geen enkel ander vaartuig van die omvang in staat was. De dwarsscheeps geplaatste stuwschroeven sloegen aan en stuwden de boeg van de *Oregon* zijdelings door het water, tegen de traagheid van haar eigen snelheid en de zelfs nog opgevoerde stuwkracht van de magnetohydrodynamische motoren in.

Het ene moment voeren het jacht en het vrachtschip nog in tegengestelde richtingen langs elkaar, en het volgende was de *Oregon* vijfenveertig graden gedraaid en stevende het jacht in plaats van langs zijn lange zijwand er nu met een gecombineerde snelheid van zestig knopen recht op af. Als een walvis die haar jong beschermde, had Juan zijn schip tussen het jacht en de vissersboot gemanoeuvreerd. Hij keek naar het scherm waarop de *Pinguïn* te zien was. De *Oregon* was er vlak langs gedraaid, dwars door haar kielzog. De vissersboot deinde nu wild op de golven die zijn schip maakte.

Alsof hij door een locomotief op de hielen gezeten over een spoorbaan rende, probeerde de stuurman van het jacht de opdoemende boeg van de *Oregon* te slim af te zijn door naar bakboord weg te zwenken en zo te ontkomen aan een naar hij veronderstelde relatief traag schip. Als hij de kracht had gezien waarmee het water vanonder haar schegboord opspatte, zou hij zijn eigen motoren hebben uitgezet en hebben gebeden dat hij de klap met haar romp zou overleven.

De krachten die hierbij een rol speelden, waren een kwestie van een simpele berekening. De *Oregon* vervolgde zijn draai en sneed op de boeg van het jacht af, dat wanhopig probeerde in een nog scherpere bocht van het vrachtschip weg te draaien.

Op het allerlaatste moment sprong een van de schutters op het jacht naar voren om de gashendels dicht te trekken, maar die inzet kwam net iets te laat.

De glanzende voorsteven van het jacht knalde op zo'n dertig meter van de boeg tegen de bladderende romp van de *Oregon*. Polyester en aluminium waren niet opgewassen tegen de harde huid van het oude schip, en het luxejacht verkreukelde als een door een moker platgeslagen bierblikje. De beide turbodieselmotoren werden uit de houders gerukt en dwars door de romp gedrukt, waarbij ze de spanten versplinterden die de boot bij elkaar hielden. In een wolk van glas- en polyesterscherven klapte de bovenbouw van de boot als in een explosie uit elkaar. De vier mannen die een paar ogenblikken eerder nog vol vertrouwen waren geweest dat ze hun missie zogoed als volbracht hadden, waren op slag dood, naar de vergetelheid verpletterd door de overweldigende kracht van de botsing.

Een van haar brandstoftanks ontplofte in een oplaaiende bal van vettige oranje vlammen die tot aan de reling van de *Oregon* reikten, terwijl het vrachtschip ongestoord doordraaide, als een haai die door een goudvis was aangevallen. Er dreef een zich uitspreidende vlek van brandende dieselolie op het wateroppervlak, waar vanaf een dikke rook walmde die de restanten van het jacht in de laatste seconden voordat ze naar de bodem verdwenen aan het oog onttrok.

'Stop alle systemen,' instrueerde Cabrillo, waarna hij voelde hoe het schip onmiddellijk na het uitschakelen van de straalmotoren vaart verloor.

'Als met een vliegenmepper,' zei Max, met een klopje op Juans schouder.

'Nu alleen maar hopen dat we ons hiermee niet in een wespennest hebben gestoken.' Hij klikte zijn microfoon aan. '*Oregon* voor *Pinguïn*, hoort u mij?'

'*Oregon*, hier de *Pinguïn*.' De opluchting die van Sloanes glimlach straalde, was haast hoorbaar in de radioverbinding. 'Hoe u dit hebt gedaan, weet ik niet, maar er zitten hier drie mensen die u heel dankbaar zijn.'

'Ik nodig u en uw metgezellen met alle genoegen uit voor een lunch hier aan boord om nog wat na te praten over wat er zojuist is gebeurd.'

'O, een moment alstublieft, *Oregon*.'

Juan wilde per se weten wat hierachter zat, en hij was niet van zins haar de tijd te geven een smoesverhaal bij elkaar te verzinnen. 'Als u niet op mijn uitnodiging ingaat, zie ik mij genoodzaakt formeel aangifte te doen bij de havenpolitie van Walvisbaai.'

Dat was hij helemaal niet van plan, maar dat wist Sloane niet.

'Hmm, in dat geval nemen we uw uitnodiging graag aan.'

'Uitstekend. Mijn loopbrug hangt aan bakboordzijde klaar. Een van mijn bemanningsleden zal u naar de brug begeleiden.' Juan keek naar Max. 'Nou, Ollie, ik ben benieuwd wat we ons nu weer op de hals hebben gehaald.'

10

Vechtend tegen het ontwaken uit de warme omhelzing van zijn bewusteloosheid gaf Geoffrey Merrick met een luide kreun te kennen
dat de verdovende werking van de Tazer-schok begon af te zwakken. Zijn ledematen tintelden tot in zijn vingers en tenen, en de plek
op zijn borst waar de elektroden hem hadden getroffen brandde
alsof hij er zoutzuur op had gemorst.

'Hij komt bij,' zei een onpersoonlijke stem die van heel ver leek te
komen, maar Merrick voelde dat de persoon dichtbij was en dat het
zijn eigen verdoofde hersenen waren die van ver weg terugkwamen.

Hij werd zich ervan bewust dat zijn lichaam in een ongemakke-
lijke houding lag en probeerde te bewegen. Zijn pogingen bleken te-
vergeefs. Hij was geboeid aan zijn polsen, en hoewel hij het metaal
nauwelijks in zijn vlees voelde prikken, kon hij zijn armen maar een
paar centimeter verschuiven. Er zat nog onvoldoende gevoel in zijn
benen om te kunnen vaststellen dat ook zijn enkels op een dergelijke
wijze geboeid waren.

Voorzichtig opende hij zijn ogen en sloot ze onmiddellijk weer. De
ruimte waarin hij zich bevond, was feller verlicht dan hij ooit eerder
had meegemaakt. Het was haast alsof hij vlak bij de zon lag.

Merrick wachtte even voordat hij zijn ogen opnieuw opende en
tuurde door de spleetjes van zijn oogharen in het helle licht. Het
duurde enkele seconden alvorens hij iets kon onderscheiden. De
kamer was ongeveer vijf bij vijf meter, met muren die net als die van
zijn cel van gehakt steen waren, waardoor hij wist dat hij niet uit de
gevangenis was opgehaald. In een van de muren zat een groot raam.
Het was stevig getralied en de ruit glansde alsof hij er nog niet zo

lang geleden was ingezet. Het landschap buiten was een lege woestenij zoals hij nog nooit had gezien: een eindeloze zee van wit zand, glinsterend in de meedogenloze hitte van de zon.

Hij richtte zijn aandacht op de mensen in de kamer.

Er zaten acht mannen en vrouwen aan een houten tafel. In tegenstelling tot de bewakers droegen zij geen maskers. Merrick herkende geen van hen, hoewel hij het idee had dat de grootste van het stel een van de bewakers was, en dat ook het knappe joch met de blauwe ogen erbij was. Ze waren stuk voor stuk blank en over het algemeen jonger dan vijfentwintig. Hij had lang genoeg in Zwitserland gewoond om te kunnen zien dat ze onmiskenbaar Europees gekleed waren. Op tafel stond een laptop met het scherm naar de oudste van de groep gekeerd: een vrouw van tegen de vijftig, gezien de grijze lokken in haar dikke haardos. Een met de computer verbonden camcorder stond aan de voet van de tafel op Merrick gericht.

'Geoffrey Michael Merrick,' sprak een elektronisch vervormde stem uit de luidsprekers van de computer. 'Door dit tribunaal bent u in afwezigheid berecht en schuldig bevonden aan het plegen van misdaden tegen de planeet.' Diverse hoofden knikten grimmig. 'Het door uw bedrijf ontwikkelde en gepatenteerde product, de zogenaamde zwavelzuiveraars, hebben regeringen en particulieren in hun overtuiging gesterkt dat de voortdurende verbranding van fossiele brandstoffen een verdedigbaar alternatief is, en dan vooral het verbranden van zogenaamd schone kolen. Maar die bestaan niet, en bovendien heeft dit tribunaal vastgesteld dat er bij de met uw product uitgeruste energiecentrales slechts van een zo geringe reductie van zwaveluitstoot sprake is dat dit geenszins opweegt tegen de miljarden tonnen aan andere giftige chemicaliën en gassen die hierbij in de atmosfeer terechtkomen.

'De tactische winst die u met de productie van deze apparaten boekt, is in werkelijkheid een strategische miskleun voor alle mensen die er oprecht naar streven onze wereld voor toekomstige generaties te redden. De milieubeweging kan zich er niet bij neerleggen dat ze wordt tegengewerkt door schijnoplossingen van individuen zoals u of energiebedrijven die pretenderen groen te zijn, terwijl ze doorgaan met het uitstoten van gifstoffen. De mondiale opwarming van de aarde is het grootste gevaar dat onze planeet ooit heeft bedreigd, en steeds weer ontwikkelen mensen zoals u slechts in geringe mate schonere technologieën waardoor het publiek gelooft dat het gevaar afneemt, terwijl het in feite elk jaar alleen maar groter wordt.

'Met hybride auto's precies hetzelfde. Natuurlijk, ze verbruiken minder benzine, maar de vervuiling die hun ontwikkeling en productie veroorzaakt, overstijgt vele malen de besparing van de consument die in zo'n auto rijdt. Ze zijn hooguit een alibi om een handjevol gewetensvolle lieden het gevoel te geven dat ze hun steentje bijdragen aan de oplossing van het milieuprobleem, terwijl ze in feite het tegengestelde doen. Zij geloven in de dwaling dat de planeet door technologie kan worden gered, zonder te beseffen dat het juist die technologie is die dat kwaad veroorzaakt.'

Merrick hoorde wat er werd gezegd, maar de betekenis ervan drong niet echt tot hem door. Hij opende zijn mond om iets te zeggen, maar doordat zijn stembanden nog verlamd waren, klonk er alleen wat schor gekras. Hij schraapte zijn keel en probeerde het opnieuw. 'Wie... wie bent u?'

'Mensen die uw spelletje doorzien.'

'Spelletje?' Hij zweeg een moment, in een poging zijn gedachten weer enigszins op een rijtje te krijgen, omdat hij besefte dat de komende paar minuten bepalend zouden zijn of hij hier als vrij man wegkwam of zoals de arme Susan zou worden weggesleept. 'Mijn technologie heeft zich keer op keer bewezen. Dankzij mij wordt er nu aanzienlijk minder zwavel geproduceerd dan sinds het begin van de industriële revolutie.'

'En dankzij u' – ondanks de elektronische vervorming door de computer klonk er sarcasme in de stem door – 'is het gehalte aan CO_2, koolmonoxide, fijnstof, kwik en andere zware metalen hoger dan ooit. Net als het zeeniveau. De energiemaatschappijen gebruiken uw zuiveraars als bewijs van hun milieubewustzijn, terwijl zwavel maar een fractie uitmaakt van de troep die ze produceren. De wereld moet weten dat de dreigende milieuramp van alle kanten komt.'

'En om daar iets aan te doen, ontvoert u mij en slaat u een onschuldige vrouw halfdood?' zei Merrick, zonder dat hij daarbij aan de hachelijke situatie dacht waarin hij verkeerde. Deze discussie had hij al honderden keren gevoerd. Ja, door zijn werk was de uitstoot van zwavel gereduceerd, maar het gevolg was dat er meer energiecentrales werden gebouwd en er meer vervuilende stoffen in de atmosfeer werden geloosd. Het was een klassieke paradoxale situatie. Maar hij had alle argumenten paraat en voelde weer wat vertrouwen dat hij zich hieruit kon redden.

'Ze werkt voor u. Ze is niet onschuldig.'

'Hoe kunt u dat nou zeggen? U hebt niet eens haar naam gevraagd, of wat ze doet.'

'De details van haar werkzaamheden zijn niet van belang. Dat ze bereid is om voor u te werken is voldoende bewijs dat ze medeplichtig en schuldig is.'

Merrick zuchtte. Als hij hier levend uit wilde komen, moest hij hen zien te overtuigen dat hij niet hun vijand was. 'Luister, u kunt mij niet verantwoordelijk stellen voor de almaar toenemende vraag naar energie over de hele wereld. Als u een schoner milieu wilt, overtuig de mensen er dan van dat ze minder kinderen moeten krijgen. Met een bevolking van 1,2 miljard inwoners zal China de Verenigde Staten binnenkort als grootste vervuiler ter wereld passeren. En India met een miljard inwoners zal snel volgen. Dat is wat de aarde werkelijk bedreigt. En hoe schoon Europa en Amerika ook worden – mijn god, we kunnen terug naar door paarden getrokken koetsen en ploegscharen – maar de in Azië geproduceerde vervuiling zullen we er niet mee goedmaken. Dit is een mondiaal probleem, dat ben ik helemaal met u eens, en daar is een mondiale oplossing voor nodig.'

De mannen en vrouwen aan de andere kant van de tafel hoorden hem onbewogen aan, en het zwijgen van de computer leek eindeloos te duren. Merrick wilde koste wat kost sterk blijven, en hij vocht tegen de angst die hem sluipenderwijs bekroop. Uiteindelijk hield hij het niet meer vol. Zijn stem trilde en er glinsterden tranen in zijn ogen.

'Doet u mij dit alstublieft niet aan,' smeekte hij. 'Wilt u geld? U kunt al het geld van me krijgen dat uw organisatie nodig heeft. Maar laat u ons alstublieft gaan.'

'Daar is 't te laat voor,' zei de computer. Daarop werd het elektronisch filter uitgezet en klonk de stem van de persoon aan de andere kant van de lijn onvervormd. 'U bent berecht, Geoff, en schuldig bevonden.'

Merrick kende die stem maar al te goed, ook al had hij hem al in geen jaren meer gehoord. En hij begreep nu ook dat hij dit niet zou overleven.

11

Cabrillo had geen tijd om te douchen en kon zich nog net omkleden alvorens hij zich haastig naar de brug van de *Oregon* begaf om daar te zijn voordat Frank Lincoln er Sloane en haar metgezellen had afgeleverd. Hij wierp een vluchtige blik om zich heen toen hij hen de buitentrap op hoorde komen. De brug verkeerde in de normale verwaarloosde staat. Niemand had een van hun ultramoderne speeltjes laten rondslingeren die de ware aard van het schip zou kunnen verraden. Eddie Seng speelde weer voor stuurman en stond in een versleten overall en een honkbalpet op het hoofd achteloos aan het ouderwetse stuurrad. Seng was waarschijnlijk de meest consciëntieuze acteur op de loonlijst van de Corporation, iemand die nog niet het kleinste detail over het hoofd zag. Als zijn temperament hem niet tot avonturier had gemaakt, was hij beslist een uitstekende accountant geweest. Juan zag dat Eddie de nephendels van de telegraaf op Stop had gezet en zelfs de ongebruikte zeekaart had verwisseld voor die van de kust van Zuidwest-Afrika.

Juan tikte op de verbleekte en gevlekte kaart. 'Mooi ding.'

'Ik dacht dat je dat wel op prijs zou stellen.'

Juan had er tot het moment dat ze door de deur stapte niet over nagedacht hoe Sloane Macintyre eruit zou zien. Haar roodbruine haren gaven haar door de langdurige inwerking van wind en zon een woeste, bandeloze uitstraling. Haar mond was iets te breed en haar neus te lang, maar ze had zo'n open gezicht dat die minimale gebreken nauwelijks opvielen. Nu haar zonnebril voor haar hals bungelde, zag hij dat ze niet de groene ogen van de klassieke roodharige uit de keukenmeidenromans had, maar grote grijze kijkers waarmee ze haar omgeving steeds vluchtig leek op te nemen. Ze had een paar pondjes te veel, waardoor haar lichaam iets vollere rondingen had, maar de huid om haar armen was strak, waaruit Juan afleidde dat ze een zwemster was.

Ze had twee mannen bij zich, een Namibiër van wie Juan aannam dat hij de eigenaar van de *Pinguïn* was, en een blanke met een opvallende adamsappel en een zure trek op zijn gezicht. Juan kon niet zo gauw redenen verzinnen waarom een dergelijk aantrekkelijke vrouw als Sloane met hem zou willen optrekken. Uit hun lichaamstaal maakte hij op dat de man, hoewel Sloane waarschijnlijk de leiding had, ongelooflijk kwaad op haar was.

Cabrillo stapte met uitgestoken hand naar voren. 'Juan Cabrillo, kapitein van de *Oregon*. Welkom aan boord.'

'Sloane Macintyre.' Haar handdruk was zelfverzekerd en stevig, haar blik evenwichtig. Juan zag geen spoor van de angst die er toch geweest moest zijn toen er op haar werd geschoten. 'Dit zijn Tony Reardon en Justus Ulenga, schipper van de *Pinguïn*.'

'Hoe maakt u het?'

Juan verbaasde zich over het scherpe Britse accent van Reardon. 'Zo te zien hebt u geen medische hulp nodig. Klopt dat?'

'Ja,' antwoordde Sloane. 'Wij zijn oké, bedankt.'

'Mooi, dat is een hele opluchting,' zei Juan, en hij meende het. 'Ik had u graag meegenomen naar mijn hut om over de gebeurtenissen na te praten, maar daar is het nogal een rotzooitje. Laten we naar de kombuis gaan. Ik denk dat ik de kok nog wel zover kan krijgen dat hij iets voor u klaarmaakt.' Juan vroeg Linc om de steward te zoeken.

In werkelijkheid verkeerde de kapiteinshut waarin hij de inspecteurs en havenautoriteiten ontving in een catastrofale toestand, speciaal ontworpen om iedereen die er een blik in wierp onmiddellijk het gevoel te geven dat hij zo snel mogelijk weer van het schip af wilde. De wanden en de vloerbedekking waren kunstmatig zo doordrenkt met de stank van goedkope sigaretten dat zelfs een kettingroker er naar adem snakte. Ook voelden de meeste mensen zich niet bepaald op hun gemak onder de trieste blik van de mierzoete clownsportretten die er met dat doel waren opgehangen. Het was simpelweg niet de juiste ambiance voor een goed gesprek. Hoewel het niveau van de boven de waterlijn gelegen kombuis met aangrenzende eetzaal nauwelijks beter was, was het er tenminste redelijk schoon.

126

Juan leidde hen via een binnentrap met versleten linoleum op de treden naar beneden en waarschuwde hen voor een loszittende leuning. Hij ging hun voor naar de kantine, waar hij met een van de twee lichtschakelaars de tl-verlichting aandeed. Met de andere schakelaar gingen maar een paar lampen aan, die met een irritant gezoem voortdurend aan en uit flakkerden. De meeste douane-inspecteurs die de vrachtbrieven kwamen controleren, deden dat liever zittend op de vloer van de brug dan in de eetzaal. Er stonden vier ongelijke tafels in de ruime kantine en van de zestien stoelen waren er maar twee die enigszins op elkaar leken. De wanden waren in een kleur geverfd die Juan sovjetgroen noemde, een doffe, muntgrauwe tint die onveranderd mistroostig stemde.

Twee dekken onder dit vertrek bevond zich de echte eetzaal van de *Oregon*, die qua elegantie niet onderdeed voor een vijfsterrenrestaurant.

Hij gebaarde hen plaats te nemen op stoelen die recht tegenover een onzichtbaar in een foto aan de muur verborgen camera stonden. Linda Ross en Max Hanley zouden het gesprek in het controlecentrum op de voet volgen. Als ze vragen hadden, kon Maurice, de steward, die aan Cabrillo doorgeven.

Cabrillo vouwde zijn handen op het tafelblad, keek zijn gasten aan en hield zijn ogen vervolgens strak op Sloane Macintyre gericht. Ze beantwoordde zijn blik zonder enig blijk van verlegenheid, en hij meende zelfs iets van een glimlach in haar mondhoeken te zien. Juan verwachtte angst of woede na wat ze hadden meegemaakt, maar het leek haast of zij het allemaal wel grappig vond. Dat in tegenstelling tot Reardon, die duidelijk van streek was, en de kapitein van de *Pinguïn*, die nogal somber keek en hoogstwaarschijnlijk hoopte dat Juan de autoriteiten hierbuiten zou laten.

'Goed, vertel me nu maar eens wat dat voor mensen waren en waarom ze u dood wilden.' Sloane boog naar voren en wilde reageren, maar Juan vervolgde: 'En vergeet niet dat ik heb gehoord dat ze over de radio zeiden dat ze u gisteravond hebben gewaarschuwd.'

Ze leunde weer naar achteren. Het was duidelijk dat ze heroverwoog wat ze zou gaan zeggen.

'Mijn hemel, vertel 't gewoon,' stamelde Tony, toen Sloane niet meteen reageerde. 'Het maakt nu toch niks meer uit.'

Ze keek hem vernietigend aan en begreep dat Tony, als zij het niet deed, Cabrillo het hele verhaal uit de doeken zou doen. Ze slaakte een diepe zucht. 'We zijn op zoek naar een schip dat hier aan het eind van de negentiende eeuw is gezonken.'

'En volgens u is er een schat aan boord?' concludeerde Juan lankmoedig.

Sloane liet dat sarcasme niet over haar kant gaan. 'Daar durf ik mijn leven onder te verwedden, ja. En er is iemand anders die ervoor over lijken gaat.'

'Een punt voor u.' Juan keek van Sloane naar Reardon. Ze zagen er niet uit als schatjagers, maar dat is een koorts die voor iedereen besmettelijk is. 'Hoe hebt u elkaar ontmoet?'

'In een chatprogramma, verbonden aan een website over verloren schatten,' antwoordde Sloane. 'Sinds vorig jaar hebben we deze reis voorbereid en ervoor gespaard.'

'En wat is er gisteravond gebeurd?'

'Ik was alleen ergens gaan eten, en toen ik naar het hotel terugliep, werd ik door twee mannen gevolgd. Toen ik ging rennen, joegen ze me op. Op een gegeven moment heeft een van hen op me geschoten. Ik kwam terug bij het hotel, waar het druk was, en zij bleven staan. Een van hen riep me na dat het schot een waarschuwing was en dat ik Namibië moest verlaten.'

'U herkende hen als twee van de mannen op dat jacht?'

'Ja, de twee met de machinegeweren.'

'En wie wisten er dat u in Namibië bent?'

'Hoe bedoelt u, mijn vrienden thuis en zo?'

'Nee, ik bedoel, wie wist wat u hier aan het doen bent? Hebt u met iemand over uw project gepraat?'

'We hebben een groot aantal vissers geïnterviewd,' antwoordde Tony.

Sloane sprak daar snel overheen. 'Het idee was om de plekken af te zoeken waar de vissers hun netten kwijtraakten. De zeebodem is hier in feite een voortzetting van de woestijn, dus ik ging ervan uit dat alles waar netten achter blijven haken daar door de mens is gekomen, met andere woorden een scheepswrak zou moeten zijn.'

'Dat hoeft niet,' zei Juan.

'Daar zijn wij nu ook achter.' Er klonk teleurstelling in haar stem door. 'We zijn met een metaaldetector over een hele reeks mogelijke plekken heen gevlogen, maar hebben niets gevonden.'

'Verbaast me niks. De stromingen hebben een paar miljoen jaar de tijd gehad om rotsen vrij te spoelen waarachter makkelijk een net kan blijven haken,' zei Juan, en Sloane knikte. 'Dus u hebt met vissers gesproken. En verder?'

Haar mondhoeken trokken omlaag toen ze antwoordde. 'Luka. Hij deed zich voor als gids, maar ik had niet zo'n hoge pet van hem op. En de Zuid-Afrikaanse helipiloot. Pieter DeWitt. Maar niemand wist waarom we naar die netten vroegen, en ook Piet en Luka hebben we niet verteld waar we naar zochten.'

'Vergeet Papa Heinrick en zijn metalen reuzenslangen niet,' zei Tony vinnig. Hij probeerde Sloane nog meer in verlegenheid te brengen.

Een van Juans wenkbrauwen ging omhoog. 'Reuzenslangen?'

'Dat is niks,' reageerde Sloane. 'Een dom verhaal van een maffe oude visser.'

Er werd zacht op de deur geklopt. Maurice kwam binnen met een plastic dienblad. Juan moest een glimlach onderdrukken toen hij het van afschuw vertrokken gezicht van de hoofdsteward zag.

Kortom, Maurice was bijzonder kieskeurig. Iemand die zich twee keer per dag schoor, zijn schoenen elke ochtend poetste en van hemd wisselde zodra hij er ook maar het kleinste vlekje op ontdekte. In de luxueuze verblijven van de *Oregon* voelde hij zich helemaal thuis, maar stuurde je hem naar het openbare deel van het schip, dan liep hij daar rond met het gezicht van een moslim in een varkensstal.

Om niet te zondigen tegen de regels van het spel dat ze hun gasten voorspeelden, had hij zijn colbertje uitgetrokken, zijn stropdas afgedaan en de mouwen van zijn overhemd opgerold. Hoewel Juan over uitgebreide dossiers van alle leden van de Corporation beschikte, wist zelfs hij niet hoe oud Maurice was. De speculaties varieerden van vijfenzestig tot tachtig. De greep waarmee hij nu het dienblad ophield was zo stabiel als de kranen van de *Oregon*, en hij serveerde de borden en glazen zonder ook maar een druppel te morsen.

'Groene thee,' zei hij. Zijn Britse accent viel Tony meteen op. 'Dimsum, potstickers en eiermie met kip.' Hij diepte een opgevouwen papier uit zijn schort op dat hij aan Juan gaf. 'Dit moest ik u van meneer Hanley geven.'

Juan vouwde het papier open, terwijl Maurice schotels, mokken en bestek ronddeelde, waarvan vrijwel niets bij elkaar paste, maar de servetten waren tenminste wel schoon.

Ze liegt dat ze barst, had Max geschreven.

Juan keek naar de verborgen camera. 'Dat is duidelijk.'

'Wat is duidelijk?' vroeg Sloane, nadat ze keurend van haar thee had geproefd.

'Hmm. Mijn eerste stuurman wijst me erop dat hoe langer we hier blijven liggen, des te later we op onze bestemming aankomen.'

'En dat is, als ik vragen mag?'

'Bedankt, Maurice, het is goed zo.' De steward vertrok met een buiging, waarna Cabrillo Sloanes vraag beantwoordde. 'Kaapstad. We zijn met een lading hout uit Brazilië op weg naar Japan, maar in Kaapstad pikken we nog wat containers op voor Mumbai.'

'Dit is nog echt een boot voor de wilde vaart, hè?' vroeg Sloane. Ze was hoorbaar onder de indruk. 'Ik wist niet dat dat nog bestond.'

'Niet veel meer. Het containervervoer heeft bijna alles overgenomen, maar er zijn nog wat kruimels voor schepen zoals wij.' Hij gebaarde om zich heen naar de groezelige kantine. 'Helaas worden die kruimels steeds kariger, zodat er geen geld overblijft om nog in de *Oregon* te steken. Ik ben bang dat de oude dame langzaam uit elkaar valt.'

'Maar toch,' hield Sloane vol, 'romantisch is het wel.'

De oprechtheid waarmee ze dit zei, nam Juan voor haar in. Het zwervend bestaan van een schip op de wilde vaart, het van de hand in de tand leven in plaats van een radertje te zijn in de industriële machinerie die de commerciële scheepvaart was geworden, was ook voor hem altijd een romantisch idee geweest, een leven van onthaasting dat zogoed als uitgestorven was. Hij glimlachte en hief toostend zijn theekopje naar haar op. 'Ja, soms is dat wel zo.'

De warmte waarmee ze zijn glimlach beantwoordde zei hem dat ze hierin iets intiems deelden.

Hij vermande zich om het verhoor weer op te pakken. 'Kapitein Ulenga, weet u iets over metalen slangen?'

'Nee, kap'tein,' antwoordde de Namibiër, waarna hij tegen zijn slaap tikte. 'Papa Heinrick is niet goed bij zijn hoofd. En als hij aan de fles is, nou, dan wil je hem niet kennen, hoor.'

Juan richtte zijn aandacht weer op Sloane. 'Hoe heet het schip waar u naar op zoek bent?'

Het was duidelijk dat ze aarzelde om dat prijs te geven. 'Dat doet er ook niet toe. Ik ben niet geïnteresseerd in gezonken schatten.' Hij grinnikte. 'Of in metalen reuzenslangen. Was dat waar u vandaag naartoe wilde, de plek waar die Heinrick zijn slangen had gezien?'

Zelfs Sloane realiseerde zich hoe belachelijk dit alles ook voor

Cabrillo moest klinken. Ze bloosde ervan. 'Het was ons laatste houvast. Ik dacht: we zijn nu zó lang bezig, laten we het dan ook afmaken. Klinkt wel een beetje dom nu.'

'Een beetje?' reageerde Juan spottend.

Linc klopte op de deurpost van de kantine. 'Ze is schoon, kapitein.'

'Dank u, meneer Lincoln.' Hij had Linc gevraagd de *Pinguïn* op smokkelwaar, zoals drugs of wapens, te doorzoeken, voor alle zekerheid. 'Kapitein Ulenga, weet u iets meer over het jacht dat u aanviel?'

'Ik heb 't een paar keer in Walvis gezien. Sinds een jaar of twee komt het daar elke week naartoe. Ik denk dat 't uit Zuid-Afrika komt, want daar zijn mensen die zich zo'n boot kunnen veroorloven.'

'Hebt u wel eens met de bemanning gesproken, of met iemand die hen kende?'

'Nee, meneer. Ze komen aan, tanken en vertrekken weer.'

Juan leunde achterover in zijn stoel en sloeg een elleboog over de achterleuning. Hij probeerde een verband tussen de feiten te leggen en een verklaring voor dit alles te vinden, maar hij kon er weinig van maken. Sloane had beslist cruciale dingen verzwegen. Hij begreep dat hij deze puzzel zo niet kon oplossen, en het was aan hem om te beslissen hoe diep hij hierop door wilde gaan. Het redden van Geoffrey Merrick had de hoogste prioriteit, en aan dat front hadden ze hun handen ook zonder Sloane Macintyre meer dan vol. Maar toch bleef er iets knagen.

Plotseling nam Tony Reardon het woord. 'We hebben u alles verteld wat we weten, kapitein Cabrillo. Ik zou graag afscheid van u nemen. We hebben nog een lange terugreis naar de haven voor de boeg.'

'Ja,' mompelde Juan afwezig, terwijl hij zijn aandacht weer op zijn gasten richtte. 'Ja natuurlijk, meneer Reardon. Ik begrijp niet waarom u werd aangevallen. Mogelijk dat daar toch een gezonken schip met een kostbare lading ligt en kwam u iets te dichtbij voor de lieden die daar al mee bezig zijn. Als ze dat zonder officiële toestemming doen, is het heel goed mogelijk dat ze ook geweld niet uit de weg gaan.' Hij keek Tony en Sloane strak in de ogen. 'Als dat zo is, raad ik u dringend aan Namibië zo snel mogelijk te verlaten. U zit er nu allebei tot uw nek toe in.'

Reardon reageerde met een knikje op het advies, maar Sloane keek alsof ze zich er niets van zou aantrekken. Juan liet het zo. Het was zijn zorg verder niet.

'Meneer Lincoln,' zei hij, 'wilt u onze gasten naar hun boot terug-brengen? Als ze brandstof nodig hebben, zorg dan dat ze dat krijgen.'

'Goed, kapitein.'

Als op een teken kwamen ze allemaal tegelijk overeind. Juan leun-de over de tafel om Justus Ulenga en Tony Reardon een hand te geven. Toen hij die van Sloane pakte, trok ze hem iets naar zich toe en zei: 'Kan ik u onder vier ogen spreken?'

'Natuurlijk.' Cabrillo keek naar Linc. 'Breng hen naar de *Pinguïn*. Dan loop ik straks met mevrouw Macintyre mee.'

Toen de groep weg was, gingen ze weer zitten. Sloane nam hem op zoals een juwelier een diamant die hij wil gaan snijden bestudeert, speurend naar de kleine oneffenheid die de steen zou kunnen ruïne-ren. Ze kwam tot een slotsom, leunde naar voren en steunde met haar ellebogen op tafel.

'Volgens mij verbergt u iets.'

Juan moest een lach onderdrukken. 'Pardon?' zei hij ten slotte.

'U. Dit schip. Uw bemanning. Niets is wat het lijkt te zijn.'

Cabrillo had de grootste moeite zijn gezicht in de plooi te houden en niet al te bleek weg te trekken. In al die jaren sinds hij de Cor-poration had opgericht en de aardbol rondreisde op een hele reeks schepen die allemaal *Oregon* heetten, had nog nooit iemand ver-moed dat ze iets anders waren dan ze leken te zijn. Ze hadden ha-venmeesters, alle mogelijke inspecteurs, en in het Panamakanaal zelfs loodsen aan boord gehad, maar nooit had iemand ook maar de geringste argwaan over de aard van het schip of de bemanning getoond.

Ze weet het niet echt, dacht hij. *Ze zit te vissen.* Hij moest toege-ven dat ze niet alle registers hadden opgetrokken, zoals ze wel deden als ze in een haven lagen en geïnspecteerd zouden worden, maar het was haast ondenkbaar dat een ongetraind iemand die nauwelijks een halfuur aan boord was, hun zorgvuldig uitgewerkte maskerade kon doorzien. Zijn hart kwam weer wat tot rust toen dit tot hem doordrong.

'Verklaar je nader,' zei hij achteloos.

'Kleine dingetjes bijvoorbeeld. Uw stuurman droeg net zo'n Rolex als mijn vader. Dat is een horloge van tweeduizend dollar. Iets te mooi voor arme mensen zoals u.'

'Dat is zo'n namaakding,' antwoordde Juan.

'Die houden 't in de zilte lucht hier nog geen vijf minuten uit. Dat weet ik omdat ik er als tiener zo een had toen ik na mijn vaders pensionering op zijn vissersboot werkte.'

Oké, bedacht Juan, *wat schepen betreft is ze dus niet helemaal een nitwit.* 'Misschien is-ie echt, maar heeft hij hem van een heler die hem heeft gestolen. Dat zul je hem zelf moeten vragen.'

'Dat is een mogelijkheid,' zei Sloane. 'Maar hoe zit 't dan met uw steward? Ik heb de afgelopen vijf jaar in Londen gewerkt, en ik weet waaraan je het werk van Britse kleermakers herkent. Met zijn chique Church-schoenen, maatbroek en met de hand gemaakt overhemd had hij toch voor minstens vierduizend dollar aan zogenaamde nepspullen aan zijn lijf. Ik betwijfel of hij die ook allemaal van een heler heeft.'

Juan grinnikte bij de voorstelling hoe Maurice er in tweedehands kleding uit zou zien. 'Eigenlijk is hij rijker dan Croesus, maar hij is – hoe zeg je dat ook alweer – nogal excentriek, zeg maar van lotje getikt. Hij is het zwarte schaap in een familie met oud geld, en sinds hij op z'n achttiende zijn erfenis kreeg, zwerft hij de wereld rond. Vorig jaar in Mombassa heeft hij me aangesproken en gevraagd of hij bij ons steward kon zijn. Hij zei dat hij er geen geld voor hoefde te hebben. Wie ben ik om dat af te slaan?'

'Tuurlijk,' zei Sloane, het woord lang uitrekkend.

'Het is echt waar.'

'Goed, laten we 't daar dan maar even op houden. Maar wat u betreft, en meneer Lincoln. Zoveel Amerikanen werken er tegenwoordig niet meer op schepen, omdat er Aziaten zijn die maar al te graag bereid zijn hetzelfde werk voor een fractie van de prijs te doen. Wanneer de eigenaar van dit schip net zo krap bij kas zit als u beweert, zou de bemanning uit Pakistani of Indonesiërs bestaan.' Juan wilde reageren, maar ze was hem voor. 'U gaat me toch niet vertellen dat u hier ook voor een fooi werkt?'

'Mijn matras is niet bepaald met contanten gevuld, mevrouw Macintyre.'

'Dat geloof ik.' Ze streek met haar hand door haar haren. 'Dit waren kleine dingetjes waarvan ik wel dacht dat u zich eruit zou praten. Maar wat zegt u hiervan? Toen ik uw schip voor het eerst zag, kwam er geen rook uit de schoorsteen.'

Ojee, dacht Juan, en hij herinnerde zich dat de machinist was vergeten om de rookmachine aan te zetten toen ze de *Pinguïn* in zicht kregen. Op dat moment had Juan niet gedacht dat dat zo erg was, maar nu kwam die onvoorzichtigheid hen toch nog duur te staan.

'Eerst dacht ik dat het schip verlaten was, maar toen zag ik dat u vooruitkwam. Een paar minuten later walmde er opeens wel rook op, vrij veel zelfs. Merkwaardigerwijs haast net zo veel als toen u met twintig knopen op ons af voer. En later, toen ik op de brug was, zag ik dat de stuurtelegraaf op Stop stond. En wat die snelle aanvalsmanoeuvre betreft, het is volstrekt onmogelijk dat een schip van deze afmetingen zo snel kan draaien als u niet over dwars geplaatste stuwschroeven beschikt, en dat is een technologie van heel wat jongere datum dan dit schip. Wilt u daar nog een verklaring voor verzinnen?'

'Ik ben eerder benieuwd waarom u dit allemaal wilt weten,' pareerde Cabrillo.

'Omdat vandaag iemand heeft geprobeerd me te vermoorden en ik wil weten waarom. En ik denk dat u me daarbij kan helpen.'

'Het spijt me, Sloane, maar ik ben kapitein van een roestbak die op de nominatie staat om gesloopt te worden. Ik kan niets voor u doen.'

'Dus u ontkent niet wat ik heb gezien?'

'Ik weet niet wat u hebt gezien, maar er is niets bijzonders aan de *Oregon* of haar bemanning.'

Ze stond op en liep recht op de minicamera af die was weggewerkt in de lijst van een oud portret van een Indiase actrice die vijftien jaar eerder beroemd was geweest. Ze trok de ingelijste poster van de muur, waarbij de camera losschoot en aan een draad bungelend bleef hangen.

Nu trok het bloed wel weg uit zijn gezicht.

'Ik zag hem toen u "dat is duidelijk" zei, nadat u het briefje dat u van de steward kreeg had gelezen. Ik neem aan dat er ook nu nog naar ons wordt gekeken.' Ze wachtte de reactie van Juan niet af. 'Ik wil het volgende voorstellen, kapitein Cabrillo. U liegt niet meer tegen mij en ik niet meer tegen u. En dan zal ik zelfs beginnen.' Ze ging recht tegenover hem zitten. 'Tony en ik hebben elkaar niet door chatten op internet leren kennen. We werken allebei voor de beveiligingsdienst van DeBeers, en we zijn op zoek naar een gezonken schip met waarschijnlijk voor een miljard dollar aan diamanten aan boord. Weet u iets van diamanten?'

'Alleen dat ze zeldzaam zijn, duur, en als je er een aan een vrouw geeft dan moet je wel zeker weten dat het serieus is.'

Hier moest ze om glimlachen. 'Twee van de drie.'

'Twee van de drie, hoezo? Ik weet dat ze duur en zeldzaam zijn, dus zullen er mannen zijn die u wel eens een diamant willen geven. U bent er aantrekkelijk genoeg voor.'

Haar glimlach ging over in een lachje. 'Nee hoor. Ze zijn duur en je moet het serieus menen, maar diamanten zijn niet zeldzaam. Ze komen minder vaak voor dan halfedelstenen, maar ze zijn lang niet zo zeldzaam als men u heeft wijsgemaakt. De prijs wordt kunstmatig hoog gehouden doordat één bedrijf bijna vijfennegentig procent van de markt beheerst. Ze beheren alle vindplaatsen, en kunnen de prijzen dus zelf bepalen. Steeds als er een nieuw veld wordt ontdekt, zijn zij er als de kippen bij om het op te kopen, en elimineren zo elke vorm van concurrentie. Het is een kartel dat zo hecht in elkaar steekt dat de OPEC erbij verbleekt. Ze zijn zo invloedrijk dat diverse directieleden onmiddellijk wegens het overtreden van antitrustwetten gearresteerd worden zodra ze een voet op Amerikaanse bodem zetten.

'Ze zijn uiterst selectief in het met mondjesmaat op de markt brengen van stenen om de prijs op een constant peil te houden. Wanneer de voorraad afneemt, voeren ze de winning op en zodra er te veel stenen op de markt komen, houden zij ze stevig vergrendeld in hun Londense kluizen. Als u dit weet, wat denkt u dat er zou gebeuren wanneer er opeens voor een miljard dollar aan diamanten op de markt wordt gedumpt?'

'Dan dalen de prijzen.'

'En zijn wij ons monopolie kwijt en stort het hele systeem in. Al die vrouwen zouden opeens beseffen dat de stenen aan hun vingers helemaal niet zo "forever" zijn. Het zou ook een effect op de wereldeconomie hebben en voor onrust op de goud- en valutamarkt zorgen.'

Dit was iets waar Juan wel iets van wist, aangezien het nog maar een paar maanden geleden was dat hij en zijn mannen een poging om de goudmarkt te overspoelen hadden verijdeld. 'Ik begrijp wat u bedoelt,' zei hij.

'Indien er inderdaad een gezonken schip met zo'n schat bestaat, zijn er voor ons bedrijf twee mogelijkheden om te voorkomen dat dit gebeurt. Nummer één is afwachten tot iemand de diamanten vindt en ze dan gewoon allemaal opkopen. Dat wordt duidelijk nogal duur, dus kiezen we liever voor de tweede optie.'

'Uitzoeken of het gerucht over die gezonken schat op waarheid berust en hem dan zelf opsporen.'

Sloane tikte tegen het puntje van haar neus. 'Bingo. Ik was degene die het verhaal over de schat als eerste boven water bracht, waardoor ik de leiding over deze reis kreeg. Tony is zogenaamd mijn assistent, maar hij is volstrekt waardeloos. Dit is een belangrijke missie voor mij en mijn carrière. Als ik die stenen vind, word ik waarschijnlijk onderdirecteur.'

'Waar kwamen die diamanten vandaan?' vroeg Juan, die met enige tegenzin toch in haar verhaal geïnteresseerd was geraakt.

'Een fascinerend verhaal. Ze werden oorspronkelijk door leden van de Herero, een Namibische stam, uit de mijnen bij Kimberley gehaald. De koning van de Herero wist dat er een oorlog op komst was met de Duitse bezetters van zijn land, en hij dacht dat als hij diamanten bezat, hij daarmee bescherming van de Engelsen kon kopen. Gedurende een jaar of tien hebben zijn mannen in Kimberley gewerkt, en na afloop van hun contracten stenen mee naar huis gesmokkeld. Uit mijn onderzoek bleek dat ze zich een paar maanden voor het begin van hun contract in een arm of been sneden. Wanneer ze in Kimberley aankwamen, werd er van ieders lichaam een kaart gemaakt waarop alle littekens stonden ingetekend. Zodra ze op het werkterrein waren, maakte een stamgenoot die er al een tijdje werkte en al een geschikte steen had achtergehouden, de oude wond open en verborg er de steen in. Als ze een jaar later vertrokken, controleerden de bewakers de lichaamskaart die bij de komst van de Herero was gemaakt. Nieuwe littekens werden dikwijls weer opengemaakt om te kijken of er een steen in verborgen zat, want het was een populaire manier van smokkelen, naast de doorsliktechniek, die met het toedienen van laxeermiddelen werd bestreden. Maar het oude litteken stond op hun kaart en werd dus niet gecontroleerd.'

'Behoorlijk uitgekookt,' merkte Juan op.

'Voor zover ik kon nagaan, hadden ze op den duur zakken vol met de grootste en mooiste stenen. Tot de stam werd beroofd.'

'Beroofd?'

'Door vijf Engelsen. Een van hen was een tiener van wie de ouders als missionarissen in Herero-land werkten. Ik heb het verhaal uit het dagboek van zijn vader kunnen herleiden, want na de beroving is hij zijn zoon gaan zoeken. Het dagboek bestaat voornamelijk uit een opsomming van lijfstraffen die hij voor zijn zoon in petto had zodra hij de jongen te pakken had.

'Ik zal u niet met de details vervelen, maar de tiener, Peter Smythe, sloot zich aan bij een avonturier van de oude school, een zekere H.A. Ryder, en nog drie mannen. Als onderdeel van hun plan bestelden ze telegrafisch in Kaapstad een stoomschip, de HMS *Rove*, en vroegen de kapitein hen op te wachten voor de kust van wat toen Duits Zuidwest-Afrika heette. Ze wilden te paard dwars door de Kalahari- en Namibwoestijn naar de kust trekken om daar aan boord van het schip te gaan.'

'En van de *Rove* is daarna nooit meer iets vernomen?'

'Het schip is na ontvangst van het telegram van Ryder uit Kaapstad vertrokken en later afgeschreven als zijnde op zee vergaan.'

'Stel dat dit allemaal waar is en niet weer zo'n mythe als de mijnen van koning Salomo. Waarom denkt u dan dat het schip hier ergens zou liggen?'

'Van de plaats waar de diamanten werden gestolen heb ik een rechte lijn naar de kust getrokken. Ze moesten dwars door zo'n beetje het meest onherbergzame woestijngebied ter wereld, en dan neem je de kortste route. Dat betekent dat ze ruim honderd kilometer ten noorden van de Walvisbaai met de *Rove* hadden afgesproken.'

Juan vond nog een hiaat in haar redenering. 'Wie zegt dat de *Rove* niet een week later op de terugweg naar Kaapstad is gezonken? Of dat de mannen het helemaal niet hebben gehaald, en de stenen ergens midden in de woestijn liggen?'

'Die bedenkingen wierp mijn baas me ook voor de voeten toen ik hem dit vertelde. Daarop heb ik hem dit geantwoord: als ik dit allemaal heb kunnen achterhalen, dan heeft een ander dat ook gekund en is het mogelijk dat hier ergens op een paar kilometer buiten de kust voor een miljard dollar aan diamanten op de zeebodem ligt, waar iedereen met een scuba-uitrusting en een zaklamp ze kan vinden.'

'En wat zei hij?'

'"Ik geef u een week en Tony Reardon als assistent. En hoe het ook afloopt, vernietig alle bewijzen die u hebt verzameld."'

'Dat is in de verste verte niet genoeg om een gebied te doorzoeken dat minstens enkele honderden vierkante kilometers bestrijkt,' zei Juan. 'Om dat goed te doen, heb je een schip nodig dat met een sidescan-sonar en metaaldetectieapparatuur is uitgerust. En zelfs dat biedt geen garantie op succes.'

Sloane haalde haar schouders op. 'Ze hechtten sowieso weinig geloof aan mijn idee. Dat ze me een week, wat geld en Tony gaven, was al meer dan ik mocht hopen, en tevens de reden waarom ik plaatselijke bronnen nodig had voor meer informatie.'

'Wat ik niet begrijp: waarom hebt u dit aan uw superieuren voorgelegd? Waarom bent u niet voor uzelf dat schip gaan zoeken? Dan had u de diamanten, als u ze had gevonden, zelf kunnen houden.'

Haar mondhoeken gingen omlaag en ze keek hem fronsend aan alsof hij haar een oneerbaar voorstel had gedaan. 'Kapitein, daar heb ik geen moment aan gedacht. Die diamanten werden gevonden in een mijn van DeBeers en zijn rechtmatig eigendom van het bedrijf. Ik zou ze nooit voor mezelf nemen. Ik ga toch ook niet een kluis in om m'n zakken met losse stenen te vullen?'

'Het spijt me, ik had dat niet moeten zeggen.' Juan was onder de indruk van haar eerlijkheid.

'Bedankt. Excuses aanvaard,' reageerde Sloane. 'Maar ik heb u nu de waarheid verteld. Wilt u ons helpen? Ik kan u niets beloven, maar ik weet zeker dat het bedrijf uw onkosten rijkelijk zal vergoeden wanneer we de *Rove* vinden. Het kost u maar een paar uur om op de plek te gaan kijken die Papa Heinrick ons heeft aangewezen.'

Juan zweeg een moment. Met zijn blauwe ogen naar het plafond gericht overdacht hij hoe hij dit verder zou aanpakken. Hij kwam plotseling overeind en liep naar de deur. 'Als u mij een ogenblik wilt verontschuldigen,' zei hij tegen Sloane, waarna hij in een van de verborgen microfoons sprak. 'Max, kom naar mijn hut.' Hij bedoelde de nephut die ze voor de douane-inspecteurs gebruikten en die zich halverwege de lift naar het controlecentrum en de kantine bevond.

Hanley stond al voor de deur van de smoezelige hut te wachten toen Juan de hoek om kwam. Hij leunde tegen een zijwand en tikte met de steel van zijn pijp tegen zijn tanden. Een houding die betekende dat hij iets had verzonnen. Hij rechtte zijn rug toen hij zijn baas zag. Juan rook de stank die zelfs door de gesloten deur van de bedompte hut tot in de gang doordrong.

'Wat vindt jij ervan?' vroeg Juan zonder omwegen.

'Ik vind dat we hier niet moeten blijven rondhangen, en moeten zorgen dat we in Kaapstad komen om de spullen op te halen die we nodig hebben als we Merrick nog willen bevrijden voordat hij van ouderdom sterft.'

'En anders?'

'Het klinkt me allemaal veel te vergezocht in de oren.'

'Daar zou ik het volledig mee eens zijn als we niet zelf hadden gezien hoe de *Pinguïn* werd aangevallen.' Juan zweeg, terwijl hij er nog eens goed over nadacht.

'Jij denkt dat hier meer achter zit?' vroeg Max, om zijn vriend te prikkelen.

'Lieden op zulke dure jachten gaan niet met zoveel dodelijk geweld te werk als ze daar geen verdomd goede reden voor hebben. In dit geval vermoed ik dat ze iets te verbergen hebben. Sloane zegt dat niemand wist naar welk schip ze zochten, dus is het mogelijk dat ze iets beschermen wat niets met het zogenaamde schatschip te maken heeft.'

'Je gelooft toch niet serieus in de metalen reuzenslangen van die zogenaamde papa Heinrick?'

'Max, daar ís iets. Dat voel ik.' Juan keek zijn vriend recht in de ogen opdat ze elkaar goed zouden begrijpen. 'Weet je nog wat ik tegen je zei, vlak voordat we die twee gasten van de NUMA op weg naar de haven van Hongkong aan boord namen?'

'Ze deden onderzoek naar het oude SS *United States*. Dat was de missie die jou een been heeft gekost,' antwoordde Max, op dezelfde peinzende toon waarop Juan de vraag had gesteld.

Juan veranderde onbewust van houding, waarbij hij zijn gewicht naar het been van carbon en titanium verplaatste. 'De missie die mij m'n been heeft gekost,' herhaalde hij.

Max stak zijn pijp in zijn mond. 'Het is alweer een paar jaar geleden, maar ik geloof dat je het letterlijk zo hebt gezegd: "Max, ik citeer niet graag afgezaagde clichés, maar ik heb hier een slecht voorgevoel over."'

Juan knipperde niet met zijn ogen en trotseerde Hanleys taxerende blik. 'Max, datzelfde voorgevoel heb ik nu weer.'

Max hield zijn blik nog een seconde vast en knikte toen. In de tien jaar van hun samenwerking had hij geleerd dat hij zijn baas kon vertrouwen, hoe irrationeel het verzoek ook was en hoe groot de risico's ook leken. 'Wat had je in gedachten?'

'Met de *Oregon* wil ik de vertraging niet groter maken dan die al is. Zodra ik weg ben, gaan jullie door naar Kaapstad om de spullen op te halen die we nodig hebben. Maar onderweg wil ik dat jullie George een kijkje laten nemen op de plek waar de slangen zijn gezien.' George Adams was de piloot van de Robinson R44 Clipper helikopter die in een van de ruimen stond. 'Ik vraag Sloane de coördinaten.'

'Jij gaat naar Walvisbaai?'

'Ik wil die Papa Heinrick zelf spreken, en ook Sloanes gids en haar helipiloot. Ik neem een van de reddingsboten van de bovenste davits, zodat Sloane niet ook de botenhal of nog meer dingen ontdekt.' Hoewel ze er net zo gammel uitzagen als de rest van de *Oregon*, waren de twee reddingsboten met net zulke geavanceerde technologie uitgerust als hun moederschip. Als hun bereik er groot genoeg voor was geweest, had Juan er in het orkaanseizoen met een gerust hart de Atlantische Oceaan mee durven oversteken.

'Dit hoeft niet meer dan één of twee dagen te duren,' vervolgde hij. 'Als jullie naar Namibië terugvaren, laat ik me wel weer door jullie oppikken. Dat doet me er opeens aan denken. Ik was net een uur in de fitnessruimte geweest en had nog geen contact met jullie gehad. Wat is het laatste nieuws?'

Max sloeg zijn armen over elkaar. 'Tiny Gunderson heeft een goed vliegtuig voor ons gehuurd. Dus dat is geregeld. Zoals je al weet staan er op de Duncankade in Kaapstad terreinwagens voor ons klaar, en Murph heeft een bibliothecaris in Berlijn gevraagd alle informatie over de Duivelsoase, ofwel zoals zij zeggen de *Oase des Teufels*, bijeen te zoeken.'

Het zoeken naar de locatie waar Geoffrey Merrick gevangen werd gehouden, was in een impasse geraakt toen Linda Ross suggereerde dat de Duivelsoase wellicht in Namibië lag en daar waarschijnlijk onder de Duitse naam te vinden zou zijn. Maar nadat ze daar wat eerste informatie over hadden ingewonnen, bleek de impasse van korte duur.

Aan het einde van de negentiende eeuw besloot het Duitse keizerrijk de roemruchte strafkolonie in Frans Guyana te kopiëren. Dit zogenaamde Duivelseiland was een streng bewaakte gevangenis voor de allerzwaarste misdadigers. De Duitse regering bouwde midden in de woestijn een maximaal beveiligde gevangenis, die daarmee tevens hun meest geïsoleerde koloniale buitenpost was. Het was een uit natuursteen opgetrokken gebouw, omringd door honderden kilometers zandduinen, en zelfs als er een gevangene in slaagde te ontsnappen was er niets om naartoe te gaan. De tocht door de woestijn naar de kust zou hij niet overleven. In tegenstelling tot Duivelseiland, of zelfs het beruchte Alcatraz in San Francisco, waren er nooit zelfs maar geruchten geweest dat er gevangenen uit de gevangenis waren ontsnapt. Tot de afgelegen post in 1916 werd gesloten omdat de hoge onkosten een te zware last voor de Duitse oorlogseconomie vormden.

De spoorlijn die men naar de Duivelsoase had aangelegd, was, nadat de gevangenis was afgedankt, weer afgebroken, waardoor de buitenpost alleen nog via de lucht of met terreinwagens te bereiken was. Beide mogelijkheden hadden zo hun eigen uitdagingen en hindernissen, omdat zelfs de paar ontvoerders die Merrick er gevangen hielden een naderende helikopter of vrachtwagen al zo lang van tevoren zouden waarnemen dat een verrassingsaanval voor Cabrillo uitgesloten was.

Met behulp van de meest uiteenlopende uit archieven opgedoken informatie en alle commercieel beschikbare satellietfoto's werkten ze niettemin hard aan de uitwerking van een gewaagd plan om de miljardair te bevrijden.

'Nog iets gehoord van de ontvoerders of het bedrijf van Merrick?'

'Niets van de kidnappers, en Merrick/Singer praat met diverse particuliere partijen.' Normaal gesproken is het de taak van het leger of de politie, maar er zijn ook particuliere bedrijven die bij ontvoeringen worden ingezet. Hoewel het niet tot hun gebruikelijke werkzaamheden behoorde, had Hanley de Corporation als een in het bevrijden van gijzelaars gespecialiseerde organisatie voorgesteld, en ook al waren ze sowieso van plan om de oprichter van Merrick/Singer te bevrijden, een bescheiden vergoeding voor hun inspanningen zouden ze beslist niet afslaan.

'Wat zegt Overholt in Langley?'

'Het vindt het een prettig idee dat we hier zijn, zolang we ons maar niet met geplande acties van hen bemoeien. Hij heeft me ook toevertrouwd dat Merrick in het verleden een gulle financiële steun voor de president is geweest en dat ze een paar keer samen zijn gaan skiën. Als we dit goed doen, zal het onze naam in Washington niet schaden.'

Cabrillo grijnsde wrang. 'Met de dingen die wij doen kan me die naam gestolen worden. Als het om operaties gaat die buiten de boeken blijven, komen ze ook niet in de bibliotheek terecht. Uncle Sam heeft gewoon geen keus. En dacht je niet dat er, als we dit officieel doen, onmiddellijk een stroom van diplomatieke contacten tussen de Amerikaanse en Namibische regering op gang komt, wat er uiteindelijk toe zal leiden dat iedereen beweert dat het een Amerikaanse commando-eenheid in samenwerking met lokale troepen is geweest die Merrick heeft bevrijd?'

Max veinsde een gekwelde gezichtsuitdrukking. 'Heb jij het nou over de sluwste agent van de CIA?'

141

'En als we falen,' vervolgde Juan, 'ontkent hij er ook maar iets van te hebben geweten, blablabla... Breng Sloane naar de *Pinguïn*, zodat ze Reardon kan vertellen dat ze aan boord blijft en laat iemand de reddingsboot aan bakboordzijde gereedmaken. Ik ga douchen en inpakken.'

'Ik wilde helemaal niet moeilijk doen,' zei Max, terwijl hij de gang inliep, 'maar zelfs met wind tegen ga je behoorlijk pittig tekeer.'

Zodra hij door de deuropening zijn echte hut binnenliep, stroopte Juan het grijs verbleekte hemd dat hij voor Sloane had aangetrokken van zijn lijf en trapte onderweg naar zijn badkamer zijn schoenen uit. Hij draaide aan de gouden kranen in de douchecel tot hij een lekkere koele straal had en trok zijn overige kleren uit. Tot slot trok hij tegen de glazen wand steunend de stomp van zijn been uit de bevestigingsbeugel van de prothese.

De krachtige straal uit meerdere douchekoppen viel kletterend op hem neer, en ook al had hij graag wat meer tijd gehad om over zijn besluit om Sloane Macintyre te helpen na te denken, toch wist hij genoeg om op zijn intuïtie te vertrouwen. Hij betwijfelde of er in deze wateren een schatschip te vinden zou zijn, zoals hij ook niet geloofde dat de zee hier door monsterlijke stalen slangen werd bevolkt. Maar het viel niet te ontkennen dat iemand wilde dat Sloane haar onderzoek staakte. Dat was wat hij zelf wilde uitzoeken: wat voor lieden dat waren en wat ze geheim probeerden te houden.

Nadat hij zich had afgedroogd en zijn kunstbeen weer had aangedaan, wierp Juan wat toiletspullen in een leren toilettas. Uit de klerenkast in zijn slaapkamer pakte hij wat schoon ondergoed en een paar stevige schoenen die hij in een grotere leren tas stouwde. Vervolgens liep hij terug naar zijn werkkamer. Hij ging achter zijn bureau zitten en draaide op zijn stoel naar een antieke kluis die vroeger in een treindepot in New Mexico had gestaan. Snel en bedreven manipuleerden zijn vingers de draaischijf van het cijferslot. Toen de laatste pen in positie klikte, draaide hij aan de hendel en trok de zware deur open. Naast bundels met biljetten van honderd dollar en twintig pond, lagen er ook stapels biljetten van andere valuta. Bovendien bevatte de enorme kluis zijn persoonlijke wapenarsenaal. Er lag voldoende om een kleine oorlog mee te beginnen: drie machinepistolen, een stel aanvalsgeweren, een jachtgeweer, een Remington 700-scherpschuttersgeweer, plus diverse lades met rook-, scherf- en lichtgranaten en een tiental pistolen. Hij overwoog de mogelijke situaties waarin hij terecht kon komen en greep een Micro Uzi, een halfautomatisch wapen, en een Glock 19. Hij had eigenlijk liever het FN Five-SeveN-pistool genomen, dat al vrij snel zijn favoriete handwapen was geworden, maar de onderlinge uitwisselbaarheid van de munitie leek hem belangrijker. Zowel de Glock als de Uzi gebruikten 9mm-patronen.

De vier magazijnen waren leeg om de veren te sparen, dus nam hij even de tijd om ze te vullen. De wapens, magazijnen en een extra doos munitie stopte hij onder de kleren in de tas, waarna hij een lichtgewichtbroek van ongekeperd linnen en een overhemd met een open kraag aantrok.

Zijn blik viel op zijn spiegelbeeld in het glas van een ingelijste foto aan de muur. Hij had een krachtige kaaklijn, en in zijn ogen zag hij een fonkelend vuur van woede gloeien. Hij was Sloane Macintyre niets schuldig en ook jegens Geoffrey Merrick had hij geen verplichtingen, maar hij zou hen net zomin aan hun onzekere lot overlaten als het oude vrouwtje dat een drukke straat moest oversteken.

Cabrillo graaide de tas van zijn bed en holde de trap op, zijn lichaam al reagerend op een eerste adrenalinestoot.

12

Het was onvermijdelijk dat de zandvlooien al snel doorkregen dat de tot dan toe verlaten gevangenis diep in de woestijn weer werd bevolkt. Aangetrokken door de geur van warme lichamen waren ze naar de cellen teruggekeerd om zich als een natuurlijke foltering aan te sluiten bij de menselijke foltermethoden die er in de loop der jaren waren uitgevoerd. Met hun vermogen om zestig eitjes per dag te leggen, hadden de enkelingen die als eerste het cellencomplex waren binnengedrongen zich al snel tot een ware plaag vermeerderd. De bewakers beschikten over chemische spuitmiddelen waarmee ze de afschuwelijke insecten op afstand hielden. De gevangenen was dat geluk niet beschoren.

Merrick lag met zijn rug tegen de harde stenen muur van zijn cel geleund als een gek te krabben tegen de beten van de insecten die hem op elk plekje van zijn lichaam te grazen hadden genomen. Op een perverse manier was het wel goed dat ze hem hadden gevonden, want de jeuk en de voortdurend nieuwe beten leidden zijn gedachten af van de verschrikkingen die al hadden plaatsgevonden en de nog veel ergere die hun nog te wachten stonden.

Hij vloekte toen een vlo diep in de huid achter zijn oor stak. Hij ving het insect, knelde het tussen zijn vingernagels en gromde tevreden toen hij het schild hoorde knappen. Een kleine overwinning in een oorlog die hij zou verliezen.

Zonder maan was de duisternis in het cellenblok haast voelbaar, een spookachtige substantie die steeds als Merrick zijn mond opendeed zijn keel leek in te stromen en zijn oren verstopte, zodat hij het fluisteren niet meer hoorde van de wind die er toch moest zijn. De gevangenis beroofde hem geleidelijk van zijn zinnen. Het alomtegenwoordige zand zat ook in zijn neus vastgekoekt, waardoor hij het eten dat hij kreeg niet meer kon ruiken en zonder geur was zijn smaak zo afgenomen dat hij alleen nog kon vermoeden dat de maaltijden uit iets anders dan stof bestonden. Alleen zijn gehoor en tastzin werkten nog. Maar dat er niets te horen was en zijn lichaam pijn deed van het dagenlange verblijf op een stenen vloer en nu ook het jeuken van de vlooienbeten, maakten het er voor hem niet beter op.

'Susan?' riep hij. Sinds hij in zijn cel terug was, riep hij om de paar minuten haar naam. Ze had geen enkele keer gereageerd, en hij vreesde dat ze dood was, maar hij ging ermee door om de simpele reden dat het roepen van haar naam rationeler leek dan zich over te geven aan de dwingende neiging te gaan gillen.

Tot zijn verbazing dacht hij dat hij haar hoorde bewegen, een miauwachtig geluid als van een pasgeboren kat en het schuren van een stof over steen.

'Susan!' zei hij iets scherper. 'Susan, hoor je me?'

Hij hoorde haar nu duidelijk kreunen.

'Susan, ik ben 't, Geoff Merrick.' *Wie anders?* dacht hij verbitterd. 'Kun je praten?'

'Meneer Merrick?'

Haar stem klonk schor en zwak, maar toch was het 't mooiste geluid dat hij in jaren had gehoord. 'O, godzijdank, Susan. Ik dacht dat je dood was.'

'Ik... eh...' stamelde ze kuchend, gevolgd door een luide kreun. 'Wat is er gebeurd? Mijn gezicht, het is helemaal gevoelloos, en mijn lichaam, m'n ribben lijken wel gebroken.'

'Weet je 't niet meer? Ze hebben je in elkaar geslagen, gemarteld. Je zei nog dat ze je niet eens vragen hebben gesteld.'

'Hebben ze u ook geslagen?'

Merricks hart verkrampte. Ondanks haar pijn en verwarring dacht Susan Donleavy ook aan zijn toestand. De meeste mensen zouden dat nooit hebben gevraagd en zouden alleen over hun eigen verwondingen hebben gesproken. O, wat wilde hij... wat wilde hij godsgruwelijk graag dat ze nooit met hem in deze nachtmerrie was meegesleept! 'Nee, Susan,' zei hij zachtjes. 'Mij niet.'

'Daar ben ik blij om,' reageerde ze.

'Ik weet nu wie ons heeft ontvoerd, en waarom.'

'Wie?' Er klonk hoop in haar vraag door, alsof het de situatie verbeterde als ze hun ontvoerders een naam en gezicht kon geven.

'Mijn voormalige compagnon.'

'De heer Singer?'

'Ja, Dan Singer.'

'Waarom? Waarom doet hij u dit aan?'

'Ons, bedoel je. Omdat hij ziek is, Susan. Hij is een gestoorde, ver-bitterde man die de wereld zijn verwrongen beeld van de toekomst wil laten zien.'

'Dat begrijp ik niet.'

Merrick evenmin. Ook hij kon er met zijn hoofd niet bij wat Sin-ger al had uitgespookt en wat hij nog allemaal van plan was. Het was gewoon te veel. Singer had al de levens van duizenden mensen op zijn geweten zonder dat iemand dat wist. Nu werkte hij aan een plan dat nog eens tienduizenden levens zou kosten. En waarom? Om de Verenigde Staten een lesje te leren op het gebied van klimaatbeheer-sing en de strijd tegen de opwarming van de aarde. Maar er zat meer achter, daarvoor kende Merrick zijn vroegere boezemvriend maar al te goed.

Voor Dan was het een persoonlijke kwestie, een manier om Mer-rick te laten voelen dat hij het brein achter hun succes was geweest. In het begin waren ze als broers geweest, maar Merrick was de char-meur, degene die in interviews de juiste dingen zei. Daardoor was het onvermijdelijk dat de media hem als het gezicht van Merrick/Singer naar voren haalden en Dan in zijn schaduw plaatsten. Merrick had nooit gedacht dat zijn compagnon dat erg vond. Hij was aan de tech-nische hogeschool van Massachusetts al introvert geweest, en waar-om zou dat in de echte wereld anders zijn? Hij begreep nu dat dat wel zo was en dat er in Singer haatgevoelens jegens hem waren gegroeid die pathologische dimensies hadden aangenomen.

Singers persoonlijkheid was er finaal door veranderd. Hij was van het bedrijf dat hij mede had opgebouwd vervreemd en naar extre-mistische milieuorganisaties overgestapt, waar hij zijn rijkdom ge-bruikte om Merrick/Singer kapot te krijgen. Maar toen dat misluk-te, keerde hij zijn nieuwe ecovrienden de rug toe en trok zich in zijn huis in Maine terug om er zijn wonden te likken.

Was dat maar waar, dacht Merrick nu. Singers haat was er alleen maar gegroeid en had zich nog steviger in hem verankerd. En nu was hij terug met een onvoorstelbaar roekeloos en gruwelijk plan. Een plan dat al zo ver in gang was gezet dat het met geen mogelijkheid meer te stoppen was. Hij had zijn milieubewuste kruistocht niet vaarwel gezegd, maar er integendeel een nieuwe en krankzinnige richting aan gegeven.

'We moeten hier zien weg te komen, Susan.'

'Wat zijn ze van plan?'

'We moeten hem tegenhouden. Hij is volledig doorgedraaid, en de mensen die hij om zich heen verzameld heeft, zijn fundamentalisten die de mensenrechten aan hun laars lappen. En of dat nog niet genoeg is, beweert hij dat hij ook nog een groep huurlingen in dienst heeft genomen.' Merrick begroef zijn gezicht in zijn handen.

Het was zijn fout. Hij had vanaf het begin moeten zien dat Dan kwaad was, en hij had ervoor moeten zorgen dat ook hij zijn deel van de media-aandacht kreeg. Hij had moeten zien hoe kwetsbaar Dans ego in feite was en hoe dat gevoelige klappen kreeg toen alle aandacht steeds alleen op Merrick was gericht. Als hij dat alles had geweten, was dit allemaal nooit gebeurd. De opwellende tranen werden snikken, en alle gedachten aan zijn eigen huidige ellende verdwenen nu hij door deze gevoelens werd overmand. Hij bleef maar herhalen: 'Het spijt me... Het spijt me zo...' zonder dat hij precies wist tegenover wie hij zich verontschuldigde: Dan, of de slachtoffers die aan Dan ten prooi vielen.

'Meneer Merrick? Meneer Merrick, zeg me alstublieft waarom meneer Singer dit met ons doet.'

Merrick hoorde de wanhoop in haar stem, maar wist niets te zeggen. Hij huilde zo luid dat het klonk alsof zijn ziel aan stukken werd gereten. Deze hartverscheurende huilstuip hield nog zo'n twintig minuten aan, tot hij ten slotte zijn traanklieren had leeg gehuild.

'Het spijt me, Susan,' zei hij, naar adem happend toen hij zich weer enigszins onder controle had. 'Het is alleen zo dat...' Hij vond er nog steeds niet de juiste woorden voor. 'Dan Singer neemt mij kwalijk dat ik voor de media het gezicht van ons bedrijf was. Hij doet dit omdat hij jaloers is. Dat geloof je toch niet? Het heeft al duizenden mensen het leven gekost, en dat allemaal omdat ik populairder was dan hij.'

Susan Donleavy reageerde niet.

'Susan?' riep hij, en daarna nog harder: 'Susan! Susan!'

Haar naam galmde door de ruimte en stierf toen weg. Er heerste weer een diepe stilte in het cellenblok. Merrick was ervan overtuigd dat Daniel Singer zojuist een nieuw slachtoffer had gemaakt.

13

'U kunt beneden wat uitrusten als u wilt,' zei Juan toen hij Sloane zag gapen.

'Nee, bedankt, dat hoeft niet,' zei ze, terwijl ze nogmaals gaapte. 'Maar ik wil graag nog een kop koffie.'

Cabrillo pakte de zilveren thermoskan uit de houder bij zijn knie en gaf hem haar aan, waarbij zijn ogen onwillekeurig het rudimentaire bedieningspaneel van de reddingsboot opnamen. De motor liep uitstekend en de brandstoftank was nog voor driekwart gevuld, terwijl ze al over een uur in Walvisbaai zouden zijn.

Toen Max, een uur nadat ze van de *Oregon* waren vertrokken, belde om te vertellen dat George Adams' helikopterverkenning van het gebied waar de oude dwaze visser zijn metalen slangen had gezien, slechts een glad spiegelend zeeoppervlak had opgeleverd, had Juan even overwogen om Sloane gewoon naar haar hotel terug te brengen en zelf de eerste vlucht naar Kaapstad te nemen om zich weer bij zijn mensen op het schip te voegen. Het zou het meest logische zijn geweest. Maar nu, een aantal uren later waarin hij een beter inzicht had gekregen in wat Sloane Macintyre dreef, wist hij zeker dat het besluit om haar te helpen terecht was geweest.

Ze was net zo gedreven als hij, iemand die niet iets half kon doen en zich niet door de eerste de beste tegenslag liet afschrikken. Er was iets geheimzinnigs aan de hand in deze omgeving, en geen van beiden zouden ze er genoegen mee nemen niet te horen wat erachter stak, ook al had het voor geen van beiden direct met hun werk te maken. Hij bewonderde haar nieuwsgierigheid en volharding; twee eigenschappen die hij ook in zichzelf herkende.

Sloane schonk wat van de zwarte koffie in de dop van de thermosfles, waarbij haar lichaam met het ritme van de golven onder de romp meedeinde, zodat ze geen druppel morste. Hoewel ze nog een korte broek droeg, had ze Juans aanbod niet afgeslagen om een windjekker aan te trekken, een van de twee veiligheidsvesten van oranje nylon die hij uit een opslagruimte had gehaald. Het zijne had hij om zijn middel geknoopt.

De boot had een voorraad proviand aan boord waar minstens veertig mensen een week van konden leven, en er was een klein ontziltingsapparaat voor het maken van drinkwater, dat toch nog altijd een beetje zout bleef smaken. De banken in de dichte cabine leken met gekreukt vinyl bekleed, maar in werkelijkheid was het zacht leer dat kunstmatig was verouderd. Een aan het plafond bevestigd paneel bleek als het omlaag was geklapt een 30inch plasma-tv met een uitgebreide dvd-verzameling en dolby-surroundgeluid. Max had het perverse idee geopperd om, als ze ooit met z'n allen in de reddingsboot zaten, als eerste de film *Titanic* te bekijken.

Alle hoeken en gaten waren zorgvuldig ontworpen om iedereen die de boot ooit nodig zou hebben van alle gemakken en een maximaal comfort te voorzien. De reddingsboot had dan ook meer weg van een luxueus motorjacht, ook al was ze dan voor een maximale veiligheid gebouwd. Als de luiken gesloten waren, kon de boot volledig over de kop slaan en zichzelf weer oprichten. Door de driepuntsveiligheidsgordels bij alle zitplaatsen zouden de passagiers ook niet door elkaar worden geworpen. En omdat het een boot van de Corporation was, was er nog het een en ander ingebouwd dat Juan vooralsnog beslist niet aan zijn gast zou laten zien.

Er waren twee plekken vanwaar de boot bestuurd kon worden: binnen achter de boeg afgeschermd door de kunststofconstructie van de cabine, of op een iets verhoogd platform op de achtersteven, vanwaar Juan en Sloane eerder de spectaculaire zonsondergang hadden bekeken en nu de heldere, met sterren bespikkelde nachtelijke hemel bewonderden. Een kleine ruit beschermde hen tegen de zoute lucht, maar door het koude water van de uit het zuidpoolgebied afkomstige Benguelastroom was de temperatuur tot onder de vijftien graden Celsius gezakt.

Sloane hield haar handen om de warme koffie en bestudeerde Cabrillo's gezicht in het vage schijnsel van de dashboardlampjes. Hij was op een traditionele manier knap, met krachtige, scherp getekende trekken en lichtblauwe ogen. Maar wat daarachter schuilging, intrigeerde haar toch het meeste. Hij had een natuurlijk overwicht over zijn mannen, een talent voor leiderschap dat iedere vrouw aantrekkelijk zou vinden, maar hij had ook de uitstraling van een eenling. Niet van de eenzame zonderling die een postkantoor binnenliep om met een geweer het vuur op de aanwezigen te openen, en ook niet van de nerd die zich in cyberspace begroef, maar van iemand die zich uitstekend met zichzelf vermaakte, iemand die zichzelf heel goed kende, wist wat hij wilde en de dingen deed waarbij hij zich het prettigst voelde.

Ze zag dat hij iemand was die snel besluiten nam en daar kennelijk later nooit spijt van had. Een dergelijk zelfvertrouwen kon alleen zijn ontstaan doordat hij het vaker wel dan niet bij het rechte eind had gehad. Ze vroeg zich af of hij een militaire opleiding had gehad, en besloot van wel. Ze kon zich voorstellen dat hij bij de marine was geweest, als officier, maar dat hij niet kon tegen de incompetentie van degenen die boven hem stonden en daarom ontslag had genomen. Hij had het gevestigde soldatenleven ingeruild voor het onzekere bestaan van een zwerver op de wilde vaart en zich vastgeklampt aan een ouderwetse levensstijl, omdat hij nu eenmaal een paar eeuwen te laat was geboren. Ze zag hem zo op de brug staan van een oude klipper die met een lading zijde en specerijen de Stille Oceaan overstak.

'Waarom zit je zo te glimlachen?' vroeg Juan.

'Ik bedacht me opeens dat jij in de verkeerde tijd leeft.'

'Hoezo?'

'Je redt niet alleen dames in nood, maar je helpt ze ook nog verder.'

Cabrillo duwde zijn borst omhoog en ging in een stoere houding staan. 'En nu, schone jonkvrouwe, trek ik ten strijde tegen de ijzeren zeeslangen.'

Sloane schoot in de lach. 'Mag ik je iets vragen?'

'Kom maar op.'

'Wat zou je doen als je niet de kapitein van de *Oregon* was?'

Het was een onschuldige vraag, waarop een eerlijk antwoord geen risico's inhield. 'Ik denk dat ik een paramedisch beroep had gekozen, ambulancebroeder.'

'Echt? Geen arts?'

'De meeste artsen die ik ken behandelen patiënten als een product: iets waaraan ze moeten werken als ze betaald willen worden voordat ze naar de golfbaan teruggaan. En ze worden bijgestaan door een hele staf van verpleegsters en technici plus peperdure apparatuur. Bij ziekenbroeders is dat anders. Zij werken meestal met z'n tweeën met niet veel meer dan hun verstand en een minimum aan apparatuur. Zij moeten de eerste doorslaggevende diagnose stellen en vaak ook levensreddende handelingen verrichten. Zij zijn degenen die je vertellen dat het allemaal goed komt, en zorgen daar dan ook voor. En als je de patiënt in het ziekenhuis hebt afgeleverd, vertrek je gewoon weer. Geen roem, geen godscomplex, geen "o dokter, u hebt m'n leven gered". Je doet gewoon je werk en gaat naar de volgende.'

'Dat vind ik mooi,' zei Sloane na een korte stilte. 'En je hebt gelijk. Mijn vader had op het schip een keer een lelijke snijwond opgelopen. Toen moest ik via de radio een ambulance oproepen en de boot terug naar de haven varen. Ik weet nog dat het dokter Jankowski was die in het ziekenhuis de wond heeft gehecht, maar ik heb geen idee hoe de man heette die de wond op de kade als eerste heeft verzorgd. Zonder hem was mijn vader waarschijnlijk doodgebloed.'

'Miskende helden,' merkte Juan zachtjes op. 'Dat zijn mensen naar mijn hart.' Even schoten zijn gedachten naar de muur met sterren in de hal van het CIA-hoofdkwartier in Langley. Elke ster stond voor een agent die bij het werk was omgekomen. Van de drieëntachtig agenten waren er vijfendertig anoniem omdat ook na hun dood de geheimen van de Organisatie bewaard moesten blijven. Stuk voor stuk miskende helden. 'En jij? Wat zou jij doen als je geen veiligheidsspecialiste voor een diamantfirma was?'

Ze keek hem schalks grijnzend aan. 'Nou ja, kapitein van de *Oregon.*'

'O, dat zou Max prachtig vinden.'

'Max?'

'Mijn hoofdingenieur en eerste officier,' antwoordde Juan. 'Je zou Max een gediplomeerde mopperkont kunnen noemen.'

'Klinkt sympathiek.'

'Hij staat als een huis, mijn beste Hanley. Maar echt, ik heb nooit een loyaler mens ontmoet, en hij is mijn beste vriend.'

Sloane dronk haar koffie op en gaf de dop aan Juan terug. Hij schroefde hem weer op de thermosfles en keek op zijn horloge. Het was bijna middernacht.

'Ik zat te denken,' zei hij, 'dat we, in plaats van in het holst van de nacht in Swakopmund aan te leggen en er hoogstens argwaan te wekken, misschien beter direct naar het zuiden kunnen gaan, naar de plek waar je Papa Heinrick hebt ontmoet. Dan kunnen we hem meteen morgenochtend vroeg opvangen voordat hij gaat vissen. Denk je dat je dat kampement van hem kunt terugvinden?'

'Geen probleem. Sandwichbaai ligt zo'n veertig kilometer ten zuiden van Swakopmund.'

Juan keek op zijn gps-apparaat, schatte de nieuwe coördinaten en voerde ze in via het toetsenbord van de navigatieapparatuur. De servobesturing verlegde de koers een paar graden naar bakboord.

Ruim veertig minuten later doemde uit de duisternis Afrika op en zagen ze de in het maanlicht glanzende zandkliffen, met zo nu en dan het fellere wit van de op het strand brekende golven. Het smalle schiereiland dat de Sandwichbaai afschermde, lag een halve kilometer verder naar het zuiden.

'Een knap staaltje navigeren,' zei Sloane.

Juan klopte met zijn knokkels op de gps-ontvanger. 'Dat heeft Gladys gedaan, hoor. Gps heeft allemaal luie navigators van ons gemaakt. Ik vrees dat ik mijn positie, zelfs als m'n leven ervan afhing, niet meer met een sextant en een klok zou kunnen bepalen.'

'Toch betwijfel ik dat.'

Toen ze het kwetsbare ecosysteem in voeren, nam Juan gas terug om minder golven te maken. Zo tuften ze nog twintig minuten door, tot ze de meest zuidelijke oever van de baai bereikten. Sloane zocht met een zaklamp de dichte muur van riet af, terwijl ze langzaam langs de oever voeren op zoek naar de geul die naar Papa Heinricks privélagune liep.

'Daar,' zei ze wijzend.

Juan verminderde de snelheid van de boot tot een slakkengangetje en stuurde de boeg het riet in. Hij hield de dieptemeter scherp in de gaten en keek voortdurend of er geen drijvende stengels tussen de schroeven raakten. De reddingsboot sneed door het hoge gras en de bladeren maakten een ruisend geluid als ze langs de romp en de zijkanten van de cabine schraapten.

Ze hadden zo'n zeventig meter door het riet afgelegd toen Juan dacht dat hij vuur rook. Hij stak zijn neus in de lucht en snoof als een hond de lucht op, maar de geur was verdwenen. Tot de rook opeens terug was, sterker nu, de roetlucht van brandend hout. Hij greep Sloane bij haar pols en dekte met zijn hand het licht van haar zaklamp af.

Voor hen zag hij de oranje gloed van een vuur, maar niet van de gecontroleerde stookplaats zoals Sloane die had beschreven. Dit was heel iets anders.

'Mijn hemel.' Hij gaf vol gas en hoopte maar dat het water niet ondieper werd, terwijl de boot naar voren sprong en Sloane in zijn armen viel. Hij zette haar weer stevig op haar benen en tuurde in de rietkraag die hun zicht blokkeerde.

Plotseling schoten ze de open poel op die het eiland van Papa Heinrick omringde. Juan keek op de dieptemeter. Er was nauwelijks dertig centimeter ruimte onder de kiel. Hij ramde de gashendels in hun achteruit, waardoor het water rond de achtersteven hoog opspatte, en drukte op de knop om het anker te laten zakken. Omdat ze nog niet op volle snelheid voeren, slaagde hij erin de boot te stoppen voordat ze aan de grond liepen.

Hij zette de motoren uit en pas toen richtte hij zijn blik op het tafereel voor hen. De hut midden op het eiland stond in brand, met vlammen en vonken die tot een meter of zes uit het van riet en wrakhout opgetrokken dak oplaaiden. Ook Papa Heinricks omgekeerde vissersboot stond in brand, maar het hout was zo met water doordrenkt dat de vlammen er nog niet echt vat op hadden. Vanonder de sloep walmden langs de randen van de houten romp dikke witte rookwolken op.

In het gebulder van de brandende hut hoorde Juan het onmiskenbare gegil van een mens in doodsnood.

'O, mijn god!' schreeuwde Sloane.

Cabrillo reageerde onmiddellijk. Hij hees zich op het dak van de cabine en rende naar voren. De cabine liep tot op anderhalve meter voor de spitse boeg van de reddingsboot. Cabrillo mat zijn stappen zo af dat hij zich met zijn kunstbeen kon afzetten en met zijn linkervoet op de aluminiumreling langs de boeg landde, om zich daarmee af te zetten voor een verre, gracieuze duik. Hij klapte plat op het water en begon met krachtige crawlslagen te zwemmen.

Zodra zijn voeten de bodem raakten, sprong hij als een dol geworden dier uit het water overeind en spurtte het strand op. Op dat moment hoorde hij nog een ander geluid, het aanzwellen van een buitenboordmotor.

Vanachter de andere kant van het eilandje dook een witte speedboot op, en een van de twee mannen in de cockpit opende het vuur met een automatisch geweer. Rond Cabrillo spatten overal straaltjes zand op, terwijl hij met een snoekduik dekking zocht en met zijn hand instinctmatig naar zijn lage rug tastte. Hij raakte de grond, rolde tweemaal om zijn as en draaide in één keer door tot hij in schietpositie lag. De Glock, die hij, toen hij de windjekkers haalde onder zijn broekriem had verborgen, hield hij in een stabiele tweehandige greep voor zich uitgestrekt. De onderlinge afstand van dertig meter werd groter en hij tuurde in de duisternis, terwijl zijn tegenstander hem tegen het licht van de brandende hut zag afsteken.

Cabrillo had nog geen schot gelost toen het eiland met nog meer geweervuur werd bestookt, waardoor hij zich gedwongen zag terug de lagune in te rollen. Hij ademde diep in op het moment dat er een kogel op enkele centimeters van zijn hoofd in het strand sloeg, met als gevolg dat hij een flinke hap van het kiezelige zand binnenkreeg.

Onder water wegduikend en de onweerstaanbare neiging onderdrukkend om de longen uit zijn lijf te hoesten, zwom Juan een meter of tien weg, waarbij hij zich, om zich niet te verraden, met zijn handen over de bodem voorttrok. Aan het water voelde hij dat de motorboot omdraaide en achter hem aan kwam. Hij schatte in waar de boot zich moest bevinden en zwom, zachtjes kuchend om de druk van zijn opspelende longen te verlichten, nog een stukje door. Zodra hij zeker dacht te weten waar de boot was, plantte hij zijn voeten stevig op de bodem en kwam met een snelle ruk overeind, waarbij hij zijn adem nog een fractie langer inhield.

De boot was tien meter van hem af en de twee mannen aan boord keken de verkeerde kant op. Terwijl het water in straaltjes over zijn gezicht droop en zijn longen op springen stonden, hief Juan de Glock op en vuurde. De terugslag van het pistool doorbrak de vergrendeling waarmee hij zijn ademhaling onder controle hield en hij barstte uit in een hevige hoestbui. Hij wist niet of hij iets had geraakt, maar veel had het in elk geval niet gescheeld, want de zachtjes pruttelende motor werd opeens vol opengedraaid en de speedboot schoot met hoog opspattend kielwater in de richting van de geul terug naar het open water van de baai.

Juan klapte dubbel, met zijn handen op zijn knieën, en hoestte tot hij overgaf. Hij wreef het slijm van zijn lippen en keek over de lagune naar de reddingsboot. 'Sloane,' riep hij schor. 'Alles oké?'

Vanuit het cabineluik dook haar hoofd op. Zelfs in het flakkerende schijnsel van het vuur waren haar opengesperde ronde ogen en haar lijkbleke gezicht duidelijk herkenbaar. 'Ja,' zei ze, en daarna met luidere stem: 'Ja, ik ben oké. En jij?'

'Ja,' antwoordde Juan, waarna hij zijn aandacht weer op het brandende krot richtte. Hij hoorde Papa Heinrick niet meer, maar hij baande zich een weg erheen. Het dak stond op instorten en de hitte van de vlammen dwong Juan zijn gezicht met een arm te beschermen. De rook prikte in zijn ogen en deed hem in een nieuwe hoestbui uitbarsten. Zijn longen staken alsof er glasscherven in ronddansten.

Met een stuk hout sloeg Cabrillo de brandende lap weg die Heinrick als deur gebruikte. Door de rook zag hij geen hand voor ogen, en net toen hij het brandende bouwsel wilde binnengaan, joeg een plotselinge windvlaag de roetwolken als een gordijn uiteen. Heel even zag Juan duidelijk het bed staan, en wist hij op datzelfde ogenblik dat dit beeld hem de rest van zijn leven zou bijblijven.

Wat er nog van Heinricks armen over was, zat aan het bedframe vastgebonden, en ondanks de verwoesting die de vlammen op het lijk hadden aangericht, zag Juan dat de oude man was gemarteld voordat zijn hut in brand was gestoken. Zijn deels tandeloze mond was wijdopen in zijn laatste levensschreeuw verstard, terwijl de bloedplas onder zijn bed siste.

In een zee van steekvlammen en opvliegende vonken, die Cabrillo raakten voordat hij zich kon omdraaien, stortte het dak in. De vonken brandden niet door zijn natte kleren heen, maar de opbruisende adrenaline spoorde hem tot actie aan.

Hij sprintte terug naar het water, dook erin en zwom naar de stilliggende reddingsboot. Omdat ze vrij hoog in het water lag, richtte hij zich op de boeg, waar hij zich met behulp van de ankerketting aan boord hees. Sloane stond klaar om hem onder de reling door te helpen. Ze zei niets over het pistool dat ze onder zijn broekriem zag zitten.

'Kom.' Hij pakte haar hand, en samen holden ze naar achteren, waar ze in de cockpit sprongen. Juan drukte op de knop voor het lichten van het anker. Zodra dat van de bodem was losgekomen, duwde hij de gashendel open en gaf met de palm van zijn hand een krachtige ruk aan het stuurrad.

'Wat ga je doen?' riep Sloane boven het geraas van de motor uit.

'Dat was een skiboot. Ze hebben vijf minuten voorsprong en zijn minstens twintig knopen sneller dan wij.'

'Nou, reken maar van niet,' reageerde Juan zonder haar aan te kijken en met een maar nauwelijks ingehouden woede. Zodra de boeg van de reddingsboot was omgezwenkt, stuurde hij op de smalle geul door het riet aan.

'Juan, we halen ze toch nooit in. Bovendien hadden ze machinegeweren en jij hebt alleen een pistool.'

Terwijl ze door de geul scheurden, sloeg het riet hen als zweepjes om de oren. Onder het sturen hield Juan één oog op de dieptemeter gericht, en op het moment dat ze uit het stengelwoud tevoorschijn schoten, ontsnapte er een woest tevreden grom uit zijn keel.

'Hou je vast,' zei hij, terwijl hij een onder het dashboard verborgen schakelaar overhaalde.

Het voorste deel van de romp werd door een hydraulisch mechanisme uit het water getild, terwijl er aan beide zijkanten vinnen en onder water vleugels uitschoven. Sloane reageerde net een seconde te laat. Ze wankelde en was overboord geslagen als Juan niet de voorkant van haar jack had gegrepen en haar stevig had vastgehouden. De draagvleugels drukten de boot nog verder omhoog, tot de romp zo hoog op het oppervlak lag dat alleen de vleugels en de uitgeschoven schroefaskoker nog in het water staken. Binnen enkele seconden was hun snelheid tot veertig knopen verdubbeld.

Sloane keek Juan ongelovig aan, niet goed wetend wat te zeggen of hoe te reageren op deze plotselinge metamorfose van een tuffende reddingssloep tot een voortrazende ultramoderne draagvleugelboot. 'Wie ben jij in vredesnaam?' stamelde ze uiteindelijk.

Hij keek haar aan. Normaal gesproken had hij hier ad rem op gereageerd, maar zijn woede over de moord op Papa Heinrick nam hem volledig in beslag. 'Iemand die je niet in de zeik moet zetten.' Zijn ogen waren zo hard als staal. 'En ze hebben me zojuist in de zeik gezet.' Hij wees naar voren. 'Zie je dat de zee daar iets opgloeit?' Sloane knikte. 'Door de beweging van hun boot door het water ontstaat er een luminescentie van levende organismen. Bij daglicht hadden we ze met geen mogelijkheid meer gezien, maar nu helpt moeder natuur ons een handje. Kun jij het roer nemen en ons op die koers houden?'

'Met dit soort boten heb ik geen ervaring, hoor.'

'Dat hebben de meeste mensen niet. Deze vaart net zo als je vaders boot, alleen sneller. Hou het stuurrad recht, en als je moet bijsturen doe dat dan heel rustig. Ik ben zo terug.'

Hij bleef even staan kijken om te zien of het goed ging en bukte toen om door de opening de cabine in te gaan. Door het middenpad liep hij naar de plek waar hij zijn leren plunjezak had neergegooid. Hij woelde tussen zijn kleren en trok ten slotte de mini-Uzi met wat reservemagazijnen tevoorschijn. Nadat hij het magazijn van de Glock had bijgevuld, stak hij hem weer achter zijn broekriem en stopte de reservemagazijnen in zijn achterzak. Vervolgens liep hij naar een van de andere zitplaatsen en drukte op een onder de bekleding verborgen knop. Er schoot een klem los, waarop de stoel naar voren schoof. De ruimte onder de meeste stoelen was voor voedsel en andere voorraden bestemd, maar dat was hier niet zo. Hij verwijderde een paar rollen wc-papier tot het vak leeg was, waarna hij nogmaals op een verborgen knop drukte. De valse bodem sprong los en Juan tilde het deksel op.

In deze verborgen ruimte waren het dreunen van de motoren en het geraas van de over het water klappende draagvleugels oorverdovend. Juan tastte naar een met metalen klemmen in de ruimte vastgezette buis. Hij trok hem los en tilde hem eruit. De buis van hard plastic was ruim een meter twintig lang, met een doorsnee van vijfentwintig centimeter en was met een waterdichte dop afgesloten. Hij schroefde de dop eraf en schoof een FN-FAL semiautomatisch geweer op de aangrenzende stoel. Het eerbiedwaardige Belgische wapen stamde van vlak na de Tweede Wereldoorlog, maar was nog altijd een van de beste allroundwapens ter wereld.

Snel vulde Juan een stel magazijnen met de 7,62mm-patronen die in de buis waren opgeslagen, drukte een kogel in de kamer en controleerde nog eens of het wapen vergrendeld was. Hij herinnerde zich Max' bedenkingen of zo'n wapen wel op zijn plaats was in een reddingsboot, waarop hij had geantwoord: 'Leer een mens vissen en hij heeft een dag te eten, maar geef hem een automatisch geweer en een stel haaien, en hij heeft een leven lang voldoende te eten voor zijn hele ploeg.'

Hij liep terug naar het achterdek. Sloane hield de boot nog altijd recht op de zwakke gloed van het kielzog gericht, maar Juan zag dat ze op de vluchtende boot inliepen. De micro-organismen hadden minder tijd om tot rust te komen, waardoor de luminescentie zichtbaar helderder was dan een paar minuten geleden.

Juan zette de FN tegen het dashboard, gooide de thermosfles in de cabine en zette de mini-Uzi ervoor in de plaats.

'Ben jij altijd zo op de Derde Wereldoorlog voorbereid of tref ik je toevallig net in een extreme fase van paranoia aan?'

Sloane probeerde hem met humor wat te ontspannen, en dat waardeerde hij. Cabrillo wist maar al te goed dat je je emoties in bedwang moest hebben voordat je een gevecht begon. Zo niet, dan kon dat catastrofale gevolgen hebben. Hij keek haar grijnzend aan toen hij haar plaats achter het stuurrad overnam. 'Niet overdrijven. Ik was gewoon precies paranoïde genoeg.'

Niet veel later zagen ze de slanke speedboot door de baai razen. En op hetzelfde moment dat zij de boot in het vizier kregen, werden zij ook door de beide mannen aan boord gezien. De speedboot maakte een scherpe bocht en zette koers naar de moerassige oever.

Juan stuurde scherp bij om in het zog van hun achtersteven te blijven, en hij leunde ver voorover om zijn evenwicht niet te verliezen toen de draagvleugelboot ver overhellend door het water sneed. Binnen enkele minuten hadden ze de afstand tot een meter of dertig verkleind. Terwijl de stuurman van de speedboot zich op zijn koers concentreerde, kromde de tweede man zich met zijn automatische geweer in de aanslag over de achterbank.

'Liggen,' schreeuwde Juan.

De van de boeg afketsende kogels floten laag over de cockpit. De draagvleugelboot lag zo hoog op het water dat hij hen niet kon raken, en daarom verlegde de schutter zijn aandacht naar de bevestigingsstijlen van de draagvleugels. Het lukte hem ze te raken, maar de stijlen waren van zulk hoogwaardig staal gemaakt dat de kogels zonder schade aan te richten afketsten.

Juan pakte de mini-Uzi uit de flessenhouder, stuurde de draagvleugelboot iets opzij om een vrije zichtlijn langs de boeg te krijgen en haalde de trekker over. Het kleine wapen trilde in zijn hand, en de glanzende boog van koperen patroonhulzen vloog op in de vaartwind van de draagvleugelboot en verdween in het kielzog achter de achtersteven. Juan kon niet het risico nemen dat hij de mannen doodschoot, dus richtte hij net naast de vluchtende skiboot. Het water spatte hoog op toen twintig kogels rakelings langs de romp aan bakboordzijde in zee sloegen.

Hij had gehoopt hiermee de achtervolging te kunnen stoppen, omdat de mannen nu moesten beseffen dat hun voormalige prooi groter, sneller en even zwaar bewapend was. Maar de speedboot minderde geen moment vaart en stuurde nog iets scherper op de moerasoever aan.

Juan moest hen nu wel blijven volgen, terwijl ze langs rietkragen en stakerige boompjes raasden. Woest zigzaggend stuurde hij de draagvleugelboot tussen het riet en kleine eilandjes door. Wat de ski-boot aan snelheid te kort kwam, maakte ze met haar wendbaarheid weer goed, en terwijl ze tussen de obstakels in het water door manoeuvreerden, vergrootten de mannen de afstand weer tot vijftig en even later zelfs tot zestig meter.

Cabrillo had naar het open water terug kunnen gaan en vandaar weer dichterbij kunnen komen, maar hij was bang dat hij zijn prooi, als hij die niet meer in het zicht had, tussen het hoge riet zou kwijtraken. Om vervolgens door hen in een hinderlaag te worden gelokt. Hij begreep dat hij hen het beste op hun staart kon blijven zitten.

Ze scheerden langs groepjes bomen, waaruit vogels luid krijsend opvlogen, en door de hekgolven sloegen de rietkragen heen en weer alsof de baai ademde.

Omdat hij voortdurend besefte dat obstakels onder water de draagvleugels konden beschadigen, moest Juan met zijn wendingen voorzichtiger zijn dan de skiboot, waardoor de afstand onvermijdelijk groter werd. Zijn oog viel op iets voor hen. In een fractie van een seconde realiseerde hij zich dat het een gedeeltelijk uit het water opstekend stuk hout was. Als hij dat raakte, zou het in één klap de vleugels van de boot scheuren. Behendig met de gashendel en het stuur manipulerend, slingerde hij de draagvleugelboot langs het obstakel. Met zijn snelle reactie had hij het hout omzeild, maar zag zich nu gedwongen een opening tussen twee modderige eilandjes in te sturen.

Juan keek op de dieptemeter en zag dat die zogoed als op nul stond. Er was hoogstens nog vijftien centimeter water tussen de vleugels en de bodem. Hij schoof de gashendels zo ver mogelijk open, in de hoop dat de boot door de hogere snelheid nog een paar centimeter hoger uit het water zou komen. Als ze met deze snelheid aan de grond liepen, zouden hij en Sloane als lappenpoppen uit de boot geslingerd worden en de klap op het wateroppervlak zou net zo hard zijn alsof ze van vijftien meter hoogte op een stoep kwakten.

De geul tussen de eilanden werd smaller. Juan keek om. Het normaal wit bruisende kielzog dat de vleugels en de schroef opwierpen, was chocoladebruin door het van de zeebodem opwarrelende slib. De boot steigerde even doordat een van de draagvleugels de bodem raakte. Hij kon geen vaart minderen omdat de boot dan juist dieper weg zou zakken en zich in de modder zou werken. Hij hield de snelheid tot ver in het rood.

De geul leek alleen nog maar smaller te worden.

'Zet je schrap,' schreeuwde hij boven het kabaal van de motoren uit, want hij begreep dat hij had gegokt en verloren.

Ze raasden door het smalste stuk van de geul en verloren wat snelheid toen de voorste vleugels voor de tweede keer over de bodem schraapten alvorens de geul zich verbreedde en weer dieper werd.

Juan slaakte een diepe zucht.

'Dat was op het nippertje, hè, denk ik,' zei Sloane.

'Minder nog.'

Maar door deze manoeuvre was de afstand tot de speedboot tot de helft geslonken, omdat die door een mangrovebosje had moeten slalommen. De schutter hield zich stevig aan de achtersteven vast. Juan nam iets gas terug, scheerde rakelings langs een rietkraag en legde de draagvleugelboot weer recht in hun kielzog. Hierbij gebruikte hij de veel hogere boeg als schild tegen een nieuw salvo uit de wendbare skiboot. De kogels sloegen in het water en verbrijzelden het veiligheidsglas van twee ramen van de cabine op de reddingsboot.

Een kaarsrecht stuk door het riet gaf Juan de mogelijkheid weer vol gas te geven. Binnen een paar seconden torende de grote draagvleugelboot uit boven de speedboot. In de turbulentie van het kielzog begon de draagvleugelboot te stuiteren, doordat er lucht onder de vleugels door schoot. De boeg ging op en neer, en daar had Juan op gewacht. De stuurman van de skiboot probeerde vanonder de dansende boeg weg te zwenken, maar Juan zat hem na elke draai meteen weer op zijn staart. De boeg klapte op de achtersteven van de speedboot, maar de slag was niet hard genoeg om de vaart ervan te doen minderen, en Cabrillo moest zich iets laten afzakken om de boeg weer hoog genoeg uit het water te krijgen.

Net op het moment dat hij op het dashboard naar de stand van de toerentellers keek, gilde Sloane.

Hij keek op. Toen de boeg van de draagvleugelboot de achtersteven van de skiboot ramde, was de schutter over de reling gesprongen. Hij stond nu op de voorsteven van de draagvleugelboot met zijn ene hand om de reling geklemd en in zijn andere een AK-47 met de loop recht op Juans ogen gericht. Er was geen tijd meer om zijn eigen wapen te trekken, en Juan deed het enige wat hij nog kon doen.

Zijn hand schoot naar voren en trok de gashendel dicht, nog geen honderdste seconde voordat de AK vuurde. Hij en Sloane klapten tegen het dashboard, doordat de draagvleugelboot in een tel van bijna vijfenzestig kilometer per uur vrijwel stilviel. Het salvo uit het machinegeweer joeg een rafelige lijn langs de dakrand van de cabine. De boot klapte met een knal op het water en, terwijl de schutter zich aan de reling wist vast te houden, verbrijzelde zijn borstkas tegen de aluminiumstijlen door de enorme druk van de muur van water, die met zo'n kracht over de boeg sloeg dat Juan en Sloane tot tegen de hekbalk van de reddingsboot duikelden. De voorwaartse snelheid van de draagvleugelboot was nog net zo groot dat de schutter onder de romp werd gezogen, en toen Cabrillo weer gas gaf, kleurde het water van hun kielzog roze.

'Alles oké?' vroeg Juan gehaast.

Sloane masseerde de onderkant van haar hals waarmee ze tegen het dasboard was geslagen. 'Ik geloof van wel,' antwoordde ze, terwijl ze een natte haarlok van haar voorhoofd wreef. Ze wees op zijn arm. 'Je bloedt.'

Cabrillo zorgde er eerst voor dat de boot weer op de speedboot inliep alvorens hij naar de wond keek. Een door de kogelregen van de romp afgeslagen polyesterscherf stak diep in zijn bovenarm.

'Au,' riep hij uit, terwijl hij een eerste pijnscheut voelde.

'Ik dacht dat stoere jongens dat soort pijntjes wel verbeten.'

'Klote. Dit doet pijn!' Voorzichtig wrikte hij het stuk polyester ter grootte van een prentbriefkaart uit de wond. De scherf had een scherpe snee gemaakt en er was maar weinig bloed. Juan pakte een kleine EHBO-doos uit een vak naast het dashboard. Hij gaf het aan Sloane, die de inhoud bekeek en er een rol steriel verband uit opdiepte. Hij hield zijn arm stil, terwijl zij een drukverband aanlegde.

'Dat blijft zo wel zitten,' zei ze. 'Wanneer heb je je laatste tetanusprik gehad?'

'Twintig februari, twee jaar geleden.'

'Weet je dat zo precies?'

'Er zit een litteken van achtendertig centimeter lang op mijn rug. De dagen waarop je dat soort wonden oploopt, vergeet je niet zo gauw.'

Binnen een minuut hadden ze de achterstand op de skiboot weer ingehaald. Juan zag dat het moeras aan hun rechterkant plaatsmaakte voor een met stenen bezaaid strand dat zijn prooi geen beschutting meer bood. Het was tijd om dit af te ronden. 'Kun jij het roer weer overnemen?'

'Ja, natuurlijk.'

'Let op, op mijn teken neem je gas terug. Bereid je voor op een scherpe draai. Ik zeg welke kant op.'

In tegenstelling tot de eerste keer wachtte hij nu niet om te kijken of het goed ging. Hij pakte het FN-aanvalsgeweer plus een reserve-magazijn en liep naar de voorkant van de boot.

De speedboot voer nog geen vijf meter voor hen uit. Hij zette zich schrap tegen de reling en bracht de FN naar zijn schouder. Hij vuur-de gecontroleerde salvo's van drie schoten af. Toen de eerste kogels in de kap van de buitenboordmotor van de speedboot sloegen, zwenkte de bestuurder scherp weg naar ondieper water vlak langs de kust. Juan hief zijn arm op en wees naar bakboord, waarop Sloane zijn aanwijzing opvolgde. Haar draai was iets aan de scherpe kant, maar ze leek de besturing van de draagvleugelboot al aardig onder de knie te hebben.

Zodra zijn zicht weer was zoals hij het hebben wilde, joeg hij nog-maals een salvo van drie kogels in de motor van de speedboot. En een derde. De stuurman probeerde uit Cabrillo's gezichtshoek weg te draaien, maar Juan anticipeerde op al zijn bewegingen en joeg nog zes kogels in de boot.

De pluim witte rook die plotseling vanonder de kap van de motor opsteeg, veranderde al snel in een dikke zwarte wolk. De motor kon elk ogenblik de geest geven, en Juan stond klaar om Sloane het te-ken te geven om vaart te minderen zodat ze niet op de speedboot zouden knallen.

Tussen de booglichten van de draagvleugelboot en de lampjes op het dashboard van de skiboot kon Cabrillo nog net de gelaatstrek-ken van de stuurman onderscheiden toen die naar hem omkeek. Heel even kruisten hun blikken elkaar, en zelfs over die afstand voel-de Juan de haat als de hitte van een vuur van hem afstralen. Hij zag niet zozeer angst als wel minachting in de gezichtsuitdrukking van de man.

De man gaf een heftige ruk aan het stuur. Juan hief zijn hand op ten teken dat Sloane de achtervolging kon stoppen, want de speed-boot raasde nu recht op de rotsachtige kust af. Cabrillo had vanaf het begin van de achtervolging graag een van de mannen gevangen-genomen, maar hij zag dat die kans na deze manoeuvre verkeken was. In een wanhopige poging om te voorkomen wat de stuurman onmiskenbaar van plan was, schoot hij nog een keer op de achter-steven van de speedboot zonder dat hij door de rook zag wat hij trof.

De speedboot had de in de draai verloren snelheid op zo'n zes meter voor de kustlijn weer vrijwel helemaal herwonnen. Het gieren van de motor ging over in gestotter, maar het was te laat. De boot raakte de oplopende bodem met een snelheid van meer dan dertig knopen en schoot als een speer het water uit. Hij vloog met een enorme boog door de nachtlucht voordat hij met de neus de grond raakte en met een knal uiteenspatte alsof er in de polyester romp een bom was geëxplodeerd. De romp barstte in honderden stukken uiteen en de motor schoot los van de hekbalk toen de boot op het strand over de kop sloeg. Door de klap scheurde de brandstoftank open en de benzine spoot eruit als de spray uit een spuitbus. Het lichaam van de stuurman werd een meter of zes in de lucht geslingerd voordat het benzine-luchtmengsel in een paddenstoelvormige vuurbal ontplofte die alles verteerde wat er nog van de skiboot over was.

Sloane had de tegenwoordigheid van geest gehad om gas terug te nemen. De draagvleugelboot zakte terug in het water en dreef zachtjes uit, terwijl Juan naar de cockpit terugsnelde. Hij controleerde nog eens of de FN-FAL weer vergrendeld was en zette hem toen terug tegen het dashboard. Nadat hij de uitschuifbare draagvleugels had ingetrokken, stuurde hij de boot tot zo dicht mogelijk bij het wrak, nam gas terug tot de motor stationair liep en liet het anker zakken.

'Hij heeft zelfmoord gepleegd, hè?'

Cabrillo staarde gebiologeerd naar de brandende boot. 'Jep.'

'Wat betekent dat?'

Hij keek haar aan en dacht na over haar vraag en de conclusies die ze uit zijn antwoord zou kunnen trekken. 'Hij wist dat we niet van de politie waren, dus hij was bereid te sterven om te voorkomen dat hij gevangen werd genomen en ondervraagd. Dat betekent dat we met extremisten te maken hebben.'

'Zoals die fundamentalistische moslims?'

'Ik geloof niet dat dit Arabische jihadstrijders waren. Het gaat om iets anders.'

'Maar wat?'

Juan zweeg, want een antwoord had hij niet. Zijn kleren waren toch al drijfnat van zijn eerdere duik, dus stapte hij zonder aarzeling van de achterplecht van de draagvleugelboot in het water, dat hem tot aan zijn nek reikte. Hij was bijna op de oever, toen hij Sloane achter zich in het water hoorde plonsen. Op de waterlijn wachtte hij haar op en samen liepen ze naar het lijk. Een onderzoek van het wrak was zinloos, omdat er alleen nog wat gesmolten polyester en verwrongen metaal van over was.

De aanblik van het lijk na de inslag op het harde zand van het strand was ronduit gruwelijk. Zoals je op tekeningen van zwakzinnigen wel ziet, lagen zijn nek en alle ledematen in onmogelijke hoeken gedraaid. Cabrillo vergewiste zich ervan dat er geen hartslag meer was en stopte toen zijn Glock achter zijn broekriem. Er zat niets in de achterzakken van de man, waarop Juan het lijk, dat als een zak gebroken botten slap aanvoelde, omrolde. Het gezicht van de man was zwaar gehavend.

Sloane hapte naar adem.

'Sorry,' zei Juan. 'Je kunt beter een stapje achteruit doen.'

'Nee, dat is 't niet. Ik ken hem. Dit is de Zuid-Afrikaanse helikopterpiloot die Tony en ik hadden gehuurd. Hij heet Pieter DeWitt. Mijn hemel, hoe heb ik zo stom kunnen zijn? Hij wist dat we naar Papa Heinricks slangen zouden gaan, omdat ik hem dat zelf heb verteld. Hij heeft die boot gisteren achter ons aan gestuurd en is vervolgens hiernaartoe gegaan om ervoor te zorgen dat de oude man zijn verhaal niet nog eens aan iemand zou vertellen.'

Het besef van wat ze met haar aanwezigheid in Namibië had aangericht, kwam keihard bij Sloane aan. Ze zag eruit alsof ze elk moment over haar nek kon gaan. 'Als ik hier niet naar de *Rove* was komen zoeken, had Papa Heinrick nu nog geleefd.' Met vochtige ogen keek ze Juan aan. 'Luka, onze gids, die is beslist ook al vermoord. O, mijn god, en Tony?'

Cabrillo wist intuïtief dat ze nu niet in de armen wilde worden genomen, en ook niet dat hij hier iets op zei. In het nachtelijk duister keken ze naar de brandende skiboot, en Sloane huilde.

'Ze waren zo onschuldig als wat,' snikte ze, 'en nu zijn ze allemaal dood, en het is mijn schuld.'

Hoe vaak had Juan zich niet net zo gevoeld en zich verantwoordelijk voor acties van anderen geacht alleen omdat hij erbij betrokken was? Sloane had net zomin schuld aan de dood van Papa Heinrick dan de vrouw van de man die op straat een ongeluk krijgt nadat zij hem heeft gevraagd een boodschap te gaan doen. Maar dat schuldgevoel was er wel, en hoe! Het knaagde aan je ziel als een zuur dat zich door staal vreet.

De tranen vloeiden een minuut of vijf, of nog iets langer misschien.

Juan stond met gebogen hoofd naast haar en keek pas naar haar toen ze de laatste tranen wegslikte.

'Bedankt,' mompelde ze.

'Waarvoor?'

'De meeste mannen zien een vrouw niet graag huilen en stellen alles in het werk om haar te laten ophouden.'

Hij keek haar met een warme glimlach aan. 'Dat zie ik echt ook niet graag, maar ik weet ook dat als je het nu niet doet, het beslist later nog komt en dan is het véél erger.'

'Daarom bedank ik je ook. Je begreep 't.'

'Ik heb dit zelf ook een paar keer meegemaakt. Wil je erover praten?'

'Liever niet.'

'Maar je weet dat 't jouw schuld niet is, hè?'

'Ja. Ze zouden nog leven als ik niet was gekomen, maar ik heb ze niet vermoord.'

'Dat klopt. Jij bent maar één schakel in een keten van gebeurtenissen die tot hun dood heeft geleid. Wat je gids betreft, heb je waarschijnlijk gelijk, maar maak je geen zorgen over Tony. Aan land weet niemand dat de aanslag op jullie is mislukt. Ze denken dat jij en Tony dood zijn. Maar voor de zekerheid gaan we nu naar Walvisbaai. De *Pinguïn* leek me niet zó snel dat ze al in haar thuishaven terug is. Als we opschieten, kunnen we ze waarschuwen.'

Met de mouw van haar windjekker wreef Sloane haar gezicht droog. 'Denk je dat echt?'

'Ja, kom op.'

Dertig seconden nadat ze aan boord van de draagvleugelboot waren geklommen, raasden ze alweer over de baai, terwijl Sloane haar natte kleren voor droge verwisselde die ze in een van de voorraadboxen aantrof. Ze nam het stuur over, waarna ook Cabrillo zich omkleedde en wat noodrantsoenen openmaakte.

'Sorry, maar ik heb alleen kant-en-klaar,' zei hij, waarbij hij twee bruine pakjes ophield. 'Je kunt kiezen: spaghetti met gehaktballetjes of kip en koekjes.'

'Dan neem ik de spaghetti en krijg jij de gehaktballetjes. Ik ben vegetariër.'

'Echt?'

'Vind je dat zo gek?'

'Ik weet 't niet. Voor mij zijn vegetariërs altijd van die geitenwollensokkentypes die op bioboerderijen wonen.'

'Dat zijn veganisten. Die vind ik dan weer extremistisch.'

Haar reactie zette Juan aan het denken over fanatisme en wat mensen daartoe bracht. Religie was het eerste wat hem te binnen schoot, maar er waren meer zaken waarin mensen zo hartstochtelijk opgingen dat ze hun hele leven ernaar inrichten. De bewegingen voor het milieu en dierenwelzijn waren de volgende groepen waar hij aan dacht. Om hun boodschap over te brengen waren activisten bereid om in laboratoria in te breken en er de proefdieren te bevrijden of skioorden in brand te steken. Maar zouden er ook lieden bij zitten die niet terugschrokken voor menselijke slachtoffers?

Hij vroeg zich af of de kloof tussen de verschillende meningen in de afgelopen jaren zo diep was geworden dat sociale normen als terughoudendheid en respect niet meer voor iedereen van toepassing waren. Oost. West. Moslims. Christenen. Socialisten. Kapitalisten. Rijken. Armen. Het leek of al die thema's een wig tussen mensen dreven die zo diep kon zijn dat willekeurig welke partij gewelddadige acties overwoog.

Uiteraard, het was uitgerekend die scheidingslijn waarop hij zich met de *Oregon* bewoog. Nu de wereld niet meer gebukt ging onder de dreiging van een kernoorlog tussen de oude Sovjet-Unie en de Verenigde Staten waren regionale conflicten tot zulke dimensies uitgegroeid dat ze met conventionele middelen haast niet meer opgelost konden worden.

Cabrillo had het zien aankomen en de Corporation opgericht om het tegen deze nieuwe dreigingen op te nemen. Het was een weinig bemoedigende gedachte, maar hij wist dat er meer werk voor hen was dan ze ooit aan zouden kunnen.

Aangezien er door de ontvoerders van Geoffrey Merrick geen losgeld was geëist, werd het steeds waarschijnlijker dat ook hierbij politieke motieven een rol speelden; en gezien de aard van Merricks onderneming ging het in dit geval hoogstwaarschijnlijk om extremistische milieuactivisten.

Vervolgens vroeg hij zich af of er wellicht een verband bestond tussen zijn ontvoering en de kwestie waarin Sloane Macintyre verzeild was geraakt. Die mogelijkheid leek zogoed als uitgesloten, ondanks de toevalligheid dat beide zaken zich in Namibië afspeelden. De Geraamtekust stond niet erg hoog op de prioriteitenlijst van milieuorganisaties. De Braziliaanse regenwouden en verontreinigde waterwegen, daar was alle aandacht op gericht, en niet op een afgelegen woestijnstrook in een land dat de meeste mensen niet eens op een wereldkaart konden aanwijzen.

Maar er schoot hem een ander scenario te binnen. De diamantwinning was een van de belangrijkste industrieën van Namibië. En met de zo streng gecontroleerde markt, waarover Sloane had gesproken, was de kans vrij groot dat ze hun vingers hadden gebrand aan lieden die zich met de illegale diamanthandel bezighielden. Die mensen waren zonder meer bereid om voor onmetelijke rijkdom hun leven in de waagschaal te stellen. Er worden voor heel wat minder moorden gepleegd. Maar verklaarde dat de zelfmoord van Pieter DeWitt?

Dat zou zo zijn wanneer de gevolgen van gepakt worden erger waren dan een snelle dood.

'Wat zou er met iemand als DeWitt gebeuren als hij bij een illegale diamanthandel betrokken zou zijn?' vroeg Cabrillo aan Sloane.

'Dat verschilt van land tot land. In Sierra Leone wordt zo iemand ter plekke doodgeschoten. Hier in Namibië krijg je een boete van vijfentwintigduizend dollar en vijf jaar gevangenisstraf.' Hij keek haar achterdochtig aan, want dat antwoord kwam wel erg snel. 'Ik ben beveiligingsdeskundige, weet je nog? Ik word geacht de wet met betrekking tot de diamanthandel van minstens tien landen te kennen. Net zogoed als jij alle wettelijke douanebepalingen moet kennen van alle havens die je aandoet.'

'Nou, ik ben onder de indruk,' zei Juan, waarna hij vervolgde: 'Vijf jaar klinkt niet zo heel erg, en zeker niet zo erg dat iemand liever zelfmoord pleegt dan die tijd te moeten uitzitten.'

'Dan ken je de Afrikaanse gevangenissen niet.'

'Veel Michelin-sterren zullen ze inderdaad niet hebben.'

'Het zijn niet alleen de omstandigheden. Het percentage tbc- en hiv-infecties is nergens zo hoog als in de Afrikaanse gevangenissen. Verscheidene mensenrechtenorganisaties wijzen erop dat gevangenisstraf hier gelijkstaat aan een doodvonnis. Waarom vraag je dit allemaal?'

'Ik probeer uit te vinden waarom DeWitt liever zelfmoord pleegde dan dat hij zich liet pakken.'

'Je denkt dat hij niet per se een terrorist was?'

'Ik weet niet wat ik moet denken,' gaf Juan toe. 'Er speelt nog iets anders waar ik je niets over kan zeggen, maar ik dacht even dat er mogelijk een verband was. Ik wil zeker weten dat dat niet zo is. Het begrijpen van motivaties is de sleutel om erachter te komen of het om twee stukjes van dezelfde puzzel gaat of om stukjes van verschillende puzzels. Maar er is sprake van een samenloop van omstandigheden...'

'En je houdt niet van toeval,' maakte Sloane de zin voor hem af.

'Precies.'

'Als je me vertelt wat dat andere is, kan ik je misschien helpen.'

'Sorry, Sloane, maar dat lijkt me geen goed idee.'

'Wie te veel weet, kan uit de school klappen of zoiets?'

Sloane flapte het er zomaar uit, en ze had geen idee hoe profetisch haar woorden zouden zijn.

14

De Havilland Twin Otter naderde de oneffen landingsstrook zo langzaam dat het leek alsof hij stil hing. Hoewel het ontwerp uit de jaren zestig stamde, was het tweemotorige toestel met boven de cabine geplaatste vleugels over de hele wereld geliefd bij junglepiloten. Hij kon op vrijwel elke ondergrond landen en had daarbij voldoende aan een baan van nog geen driehonderd meter. Voor het opstijgen kon hij zelfs met minder toe.

De harde strook bij de Duivelsoase was met oranje vlaggetjes gemarkeerd, en de piloot zette het vliegtuig in een omhoog warrelende stofwolk precies in het midden aan de grond. De turbopropmotoren joegen nog meer zand op, en toen het toestel langzaam uitreed, was het even volledig in donkere wolken gehuld. De motoren werden afgezet, waarop de propellers vrijwel meteen stilvielen. Terwijl de achterdeur openklapte, stopte er een open terreinwagen bij het vliegtuig.

Het slungelachtige, één meter zesennegentig lange lijf van Daniel Singer maakte zich los van het vliegtuig en hij boog en strekte zijn ruggengraat tegen de stijfheid van de elfhonderd kilometer lange vlucht vanuit Harare, de hoofdstad van Zimbabwe. Daar was hij vanuit de Verenigde Staten naartoe gevlogen omdat voldoende geld in de juiste handen hem daar de zekerheid verschafte dat zijn aankomst in Afrika verder onopgemerkt zou blijven. Vooral voor degenen die dachten dat hij nog thuis in Maine zat.

De auto werd bestuurd door een vrouw. Nina Visser stond vanaf het begin van zijn queeste aan zijn zijde en was de drijvende kracht achter de rekrutering van nieuwe leden voor hun zaak; gelijkgestemde mannen en vrouwen die van mening waren dat landen van hun zelfgenoegzaamheid ten opzichte van de milieuproblematiek genezen moesten worden.

'Het werd wel tijd dat je ons in onze misère komt bijstaan, zeg,' zei ze bij wijze van begroeting, maar er lag een glimlach op haar gezicht en er fonkelde genegenheid in haar bijna zwarte ogen. Ze kwam uit Nederland, en net als haar meeste landgenoten sprak ze vrijwel accentloos Engels.

Singer boog voorover om haar op de wang te kussen en zei: 'Beste Nina, je weet toch dat kwade geniën een afgelegen schuilplaats nodig hebben?'

'Maar moet die dan per se op honderd kilometer van de dichtstbijzijnde wc zijn en bovendien vergeven van de zandvlooien?'

'Wat zal ik zeggen? Alle uitgeholde vulkanen waren al bezet. Ik heb dit oord kunnen huren via het bedrijf van een stroman bij de Namibische regering, onder het voorwendsel dat we hier een film maken.' Hij draaide zich om en pakte een tas aan van de piloot die in de deuropening verscheen. 'Tank alvast maar bij. We blijven hier niet lang.'

Nina reageerde verbaasd. 'Blijf je niet?'

'Sorry, nee. Ik moet eerder naar Cabinda dan ik oorspronkelijk had gepland.'

'Problemen?'

'Door een storinkje in de apparatuur zijn de huurlingen vertraagd,' antwoordde hij. 'En ik wil er zeker van zijn dat de boten die we voor de aanval gaan gebruiken klaar zijn. Bovendien is moeder natuur ons bijzonder gunstig gezind. Na het afzwakken van de storm van een paar dagen geleden is er alweer een nieuwe tropische storm op komst. Veel langer dan een week hoeven we niet meer te wachten, denk ik.'

Nina bleef plotseling staan en haar gezicht straalde. 'Zo snel al? Niet te geloven!'

'Vijf jaar hard werken gaat eindelijk zijn vruchten afwerpen. Als we klaar zijn, zal geen normaal denkend mens op de hele planeet de gevaren van de opwarming van de aarde meer ontkennen.' Singer ging op de passagiersstoel van de terreinwagen zitten voor de korte rit naar de oude gevangenis.

Het was een drie verdiepingen hoog monstrueus bouwsel, zo groot als een pakhuis, met een gekanteelde verschansing langs het

170

dak, waarop bewakers het omringende woestijnlandschap in de gaten konden houden. Er was maar één raam in alle muren van de buitengevel, wat de robuuste, naargeestige uitstraling van het gebouw nog versterkte. De schaduw die het wierp lag als een vuile vlek op het witte zand.

Een hoge dubbele houten deur aan ijzeren, in het steen ingemetselde hengsels en breed genoeg voor een flink formaat vrachtwagen, gaf toegang tot een centraal gelegen binnenplaats. De begane grond werd geheel in beslag genomen door kantoorruimtes en slaapzalen voor de bewakers die er vroeger verbleven, terwijl zich op de tweede en derde verdieping de rond de binnenplaats gegroepeerde cellenblokken bevonden.

De luchtplaats lag in de brandende zon, en de van alle wanden weerkaatsende hitte maakte de lucht zo drukkend als gesmolten lood.

'En hoe staat 't met onze gasten?' vroeg Singer, toen Nina voor de ingang van het kantoor van de hoofdadministratie stopte.

'De mannen uit Zimbabwe zijn gisteren met hun gevangene aangekomen,' zei Nina, terwijl ze opzij naar haar mentor keek. 'Ik begrijp nog steeds niet wat ze hier doen.'

'Een tactische zet, helaas noodzakelijk. Als tegenprestatie voor hun toestemming om mij Afrika zonder visa en al die andere papiertroep binnen te laten, mogen zij voor een tijdje een deel van onze gevangenis gebruiken. Hun gevangene is de leider van de belangrijkste oppositiepartij, en hij zal binnenkort wegens landverraad terechtstaan. De regering is terecht van mening dat zijn aanhangers zullen proberen hem te bevrijden om hem naar een ander land te smokkelen. Daarom hadden ze een plek nodig waar ze hem veilig konden opbergen tot de rechtszaak begint en ze hem naar Harare zullen terugbrengen.'

'Zullen zijn aanhangers hem dan niet bevrijden als hij terug is?'

'Die rechtszaak gaat nog geen uur duren, en het vonnis wordt onmiddellijk uitgevoerd.'

'Dit bevalt me niet, Danny. De regering van Zimbabwe is een van de corruptste in Afrika. Ik denk dat de mensen die ertegen zijn hoogstwaarschijnlijk in hun recht staan.'

'Dat ben ik met je eens, maar dit is de afspraak die ik nu eenmaal heb gemaakt.' Uit de toon waarop hij dit zei, was duidelijk dat hierover geen verdere discussie mogelijk was. 'Hoe staat 't met mijn illustere voormalige zakenpartner? Hoe gaat 't met hem?'

171

Nina grijnsde. 'Ik geloof dat nu toch langzamerhand wel tot hem begint door te dringen wat zijn succes voor gevolgen heeft.'

'Mooi. Ik sta al te trappelen om het gezicht van die klootzak te zien als we gaan beginnen en hij uiteindelijk echt inziet dat hij fout is geweest.'

Ze liepen de gevangenis in, en Singer begroette zijn mensen bij naam. Hoewel hij nooit het charisma van een man als Merrick zou hebben, was hij een held voor de activisten die hij om zich heen had verzameld. Hij overhandigde drie flessen rode wijn die hij had meegebracht, die ze vervolgens in nog geen halfuur opdronken. In het gesprek werd vooral over één vrouw gesproken, en toen hij een toost op haar uitbracht, werd dat door de anderen toegejuicht.

Daarna trok hij zich terug in het kantoor van de vroegere gevangenisdirecteur en vroeg of ze Merrick uit zijn cel wilden halen. Een paar minuten zocht hij naar de juiste houding waarmee hij Merrick wilde ontvangen. Hij probeerde het zittend achter het bureau, maar het hoogteverschil beviel hem niet, waarna hij met gebogen hoofd bij het raam ging staan als iemand die al het leed van de wereld op zijn schouders torste.

Het volgende ogenblik brachten twee van Singers mannen Merrick, met op zijn rug gebonden handen, het kantoor binnen. De twee hadden elkaar sinds de breuk niet meer ontmoet, maar Merrick was sindsdien zo vaak op televisie te zien geweest dat Singer de lichamelijke tol die de gevangenschap de afgelopen dagen van zijn voormalige compagnon had geëist, niet ontging. Hij was vooral buitengewoon tevreden over hoe zijn ooit zo heldere blauwe ogen nu diep in hun kassen lagen en hem met een gekwelde blik aanstaarden. Maar tot zijn verbazing zag hij dat ze toch weer oplichtten, en opnieuw voelde hij de haast hypnotiserende kracht die Merrick altijd al uitstraalde en waar Singer hem heimelijk om benijdde. Singer onderdrukte maar met moeite de neiging om te gaan zitten.

'Danny,' begon Merrick op een ernstige toon, 'dat je me terug wilt pakken, goed, maar waarom je dit nu doet, daar begrijp ik werkelijk helemaal niets van. Ik kan je alleen maar zeggen dat je gewonnen hebt. Je kunt krijgen wat je wilt, als je hier maar onmiddellijk mee stopt. Wil je het bedrijf terug? Ik teken ter plekke het contract. Wil je al mijn geld? Geef me je rekeningnummer en ik maak 't naar je over. Ik stel me achter elke verklaring die je opstelt en neem de volle verantwoordelijkheid voor alles waarvan jij denkt dat het nodig is.'

172

Nou nou, wat is die man goed, dacht Daniel Singer. *Geen wonder dat hij me altijd versloeg.* Heel even voelde hij de verleiding om op zijn aanbod in te gaan, maar hij mocht zich nu niet van zijn plannen laten afbrengen. De opkomende twijfel schudde hij van zich af. 'We zitten hier niet aan een onderhandelingstafel, Geoff. Om jou als getuige te hebben, is slechts een bonus die ik mezelf gun. Jij bent het bijprogramma, beste vriend, en niet de hoofdattractie.'

'Maar het hoeft toch niet op deze manier?'

'Natuurlijk wel!' bulderde Singer. 'Waarom dacht je dat ik de wereld een poepje ga laten ruiken?' Hij ademde diep in en vervolgde op een iets rustiger toon, maar met dezelfde gedrevenheid: 'Als we op de ingeslagen weg doorgaan, zal wat ik laat zien in het niet verdwijnen bij de natuurrampen die ons te wachten staan. Er moet iets veranderen, maar de idioten die de wereld besturen, weigeren dat in te zien. Verdorie, Geoff, jij bent een wetenschapper, dat moet jij toch begrijpen. Al in de komende eeuw zal door de opwarming van de aarde alles te gronde gaan wat de mens ooit heeft opgebouwd.

'Een stijging van maar één graad van de oppervlaktetemperaturen zal ongekende bijeffecten op het milieu hebben... en dat is al aan het gebeuren. De planeet is al zo warm dat de gletsjers smelten, en in Groenland verdwijnt het ijs nog sneller in zee omdat het smeltwater bij het schrapen over de bodem als glijmiddel werkt. Op sommige plekken verloopt dit proces twee keer zo snel als normaal. Dat gebeurt nu, op dit moment.'

'Mij hoor je dat niet ontkennen...'

'Nee, dan kun je ook niet,' snauwde Singer. 'Geen enkel weldenkend mens kan dat, maar toch wordt er niets aan gedaan. De mensen zullen de effecten aan den lijve moeten voelen, bij hen thuis en niet ergens in Groenland. Ze moeten tot actie worden aangezet, anders zijn we verloren.'

'Over zoveel lijken, Dan...'

'Dat is niets vergeleken bij wat er komt. We moeten nu eenmaal offers brengen om miljarden anderen te kunnen redden. Een door gangreen aangetast been moet je afzetten als je wilt dat de patiënt overleeft.'

'Maar we hebben 't over onschuldige mensenlevens, en niet over geïnfecteerd weefsel.'

'Oké, dan was 't een slechte vergelijking, maar je begrijpt wat ik bedoel. En bovendien, het aantal doden zal niet zo hoog zijn als je denkt. De weersvoorspelling is zeer geavanceerd. Men zal gewaarschuwd zijn.'

'O ja? Zeg dat maar tegen de mensen die ten tijde van Katrina in New Orleans woonden,' beet Merrick hem toe.

'Precies. De plaatselijke, provinciale en nationale autoriteiten hadden voldoende tijd om de mensen te evacueren, en toch zijn er nodeloos meer dan duizend slachtoffers gevallen. Dat is precies wat ik bedoel. We zijn al twintig jaar op de hoogte van wetenschappelijk gestaafde feitelijkheden over de schadelijke effecten op het milieu, en meer dan symbolisch is er niet op gereageerd. Begrijp je niet dat ik door moet gaan? Ik moet dit doen om de mensheid te redden.'

Geoffrey Merrick begreep dat zijn voormalige compagnon en beste vriend was doorgedraaid. Natuurlijk, Dan was altijd al een beetje raar geweest, dat waren ze allebei, anders had het tijdens hun opleiding ook niet tussen hen geklikt. Maar wat toen tegendraads gedrag was geweest, had nu maniakale proporties aangenomen. Hij begreep ook dat geen enkel argument Singer meer kon tegenhouden. Met fanatici viel niet meer rationeel te redeneren.

Toch wilde hij nog één poging doen. 'Als je zo met de mensheid begaan bent, waarom heb je dan die arme Susan Donleavy vermoord?'

Met een uitgestreken gezicht verbrak Singer hun oogcontact. 'De mensen die me helpen ontbreekt het aan bepaalde... eh, vaardigheden, en daarom heb ik buitenstaanders moeten inhuren.'

'Huurlingen?'

'Ja. Ze zijn verder gegaan dan... eh, was afgesproken. Susan is niet dood, maar ik vrees dat ze er ernstig aan toe is.'

Merrick liet uiterlijk niet merken wat hij van plan was. Opeens schudde hij zich los van de mannen die hem losjes bij zijn armen vasthielden en spurtte door de kamer. Hij sprong op het bureau en had voordat de bewakers konden ingrijpen zijn knie tegen Singers kaak geramd. Een van de bewakers rukte zo hard aan de pijp van zijn overall dat hij de industrieel omvertrok. Met zijn op de rug gebonden handen kon hij de val niet opvangen en hij viel vol op zijn gezicht. Er was niet nog een korte flits, geen geleidelijk wegzakken. Hij was bewusteloos op het moment dat hij de grond raakte.

'Sorry, Dan,' zei de bewaker die om het bureau heen rende om Singer weer overeind te helpen. Er sijpelde wat bloed uit een mondhoek.

Hij streek het bloed met een vinger op en bekeek het alsof hij niet kon geloven dat het uit zijn lichaam kwam. 'Leeft hij nog?'

De andere bewaker voelde Merricks hartslag bij zijn pols en bij zijn hals. 'Zijn hart klopt prima. Hij zal wel hoofdpijn hebben als hij bijkomt.'

'Mooi.' Singer bukte zich over Merricks forse lichaam. 'Geoff, ik hoop voor jou dat die rotstreek de moeite waard is geweest, want het was de laatste keer dat je iets uit vrije wil hebt kunnen doen. Sluit hem maar weer op.'

Twintig minuten later koos de Twin Otter weer het luchtruim en vloog in noordelijke richting naar de Angolese provincie Cabinda.

15

Zodra de havenloods langs de touwladder naar zijn wachtende sloep was afgedaald, namen Max Hanley en Linda Ross de geheime lift van de brug naar de controlekamer. Het was alsof ze rechtstreeks van een vuilnisbelt in het controlecentrum van de NASA terechtkwamen. Tegenover de Zuid-Afrikaanse loods hadden ze kapitein en stuurman gespeeld, maar officieel had Max geen dienst. Linda was degene die wacht had.

'Ga je terug naar je hut?' vroeg ze, terwijl ze op de commandostoel plaatsnam en haar headset opzette.

'Nee,' antwoordde Max nukkig. 'Dokter Huxley maakt zich nog altijd zorgen over mijn bloeddruk, en daarom moet ik met haar naar de fitnessruimte. Ze wil power yoga met me gaan doen, wat dat in vredesnaam ook mag zijn.'

Linda grinnikte. 'O, dat zou ik dolgraag willen zien.'

'Als ze gaat proberen me in een krakeling te vouwen, zeg ik tegen Juan dat hij een nieuw hoofd voor de medische staf moet gaan zoeken.'

'Het zal je goed doen. Je aura zuiveren en dat soort dingen.'

'Met mijn aura is niets mis,' reageerde hij monter mokkend, waarna hij naar zijn hut vertrok.

De wacht verliep rustig nadat ze van de scheepsroutes waren afgeweken en de snelheid opvoerden. In het noorden was er storm op til, maar die was waarschijnlijk al naar het westen weggetrokken als ze aan het einde van de volgende dag in Swakopmund aankwamen. Linda gebruikte de lege uurtjes om het operatieplan door te lezen dat Eddie en Linc voor hun komende aanval op de Duivelsoase hadden opgesteld.

'Linda,' riep Hali Kasim vanachter zijn communicatiestation. 'Ik heb net iets van de nieuwsdienst ontvangen. Dit geloof je niet. Ik stuur het naar je door.'

Ze las het bericht snel door en zond onmiddellijk door het hele schip een oproep voor Max met het verzoek zo snel mogelijk naar het controlecentrum te komen. Een minuut later kwam hij al aangestormd vanuit de machinekamer, waar hij met een onnodige inspectie bezig was. De yoga had duidelijk effect gehad: zijn manier van lopen werd onmiskenbaar gehinderd door spieren die aan ongewone rekoefeningen hadden blootgestaan.

'Je had me geroepen?'

Linda draaide haar platte monitor opzij, zodat Max het bericht zelf kon lezen. Er heerste een spanning in de ruimte alsof ze allebei een elektrische schok hadden gehad.

'Kan iemand alsjeblieft zeggen wat er aan de hand is?' vroeg Eric Stone vanaf zijn roergangersplaats.

'Benjamin Isaka blijkt bij een couppoging betrokken te zijn,' antwoordde Linda. 'Hij is een paar uur geleden gearresteerd.'

'Isaka. En waar heb ik die naam eerder gehoord?'

'Hij was onze contactpersoon in de Congolese regering voor die wapendeal,' antwoordde Max.

'O, man, dat is inderdaad niet best,' zei Mark Murphy. Hoewel het niet nodig was dat de wapensystemen van de *Oregon* voortdurend bemand waren, zat hij meestal op zijn plek als de oudere ploeg dienst had.

'Hali, wordt er iets gezegd over de door ons geleverde wapens?' vroeg Linda. Ze was niet in de binnenlandse politiek van Congo geïnteresseerd, maar de Corporation was wel verantwoordelijk voor die wapens.

'Sorry, daar heb ik niet naar gekeken. Dit bericht kwam een minuut geleden binnen van de nieuwsdienst van Associated Press.'

Linda keek naar Max. 'Wat vind jij?'

'Ik ben het met Murphy eens. Dit zou een ramp kunnen zijn. Als Isaka de rebellen over die chips heeft ingelicht en zij ze eruit hebben gehaald, hebben wij vijfhonderd machinegeweren en een paar honderd granaatwerpers aan de gevaarlijkste schurkenbende van Afrika geleverd.'

'Ik vind hier niets over wapens die daarbij in beslag zouden zijn genomen,' zei Hali. 'Het nieuws is nog niet overal aangekomen, dus er kan nog van alles volgen.'

177

'Reken er niet op.' Max hield zijn pijp in zijn hand en tikte met de steel tegen zijn tanden. 'Isaka heeft 't hun beslist verteld. Hali, is er een mogelijkheid dat wij de signalen van die radiochips kunnen opvangen?' De Libanese Amerikaan fronste zijn wenkbrauwen. 'Dat geloof ik niet. Het bereik is nogal beperkt. Het idee was dat het Congolese leger de wapens met draagbare detectors die de signalen kunnen opvangen zouden volgen, om zo tot het basiskamp van de rebellen door te dringen. Het bereik hoefde niet veel groter te zijn dan een paar kilometer.'

'We zijn dus bij de neus genomen,' zei Linda. Haar woede gaf een scherp tintje aan haar meisjesachtige stem. 'Die wapens kunnen overal zijn, en we hebben geen schijn van kans ze terug te vinden.'

'Weinig vertrouwen jij, hè,' zei Murphy met een brede grijns.

Ze draaide zich naar hem om. 'Wat heb jij nou weer?'

'Jullie blijven het onderschatten, hè, de sluwheid van de baas. Voordat we de wapens overdroegen, heeft hij mij en het hoofd bewapening gevraagd een paar van de chips die we van de CIA hadden gekregen te vervangen door exemplaren die ik heb gemaakt. En die hebben een bereik van bijna honderdvijftig kilometer.'

'Het bereik is niet van belang,' zei Hali. 'Isaka wist waar we de chips in de wapens hebben aangebracht. Ook dat heeft hij aan de rebellen doorgegeven, en onze chips hebben ze net zo makkelijk kunnen verwijderen als die van de CIA.'

Marks glimlach stond op zijn gezicht gebeiteld. 'De chips van de CIA zaten verborgen in de kolven van de AK's en de voorste greep van de RPG's. Onze chips heb ik in de greep van de AK's gestopt, en van de raketwerpers heb ik bevestigingshaken van de draagriem zo aangepast dat ik ze erin kon verbergen.'

'Jee, zeg, wat briljant,' reageerde Linda. Haar bewondering was niet gespeeld. 'Als ze de CIA-chips hebben gevonden, zullen ze niet verder zoeken. Dus die van ons zitten er nog.'

'En ze zenden op een andere frequentie, kan ik daaraan toevoegen.' Mark sloeg zijn armen over elkaar en leunde ver achterover in zijn stoel.

'Waarom heeft Juan ons dat niet verteld?' vroeg Max.

'Hij was bang dat deze voorzorgsmaatregelen toch wel een beetje aan paranoia grensden,' antwoordde Murph. 'Dus heeft hij er maar niks over gezegd, omdat onze chips waarschijnlijk toch niet nodig zouden zijn.'

'Hoe dichtbij, zei je, moesten we zijn om de signalen te kunnen oppikken?' vroeg Linda.

'Ongeveer honderdvijftig kilometer.'

'Dan is het nog altijd zoeken naar een speld in een hooiberg als we niet weten welke kant de rebellen op zijn gegaan.'

De zelfvoldane uitdrukking op Marks gezicht verdween op slag. 'Helaas is er nog een ander probleem. Om de chips een dergelijk bereik te kunnen geven, moest ik op de levensduur van de batterij beknibbelen. Ik denk dat ze nog zo'n achtenveertig tot maximaal twee-enzeventig uur meegaan. Daarna kunnen we het echt wel vergeten.'

Linda keek naar Max Hanley. 'Het besluit om naar die wapens te gaan zoeken moet van Juan komen.'

'Dat is waar,' zei Max. 'Maar jij en ik weten allebei dat hij wil dat we ze lokaliseren, en het Congolese leger inlichten zodat zij erachteraan kunnen gaan.'

'Zoals ik 't zie, hebben we twee opties,' zei Linda.

'Wacht even,' onderbrak Max. 'Hali, probeer de baas via zijn satelliettelefoon te bereiken. Oké, twee opties dus.'

'De eerste is dat we teruggaan en vanuit Kaapstad een team met de noodzakelijke detectieapparatuur naar Congo sturen. Mark, die dingen zijn toch draagbaar?'

'De ontvanger is niet veel groter dan een gettoblaster,' antwoordde de technisch expert.

Normaal gesproken kwamen er nogal wat klachten over het formaat van de gettoblaster die hij aanzette als hij een deel van het vrachtdek van de *Oregon* eigenhandig ombouwde tot een skateboardterrein inclusief hellingen, relingen en een halfpipe die hij van een oud stuk scheepsschoorsteen had gemaakt.

'Teruggaan naar Kaapstad,' reageerde Max, 'kost ons de vijf uur die we nu al onderweg zijn, plus het gedoe in de haven en dan weer vijf uur voordat we op dit punt op zee terug zijn.'

'Of we gaan door en sturen een team vanuit Namibië. Op het vliegveld van Swakopmund heeft Tiny een speciaal toestel klaarstaan en hij kan ervoor zorgen dat er morgenmiddag een van onze zakenjets is om Geoffrey Merrick op te halen. We kunnen het team rechtstreeks met de helikopter naar het vliegveld brengen, en als Tiny ze dan naar Congo brengt, kan hij op tijd terug zijn voor de bevrijdingsoperatie.'

'Ik krijg de baas niet te pakken op zijn satelliettelefoon,' meldde Hali.

'Heb je de radio op de reddingsboot geprobeerd?'

'Nada.'

'Verdomme.' In tegenstelling tot Cabrillo, die tien scenario's tegelijk in overweging kon nemen om er dan intuïtief het juiste uit te pikken, was Hanley iemand die meer overleg nodig had. 'Hoeveel tijd winnen we voor de zoekploeg als we nu meteen omkeren?'

'Een uur of twaalf.'

'Minder,' zei Mark, zonder zijn blik van de monitor af te wenden. 'Ik ben net aan het kijken hoeveel vluchten er van Kaapstad naar Kinshasa gaan, maar dat zijn er niet veel.'

'Dus we moeten een vliegtuig charteren?'

'Daar ben ik al mee bezig,' zei Eric Stone. 'Er is in Kaapstad maar één firma met straalvliegtuigen. Wacht eens. Nee, hier op hun website lees ik dat hun twee Learjets allebei niet beschikbaar zijn.' Hij keek om naar zijn collega's. 'Ik weet niet of je er iets aan hebt, maar ze verontschuldigen zich voor het ongemak.'

'Op deze manier winnen we dus hoogstens een uur of acht,' concludeerde Mark.

'En ons kost het twaalf uur, waardoor we de bevrijdingsactie een volle dag moeten uitstellen. Oké, dan heb je je antwoord. We varen door naar het noorden.' Max wendde zich tot Hali. 'Blijf proberen Juan te bereiken. Bel hem om de vijf minuten en laat me onmiddellijk weten wanneer je hem te pakken hebt.'

'Aye, aye.'

Het beviel Max helemaal niet dat Juan niet opnam. Omdat hij wist dat hun aanval op de Duivelsoase nu spoedig zou plaatsvinden, was het ondenkbaar dat hij zijn satelliettelefoon niet bij zich had. De baas was er zeer op gebrand dat ze voortdurend contact hielden.

Er waren honderden mogelijkheden waarom hij niet bereikbaar was, maar Hanley wist er geen enkele waar hij gerust op kon zijn.

180

16

Cabrillo tuurde in de verte zonder acht te slaan op de donkere wolken die zich in het oosten opstapelden. Toen hij en Sloane met de reddingsboot uit Walvisbaai waren weggevaren, was er geen enkele weerswaarschuwing geweest, maar dat betekende niet veel in dit deel van de wereld. Een zandstorm kon hier in enkele minuten opsteken en de hemel van horizon tot horizon verduisteren. Dat was precies wat er leek te gaan gebeuren.

Hij keek op zijn horloge. Het zou nog uren duren voordat de zon onderging. Maar in elk geval was het vliegtuig dat Tony Reardon van Windhoek, de hoofdstad van Namibië, naar Nairobi en vervolgens naar Londen zou brengen vier minuten geleden opgestegen.

De vorige avond hadden ze de *Pinguïn* anderhalve kilometer buiten de toegang tot de haven onderschept. Nadat ze hadden uiteengezet wat Papa Heinrick was overkomen, was Justus Ulenga het met hen eens dat hij beter met zijn boot naar een andere stad in het noorden kon varen om daar een week of twee te vissen. Cabrillo nam Tony Reardon aan boord van de reddingsboot.

De Britse assistent had fel zijn beklag gedaan over de situatie. Hij ging tekeer tegen Sloane, Cabrillo, DeBeers, Namibië en wat er verder nog bij hem opkwam. Terwijl ze voor de kust moesten wachten, gaf Juan hem twintig minuten de tijd om zijn hart te luchten. Toen het erop leek dat hij zo uren zou doortieren, stelde Cabrillo hem een ultimatum: hij hield zelf zijn kop dicht of anders sloeg Juan hem buiten westen.

'Waag 't eens!' had de Engelsman geschreeuwd.

'Meneer Reardon, ik heb al vierentwintig uur geen oog dichtgedaan,' antwoordde Juan, waarbij hij zijn gezicht tot op enkele centimeters voor dat van Reardon bracht. 'Ik heb net het lichaam gezien van een man die op een afschuwelijke manier is gemarteld voordat hij werd vermoord en er is zo'n vijftig keer op me geschoten. Bovendien voel ik een enorme hoofdpijn opkomen, dus u gaat nu naar beneden, gaat daar zitten en houdt die verdomde bek van u dicht.'

'U kunt me niet be...'

Juan hield zijn uithaal op het laatste moment net iets in, zodat hij Reardons neus niet helemaal tot moes sloeg, maar de klap had genoeg kracht om hem door het luikgat in de passagiersruimte van de reddingsboot te laten tuimelen, waar hij als een slordige hoop op de vloer onderuitzakte. 'Ik heb u gewaarschuwd,' zei Cabrillo, waarna hij zijn aandacht weer op het tegen de wind in houden van het vaartuig richtte en zo de zonsopgang afwachtte.

Ze lagen een paar kilometer voor de kust en lieten de vissersvloot van Walvisbaai voor de dagelijkse vangst in een lange rij passeren. Ze draaiden pas bij om de haven in te lopen nadat Juan met behulp van zijn satelliettelefoon de nodige maatregelen had getroffen. Reardon bleef beneden en bekommerde zich om zijn gezwollen kaak en zijn nog zwaarder gekwetste ego.

Aan de kade werden ze door een taxi opgewacht, terwijl Cabrillo de reddingsboot voorzichtig aan een aanlegsteiger afmeerde. Hij vergewiste zich ervan dat Sloane en Tony benedendeks bleven terwijl hij zijn paspoort aan een douanebeambte overhandigde. Ze hadden geen visum nodig, en na een vluchtige inspectie van de reddingsboot en de al afgestempelde paspoorten van de Britten, werd ook Juans paspoort afgestempeld en mochten ze de haven verlaten.

Hij betaalde om de brandstoftanks van de boot bij te laten vullen en gaf de bediende een fooi die groot genoeg was om er zeker van te zijn dat de klus naar behoren werd uitgevoerd. Hij pakte de Glock uit het onderruim waarin hij hem verborgen had en zorgde ervoor dat er niets verdachts meer te zien was voordat hij de chauffeur van de auto bij zich riep en zijn beide reisgenoten op de achterbank liet plaatsnemen.

Ze staken de Swakoprivier over en scheurden door Swakopmund naar het vliegveld. Omdat een van de beroepsmoordenaars van afgelopen nacht als helikopterpiloot bij een chartermaatschappij werkte, nam Cabrillo niet het risico een privévliegtuig te huren om Reardon heimelijk het land uit te smokkelen. Die dag was net een van de vier dagen in de week dat Air Namibia een vlucht van de kuststad naar de hoofdstad verzorgde. Hij plande hun aankomst in de stad zo dat Reardon, voorafgaand aan zijn vlucht naar Nairobi, maar een paar minuten op het vliegveld hoefde door te brengen. Zijn aansluiting in Nairobi was de eerstvolgende vlucht vanuit Kenia.

Juan zag een tweemotorig vliegtuig dat op ruime afstand van de andere vliegtuigen werkeloos op het platform stond. Dit was het vliegtuig dat Tiny Gunderson, de eerste piloot van de Corporation, voor hun aanval had gehuurd. Als alles volgens plan verliep, was de lange Zweed met hun Gulfstream IV onderweg. Juan had overwogen om te wachten en hun eigen vliegtuig te gebruiken om Reardon uit Namibië te smokkelen, maar hij vreesde dat hij het gezelschap van de Brit zo lang niet kon verdragen.

De drie liepen samen de kleine aankomsthal in. Cabrillo's zintuigen waren op elk afwijkend detail gespitst, hoewel hun tegenstanders nog in de veronderstelling moesten verkeren dat zij hun prooi hadden gedood. Terwijl de Engelsman voor zijn vlucht incheckte, beloofde Sloane hem dat ze zijn eigendommen, die nog in het hotel lagen, zou inpakken en naar Londen zou meenemen zodra zij en Cabrillo hun onderzoek hadden voltooid.

Reardon mompelde iets onverstaanbaars.

Ze wist dat er geen verstandig woord met hem te wisselen viel, en ze kon het hem in alle eerlijkheid niet kwalijk nemen. Tony passeerde de beveiliging zonder één keer achterom te kijken en verdween snel uit hun gezichtsveld.

'*Bon voyage*, mafkees,' schimpte Juan, waarna ze het vliegveld verlieten en naar de stad terugreden.

Ze gingen rechtstreeks naar de buurt waar Sloanes gids Tuamanguluka woonde. Zelfs op klaarlichte dag was Juan blij dat hij zijn automatisch wapen achter de tailleband van zijn broek had gestopt en onder zijn hemd verborgen hield. De meeste gebouwen bestonden uit twee verdiepingen en vertoonden niet de Duitse invloeden die je in de betere wijken van de stad zag. Het weinige plaveisel dat er nog lag, zat vol kuilen en was bijna wit uitgeslagen. Zelfs op dit vroege uur van de dag hingen er mannen rond bij de ingangen van de flatgebouwen. De paar kinderen op straat hielden hen met angstige blikken in de gaten. De lucht was drukkend door de stank van visafval, en het overal aanwezige zand uit de Namibwoestijn.

'Ik weet niet zeker in welk gebouw hij woonde,' bekende Sloane. 'We hebben hem altijd voor de deur van een bar afgezet.'

'Naar wie bent u op zoek?' vroeg de taxichauffeur.

'Ze noemen hem Luka. Hij is een soort gids.'

De taxi stopte voor een vervallen gebouw dat op de eerste verdieping onderdak bood aan een open eetcafé en een winkel in tweedehands kleding en waarvan de tweede verdieping, aan het wasgoed te zien dat voor de ramen wapperde, uit appartementen bestond. Al snel kwam er een broodmagere man uit het eetcafé op hen af en stak zijn hoofd door het raampje van de taxi. De twee Namibiërs wisselden wat woorden en de man wees verderop de straat in.

'Hij zegt dat Luka twee blokken in die richting woont.'

Een minuut later stopten ze voor een gebouw dat nog meer vervallen was dan de meeste andere. De overnaadse planken van de buitenmuren waren verbleekt en gespleten en de enige deur hing aan één scharnier. Een schurftige hond tilde zijn poot op tegen de hoek van het bouwsel en vloog vervolgens achter een rat aan die uit een scheur in de fundering opdook. Vanuit het gebouw hoorden ze het sireneachtige gekrijs van een huilend kind.

Cabrillo opende het portier van de taxi en stapte uit op het trottoir. Sloane schoof over de bank en nam hetzelfde portier. Ze wilde niet meer dan de breedte van een auto van hem gescheiden zijn.

'Wacht hier,' zei Cabrillo tegen de taxichauffeur, en overhandigde hem een honderd dollarbiljet, waarbij hij ervoor zorgde dat de man zag dat hij nog twee biljetten in zijn hand had.

'Komt voor elkaar.'

'Hoe weten we welke flat we moeten hebben?' vroeg Sloane.

'Maak je geen zorgen, als we goed zitten, weten we dat zo.'

Cabrillo ging haar voor het flatgebouw in. Binnen was het schemerig, maar de hitte bleef er drukkend en de vieze luchtjes waren misselijkmakend; de stank van armoede die overal ter wereld hetzelfde is. Op de eerste verdieping bevonden zich vier flats; in een ervan krijste het kind. Juan bleef bij alle deuren even staan om de goedkope sloten te onderzoeken. Zonder iets te zeggen, nam hij de trap naar de tweede verdieping.

Op de overloop hoorde hij waar hij al bang voor was: het onophoudelijke gegons van vliegen. Het zoemen was afwisselend hard en zacht, als een monotoon gezang. De geur walmde hem direct daarop tegemoet, een bijtende geur die de normale stank naar de achtergrond drong. Het was een lucht die hij op een oerniveau herkende ook al had hij hem nooit eerder geroken. Het was alsof de menselijke geest de ontbinding van een soortgenoot aanvoelde. Zijn oren en neus leidden hem naar een flat aan de achterkant. De deur was dicht en het slot leek niet beschadigd. 'Hij heeft zijn moordenaar binnengelaten, wat betekent dat hij hem kende.'

'De piloot?'

'Waarschijnlijk.'

Juan trapte de deur in. Het hout om de klink was zo broos dat het versplinterde. De vliegen hieven een boos gezoem aan omdat ze gestoord werden en de stank was zo intens dat hij op hun keel sloeg. Sloane moest kokhalzen, maar liet zich daar niet door afschrikken.

De kamer was gehuld in een bleek licht, dat door het vuil op het enige raam werd gedempt. Er stond nauwelijks meubilair: een stoel, een tafel, een eenpersoonsbed en een krat dat dienst deed als nachtkastje. De overvolle asbak op het krat was van de wieldop van een auto gemaakt. De muren waren in geen dertig jaar gewit en waren door tientallen jaren sigarettenrook smoezelig bruin gekleurd, terwijl ze ook nog eens waren bezaaid met ontelbare donkere vlekjes van de insecten die tegen de pleisterkalk waren doodgemept.

Luka lag op het onopgemaakte bed en droeg een groezelige boxershort en schoenen met losse veters. Zijn borst was doorweekt van het bloed.

Zijn walging onderdrukkend onderzocht Juan de wond. 'Klein kaliber, tweeëntwintig of vijfentwintig, en van dichtbij. Ik zie schroeiplekken.' Hij onderzocht de vloerplanken tussen het bed en de deur. Bloeddruppels vormden een makkelijk herkenbaar spoor. 'Zijn moordenaar heeft op de deur geklopt en meteen geschoten nadat Luka opendeed. Vervolgens heeft hij hem op het bed teruggeduwd, zodat het vallen van het lichaam geen geluid maakte.'

'Denk je dat er in dit gebouw mensen zijn die 't ook maar iets had kunnen schelen als ze het hadden gehoord?'

'Waarschijnlijk niet, maar onze man was voorzichtig. Ik durf te wedden dat we, als we gisteravond de tijd hadden genomen om de speedboot te doorzoeken, een pistool met een geluiddemper hadden gevonden.'

Juan doorzocht de flat minutieus, op zoek naar de minste aanwijzing die hem inzicht in de achtergrond van deze moord kon geven. Onder de gootsteen ontdekte hij een geheime voorraad marihuana en onder het bed een paar pornoblaadjes, maar dat was alles. Er zat niets verborgen in de paar voedselblikken, en in de vuilnisemmer vond hij alleen sigarettenpeuken en piepschuimen koffiebekertjes. Hij sloeg de kleren uit die op de vloer naast het bed lagen, wat een paar lokale muntjes, een lege portefeuille en een zakmes opleverde. In de kleding die aan in een van de muren geslagen spijkers hing zat niets. Hij probeerde het raam omhoog te duwen, maar dat bleek vast geschilderd.

'We weten nu in elk geval dat hij dood is,' merkte hij somber op toen ze de flat uitliepen. Hij deed de deur achter hen dicht. Voordat ze de etage verlieten, liep Cabrillo een stukje om en tilde voor alle zekerheid het deksel van de spoelbak van het gemeenschappelijke toilet op.

'Wat nu?'

'We kunnen een kijkje in het kantoor van de helikopterpiloot gaan nemen,' zei Juan zonder al te veel enthousiasme. Hij was ervan overtuigd dat de Zuid-Afrikaan zijn sporen goed had uitgewist en dat ze niets zouden vinden.

'Maar 't liefst zou ik naar mijn hotel teruggaan, het langste bad uit de geschiedenis van de mensheid nemen en een gat in de dag slapen.'

Juan stond boven aan de trap en zag het licht dat door de vernielde voordeur naar binnen viel even flikkeren, alsof er iets of iemand het gebouw was binnengekomen. Hij duwde Sloane achteruit en haalde de Glock tevoorschijn.

Hoe kon ik zo dom zijn, dacht hij. *Natuurlijk hebben ze gemerkt dat er iets fout is gegaan bij hun aanval op de* Pinguïn *en de moord op Papa Heinrick.* Iedereen die op onderzoek uitging, zou uiteindelijk bij Luka's flat opduiken, en dan hielden ze die vervolgens in de gaten.

Er stapten twee mannen hun gezichtsveld in die allebei van die geniepige pistoolmitrauilleurs bij zich hadden. Ze werden op de voet gevolgd door een derde man met een Tsjechische Skorpion in zijn hand. Juan wist dat hij een van de mannen met een eerste schot kon neerleggen, maar dat hij de twee anderen niet kon uitschakelen zonder dat het trappenhuis in een slagveld veranderde.

Met een hand om de pols van Sloane deinsde hij zo stilletjes mogelijk terug. Ze moest de spanning van zijn greep hebben gevoeld, want ze sprak geen woord en zorgde ervoor dat haar voetstappen zo weinig mogelijk geluid maakten.

De gang liep dood, en binnen hooguit vijf seconden waren ze door de moordenaars ingesloten. Juan draaide zich om, liep terug naar de flat van Luka en stormde door de deur. 'Niet nadenken,' zei hij. 'Volg me.'

Hij rende naar het raam en dook voorover door het glas. De ruit knalde uit elkaar en de scherven scheurden zijn kleren aan flarden. Pal naast de flat van Luka was een golfplaten afdak, dat hem al was opgevallen toen hij eerder had geprobeerd het raam open te krijgen. Hij knalde er bovenop, schaafde de huid op zijn handpalmen en verloor bijna de Glock. Het staal was kokendheet, en hij voelde een brandende pijn. Terwijl hij doorschoof, draaide hij zich op zijn rug. Bij de rand gekomen sloeg hij zijn benen boven zijn hoofd en maakte een strakke flikflak. Met zijn landing zou hij geen olympische medaille winnen, maar hij slaagde erin op de been te blijven terwijl de glasscherven als ijspegels van het afdak kletterden.

Hij lette niet op de oude man die in de schaduw van het dak een visnet boette. Even later hoorde hij Sloane over het ijzeren dak klauteren. Haar lichaam schoot met een rotvaart over de rand, waar Juan klaarstond om haar op te vangen. Ze kwam zo hard neer dat hij door zijn knieën zakte.

Tegelijkertijd sloegen er stuivergrote gaten in het dak en verscheurde het geluid van een pistoolmitrailleur de rust in de straat. Er vlogen hele stukken henneptouw door de lucht van het enorme net dat door een tiental kogels aan flarden werd geschoten. De visser zat vrij ver van de dakrand verwijderd, dus over hem hoefde Juan zich geen zorgen te maken. Hij pakte Sloane bij de hand en samen renden ze naar links een straat in waar het iets drukker leek.

Toen ze vanonder de veranda wegvluchtten, sloegen de kogels als nietjes in de grond om hen heen. De Skorpion was ontworpen voor gebruik van dichtbij, en de schutter was zo opgefokt door de adrenaline in zijn bloed dat hij het om zijn onnauwkeurigheid beruchte wapen niet in bedwang wist te houden. Juan en Sloane vonden voorlopig dekking achter een tienwielige vrachtwagen.

'Alles goed met je?' vroeg hij hijgend.

'Ja, alleen jammer voor jou dat ik me sinds ik hier ben helemaal te barsten heb gegeten.'

Cabrillo waagde een kijkje rondom de achterkant van de MAN-vrachtwagen. Een van de moordenaars schoof voetje voor voetje het dak af, daarbij gedekt door zijn kameraden, die zich voor het raam van Luka's flat verdrongen. Ze kregen Juan in de gaten en bestookten de vrachtwagen met salvo's uit hun automatische pistolen. Hij en

Sloane renden naar de cabine. Door de hoge vrachtcontainer waren ze vanuit het raam niet te zien, zodat Juan van de voorband op de lange motorkap en vervolgens op de cabine kon stappen. Hij hield zijn pistool gereed en schoot voordat de schutters boven hem naar die onverwachte plek konden kijken. De afstand bedroeg een kleine vijfentwintig meter, en Juan hield rekening met het hoogteverschil. De kogel raakte de schutter op het dak en rukte een stuk huid van zijn rechterhand. De Skorpion vloog uit zijn handen toen hij zowel zijn greep op het wapen en als op het golfijzeren dak verloor. Hij stortte van het dak en sloeg zo hard tegen de grond dat ze op straat het breken van zijn botten konden horen.

Juan dook weg voordat de andere moordenaars zijn exacte positie konden lokaliseren.

'Wat nu?' vroeg Sloane met opengesperde ogen.

'Een van hen zal in het raam blijven staan om te voorkomen dat we proberen te ontsnappen, terwijl de ander de trap naar beneden neemt.' Juan keek om zich heen.

Dit was nooit een druk deel van de stad geweest, maar de weg was nu zo volkomen verlaten dat het leek alsof hier al jaren niemand woonde. In de goten dwarrelde allerlei vuil, en hij verwachtte elk moment buitelkruid in de wind voorbij te zien rollen.

Hij rukte het portier aan de passagierskant van de vrachtwagen open en zag dat de sleutels niet in het contact staken. Franklin Lincoln had hem binnen een minuut aan de praat, maar dit was niet Juans specialiteit. De schutter zou lang voordat de dieselmotor aansloeg bij hen zijn. Hij wierp weer een snelle blik omhoog naar de flat. De moordenaar stond een heel stuk achter het raamkozijn, maar had nog steeds vrij zicht op de vrachtwagen.

'Verzin iets, verdomme, denk na.'

Het gebouw naast hen was ooit een kruidenierszaak geweest, maar de ramen waren nu met platen triplex dichtgetimmerd. Aan het eind van het blok lag een open park met modder in plaats van gras, terwijl achter hen nog meer flats en kleine eengezinswoningen stonden die aan elkaar houvast leken te zoeken.

Hij tikte met zijn knokkels tegen de vrij liggende brandstoftank van de vrachtwagen. Het klonk hol: vrijwel leeg, maar niet helemaal. Hij schroefde de benzinedop los en zag dieselwalmen opstijgen in de hete lucht.

Er waren een paar voorwerpen die Juan altijd bij zich had: een klein kompas, een zakmes, een zaklantaarn met een xenonlampje en een Zippo-aansteker die bleef branden zodra met het wieltje vuur uit het steentje was geslagen. Met het mes sneed hij een reep van de onderkant van zijn hemd en stak die met de Zippo aan. Hij duwde Sloane naar de voorkant van de vrachtwagen en liet de brandende lap in de tank vallen.

'Ga op de bumper staan, maar blijf gebukt en hou je mond open,' waarschuwde hij, waarna hij Sloane zei haar oren dicht te stoppen.

De explosie had de vrachtwagen aan stukken geblazen als de tank vol was geweest. Maar toen de lap het kleine plasje brandstof onder in de tank in brand zette, was de ontploffing krachtiger dan Juan had verwacht. En ondanks dat hij door de cabine en, belangrijker nog, door het motorblok, werd afgeschermd, voelde hij de schroeiende hitte. De vrachtwagen schudde als door een kanonskogel getroffen op zijn vering, en Juans hoofd bonsde alsof hij een klap met een hamer had gekregen.

Hij sprong weer op de grond en keek naar wat hij had veroorzaakt. Zoals hij hoopte, had de explosie de triplex beschermplaten van de supermarktramen aan flarden gereten en het glas tot halverwege de vrijgekomen ruimte geblazen. 'Sloane, kom mee.'

Hand in hand vluchtten ze de donkere kruidenierszaak in, terwijl buiten de vrachtwagen nog brandde. Aan de achterkant van de winkel zat een deur die op een opslagplaats met laadperrons uitkwam. Juan knipte zijn zaklampje aan en onderzocht een buitendeur. Hij ging ervan uit dat de moordenaars wisten waar ze naartoe waren gegaan en nam daarom niet de moeite zich te verbergen. Cabrillo schoot met zijn pistool het slot kapot van de ketting waarmee de deur was afgesloten. De ketting viel ratelend op de betonnen vloer en hij duwde de deur open.

Aan de overkant van de straat, achter de kruidenierszaak, lag de kade waar ze de reddingsboot hadden afgemeerd. Afgemeerd tussen de vervallen vissersboten en verzakte kade leek hij daar uitstekend op zijn plaats. Ze staken zo diep mogelijk bukkend de weg over en renden het labyrint van onderling met elkaar verbonden steigers in, terwijl achter hen een van de schutters uit de winkel tevoorschijn kwam en de achtervolging inzette.

Toen Sloane en Juan voorbijrenden, keken de vissers die aan hun boten werkten en kinderen die touwen van de steigers hadden geworpen nog steeds naar de rook die uit de verlaten supermarkt opsteeg. De houten steigers waren spekglad van de schimmel en het visafval, maar ze liepen zo hard als ze konden.

Het cirkelzaaggejank van het volautomatisch geweervuur uit de Skorpion schalde door de lucht. Juan en Sloane lieten zich allebei voorovervallen, gleden over het glibberige hout en vielen van de steiger in een bootje met een buitenboordmotor aan de spiegel. Juan herstelde zich snel, maar hield zich zo laag mogelijk terwijl houtsplinters en lood langs de rand van de steiger spatten.

'Start de motor,' riep hij naar Sloane, en hij gluurde over de rand van de steiger. De schutter stond zo'n vijftien meter van hen af, maar moest door het patroon van de steigers zeker vijftig meter omlopen voordat hij op het motorbootje kon schieten. Hij wilde schieten toen hij Cabrillo's kruin zag, maar het magazijn van de pistoolmitrailleur was leeg.

Sloane gaf een ruk aan de startkabel, en tot hun opluchting sloeg de motor meteen bij de tweede keer aan. Juan sneed het meertouw los en Sloane draaide de gashendel open. Het bootje schoot bij de steiger vandaan en racete naar de plek waar de reddingsboot lag. De moordenaar moest hebben begrepen dat zijn prooi hem ontglipte en dat hij te veel in het oog liep om achter hen aan te blijven gaan. Namibië had nog altijd een politiekorps, en na het vuurgevecht van de afgelopen minuten zouden alle agenten uit Walvisbaai en Swakopmund op de haven neerstrijken. Om bewijsmateriaal kwijt te raken, gooide hij zijn wapen in het water en rende terug naar waar hij vandaan kwam.

De voorsteven van het motorbootje botste zachtjes tegen de zijkant van de reddingsboot. Juan hield de sloep recht terwijl Sloane aan boord klom. Hij volgde haar naar hun eigen boot, bukte voorover, gaf het motorbootje een enorme dot gas en stuurde het pijlsnel terug door het haventje.

In een oogwenk had hij de trossen losgegooid en de motor gestart. Een paar minuten later passeerden ze de laatste boei en scheurden de open zee op. Hij hield een rechte koers aan om zo snel mogelijk in internationale wateren te zijn voor het geval de havenpolitie achter hen aan kwam. Ook al zouden ze hen toch niet meer inhalen, nadat Juan de draagvleugels had uitgezet en de boot weer hoog op het water lag.

'Hoe is 't met je?' vroeg Juan zodra de boot stabiel over het zeeoppervlak schoot.

'Mijn oren tuiten nog steeds,' zei ze. 'Dit was zo'n beetje het krankzinnigste wat ik iemand ooit heb zien doen.'

'Krankzinniger dan het helpen van een vrouw die door God weet hoeveel moordenaars werd achtervolgd?' vroeg hij plagerig.

'Oké, het op een na krankzinnigste.' Ze trok haar mondhoeken op tot een glimlach. 'Vertel nu eindelijk eens wie je in werkelijkheid bent.'

'Weet je wat, ik doe je een voorstel. Zodra we het gebied hebben geïnspecteerd waar Papa Heinrick zijn metalen slangen heeft gezien en we zelf hebben kunnen vaststellen wat daar aan de hand is, zal ik je mijn levensverhaal vertellen.'

'Daar houd ik je aan.'

Volgens de gps van de boot waren ze al snel buiten de territoriale wateren van Namibië en Juan minderde vaart om de draagvleugels in te trekken.

'Deze dame zuipt afschuwelijk veel brandstof als ze haar vleugels uitslaat,' verklaarde hij. 'Als we heen en terug willen, moeten we de boot op een snelheid van zo'n vijftien knopen houden. Ik neem de eerste wacht, waarom ga jij niet naar beneden? Ik kan je geen bad aanbieden, maar we hebben meer dan genoeg water om je op te frissen, en je kunt dan even slapen. Ik maak je over zes uur wakker.'

Haar lippen beroerden vluchtig zijn wang. 'Dank je. Voor alles.'

Twaalf uur later kwamen ze aan bij het gebied waar de metalen slangen zich naar verluidt verborgen hielden. Doordat er een hevige storm over de woestijn raasde die op de vochtige, koude lucht boven de oceaan botste, wakkerde nu ook op open zee de wind aan. Cabrillo maakte zich geen zorgen dat ze een storm in de reddingsboot niet zouden doorstaan. Wat hem meer dwarszat, was dat hun zoektocht door het verminderde zicht veel moeilijker werd. Bovendien was de elektronica aan boord door de statische elektriciteit die zich in de atmosfeer ontwikkelde volledig in de war. Zijn satelliettelefoon gaf geen sjoege, en via de radio ontving hij op alle frequenties uitsluitend witte ruis. En de laatste keer dat hij de gps controleerde, ontving hij voor een exacte positiebepaling onvoldoende signalen van de om de aarde draaiende satellieten. De dieptemeter gaf nul voet aan, wat onmogelijk was, en zelfs het kompas haperde, en draaide nu langzaam in de vloeistof van de cardanusring rond alsof het magnetische noorden om hen heen wervelde.

'Hoe zwaar gaat 't worden, denk je?' vroeg Sloane, waarbij ze met haar kin in de richting van de storm wees.

'Moeilijk te zeggen. Het lijkt erop dat er geen regen zal vallen, maar dat kan veranderen.'

Cabrillo hield een verrekijker voor zijn ogen en speurde de horizon af. Hij hield daarbij rekening met de trage deining van de golven, zodat hij steeds op een maximale hoogte was wanneer hij in een bepaalde richting keek. 'Alleen maar een lege zee,' rapporteerde hij. 'Ik vind 't vervelend om te zeggen, maar zonder gps kan ik geen juist zoekraster opzetten, en nu rommelen we hier maar wat aan.'

'Wat wil je dan doen?'

'De wind komt gestaag pal uit het oosten. Dat kan ik gebruiken om de peilingen te nemen en op koers te blijven. Ik neem aan dat we kunnen zoeken tot het donker wordt. Hopelijk is de storm tegen zonsopgang uitgeraasd en doet de gps het weer.'

Uit de losse pols stuurde Juan de reddingsboot in kilometerslange banen op en neer, en doorkruiste zo de immense oceaan alsof hij een grasveld maaide. Tijdens hun zoektocht werd de zee geleidelijk aan steeds woester, de golven kwamen bijna drie meter hoog, terwijl de wind koeler werd en naar de zo ver weg gelegen woestijn smaakte.

Na elke afgezochte baan groeide bij beiden de overtuiging dat ze allemaal gelijk hadden gehad over die ouwe gek Papa Heinrick, en dat hij die metalen slangen van hem uitsluitend in een aanval van delirium tremens had gezien.

Toen Cabrillo een witte schittering in de verte zag, deed hij die af als het schuim op een omklappende golf. Maar hij bleef zijn blik op die plek gericht houden, en toen ze over de top van een volgende golf gingen, was de stip er nog steeds. Hij griste de verrekijker uit zijn etui. Deze plotselinge bewegingen na zoveel eentonige uren trokken de aandacht van Sloane.

'Wat is er?'

'Ik weet 't niet. Misschien wel niets.'

Hij wachtte tot een nieuwe aanzwellende golf de reddingsboot optilde alvorens hij de kijker weer op de verre schittering richtte. Het duurde even voordat hij volledig kon bevatten wat hij zag. De reikwijdte ervan tartte zijn stoutste verwachtingen.

'Allejezus nog aan toe,' mompelde hij, elk woord lang uitrekkend.

'Wat?' schreeuwde Sloane gespannen.

Hij gaf haar de verrekijker. 'Kijk zelf maar.'

Terwijl zij het oculair op haar smallere gezicht afstelde, verloor Juan het voorwerp geen moment uit het oog. Hij probeerde de juiste verhouding tot de omgeving in te schatten en merkte dat dit vrijwel onmogelijk was. Er was geen vergelijk te maken, en het kon makkelijk honderden meters lang zijn. Hij vroeg zich of hoe George Adams het geval tijdens zijn luchtverkenning van het gebied over het hoofd had kunnen zien.

Toen spatte er uit het witte voorwerp een felle lichtexplosie, die tegen de voortjagende wolken flitste. De afstand bedroeg twee kilometer, misschien iets meer, maar met vijftienhonderd kilometer per uur overbrugde de Israëlische Rafael Spike-MR-antitankraket de afstand met zo'n snelheid dat Juan slechs luttele seconden had om te reageren.

'Komt-ie!' brulde hij.

17

De Glock van Juan zat nog steeds stevig tegen zijn onderrug, en daarom pakte hij de satelliettelefoon in de waterdichte tas en greep Sloane om haar middel, waarna hij hen beiden over de reling in het donkere water wierp. Ze zwommen uit alle macht van de reddingsboot vandaan, in een verwoede poging zo ver mogelijk van de ophanden zijnde ontploffing weg te komen.

Terwijl de raket over zee flitste, bleef hij met zijn tweevoudige elektro-optische infraroodzoeker op zijn doel gericht en koerste op de hete uitlaatgassen af die in een pluim uit de motor van de reddingsboot opstegen. Enkele tellen nadat hij was gelanceerd, knalde de raket op de romp, sloeg een gat in de zijkant en ontplofte vlak voor het motorblok. Het speciaal voor het doorboren van een decimeters dikke bepantsering geconstrueerde projectiel sneed dwars door de kiel en brak daarmee de ruggengraat van de reddingsboot, waarbij de brokstukken tientallen meters de lucht in vlogen.

Het rokende, walmende wrak vouwde tijdens het zinken bijna dubbel, en toen de roodgloeiende motor en de spruitstukken met het zeewater in aanraking kwamen, spoot er een straal stoom omhoog.

De drukgolf was vele malen sterker dan toen Cabrillo in Walvisbaai de tank van de vrachtwagen opblies, en als hij Sloane en zichzelf niet van de boot had geworpen, waren ze volledig verpletterd. Ze dobberden proestend rond in een baaierd van uiteenspattende golven en spuugden het water uit dat ze per ongeluk hadden ingeslikt.

Watertrappelend stak hij een hand naar haar uit om te controleren of ze niet gewond was.

'Vraag maar niet hoe 't met me gaat,' wist ze uit te brengen. 'Dat heb je sinds gisteren al een keer of tien gedaan.'

'De afgelopen vierentwintig uur waren nogal opwindend,' gaf Juan toe, terwijl hij zijn schoenen uittrapte. 'We moeten zover mogelijk bij de boot vandaan zien te komen. Ze zullen vrijwel zeker iemand sturen om een onderzoek in te stellen.'

'Gaan we waarnaar ik denk dat we gaan?'

'Hoog tijd dat we een ritje gaan maken op Papa Heinricks slang.'

Hoewel twee kilometer zwemmen voor twee mensen met een goede conditie geen onoverkomelijke prestatie is, werden ze in al hun bewegingen gehinderd door de golven die op hen in beukten. Het werd nog moeilijker toen een wit luxejacht, dat identiek was aan de boot die op de *Pinguïn* had gejaagd, zich een weg door hun gebied baande, terwijl het enorme oog van een zoeklicht door de invallende duisternis sneed. De boot was Juan als eerste opgevallen, maar waar de boot aan vastzat, trok daarna meer zijn aandacht.

'Die schatjes waren zeker in de aanbieding, twee voor de prijs van één,' zei Juan.

'Ik krijg zo'n aanbieding in de supermarkt alleen maar bij de paprikachips,' antwoordde Sloane ad rem.

Nadat ze vijftien minuten in het wilde weg hadden rondgezwommen om de felle lichtstraal van de schijnwerper te ontwijken, voer het jacht met veel kabaal weg in het donker, waaruit Juan kon afleiden welke kant ze op moesten, hoewel hij niet het gevoel had dat hun doel te missen was.

Het kille water begon zijn tol te eisen, en ze verloren steeds meer aan kracht. Om hun toestand draaglijker te maken, gaf Juan zijn Glock en satelliettelefoon aan Sloane en trok zijn broek uit. Hij knoopte de pijpen aan de uiteinden dicht en hield de open bovenkant in de wind, waardoor de pijpen zich met lucht vulden. Vervolgens snoerde hij de broek met zijn riem snel dicht. Hij gaf deze geïmproviseerde drijver aan Sloane en nam zijn wapen en telefoon weer terug. 'Hou alleen wel met je ene hand de tailleband goed dicht, anders stroomt er misschien toch lucht uit.'

'Ik heb weleens gehoord dat dit mogelijk is, maar ik heb 't nooit in het echt gezien.'

Sloanes tanden waren nog niet gaan klapperen, maar aan haar stem hoorde hij dat ze uitgeput raakte. 'Toen ik dit in het zwembad oefende,' zei Juan, 'ging het een stuk makkelijker.' Het was nu niet het moment om te vertellen dat deze kunstgreep hem al een paar keer het leven had gered.

Drijvend op de luchtgevulde broek zwom Sloane met veel krachtiger slagen. En hoe dichter ze bij hun bestemming kwamen, hoe meer ze het gevoel kregen dat het enorme gevaarte als een soort golfbreker functioneerde.

'Voel jij dat ook?' vroeg Sloane.

'Wat?'

'Het water is warmer.'

Even was Juan bang dat Sloanes lichaam het gevecht met de ijzige tentakels van de kou had opgegeven. Maar toen voelde hij het ook. Het water was warmer, en niet een of twee graden, maar zeker tien tot vijftien. Hij vroeg zich af of een actieve geothermische vulkaanspleet zo'n temperatuurstijging kon veroorzaken. Was dat ook een verklaring waarom dat immense geval hier op de golven dobberde? Maakte het op de een of andere manier gebruik van die energiebron?

Wat Papa Heinrick een metalen slang noemde, bleek in werkelijkheid een matgroene buis met een diameter van, zo schatte Juan, minimaal tien meter, waarvan er twee boven water uitstaken. Maar het was geen stijve buis, telkens als er een golf onderdoor ging, bewoog hij in de lengte mee. Juan kwam tot de conclusie dat zijn eerdere schatting dat het bouwsel zo'n driehonderd meter lang was juist bleek.

De temperatuur van het water was ruim vijfentwintig graden toen ze ten slotte bij de buis kwamen. Juan legde zijn hand op het metaal en voelde dat het warm was. Ook kon hij in het apparaat het trillen van machines voelen, zware zuigers die bij elke stuwing van de zee heen en weer gingen.

Ze zwommen langs de zijkant, waarbij ze voldoende afstand hielden om niet door een golf tegen de buis te worden gesmeten, en ontdekten na enkele tientallen meters een van de scharnierpunten. Het geluid van de machines klonk hier harder, aangezien het mechanisme de actie van de golven omzette in een potentiële energie. Aan de zijkanten van de buis zaten treden gelast, zodat arbeiders bij de enorme draaipunten konden komen. Juan liet Sloane als eerste omhooggaan. Toen hij zich bij haar voegde, had ze de lucht uit zijn broek geperst en de pijpen losgeknoopt.

Ze hapte naar adem. In het schaarse licht zag ze nog net dat hij onder de knie van zijn rechterbeen een prothese droeg. 'Sorry, dat was lomp van me,' fluisterde ze. 'Ik had geen flauw benul. Je loopt niet mank of zo.'

'Ik ben er in de loop van de jaren aan gewend geraakt,' antwoordde Juan, en hij tikte op de titaniumstaaf die als zijn scheenbeen dienstdeed. 'Afscheidskogel van de Chinese marine een paar jaar geleden.'

'Je moet me echt je levensverhaal vertellen.'

Juan verdreef zijn gedachten over hoe het mogelijk was dat George Adams de buis niet had gezien toen hij het gebied vanuit de *Oregon*-helikopter verkende. In plaats daarvan concentreerde hij zich op de praktische kanten van hun situatie. Hij en Sloane waren kwetsbaar zolang er mensen op het jacht waren dat aan het andere uiteinde van het bouwsel lag afgemeerd. Er was geen alternatief.

Hij schoot zijn broek weer aan en ontdekte een luik bovenop de buis. Hij klapte het open en zag eronder een tweede luik. Dit moesten ze later onderzoeken. Hij propte de tas met de satelliettelefoon in de ruimte tussen de beide luiken en sloot het bovenste.

Hij pakte Sloanes hand en keek haar recht in de ogen. 'Ik kan het me niet veroorloven gevangenen te maken, want ik weet niet hoelang we hier nog vastzitten. Begrijp je wat ik bedoel?'

'Ja.'

'Als je wilt, mag je hier blijven, maar dat is geen bevel.'

'Ik ga met je mee en merk wel hoe ik me voel als we er dichterbij komen.'

'Eerlijk van je. We gaan.'

De eerste honderdvijftig meter konden ze vanaf het jacht onzichtbaar blijven door ineengedoken te lopen, maar toen ze dichterbij kwamen, zei Juan dat Sloane plat op haar buik moest gaan liggen. Samen kropen ze over de drijvende buis, waarbij ze telkens weer met moeite op het gladde oppervlak houvast zochten als het gevaarte met een enorme dreun door een hoge golf werd opgetild.

Juan, die van zijn leven nog nooit zeeziek was geweest, werd misselijk van de onvoorspelbare slingerbewegingen. Ook Sloane zag er niet al te fris uit.

Op vijftien meter van het jacht kropen ze verder langs de zijkant, zodat ze door de buis gedekt vanaf de boot onzichtbaar waren. Toen ze tot op een meter of vier waren genaderd, zagen ze het jacht duidelijk aan een steiger liggen die aan de zijkant van een buisdeel was bevestigd. Tussen de constructies en het schip voorkwamen dikke rubberen stootranden rekkend en knerpend beschadigingen. Door de ramen van het jacht scheen fel lamplicht naar buiten, terwijl op de brug het silhouet van een wacht duidelijk afstak tegen de groene gloed van een radarmonitor. Ze zagen dat er op het lange voordek een raketwerper op een driepoot gemonteerd stond.

Als dit een door de Corporation geleide operatie was geweest, had Juan de hele bemanning ontslagen wegens hun ongedisciplineerde gedrag betreffende de verlichting. Het jacht was op anderhalve kilometer afstand goed te zien, en iemand in een niet al te grote boot kon zich in het tumult van de storm moeiteloos voor de radar verborgen houden.

Maar hij moest toegeven dat ze hen, toen Sloane en hij dichterbij kwamen, verdomd goed in het vizier hadden kunnen nemen.

Ze hingen bijna een uur aan de zijkant van de buis, en dankzij het warme metaal raakten ze in hun natte kleren en de koude wind niet onderkoeld. Juan stelde vast dat er vier man aan boord van het jacht waren en dat zij om beurten het beeldscherm van de radar op de brug controleerden. In het begin droegen ze hun wapens bij zich, nog opgefokt door het opblazen van de reddingsboot van de *Oregon*, maar al spoedig verslapte hun waakzaamheid uit pure verveling en zag Juan dat ze niet meer met hun pistoolmitrailleur over hun schouder rondliepen.

Omdat in deze vier-tegen-één situatie alleen het verrassingseffect doorslaggevend kon zijn, begreep Juan dat de beste tactiek een onopvallende nadering zou zijn, gevolgd door overdonderend bruut geweld.

'Dit kan ik beter in m'n eentje doen,' zei hij tegen Sloane, waarna hij behoedzaam over de buis kroop.

Ze huiverde van de scherpe, harde klank in zijn stem.

Cabrillo gleed over de buis en liet zich behendig op de drijvende steiger zakken. Hij hield daarbij angstvallig de wacht op de brug in de gaten, die zichzelf bezighield door met een nachtkijker in de storm te turen. Hij sloop over de steiger en stapte stilletjes over het dolboord op het achterdek van het jacht. Een glazen schuifdeur leidde naar de kajuit, terwijl een reeks in de polyesterromp uitgespaarde traptreden naar de brug omhoog leidden.

De deur was vanwege de wind stevig afgesloten.

Juan dook zo ver mogelijk ineen bij het nemen van de treden en draaide zijn hoofd toen hij bovenaan kwam schuin opzij, zodat er van de brug af slechts een streepje van zijn gezicht zichtbaar was. De wacht keek nog steeds uit over de zee. Juan bewoog zo langzaam voetje voor voetje naar voren dat het leek alsof hij stilstond. Op het dashboard lag een pistool, op nog geen dertig centimeter van de man, die – zo zag Juan – ruim een halve meter groter en vijftien kilo zwaarder was. Door het verschil in lengte was een stille verwurging uitgesloten. Hij zou zich als een briesende stier verzetten.

Cabrillo stak de drie meter die hen scheidde over op het moment dat er een harde windstoot over de boot gierde. De man wilde net de nachtkijker van zijn hoofd halen toen Juan hem een hengst tegen zijn kaak gaf en de kracht van zijn schouder gebruikte om met zijn onderarm keihard tegen de zijkant van zijn schedel te slaan. Door deze vereende krachten draaide zijn ruggengraat door het breekpunt waarop de ruggenwervels met een onopvallende krak van elkaar losschoten. Hij legde het lijk voorzichtig op het dek.

'Drie tegen een,' mompelde hij stilletjes. Het doden deed hem niets, want twee uur eerder hadden ze zonder waarschuwing zijn boot uit het water geblazen.

Omzichtig bewoog hij zich langs de zijkant van de brug naar een smalle doorgang die van het achterste deel van het jacht op het lange voordek uitkwam. Links en rechts zaten ramen. Achter een ervan was het donker, en door het andere flikkerde het blauwige schijnsel van een televisie. Hij keek snel in het vertrek waar de tv aanstond. Op een leren sofa zat een bewaker naar een dvd met een oosterse vechtfilm te kijken, en een tweede man hield in het schaars verlichte keukentje een theepot op een van de gaspitten in de gaten. Hij droeg een pistool in een schouderholster. Juan kon niet zien of de andere man ook gewapend was.

Hij kon wel zien dat hij vanaf het achterdek geen onbelemmerd schootsveld op de twee had, terwijl hij geen flauw idee had waar de vierde bewaker was. Vermoedelijk lag hij te slapen, maar Juan wist hoe makkelijk vermoedens je het leven konden kosten.

Om zichzelf wat ruimte te verschaffen, leunde Cabrillo achterover tegen de glimmend gepoetste aluminiumreling en opende het vuur. Hij schoot tweemaal op de man bij het fornuis, en door de kracht van de inslag klapte zijn lichaam over de brandende gaspitten. Zijn hemd vatte meteen vlam.

De bewaker op de bank bezat de snelle reflexen van een kat. Tegen de tijd dat Juan de loop had gezwenkt en weer twee schoten loste, was hij van de bank af en rolde over het pluchen vloerkleed. De kogels vlogen door de sofa en bliezen dotten tijk de lucht in.

Juan richtte opnieuw, maar de bewaker had dekking gevonden achter een bar die tegen de achterwand stond. Hij had niet voldoende munitie om in het wilde weg te schieten en maakte zich boos over het feit dat hij twee kogels aan de bank had verspild. Toen de tweede bewaker vanachter de bar vandaan kwam, had de man zijn pistoolmitrailleur in de aanslag en schoot met een onbeheerst salvo de helft van zijn magazijn leeg.

Cabrillo dook plat op de grond terwijl boven hem het glas versplinterde en de kogels over hem heen floten. Het spervuur ketste af tegen een dikke stalen buis achter hem en verdween zonder verder schade aan te richten in de nacht. Hij klauterde het achterdek op en vocht tegen de natuurlijke neiging om met een rolduik van de boot op de steiger te springen. In plaats daarvan greep hij de stang van een uitschuifbaar zonnescherm en glipte erlangs, waarna hij weer op de trap stond. Hij klom zo snel als hij kon naar boven en leunde over de reling boven het versplinterde raam.

De korte loop van de pistoolmitrailleur van de bewaker verscheen en bewoog van achteren naar voren, op zoek naar zijn prooi. Toen hij Cabrillo niet dood in de doorgang zag liggen, kwamen zijn hoofd en bovenrug tevoorschijn. Hij keek naar het voor- en achterschip, en toen hij nog steeds Cabrillo niet zag, leunde hij verder naar voren om naar beneden op de steiger te kijken.

'Verkeerde kant, maat.'

De bewaker draaide zijn schouders, in een poging de Skorpion omhoog te richten. Met één kogel door zijn slaap weerhield Juan hem daarvan. De pistoolmitrailleur viel tussen de boot en de steiger.

Door de scherpe knal van de Glock had hij zijn positie verraden aan de laatste bewaker. De vloer van de brug schoot vol rafelige gaten toen de schutter onder hem het plafond van de kajuit met kogels doorzeefde.

Juan wilde zich op het dashboard werpen, maar wankelde toen een kogel zijn kunstvoet in tweeën schoot. Door de kinetische kracht van de inslag, plus zijn eigen vaart, vloog hij over het lage windscherm en rolde door over de schuine glazen wand voor het lager gelegen gedeelte van de kajuit.

Zijn rug smakte tegen het voordek en de klap joeg alle lucht uit zijn longen. Hij drukte zich overeind op zijn knieën, maar toen hij wilde opstaan, reageerde het mechanisme waarmee hij zijn voet bewoog niet meer. Zijn ultramoderne prothese was tot een normaal houten been gereduceerd.

In een van de prachtig ingerichte hutten zag hij het silhouet van de vierde schutter afsteken tegen het oplaaiende vuur dat in de kajuit brandde. De propaanslang naar het fornuis was doorgebrand en er spoot een sissende straal brandende vloeistof uit omhoog, waarvan de vlammen zich naar alle hoeken van het plafond verspreidden. Het smeltende plastic droop op het kleed, waar het talloze kleinere brandjes veroorzaakte.

De bewaker had Juan ondanks het geraas van de vlammenzee horen vallen. Hij verschoof zijn vizier van het plafond van de hut naar het grootste raam en doorboorde het veiligheidsglas met kogels. In de brede ruit verscheen een tiental grillige spinnenwebben en de scherven daalden als een regen van diamanten op Cabrillo neer.

Juan wachtte een tel en richtte zich op om terug te schieten. Terwijl hij dit deed, sprong de bewaker door het verzwakte glas en kwam vol op zijn borst terecht, waardoor Juan weer tegen de vlakte sloeg. Terwijl ze over het dek tuimelden, lukte het hem een arm om een been van de man te slaan. De bewaker kwam op Cabrillo te liggen, maar kreeg zijn pistoolmitrailleur niet zo gedraaid dat hij kon schieten. Hij drukte de hand waarin Juan zijn wapen vasthield tegen de grond. De bewaker haalde uit voor een kopstoot naar Juans neus, maar Cabrillo trok op het laatste nippertje zijn kin omlaag en hun schedels botsten zó hard dat Juans oogleden ervan knipperden.

De bewaker probeerde vervolgens zijn knie in Cabrillo's kruis te rammen. Hij ontweek de klap door zijn onderlichaam te draaien en de slag met zijn dij op te vangen. Toen de bewaker een tweede poging deed, propte Juan een knie tussen hen in en stootte die met alle kracht omhoog. Hij slaagde erin de man even van zich af te duwen, maar de bewaker was net zo sterk en probeerde hem bij het terugvallen te verbrijzelen.

Juan was erin geslaagd zijn prothese zo hoog op te heffen dat de vlijmscherpe restanten van zijn koolstoffen voet in de gespannen buikspieren van zijn tegenstander priemden. Juan greep zijn aanvaller bij de schouders, trok de bewaker naar zich toe en gaf tegelijkertijd een keiharde trap met het been.

Dit beeld van het kunstbeen, dat wegzakte in de maag van de bewaker, zou nog jaren door de nachtmerries van de president-directeur spoken. Juan duwde de bewaker van zich af, terwijl zijn gegil overging in vochtig gegorgel, om uiteindelijk in een doodse stilte weg te sterven.

Hij kwam wankelend overeind. De achterste helft van het jacht was volledig omgeven door vlammen die door de felle wind bijna horizontaal uitwaaierden. Deze vuurzee viel met geen mogelijkheid te bestrijden, en daarom stapte Juan naar de zijkant van de boot. Hij hees zich voorzichtig over de reling en liet zich op de steiger zakken. Daar knielde hij en spoelde snel zijn prothese in de zee schoon.

'Sloane,' schreeuwde hij in de nacht. 'Je kunt tevoorschijn komen.'

Haar gezicht verscheen aan de bovenkant van de immense buis, een bleek ovaal tegen de pikdonkere lucht. Langzaam kwam ze uit haar hurkhouding overeind en liep naar hem toe. Juan kwam haar hinkend tegemoet. Ze waren nog maar een halve meter van elkaar af toen hij zag dat ze opeens grote ogen opzette. Ze wilde iets zeggen, maar Juan had de waarschuwing al begrepen. Hij draaide zich bliksemsnel om, waarbij zijn toegetakelde been op de gladde steiger onder hem wegglipte, en wist zijn Glock nog te richten op een vijfde bewaker die met in zijn ene hand een pistool en in de andere een aktetas op het voordek van het jacht was verschenen. Ook hij was net iets sneller dan Cabrillo.

Zijn wapen knalde één keer, terwijl Juan zijn evenwicht niet terugvond en als in slow motion omviel. Op het moment dat Juan met zijn rug tegen de steiger sloeg, schoot hij twee keer. Het eerste schot was mis, maar het tweede trof de bewaker midden in de hartstreek. Zijn pistool vloog uit de levenloze vingers en de aktetas kletterde op de drijvende pier.

Juan draaide zich om naar Sloane.

Ze zat op haar knieën met haar hand tegen haar onderarm gedrukt. Haar gezicht was een masker van in stilte gedragen felle pijn.

Juan gleed naast haar.

'Volhouden, Sloane, hou vol,' troostte hij. 'Laat me eens kijken.'

Hij tilde voorzichtig haar arm op, waarbij zij de pijn verbijtend lucht door haar tanden zoog. De tranen sprongen haar in de ogen. Haar bloed was warm en dik toen Juan de wond onderzocht, en ze schreeuwde het uit van pijn toen hij per ongeluk de opengereten huid aanraakte.

'Sorry.'

Hij trok de blouse van haar huid af, wrikte zijn vinger in het gat waar de kogel doorheen was gegaan en scheurde de stof uit elkaar, zodat hij kon zien waar de kogel in het lichaam was gedrongen. Met een reep stof veegde hij voorzichtig een beetje bloed weg. In het grillig flakkerende licht van het brandende jacht zag hij dat de kogel een sleuf van vijf centimeter over de ribbenkast onder haar arm had getrokken.

Hij keek haar recht in de ogen. 'Het komt allemaal weer goed. Ik geloof niet dat de kogel naar binnen is gegaan. Het is een schampschot.'

'Het doet pijn, Juan, o mijn god, wat doet dat pijn.'

Hij hield haar onhandig vast, in een poging haar wond te ontzien. 'Dat weet ik. Dat weet ik heel goed.'

'Ik geloof je meteen,' zei ze, haar pijn verbijtend. 'Ik zit hier als een klein kind te jammeren terwijl jouw been door de Chinese marine kapot is geschoten.'

'Volgens Max klonk ik toen ik uit de shock bijkwam als een crèche vol peuters met hevige buikkrampen. Blijf hier even wachten.'

'Ik was niet van plan om weg te zwemmen of zo.'

Juan keerde terug naar het jacht. De brand was te ver gevorderd om nog iets uit de hutten op te halen, maar het lukte hem wel om de laatste, zo onverwachts opgedoken bewaker van zijn tweedjasje te ontdoen. Het feit dat de man een Armani-sportjasje van minstens duizend dollar droeg zei hem dat deze kerel geen bewaker was maar waarschijnlijk het hoofd van deze onderneming. Dit vermoeden werd bevestigd toen de aktetas een laptop bleek te zijn.

'Als dit belangrijk genoeg was om in veiligheid te brengen,' zei Juan, toen hij met de ThinkPad in zijn hand bij Sloane terugkeerde, 'is het ook belangrijk genoeg om het mee te nemen. Maar eerst moeten we die boot een stuk van ons weg zien te krijgen. Toen haar tweelingzus tegen de zijkant van de *Oregon* ontplofte, gaf dat een geweldig vuurwerk.'

Het was haast alsof de een de ander nodig had om vooruit te komen, Juan met zijn beschadigde prothese en Sloane met haar borstwond. Maar op de een of andere manier slaagden ze erin terug te wankelen naar de plek waar Juan zijn satelliettelefoon had verborgen. Hij legde Sloane op de warme buis en ging naast haar zitten zodat ze haar hoofd op zijn dij kon leggen. Hij dekte haar met het tweedjasje toe en streelde haar haren tot haar lichaam door de pijn werd overmand en ze het bewustzijn verloor.

Cabrillo opende de laptop en begon de bestanden door te nemen. Hij had een uur nodig om uit te vinden hoe de driehonderd meter lange machine werkte, en nog een uur om te ontdekken dat er negenendertig soortgelijke machines in de buurt waren, die in vier lange rijen langs elkaar lagen. Hoewel hij nog steeds geen idee had wat de bedoeling van dit alles was, had hij een uur voor zonsopgang uitgedokterd hoe je de machine kon stoppen door de laptop aan te sluiten op een servicenetwerk onder het toegangsluik waar hij de telefoon had verborgen.

Zodra het lampje op het platte beeldscherm aangaf dat de machine geen elektriciteit meer produceerde, ondanks dat het mechanisme op de activiteit van de golven langs de buis bleef reageren, controleerde Juan zijn satelliettelefoon. Hij had meteen ontvangst.

Het sterke elektrische veld dat de golfslaggenerator en zijn klonen om zich heen creëerde, was er de oorzaak van dat de elektronica op de reddingsboot op tilt was geslagen, dat de telefoon het niet meer deed en de kompasnaald stuurloos rondtolde. Nu de generatoren buiten werking waren gesteld, viel het veld weg en functioneerde de telefoon weer. Hij nam aan dat de laptop tegen de krachtige elektromagnetische stroomstoten was beveiligd.

Hij toetste een nummer in, en na vier keer overgaan werd er opgenomen.

'Meneer Hanley? Met de receptie. U wilde om halfvijf worden gewekt.'

'Juan? Juan!'

'Hoi, Max.'

'Waar ben jij in godsnaam? We konden je op de reddingsboot niet bereiken. Je nam de hele tijd de telefoon niet op. Zelfs je onderhuidse chip zond geen signalen uit.'

'Geloof je me als ik zeg dat we midden in de oceaan op de rug van Papa Heinricks metalen reuzenslang zitten? En we hebben hier iets heel raars ontdekt.'

'Je kent nog niet de helft van het verhaal, beste vriend, nog niet de helft.'

18

Dokter Julia Huxley, hoofd van de medische staf van de *Oregon,* was met de Robinson R44 meegevlogen naar de golfslagcentrale en tegen de tijd dat de wendbare kleine helikopter op het dek van het vrachtschip landde, was Sloane Macintyre al op een infuus aangesloten waardoor ze pijnstillers, antibiotica en een zoutoplossing tegen dehydratie toegediend kreeg. Julia had de doorweekte kleren van Sloane uitgetrokken en haar in een warmtereflectiedeken gewikkeld. Ze had de schotwond schoongemaakt en zo goed mogelijk met verband uit haar EHBO-koffer verbonden, maar nu wilde ze haar zo snel mogelijk met de juiste middelen verzorgen.

Twee ziekenbroeders stonden met een brancard te wachten tot het heliplatform in het ruim was gezakt. Sloane werd ijlings naar de ziekenboeg vervoerd, een ziekenzaal die kon wedijveren met de beste traumacentra van een wereldstad.

Hux' behandeling van Juan had zich beperkt tot de vluchtige mededeling dat hij in orde was, een literfles van een walgelijk smakende sportdrank moest drinken en een paar aspirientjes moest nemen. In de hangar stond Max hem tenminste nog met een van zijn reservebenen op te wachten.

Juan liet zich op een werkbank vallen om zijn gehavende prothese af te doen. De *Oregon* had na de waanzinnige spurt vanuit Kaapstad vaart geminderd om George Adams de gelegenheid te geven met de helikopter te landen. En nu, terwijl hij het kunstbeen van zijn directeur in ontvangst nam, voelde hij hoe het schip weer op een hogere versnelling overschakelde.

Nijdig sjorde hij zijn broekspijp omlaag en riep, haastig weglopend, over zijn schouder: 'Over vijftien minuten stafvergadering in de directiekamer.'

In de tijd dat hij een snelle douche nam en zich bij het scheren met het rechte scheermes dat hij daarvoor gebruikte had gesneden, was zijn team bijeengekomen. Maurice had een koffiemaaltijd geserveerd en aan het hoofd van de kersenhouten vergadertafel een dampende kop koffie voor hem neergezet. De gepantserde luiken voor de ramen van de vergaderzaal stonden open, zodat de ruimte helder was verlicht, dit in scherpe tegenstelling tot de sombere gezichten van de mannen en vrouwen die om hem heen zaten.

Juan nam een slok koffie en zei bars: 'Oké, wat is er in godsnaam allemaal gebeurd?'

Als hoofd veiligheid en verkenning beet Linda Ross het spits af. Ze slikte haastig een hap Deens gebak door. 'Gisterochtend zijn leden van de politie van Kinshasa een huis buiten de stad binnengevallen, in de veronderstelling dat het een distributiecentrum van verdovende middelen was. Ze hebben een aantal arrestaties verricht en troffen er behalve een geringe hoeveelheid drugs een opslagplaats voor wapens aan. Ook vonden ze er stapels documenten waaruit bleek dat de dealers rechtstreeks met Samuel Makambo en zijn Congolese Revolutieleger in contact stonden.'

'De vent die onze wapens heeft gekocht,' merkte Mark Murphy nogal overbodig op. Hij keek niet op van zijn werk aan de laptop die Juan van de golfslaggenerator had meegenomen.

Linda vervolgde haar verhaal. 'Het bleek dat Makambo de drugsgelden gebruikte om zijn andere activiteiten te financieren, wat niet zo verwonderlijk is. Wat de politie wel verraste, was de mate waarin Makambo erin was geslaagd om door middel van omkoping in de hoogste regeringskringen te infiltreren. Hij had massa's ambtenaren op zijn loonlijst staan, onder wie Benjamin Isaka van het ministerie van Defensie. Isaka kreeg per jaar vijftigduizend euro op zijn Zwitserse bankrekening gestort om Makambo te informeren over de pogingen van de regering om zijn geheime militaire basis op te sporen. Hij voorzag de rebellenleider voortdurend van vertrouwelijke gegevens, waardoor het leger van Makambo de regeringstroepen telkens een stap voor was.'

Max zat aan de andere kant van de glanzend geboende tafel en zijn hondengezicht stond nog somberder dan gewoonlijk. 'Makambo wist vanaf het eerste moment dat wij als zogenaamde wapenhandelaren contact met hem legden dat hij werd belazerd. Isaka vertelde hem dat we in de wapens radiochips hadden aangebracht. Nadat wij waren ontsnapt, heeft hij als eerste stap de AK's en RPG's gedemonteerd en de chips vervolgens in de rivier gegooid.'

'Dat heeft Isaka bekend?'

'Niet publiekelijk,' zei Max. 'Maar ik heb een paar mensen van hun regering aan de telefoon gehad. Nadat ik had uitgelegd wie ik was enzovoort, vertelden ze me dat het team dat eropuit was gestuurd om de wapens te volgen, heeft gerapporteerd dat ze niet uit de haven zijn weggeweest tot ze met uitzenden stopten.'

'En toen ze bij de haven aankwamen,' zei Juan, die dezelfde conclusie trok als de anderen, 'was er geen enkel teken meer van de rebellen of van de wapens.' Hij keek naar Mark Murphy. 'Zeg eens, Murph, werken onze chips nog?'

'Ze moeten het nog vierentwintig tot zesendertig uur doen. Als ik op tijd in Congo kan komen, kan ik proberen of ik ze met een helikopter of een vliegtuig kan vinden.'

'Is Tiny al in Swakopmund met onze Citation?' vroeg Juan, terwijl hij uit zijn hoofd afstanden, snelheden en tijden berekende.

'Hij moet daar tegen één uur zijn.'

'Oké, dit is wat we gaan doen. Zodra we voldoende dichtbij zijn, gaat Murph met de helikopter naar de kust, waarna Tiny hem naar Kinshasa brengt. Daar, Mark, moet jij maar zien of je een vliegtuig kunt huren, want Tiny moet terugkomen voor de dropping van vannacht.'

'Ik heb een hulp nodig,' zei Murphy.

'Neem Eric mee. Tijdens onze bevrijdingsactie kan Max heel goed voor kapitein én stuurman spelen.'

Eddie Seng verhief voor het eerst zijn stem. 'Baas, er is geen enkele reden om aan te nemen dat de wapens nog niet over heel Congo verspreid zijn.'

Cabrillo knikte. 'Dat weet ik, maar we moeten 't proberen. Als de tien geweren met onze chips nog bij elkaar zijn, is het logisch dat de andere wapens daar dan ook zijn.'

'Denk je dat Makambo een aanslag voorbereidt?' vroeg Linda.

'Dat weten we pas als Mark en Eric de geweren hebben opgespoord.'

'Hebbes!' riep Mark uit, terwijl hij van de ThinkPad opkeek.

'Wat heb je gevonden?'

'Er zitten een paar gecodeerde bestanden in deze computer. Die heb ik zojuist gekraakt.'

'Wat staat erin?'

'Een moment nog.'

Juan nam een slok van zijn koffie, terwijl Linda nog een gebakje verorberde. Opeens verscheen dokter Huxley in de deuropening naar de directiekamer. Ze was nauwelijks één meter zestig, maar ze had de autoritaire uitstraling die zo kenmerkend is voor mensen met een medisch beroep. Haar donkere haar was bijeengebonden in de geijkte paardenstaart, en onder haar laboratoriumjas droeg ze groene operatiekleding die geen enkel flatterend effect op haar welgevormde lichaam had.

'Hoe is 't met onze patiënt?' vroeg Juan toen hij haar zag.

'Die wordt weer helemaal beter. Ze was een beetje uitgedroogd, maar dat is inmiddels verholpen. Voor de wond waren twintig hechtingen nodig, en ze heeft ook twee ribben gekneusd. Ik heb haar een kalmerend middel gegeven en ze zal een tijdje pijnstillers moeten slikken.'

'Geweldig gedaan.'

'Hou je ouwe moer voor de gek! Na het oplappen van die piraten een paar jaar geleden had ik dit met mijn ogen dicht kunnen doen.' Julia schonk zichzelf koffie in.

'Redt ze het alleen tot je terug bent, of moet je bij haar in de buurt blijven?'

Hux dacht hier even over na. 'Zolang er geen symptomen van een infectie zijn, zoals koorts of een toename van witte bloedlichaampjes, hoef ik niet bij haar rond te hangen. Maar als de ontvoerders Geoffrey Merrick hebben verwond of straks een van jullie verwonden... nou ja, dat begrijp je zelf. Dan heb je me voor een spoedbehandeling toch het liefst in de Citation, neem ik aan. Het definitieve besluit neem ik vlak voor het vertrek, maar naar mijn gevoel gaat 't wel goed met haar.'

Als altijd liet Juan medische beslissingen aan dokter Huxley over. 'Dat is jouw afdeling.'

'Dit geloof je niet!' zei Mark, met ontzag in zijn stem. Eric Stone leunde over de schouder van zijn beste vriend, waardoor de tekst van de laptop in de glazen van zijn recentelijk noodzakelijk geworden bril reflecteerde.

Alle hoofden draaiden naar de jonge wapendeskundige.

Onbewust van de aandacht die hij had getrokken, las hij door tot Juan zijn keel schraapte en hij opkeek. 'O, sorry. Zoals je weet, hebben jullie daar een golfslagcentrale gevonden, maar op een zo grote schaal dat ik mijn eigen ogen niet kan geloven. Zover mij bekend staat deze technologie nog in de kinderschoenen en liggen er een paar van die dingen voor de kust van Portugal en Schotland voor proeven op zee.

'Het werkt zo: de kracht waarmee de golven de scharnieren bewegen, wordt gebruikt om hydraulische rammen in werking te stellen. Deze rammen persen op hun beurt olie door een motor met een accumulator die de stroom gelijkmatig doorgeeft. De motor drijft vervolgens een generator aan en dan heb je elektriciteit.'

Een vakman als Max Hanley was diep onder de indruk. 'Waanzinnig ingenieus,' zei hij. 'Hoeveel energie kunnen ze eigenlijk opwekken?'

'Per stuk kunnen ze een stadje van tweeduizend inwoners van energie voorzien. En ze hebben er veertig liggen, dus dat is geen kattenpis.'

'Wat willen ze ermee?' vroeg Juan. 'Waar gaat al die elektriciteit naartoe?'

'Dat staat in het gecodeerde bestand,' antwoordde Mark. 'Alle generatoren zijn met intrekbare kabels aan de zeebodem bevestigd, en daarom zag George ze niet toen hij er een paar dagen geleden vlak overheen vloog. Bij een kalme zee of als de radar op de bewakingsboten een naderend vaartuig opvangt, worden ze zo'n tien meter omlaag getrokken. Door een aparte kabel stroomt de elektriciteit naar een reeks verwarmingselementen die langs de generatoren zijn geplaatst.'

'Zei je nou verwarmingselementen?' vroeg Eddie.

'Ja. Iemand is van mening dat het water hier een beetje te koud is, en heeft besloten het op te warmen.'

Cabrillo nam weer een slok koffie en pakte een gebakje voordat Linda de hele schaal naar binnen had gewerkt. 'Kun je ook zeggen hoelang ze in bedrijf zijn?'

'Ze zijn begin 2004 in werking gesteld.'

'En met welk resultaat?'

'Die gegevens staan niet in de computer,' antwoordde Mark. 'Ik ben geen oceanograaf of zoiets, maar ik kan me niet voorstellen dat zelfs zoveel hitte veel effect kan hebben op de temperatuur van de totale oceaan. Ik weet dat de afvalhitte van een kerncentrale een rivier een paar graden kan opwarmen, maar dat is heel plaatselijk.'

Juan leunde weer naar achteren en trommelde met zijn vingers tegen zijn kaak. Zo nu en dan draaiden zijn ogen heel even weg. De stafleden om hem heen bleven praten en opperden allerlei ideeën en vermoedens, maar hij hoorde niets van hun geklets. In zijn verbeelding zag hij voor zich hoe enorme generatoren op golfkammen op en neer bewogen, terwijl eronder kersrood opgloeiende verwarmingselementen het water verwarmden dat noordwaarts langs de Afrikaanse kust stroomde.

'Als er niet links en rechts bewapende bullebakken waren opgedoken,' zei Mark toen Juan naar de werkelijkheid terugkeerde, 'zou je zeggen dat het een kunstobject is, iets van, hoe heet die man ook alweer? Je weet wel, de kerel die eilanden inpakt en al die poorten in het Central Park heeft gebouwd. Crisco?'

'Christo,' antwoordde Max afwezig.

'Mark, je bent een genie,' zei Cabrillo.

'Hoezo? Denk je echt dat dit een of ander mislukt kunstproject is?'

'Nee. Maar je had 't over een rivier.' Juan keek naar zijn medewerkers om de tafel. 'Dit is niet iets wat de hele oceaan moet verwarmen, maar slechts een heel specifiek deel ervan. We zitten hier in de Benguelastroom, een van de sterkste stromingen ter wereld. Zijn loop heeft net als bij een rivier duidelijk afgebakende grenzen. En net hier ongeveer splitst de stroom zich in tweeën. Eén tak vervolgt zijn weg noordwaarts langs de kust, terwijl de andere naar het westen afbuigt en zich in de Zuid-Atlantische subtropische kringloop voegt. De kringloop voert het water langs Zuid-Amerika, waar het enkele graden warmer wordt dan de stroom die vlak bij Afrika blijft.'

'Tot nu toe kan ik je volgen,' zei Mark.

'De twee stromen komen vlak bij de evenaar weer bij elkaar, en daar vormen ze samen een buffer tussen de stromingen van het noordelijk en van het zuidelijk halfrond.'

'Ik zie het probleem niet, baas. Sorry.'

'Als de twee stromen gelijkmatiger van temperatuur zijn op het moment dat ze bij elkaar komen, neemt hun buffercapaciteit af, waarschijnlijk voldoende om de coriolisversnelling af te remmen, de drijvende kracht achter de heersende winden, en dus deze ondiepe stromen hier.'

Eddie Seng wachtte even met het nemen van een slok koffie en zei – omdat hij het begreep – met een stralend gezicht: 'Dit kan de richting van alle oceaanstromen totaal veranderen.'

'Precies. De richtingen van de heersende winden worden bepaald door de draaiing van de aarde, en daarom wervelen orkanen in het noorden tegen de klok in en de cyclonen in het zuiden met de klok mee. Daarom ook loopt de warme Golfstroom langs de oostkust van de Verenigde Staten naar het noorden en buigt daarna oostwaarts af, waar Europa vervolgens het weer aan te danken heeft dat het nu heeft. Was dat niet zo, dan zouden grote delen van Europa onleefbaar zijn. Schotland ligt nota bene noordelijker dan het Canadese noordpoolgebied.'

'Wat gebeurt er als het zuidelijke water over de evenaar bij Afrika heen zou gaan?' vroeg Linda.

'Dan komt het in de kraamkamer van de Atlantische orkanen,' antwoordde Eric Stone, die zich als de officieuze meteoroloog van de *Oregon* opwierp. 'Warmer water betekent meer verdamping, en meer verdamping betekent zwaardere stormen. Een tropische depressie heeft een zeewatertemperatuur van ten minste zesentwintig graden nodig om tot een orkaan uit te kunnen groeien. Zodra dat het geval is, zuigt ze ongeveer twee miljard ton water per dag op.'

'Twee miljard *ton*?' riep Linda uit.

'En als ze boven land komen laten ze tussen de tien en twintig miljard ton per dag vallen. Het verschil tussen een storm van categorie één of zo'n zware storm van categorie vijf zit 'm in het tijdsbestek waarin ze water voor de Afrikaanse kust opzuigen.'

Mark Murphy, gewoonlijk de slimste in dit gezelschap, fleurde op toen hij het eindelijk begreep. 'Als de Benguelastroom kunstmatig wordt verhit, waardoor een deel van dat water naar het noorden ontsnapt, kunnen de stormen veel sneller aan kracht winnen.'

'En er kunnen er meer komen,' concludeerde Juan. 'Denken jullie wat ik denk?'

'Dat de zware stormen die de laatste jaren over de Verenigde Staten zijn geraasd een handje zijn geholpen.'

'Alle orkaandeskundigen zijn het erover eens dat we aan een natuurlijke cyclus van verhoogde stormkracht zijn begonnen,' pareerde Eric de opmerking van Murph.

'Maar dat betekent nog niet dat de generatoren en verwarmingselementen de cyclus niet zouden versterken,' riposteerde Mark.

'Heren,' suste Juan, 'grotere geesten dan wij moeten de gevolgen van deze zaken maar berekenen. Wat voor nu betreft, is het genoeg dat ze buiten werking zijn gesteld. Na de vergadering bel ik Overholt en leg hem voor wat we hebben ontdekt. Hoogstwaarschijnlijk zal hij de zaak aan de NUMA overdragen en is het hun probleem. Murph, stel de computer zo in dat ik alle bestanden kan doorsturen.'

'Komt voor elkaar.'

'Maar eerst,' vervolgde Juan, 'wil ik dat we ons op de bevrijding van Geoffrey Merrick concentreren. Daarna kunnen we altijd nog kijken of we achter de lieden aan gaan die de generatoren daar hebben aangebracht.'

'Denk je dat er een verband is?' vroeg Max, aan de andere kant van de lange tafel.

'In eerste instantie niet. Maar nu weet ik het zeker. De vent achter wie Sloane en ik met de reddingsboot aanjoegen, pleegde liever zelfmoord dan dat hij zich door mij liet vangen. Hij probeerde niet uit een Afrikaanse gevangenis te blijven. Het was een extremist die bereid was een martelaarsdood te sterven om te voorkomen dat wij die verwarmingselementen zouden ontdekken. En we weten dat het de ontvoerders van Merrick niet om het losgeld te doen is, het is een politieke kwestie... dat wil zeggen, hij heeft iemand pissig genoeg gemaakt om hem te kidnappen.'

'Milieuactivisten,' stelde Linda botweg vast.

'Dat moet haast wel,' zei Juan. 'We zijn op de een of andere tweetandige aanval gestuit. Aan de ene kant willen ze Merrick er om wat voor reden dan ook bij hebben, en aan de andere kant proberen ze met die enorme generatoren oceaanstromingen te verstoren.'

Eddie schraapte zijn keel. 'Dit begrijp ik niet, baas. Als deze mensen zoveel om het milieu geven, waarom gaan ze dan zo met de zee om?'

'Daar komen we vannacht wel achter, als we Merrick hebben bevrijd en de ontvoerders hebben ingerekend.'

In een van de lege ruimen van de *Oregon* hadden valschermtechnici de parachutes van het interventieteam uitgespreid. Het glimmende zwarte nylon leek op over de vloerplaten uitgestroomde olie. Toen Juan na een gesprek van twintig minuten met Langston Overholt van de CIA binnenkwam, waren Mike Trono en Jerry Pulaski al bezig met het zorgvuldig opvouwen van hun parachutes, opdat de lijnen wanneer ze op ruim zevenenhalve kilometer hoogte boven de Namibwoestijn uit het vliegtuig sprongen, niet in de war zouden raken. Mike was vroeger para-rescuespringer bij de luchtmacht geweest, en Ski was bij de Corporation gekomen nadat hij vijftien jaar als verkenner bij de mariniers had gediend. Max stond met Eddie en Linc te praten, terwijl ze hun uitrusting en wapens inspecteerden die op schragentafels langs een zijwand van het ruim lagen.

Cabrillo wist dat elk lid van de Corporation probleemloos met de anderen kon samenwerken, maar onder zijn mensen waren toch twee droomkoppels: Linc en Eddie, en daarnaast ook Mike en Ski. Wanneer ze als team opererend onder vuur werden genomen, was hun optreden werkelijk fabelachtig en leek het wel alsof ze telepathisch met elkaar waren verbonden.

Naast de tafels stonden vier ruig ogende motorfietsen. De *Oregon* was speciaal naar Kaapstad geweest om ze op te halen. Ze waren ontworpen voor intensief gebruik in de woestijn en hadden bolle ballonbanden en extra krachtige schokdempers. De afgelopen dagen had een team van mecaniciens er alles afgeschroefd wat niet direct noodzakelijk was, om ze zo licht mogelijk te maken en de oorspronkelijke felle kleuren vervangen door woestijncamouflage.

Terwijl hij door de grotachtige ruimte liep, ging zijn mobiel over. 'Cabrillo.'

'Baas, Eric hier. Ik wilde je even laten weten dat we over twintig minuten in de buurt van Swakopmund zijn. Ik heb George al laten weten dat hij de heli met volle tank in gereedheid moet brengen. Mark zet momenteel onze spullen klaar. Tiny is met de Citation op het vliegveld tegen de tijd dat wij daar aankomen en het is me zelfs gelukt een vliegtuig in Kinshasa te charteren.'

'Goed werk.'

'Als alles volgens plan verloopt, gaan we morgen tegen zonsopgang van start.'

'Dan heb je, even kijken, achttien uur de tijd om te zoeken voordat de batterijen op zijn?'

'Zo ongeveer. Ik weet dat 't kort lijkt, maar we zullen ze vinden.'

Iedereen aan boord was zich ervan bewust dat Juan het zich persoonlijk aantrok dat hij door Benjamin Isaka en zijn mederebel Samuel Makambo was beetgenomen. Dat hij zoveel wapens had geleverd aan een van de partijen in een beestachtige burgeroorlog lag hem loodzwaar op de maag, en elke seconde dat deze wapens nog vrij rondzwierven maakte de kans groter dat ze tegen onschuldige burgers werden ingezet. In weerwil van wat hij eerder tegen Sloane over schuld had gezegd, voelde hij dat er, als er door dit debacle mensen stierven, ook een deel van hem zou sterven.

213

'Dank je, Eric,' zei hij zachtjes.

'Geen probleem, chef.'

'Hoe staan de zaken?' vroeg Juan toen hij zich bij de drie mannen voegde. Op de tafel stond een schaalmodel van de gevangenis in de Duivelsoase dat Kevin Nixon in de Magic Shop had geconstrueerd op basis van satellietbeelden en de paar korrelige foto's die ze op internet hadden gevonden.

'Kevin heeft een leuk speeltje voor ons gemaakt,' zei Eddie, 'maar zonder een ontwerp van het interieur van het gebouw en de exacte verblijfplaats van Merrick blijft het tasten in het duister.'

'Hoe wil je 't dan aanpakken?'

Als hoofd landoperaties was het Sengs taak de aanval voor te bereiden. 'Zoals we het meteen al besproken hebben. Een high-altitude high-opening sprong op zo'n honderd kilometer ten noorden van het gebouw zodat ze ons vliegtuig niet kunnen horen of achterdochtig worden als ze radar mochten hebben. We zweven ernaartoe, landen op het dak en volgen dan de aloude tactiek dat je plannen overboord kunt gooien zodra je contact hebt gemaakt.'

Juan grinnikte.

'Terwijl Linc de motoren naar de grond brengt, gaan wij op zoek naar Merrick en Susan Donleavy,' vervolgde Eddie. 'Zodra we ze hebben, gaan we er meteen op de crossmotoren vandoor en treffen we Tiny op de voor een landing van het vliegtuig geschikte plek die George voor hem heeft gelokaliseerd.'

'Vergeet niet dat we een van de ontvoerders nodig hebben om een babbeltje mee te kunnen maken over die energiegeneratoren.'

'Ik zal er persoonlijk een als een opgebonden kerstgans voor je meenemen,' zei Linc.

'Heb je al een schema in je hoofd hoe we iedereen met de heli aan land krijgen?'

'Ja. Vanwege de gewichtsbeperkingen zal George vandaag heel wat tijd achter de stuurknuppel doorbrengen. Er zijn vier vluchten nodig om alles naar het vliegveld te brengen. George en ik hebben het zo uitgeknobbeld dat hij bij de laatste vlucht de minst zware last te vervoeren heeft. Op die manier kunnen we de lege reservetanks meenemen. Hij kan dan aan land bijtanken, zodat zijn actieradius groot genoeg is om voor Tiny een geschikte landingsplek te zoeken.'

'Als je er maar rekening mee houdt dat ik met de laatste vlucht meega,' zei Juan. 'Ik wil vandaag nog wat slaap inhalen.'

'Dat was al gepland.'

'Je staat vanaf nu boven aan de lijst voor medewerker van de maand.'

'Hoe ging je gesprek met Lang?' vroeg Max.

'Dat zal ik je vertellen terwijl ik mijn parachute inpak.'

Juan begon aan de zorgvuldige inspectie van de enorme parachute, die was ontworpen om één persoon en honderd kilo aan bagage met de wind mee over een afstand van zo'n honderdtwintig kilometer naar de aarde te laten zweven. Van dit favoriete speeltje van de commando's waren de handgrepen extra gevoerd en het was van een dubbel gezekerd uitvouwmechanisme voorzien waarmee de schok uit de korte vrije val direct na de sprong uit het vliegtuig beter werd opgevangen. Maar zelfs met deze veiligheidsvoorzieningen was de ruk aan het koord nog altijd een aanslag op de zenuwen, want de springer was zich ervan bewust dat hij een brute aanslag op zijn lijf pleegde.

'Van beide fronten goed nieuws,' zei Cabrillo, terwijl hij met zijn vingers op zoek naar rafels langs de vanglijnen streek. 'Lang zei dat hij contact zal opnemen met de NUMA, en dat die waarschijnlijk een schip sturen om de generatoren te onderzoeken. En omdat de CIA de deal met Isaka had opgezet, betalen ze ons om te doen wat we toch al zouden doen, namelijk die wapens terughalen.'

'Hoeveel?'

'Nauwelijks genoeg om de kosten te dekken, dus schrijf een vervroegd pensioen voorlopig maar op je buik.'

'Beter dan niets.'

'Dat Benjamin Isaka een agent van Makambo's Congolese Revolutieleger bleek te zijn, heeft op de Afrikaanse afdeling van de CIA voor heel wat opschudding gezorgd.' Cabrillo begon de hangriemen zo uit te leggen dat hij ze bij het opvouwen met elastieken bijeen kon binden.

'Hadden ze 't niet aan zien komen?'

'Het kwam voor hen als een donderslag bij heldere hemel. Ze nemen nu alle inlichtingen die ze over het continent hebben verzameld opnieuw onder de loep. Lang zei dat het hoofd van de Afrikaanse afdeling zijn ontslag al heeft aangeboden.'

'En krijgt hij dat ook?'

'Het is een zij, en nee, dat krijgt ze niet. Zodra wij de wapens terug hebben, stopt de CIA dit hele fiasco in de doofpot.'

'Waarom heb ik toch telkens het gevoel dat die doofpot onderhand wel vol zit?'

'Omdat er ook weinig speling meer is,' reageerde Cabrillo bits. 'Niemand wil horen hoe de CIA heeft geblunderd. Dan lijken de Verenigde Staten incompetent en, belangrijker nog, onvoorbereid. Dus als er dan een probleem is...'

'Bijvoorbeeld wanneer blijkt dat de Agency een vent vertrouwde die voor de opstandelingen blijkt te werken die zijn regering omver willen werpen.'

'Zoiets ja. Dan redden ze als eerste hun eigen hachje en betaalt uiteindelijk niemand het gelag. Die merkwaardige bedrijfscultuur is de reden waarom niemand 11 september heeft zien aankomen, of de eerste Irakese bezetting van Koeweit, of de snelle vorderingen van de Indiase en Pakistaanse kernwapenprogramma's en,' besloot Juan, 'dat is een van de redenen waarom ik er ben weggegaan.'

'Maar we hebben nu in elk geval de mogelijkheid om de zaken recht te zetten. Uh, Juan?'

Zijn stem kreeg een andere klank, en daarom keek Cabrillo op van zijn werk.

'Gaat 't lukken?' vroeg Max, met een knikje naar de parachute.

Van alle menselijke emoties had hij de grootste hekel aan medelijden. De verdrietige blikken vol mededogen waarmee voorbijgangers hem opnamen toen Julia Huxley hem in een rolstoel uit het ziekenhuis van San Francisco reed met een van zijn broekspijpen keurig dichtgespeld, hadden hem woedend gemaakt. Hij had gezworen dat vanaf die dag niemand ooit nog zo naar hem zou kijken. Dus had hij nadat hij zijn been had verloren drie operaties en letterlijk duizenden uren lichamelijke hersteloefeningen ondergaan om weer te kunnen rennen zonder dat er ook maar iets van zijn mankheid te merken was. Hij kon beter skiën en zwemmen dan toen hij beide benen had en hield zich heel soepeltjes op de prothese in evenwicht.

Hij had een handicap, maar was niet gehandicapt.

Toch waren er wel dingen die hij niet meer zo goed kon als toen hij beide benen nog had, en een ervan was het maken van een vrije val. Je lichaam gebogen en stabiel houden terwijl je door de lucht viel, vereiste minimale aanpassingen van de armen, maar het waren vooral de benen waarmee een springer in evenwicht bleef. Juan had de laatste jaren tientallen oefensprongen gemaakt, en hoezeer hij zijn best ook deed, hij kon niet voorkomen dat hij in een langzame draaiing terechtkwam die al snel een gevaarlijke spiraal werd.

Hij had niet de zintuiglijke waarneming van wind die langs zijn enkel en voet streek, en daardoor kon hij de spin niet corrigeren zonder een springpartner die hem beetpakte en in evenwicht hield. Juan gaf deze uitzonderlijke nederlaag niet graag toe en Max wist dat.

'Het komt goed,' zei Cabrillo, terwijl hij doorging met het opvouwen van zijn parachute.

'Zeker weten?'

Juan keek glimlachend op. 'Max, je gedraagt je als een oud wijf. Het enige dat ik moet doen is mijn rug buigen zodra ik uit het vliegtuig ben. We zijn niet lang genoeg in vrije val om mijn derwisjimitatie te kunnen doen. HAHO, beste vriend. *High altitude, high opening.* Als het om een ander soort sprong zou gaan, hield ik heus wel met jou in het operatiecentrum de monitors in de gaten.'

'Oké.' Max knikte. 'Ik wilde even zekerheid hebben.'

Een halfuur later overhandigde Juan zijn parachute en bagage aan een van de valschermtechnici die alles naar de helikopterhangar in het achterschip van de *Oregon* bracht. Voordat hij naar zijn hut ging om eindelijk wat slaap in te halen, stopte hij bij de ziekenboeg om te zien hoe het Sloane verging. Dokter Huxley zat niet achter haar bureau en was ook niet in de aangrenzende operatiekamer, en dus liep hij maar op eigen houtje de drie verkoeverkamers af. Hij vond Sloane in de laatste. Het licht was tot een zachte gloed gedimd en ze lag met kussens in haar rug in het ziekenhuisachtige bed te slapen. Ze had de lakens opzij gewoeld, en Juan zag het verband op de wond onder haar arm. Niets wees erop dat de schotwond nog bloedde.

Haar roodbruine haren lagen over de witte lakens uitgespreid en een streng viel over haar voorhoofd. Haar lippen stonden een weinig uiteen, en toen Juan over de lok naast haar mond streek, tuitte ze haar lippen alsof ze op een kus wachtte. Haar oogleden trilden even voordat ze weer dieper wegzakte in haar bewusteloosheid.

Hij trok haar lakens recht en liep de kamer uit. Ondanks de opwinding over de komende bevrijdingsoperatie en de last van de vermiste wapens, die zwaar op zijn maag lag, sliep Cabrillo tien minuten later net zo vast als Sloane.

Een uur voor het tijdstip waarop hij naar Swakopmund zou vliegen om daar Tiny Gunderson te treffen, liep zijn wekker af. Zijn ogen sprongen open, helder en blauw, en helemaal klaar voor een frisse kijk op alles wat hem te wachten stond. Met een zwaai stapte hij zijn bed uit, overwoog of hij nog een snelle douche zou nemen, maar besloot het niet te doen.

Juan knipte een paar lampen aan en hinkte naar zijn open bergkast. Als een reeks rijlaarzen stonden achter in de kast zijn kunstbenen opgesteld. Sommige waren vleeskleurig en vrijwel niet als prothese te herkennen, andere zagen er meer industrieel uit met hun titanium steunen en een zichtbaar mechaniek. Hij ging op een bankje zitten en paste wat hij zijn gevechtsbeen noemde, versie 2.0. Het origineel was een paar maanden eerder op het terrein van een scheepssloperij in Indonesië vernield.

In de ronde kuit zaten een werpmes en een .380-kaliber Kel-Tec automatisch pistool, een van de kleinste vuurwapens ter wereld. Er was bovendien ruimte voor een klein overlevingspakket en een met diamantpoeder bewerkte wurgdraad. Kevin Nixon, die het been aan de wensen van Juan had aangepast, had ook een plat plakje met C-4 kneedbare springstof in de voet gelegd en de ontsteker met tijdschakelaar in de enkel verborgen. Daarnaast waren er nog wat andere trucs in het been ingebouwd.

Hij lette er goed op dat het been nauw aansloot, en gespte als extra voorzorgsmaatregel een gordel met lussen om waaraan hij de prothese vastmaakte, om te voorkomen dat hij zou losschieten bij wat voor toeren Cabrillo ook uitvoerde. Hij kleedde zich in een militair tenue met woestijncamouflagekleuren en stevige laarzen. Uit zijn wapenkluis pakte hij een tweede Glock en een H&K MP semiautomatisch pistoolmitrailleur. Als het goed was, stond de wapenmeester bij het heliplatform met volle magazijnen op hem te wachten. De wapens en een extra scherfvest deed hij in een goedkope nylontas.

Maurice klopte zachtjes op de deur van de hut en liet zichzelf naar binnen. Zoals Cabrillo hem eerder had opgedragen, droeg hij een ontbijtblad met vooral veel fruit en koolhydraten. Juan had graag een paar koppen sterke koffie van zijn steward gekregen, maar hij stelde zich tevreden met een paar glazen sinaasappelsap. Ze gingen de woestijn in, en hoewel alles goed was gepland, wilde hij toch zoveel mogelijk vocht naar binnen hebben voor het geval er iets misging.

'Je strekt de Royal Navy tot eer,' zei Juan, die na de laatste hap zijn lippen afveegde en het servet op het blad wierp.

'Pardon, kapitein Cabrillo,' zei Maurice op dat gereserveerde toontje van hem. Hij was het enige lid van de Corporation dat Juan kapitein noemde in plaats van baas. 'Voor de kust van de Falkland-eilanden tijdens dat akkefietje toentertijd heb ik er bij windkracht zeven voor gezorgd dat twintig officieren keurig hun high tea geserveerd kregen. Als ik eerlijk mag zijn, sir, u hebt mijn capaciteiten nog lang niet op de proef gesteld.'

'Goed dan,' zei Juan met een duivelse glinstering in zijn ogen. 'De volgende keer dat we in een orkaan belanden, wil ik graag een stuk gruyère en een kreeftensoufflé, met als dessert een omelet sibérienne.'

'Uitstekend, kapitein,' zei Maurice op vlakke toon, waarna hij het vertrek verliet.

Op weg naar de hangar dook Juan nog eens de ziekenboeg in. Julia Huxley sloot net een stel medicijnenkoffertjes van rood plastic af. Ze droeg operatiekleding, maar haar onafscheidelijke doktersjas hing over de rug van haar stoel.

'Aan je bagage te zien ga je met ons mee. En gaat het goed met onze patiënt?' vroeg hij bij wijze van groet.

'Ze is een uur geleden wakker geworden,' zei Julia. 'Haar vitale delen zijn stuk voor stuk in orde en ik zie geen aanwijzingen voor een infectie, dus zal het tijdens mijn afwezigheid wel goed met haar gaan. En daarbij, mijn verpleeghulpen hebben een betere opleiding dan de meeste Ic-verpleegkundigen.'

'Goed. Geef me een minuutje om gedag te zeggen, daarna help ik je met de koffers.'

Sloane lag op haar rug tegen een stapel kussens. Haar gezicht zag bleek en haar ogen lagen wat diep, maar toen ze Juan tegen de deurpost zag leunen, brak haar mond open in een stralende lach.

'Hallo zonnestraal. Hoe voel je je vandaag?' Juan liep de kamer door en ging op de rand van het bed zitten.

'Een beetje suf van de medicijnen, maar verder wel goed, geloof ik.'

'Hux zegt dat alles goed met je komt.'

'Het verbaasde me dat je arts een vrouw is.'

'Er zitten elf vrouwen bij mijn bemanning,' vertelde Juan, 'onder wie mijn tweede officier, Linda Ross.'

'Hoorde ik daarnet een helikopter?'

'Ja, die zet wat mensen aan wal.'

Ze keek naar zijn tenue en wierp hem een weifelende blik toe. 'Je hebt gezegd dat je me zou vertellen wie en wat je werkelijk bent.'

'Dat doe ik ook,' beloofde hij, 'zodra ik terug ben.'

'Waar ga je naartoe?'

'We gaan doen waarvoor we naar Namibië kwamen, en hopelijk komen we dan ook te weten wie er achter de aanslagen op jou zitten en wie de golfslaggeneratoren heeft gebouwd.'

'Zit je bij de CIA of zoiets?'

'Nee. Maar vroeger wel. Meer vertel ik je niet, de rest hoor je morgen. Zal ik om acht uur bij je komen, zodat we samen kunnen ontbijten?'

'Afgesproken.'

Juan boog zich voorover en streek met zijn lippen lichtjes over haar wang. 'Slaap lekker, dan zie ik je morgenochtend.'

Terwijl hij opstond hield ze zijn hand vast. 'Ik wil je nogmaals mijn verontschuldigingen aanbieden voor het feit dat je bij mijn problemen betrokken bent geraakt.' Haar stem klonk plechtig.

'Het blijkt dat jouw problemen met die van mij te maken hebben, dus verontschuldigingen zijn niet nodig. En daarbij, eigenlijk zou ík mijn excuses moeten aanbieden.'

'Hoezo?'

'Je hebt je schip vol diamanten niet gevonden.'

'Gekkenwerk,' zei ze mat.

'Hé, ook gekken kunnen de honderdduizend winnen.' Met deze woorden liep hij bij haar bed vandaan en begaf zich met een medicijnenkoffertje in de ene en zijn tas vol wapens in de andere hand met Julia naar de hangar.

19

De laadruimte van de antieke de Havilland C-7 Caribou was voor de mannen breed genoeg om nonchalant met hun benen naar voren en hun spullen om zich heen op de banken te kunnen hangen. De vier kleine motorfietsen stonden voor het vrachtluik achter in het vliegtuig en waren met elastische koorden vastgezet. Hoewel het interieur van het vliegtuig ergens in zijn lange carrière gemoderniseerd was en sindsdien de luchtdruk gereguleerd werd, zodat de passagiers zich niet meer aan de ijzige kou op die hoogte hoefden aan te passen en het ook niet meer nodig was dat ze extra zuurstof toegediend kregen, maakte het monotone gedreun van de twee Pratt & Whitney-zuigermotoren een conversatie nog altijd vrijwel onmogelijk.

Cabrillo nam de gezichten van zijn mannen op terwijl hij tegen een scheidingswand leunde om het gewicht van de in een tas opgevouwen parachute enigszins over zijn schouders te verdelen. Eddie Seng zag Juans kritische blik en antwoordde met een brutale grijns. Mike Trono en zijn teamgenoot Jerry Pulaski zaten naast elkaar en speelden steen, papier, schaar. Het was hun ritueel, geen wedstrijd. Ze speelden totdat ze elk in vijf beurten op een rij hetzelfde handgebaar maakten. Juan had vaak genoeg gezien dat ze dat binnen de eerste vijf beurten al voor elkaar kregen.

Vanwege zijn forse lichaamsbouw en de beperkte capaciteit van de parachutes was Linc als enige niet met de zorg over een van de crossmotoren belast. Hij zat in een canvas stoel gepr.propt, zijn hoofd lag op zijn schouder en zijn mondhoeken hingen ontspannen naar beneden, onbetwistbaar een teken dat hij aan het wegdommelen was.

'Hé baas,' schreeuwde Tiny Gunderson. Juan keek naar de voorkant van het vliegtuig. De deur naar de cockpit stond open en hij kon de grote, blonde Zweed vastgegespt in zijn stoel zien zitten, zijn vlezige hand rustend op de stuurkolom. Julia zat in de stoel van de copiloot, en haar medicijnkoffers stonden tussen de twee stoelen.

'Ja, Tiny?'

'Even controleren of je op je qui-vive bent. Nog vijftien minuten.' Hij draaide het zwakke cabinelicht nog lager en knipte een rode gevechtslamp aan.

'Roger,' antwoordde Cabrillo. Vervolgens schreeuwde hij boven het gedreun van de turboprops uit: 'Vijftien minuten, heren.'

Linc schrok wakker en geeuwde uitgebreid.

Het was niet nodig om de uitrusting opnieuw te controleren, want dat hadden ze al minstens tien keer gedaan, en ook was het niet meer nodig de riemen en harnassen nog strakker aan te trekken, maar toch deden ze het allemaal nog eens. Bij een parachutesprong moest alles in één keer goed gaan. Ze haakten de elastische koorden van de motoren los en zetten de voertuigen klaar voor de sprong.

Vijf minuten later zette Tiny een geel waarschuwingslicht aan waarmee hij aangaf dat de mannen hun zuurstofmaskers op moesten zetten. De flessen zaten op hun borst vastgegespt en waren met dikke rubberen slangen op mondkapjes aangesloten. Cabrillo en de anderen schoven de maskers voor hun mond en neus en reguleerden de zuurstoftoevoer, waarna ze grote vliegbrillen opzetten. Nadat iedereen zijn duim had opgestoken, draaide Juan zich om en knikte naar Tiny, die op dit teken had gewacht. De luchtmachtveteraan had inmiddels zijn eigen masker opgezet.

Gunderson trok de deur van de cockpit dicht en even later begon de motor die het vrachtluik opende te gieren. Het lawaai werd direct overstemd door het razen van de ijskoude lucht, die als een orkaan door het vrachtruim bulderde. Een stukje papier schoot langs Cabrillo en werd de nachtelijke hemel ingezogen.

Hij voelde aan zijn wangen, het enige niet bedekte lichaamsdeel, dat de temperatuur onder het vriespunt was. Hij schoof de sjaal omhoog die hij om de huid te beschermen om zijn hals had gewikkeld.

Nadat het luik volledig was uitgeklapt, was de achterkant van het vliegtuig een inktzwart gat, waarin de hemel alleen door de sterrenzee boven de horizon van de kleurloze woestijn verschilde. Op deze hoogte had Juan het idee dat hij zijn hand maar hoefde uit te steken om de sterren te kunnen aanraken.

'Communicatietest,' riep hij in de halsmicrofoon, en een voor een beantwoordden de mannen de oproep via het interne net.

De gele lamp begon te knipperen. Nog één minuut.

Voor de honderdste keer sinds ze in het vliegtuig waren gestapt, visualiseerde Juan de stappen die hij moest nemen bij het verlaten van het vliegtuig. Hoe hij naar voren moest gaan en zich moest laten vallen. Dat hij daarna vrijwel meteen zijn rug moest buigen en zijn armen en benen moest spreiden om de luchtweerstand zo groot mogelijk te maken en zo de schok van de opengaande parachute op te vangen. Hij kon aan de gesloten ogen en geconcentreerde blikken van de anderen zien dat zij dezelfde mentale oefening deden.

Het geluid van de motoren veranderde toen Tiny een lichte stijging inzette, en zodra de vloer begon te hellen floepte de gele lamp uit en ging er een groene aan.

In tegenstelling tot bij andere commandodroppings hoefden de mannen niet in één groep te springen. Met zo'n korte vrije val kregen de HAHO-springers ruimschoots de gelegenheid om zich zodanig in de lucht te hergroeperen dat ze elkaar niet kwijtraakten. Een voor een stapten de mannen naar voren en verdwenen door het vrachtluik. De lichtgewichtmotoren vielen onder hen weg op het moment dat ze hun ruggen bogen vlak voordat ze de parachute opentrokken. Toen Juan bij de rand van het luik kwam, zag hij de vier lampjes op de parachutes oplichten die aangaven dat ze met succes waren opengevouwen. Zodra ze in de buurt van de Duivelsoase kwamen, werden deze lichten omgeschakeld naar infrarode bolletjes die alleen met nachtkijkers te zien waren.

Cabrillo rolde zijn motor in de gapende leegte als een rockster die op het punt stond een stagedive uit te voeren, zijn armen uitgestrekt en zijn rug gekromd voor een perfect uitgevoerde sprong. Hij voelde de sterke zuiging, maar zag kans zijn houding vast te houden, en toen hij merkte dat hij begon te kantelen, trok hij zijn lichaam zo bij dat hij weer horizontaal kwam te liggen. Hij tastte naar zijn borst om vlak voordat de vallende motorfiets door het einde van de draaglijn werd opgevangen, aan het trekkoord te trekken. De kleine parachute sprong los, vulde zich met lucht en door de luchtweerstand schoot de hoofdparachute uit de zak.

Juan besefte vrijwel onmiddellijk dat er iets fout ging. De parachute bleef bij het uit de tas komen even hangen, en de verwachte luchtschok bij het ontvouwen kwam niet. Door de luchtweerstand van de gedeeltelijk uitgevouwen parachute schoot hij in een verticale stand, maar hij viel nog steeds pijlsnel naar beneden. Het klapperen van het nylon boven zijn hoofd klonk als een zeil dat bij een stevige bries tegen de wind in wordt gedraaid.

Toen hij omhoogkeek, bleek het te donker om te kunnen zien wat er was gebeurd, maar hij had genoeg sprongen gemaakt om te weten dat er hanglijnen met elkaar verstrikt waren geraakt.

Zijn bewegingen waren kalm, maar zijn gedachten raasden voort. Hij vervloekte zichzelf in stilte terwijl hij probeerde de lijnen los te krijgen door zijn lichaam rond te draaien en eraan te sjorren. Hij had de parachute zelf ingepakt. Het was zijn eigen fout, en als het hem niet lukte de lijnen te ontwarren, bracht hij de hele missie in gevaar.

Hij had nog voldoende hoogte en bleef daarom met de lijnen worstelen, maar zodra hij onder de zesduizend meter kwam, moest hij een beslissing nemen. Als hij nog dieper viel voordat hij de parachute helemaal open kreeg, zou hij niet meer het hele stuk naar de gevangenis kunnen zweven. Zelfs met de ingebouwde veiligheidsfactor, die Eddie op basis van de verhouding tussen zweven en vallen had berekend, zou hij lang niet ver genoeg komen om de Duivelsoase nog te kunnen bereiken. Aan de andere kant, als hij de lijnen doorsneed en met de kleinere reserveparachute verder ging, zat hij te laag om naar de kust te kunnen zweven waar George hem met de helikopter kon oppikken.

Hij keek op de digitale hoogtemeter om zijn pols. Hij was al ruim onder de zesduizend meter.

Vloekend sneed hij het touw van de motorfiets door, rukte aan de *quick-release*-koorden en viel uit de flapperende hoofdparachute. In de vrije val klapte de kleine parachute van zijn reservescherm automatisch open, en voor het eerst sinds zijn ruk aan het trekkoord gunde Cabrillo zich de tijd om zijn omstandigheden onder ogen te zien. Als ook de reserveparachute weigerde, was hij nog ruwweg drie minuten in de gelegenheid om te voelen hoe het was om met een snelheid van een kleine tweehonderd kilometer per uur op de woestijnbodem af te razen. Maar hoe dan ook, lang zou het niet duren.

Met licht geruis sprong zijn reserveparachute als een zwarte bloem open, en nooit eerder was Cabrillo zo blij geweest met de pijn van riemen die zijn benen en schouders striemden.

'Beau Geste aan Death Valley Scotty,' riep hij in de microfoon. De oproepcodes waren bedacht door Max, die daar zijn gevoel voor humor in kwijt kon. Het was zijn bijdrage aan de missie.

'Of je hebt een geweldige haast om op de grond te komen,' antwoordde Eddie, 'of er is iets misgegaan.'

'Hoofdparachute blokkeerde. Ik moest hem doorsnijden.'

'Op welke hoogte zit je, Beau?'

'Zesenvijftighonderd.'

'Wacht even.'

'Ik blijf paraat, Scotty.'

Het was de taak van Eddie om het team naar zijn doel te leiden, en daarom had hij naast een draagbare sprongcomputer ook hun gps.

'Oké, Beau, met maximale remkracht val je nu een kleine vijf meter per seconde. Dan blijf je nog tweeëntwintig minuten in de lucht.' Zelfs met het gewicht van de crossmotoren zouden de andere mannen dankzij hun grote matrasparachutes minstens eens zo lang in de lucht blijven. 'De wind op jouw hoogte heeft nu nog een snelheid van zo'n vijftig knopen, maar dat wordt minder als je dichter bij de grond komt.'

'Roger.'

'Ik schat dat je zo'n zeshonderdveertig kilometer landinwaarts van de kust aan de grond komt.' Met het oog op de heersende oostenwind waren de mannen gesprongen toen het vliegtuig bijna boven de grens met Botswana vloog. Juan zou op een plek landen die ver buiten het bereik van de Robinson-helikopter lag. Zelfs met reservetanks was het onmogelijk hem daar op te pikken om hem naar het schip terug te brengen.

'Ik zal moeten wachten tot ik over land word gered,' zei Juan. 'Scotty, nu een van de motoren voor schroot op de grond ligt, zijn Merrick en Donleavy jouw eerste prioriteit. Het is uitgesloten dat je nu nog een ontvoerder mee kunt nemen, dus vergeet dat maar.'

Cabrillo maakte zich nog het kwaadst over het feit dat hij niet de gelegenheid kreeg om een ontvoerder te ondervragen, en over het feit dat zijn mannen aan een gevaarlijke missie begonnen zonder dat hij erbij was.

'Begrepen, Beau.' Door de afstand tussen de hoofdgroep en Juan nam de kwaliteit van hun interne radioverbinding al merkbaar af. De stem van Eddy klonk blikkerig en leek van heel ver te komen.

Juan dacht na of er nog iets was wat hij moest zeggen voordat hij het contact met zijn team verloor, maar ze hadden alles uit en te na besproken en dus zei hij alleen nog: 'Veel geluk. Beau Geste uit.'

'Jij ook. Death Valley Scotty, over en uit.'

Hoewel Juan niet verwachtte dat hij nog iets van zijn mannen zou horen, liet hij de radio voor alle zekerheid aan.

Om zo lang mogelijk in de lucht te blijven en zo de afstand boven land zo groot mogelijk te maken, moest Cabrillo met de parachute vliegen, waardoor hij zogoed als stil hing. Hij moest de klosjes waarmee hij de aerodynamische vorm van de matrasparachute regelde ter hoogte van zijn middel zien te houden. Dat vergde kracht en coördinatievermogen, maar vooral ook een flinke dosis wilskracht om de bittere kou te weerstaan en de pijn te negeren die zich vanuit zijn schouders al vrij snel over zijn rug en de samengetrokken spieren van zijn maag verspreidde.

Dalend op de grillen van de wind inspecteerde Juan de lege woestijn onder zich. Van zijn hoogte kon hij ogenschijnlijk oneindig ver kijken, maar waar hij ook keek, de kale woestenij was overal even donker. Hij zag geen lichtjes van steden en geen kampvuren. Hij zag dezelfde uitgestrekte duisternis als op zee.

Toen hij onder de drieduizend meter kwam, gleed zijn linkerhand van het stuurklosje. De parachute maakte meteen een scherpe bocht die zijn val versnelde, en zijn lichaam tolde als een slinger onder het scherm weg. Behoedzaam liet hij het rechterklosje los om de draai ongedaan te maken en greep het linkerklosje weer. In deze hectische seconden meende hij ver links van hem iets te ontwaren, maar toen hij nogmaals naar de plek keek zag hij niets.

Hoewel hij wist dat hij zich vergist kon hebben, liet hij de klosjes weer los en stak zijn hand in een tas op zijn borst waaruit hij een nachtkijker opdiepte. Hij rukte de nutteloos geworden veiligheidsbril en het zuurstofmasker af en hield snel de nachtkijker voor zijn ogen. Vervolgens trok hij de klosjes weer omlaag om zijn snelheid af te remmen.

Door de lichtversterkende bril veranderde de woestijn van mat kaki in iriserend groen, en het voorwerp dat zijn aandacht had getrokken, bleek een klein konvooi van voertuigen dat door de woestijn trok. Ze reden bij Cabrillo vandaan, en alleen de voorste auto had zijn koplampen aan. De zwakke lichtstalen werden slechts met tussenpozen door de duinen weerkaatst, terwijl de andere auto's in het duister volgden. Ook zij waren, gezien zijn huidige hoogte, te ver van hem verwijderd, maar hij wist dat ze uiteindelijk een keer zouden stoppen.

Hij stelde zijn dalingskoers bij, cirkelde als een roofvogel door de lucht en begon de voorttrekkende karavaan te volgen. Al na een paar minuten zag hij het konvooi niet meer, en het enige bewijs dat er voertuigen hadden gereden, waren de bandensporen die ze in het zand hadden achtergelaten.

Cabrillo bleef zo lang mogelijk in de lucht, volgens zijn horloge twintig minuten, maar uiteindelijk moest hij toch naar de grond. De bodem onder hem was een eindeloos golvende zandvlakte, met duinen die elkaar met eenzelfde regelmaat als de deining van de zee in lange rijen opvolgden. Vlak voordat hij de grond raakte, waaierde hij de parachute uit en verminderde zo bewust de draagkracht, waardoor hij in wandeltempo landde en erin slaagde overeind te blijven.

Zo snel hij kon drukte hij de lucht uit het scherm en graaide het nylon bij elkaar voordat de wind er vat op kreeg. Hij haakte de lussen los en liet met een zucht van verlichting de parachutetas en de weinige bagage die hij nog had vallen. Zijn bovenlichaam gloeide van de schaafplekken die hij nog wel een paar dagen zou voelen, maar hij had alweer een idee dat zijn pijnlijke spieren nog zwaarder zou belasten.

Hij was maar een paar meter van de sporen van het konvooi terechtgekomen, en terwijl hij een slok water uit zijn enige veldfles nam, zag hij dat die vrij breed waren en van banden met diepe profielen – van vrachtwagens die speciaal voor lange woestijntochten waren uitgerust.

Het betekende dat er drie mogelijkheden waren, waarvan twee positief. Het waren wagens van het leger van Namibië of van een bedrijf dat safaritochten organiseerde. In beide gevallen waren ze best bereid hulp te bieden aan iemand die in deze troosteloze woestijn was gestrand. Of het waren smokkelaars, en dan werd hij waarschijnlijk vermoord zodra hij met hen in contact trad.

Hoe dan ook, het kwam niet in hem op een paar dagen te wachten tot Max zijn geïmplanteerde chip had gelokaliseerd en een reddingsteam op pad had gestuurd. Cabrillo bevrijdde zich liever zelf uit deze ellende, want anders had hij geen weerwoord meer op de grappen waarmee zijn beste vriend hem op de *Oregon* zou begroeten.

Juan spreidde alle spullen uit die niet aan de hoofdparachute vast hadden gezeten. Het was een pover stapeltje. Hij had nog zijn pistoolmitrailleur, de Glock met meer dan genoeg 9mm-munitie, een mes, een EHBO-doos, de veldfles, en een bescheiden overlevingspakket met lucifers, waterzuiveringstabletten, wat vissnoer en nog wat kleinigheden. En hij had zijn parachute met de tas, waaraan een harde plastic plaat zat die naar zijn rug was gevormd om de druk van het scherm tijdens de sprong verlichten.

Alles bij elkaar zat er niet veel bij dat hem van dienst kon zijn bij het inhalen van het konvooi, maar Cabrillo had een troef achter de hand. Hij klopte op zijn kunstbeen en dacht: *Eigenlijk een troef achter mijn been.*

Gedurende vijftig minuten zweefden Eddie, Linc, Mike en Ski kalm door de nachtelijke lucht. Seng was agent bij de CIA geweest en had daarom niet de springtraining van de ex-soldaten van zijn team gehad, maar in bijna alles wat hij deed was Eddie een natuurtalent. Tientallen jaren vechtsporttraining, in het begin met zijn opa uit het New Yorkse Chinatown als leraar, hadden hem geleerd zijn concentratie optimaal op welke nieuwe opdracht dan ook te richten. Hij had ook niet de gevechtservaring van de andere jachthonden van de Corporation. Hij had in zijn carrière voornamelijk in het diepste geheim gewerkt, altijd zonder ondersteuning, waarbij hij zich als een ander moest voordoen om een netwerk van informanten op te bouwen via wie hij inlichtingen kon verzamelen. Toch benoemde Juan hem een paar maanden nadat hij bij de Corporation was gekomen tot hoofd landoperaties, omdat Eddy het zichzelf eenvoudigweg niet toestond waar dan ook te falen.

Met behulp van de gps loodste hij zijn team feilloos naar de Duivelsoase, waar ze met voldoende hoogte bij de verlaten woestijngevangenis aankwamen, zodat ze nog een paar minuten in de lucht konden blijven om het kleurloze dak en de omheinde binnenplaats te observeren. Door de infraroodkijker zag hij een drietal bewakers net binnen de gesloten poort zitten en een voertuig met een nog warme motor. Eddie vermoedde dat het op z'n minst een uur eerder een verkenningsronde had gemaakt. De andere voertuigen, binnen en buiten de binnenplaats, waren net zo koud als de nachtlucht.

Hij tikte op zijn halsmicrofoon, het afgesproken teken dat Linc als eerste naar beneden zou gaan.

Franklin Lincoln liet zijn klosjes vieren om de daling in te zetten en draaide tegen de wind in op het moment dat zijn voeten op een zo groot mogelijke afstand van de bewakers over de gekanteelde borstwering scheerden. Hij landde heel lichtjes met zijn laarzen schrapend en haalde zijn scherm in. Het duurde even voordat hij het merendeel van zijn uitrusting had afgedaan en zo op het scherm had gelegd dat het niet meer kon opwaaien. Toen hij klaar was, tikte hij op zijn halsmicrofoon.

Als een spook doemde Eddie op uit het duister, met zijn scherm wijd uitgespreid als de vleugels van een havik. Hij maakte een zodanige draai dat de crossmotor aan het draagtuig precies naast Linc landde. De forse SEAL greep het stuur zodra de ballonbanden de grond raakten en hield de motor vast zodat die niet omviel. Eddies landing was perfect, en tegen de tijd dat hij zijn parachute had afgedaan en ingehaald, was het Mike Trono's beurt om naar de grond te komen. Ook deze keer zorgde Linc ervoor dat de motor niet tegen het houten dak kletterde en de bewakers alarmeerde.

Jerry Pulaski was de laatste die landde. Terwijl zijn motor op het dak neerkwam en hij zijn parachute uitspreidde, werd hij door een plotselinge windstoot naar achteren geworpen. Linc had de motor stevig vast, maar door de kracht van de wind op Ski's parachute was het alsof hij in een orkaan een reclamebord overeind moest houden.

'Help me,' fluisterde hij met een van spanning hese stem, terwijl Ski koortsachtig probeerde de parachute in te halen.

Lincs laarzen gleden over het talkachtige grind op het platte dak, waardoor Pulaski over de rand van het gebouw kwam te bungelen.

Mike sloeg zijn armen om Lincs middel en zette zijn hakken schrap in het grind, terwijl Eddie zich met zijn hele gewicht op de voorkant van de motor wierp. Zo konden ze Ski's onverbiddelijke glijpartij even onderbreken, maar er waren krachten in het spel die te sterk waren. Binnen enkele seconden was Eddie nog maar enkele decimeters van een val van het dak verwijderd.

Hij reageerde impulsief. Hij stak een mes omhoog dat omgekeerd aan zijn scherfvest hing, zodat Ski kon zien wat hij van plan was, en hield vervolgens de snijkant tegen het draagtuig. Een lichte druk met het mes was al genoeg om het strakgespannen touw door te snijden.

Nu hij zijn parachute weer onder controle had, spreidde Ski alsnog het scherm, tolde naast de gevangenis naar beneden en kwam met een harde klap terecht in het zand dat tegen de fundering was opgehoopt. Hij lag even uitgeteld, terwijl de parachute over de woestijnbodem golfde en heen en weer zwiepte, en was blij dat hij de missie niet had verknald. Toen zag hij de paal die een meter of tien voor hem in de grond stond. Boven op de houten paal zat een kastje met een elektronisch oog, en hij begreep direct dat het een bewegingsmelder was die de ontvoerders moest waarschuwen als er iemand de gevangenis naderde. Het nylonscherm lag al onder de melder. Door een lichte windvlaag zou het opwaaien en het alarm in werking stellen.

Hij greep de hanglijnen en trok de parachute uit alle macht naar zich toe, waardoor er achter hem een hele berg nylon ontstond. Maar hoeveel stof hij ook binnenhaalde, het lukte hem niet het deel onder de melder vandaan te krijgen.

De wind draaide, en als een kinderballon vulde de parachute zich met lucht. Ski sprong op en rende naar de melder, waar hij zich languit op de parachute wierp en het scherm met zijn lichaam platdrukte vlak voordat het voor het elektronisch oog wapperde. Hij gleed door over het gladde nylon en was beslist tegen de paal geknald als hij geen koprol had gemaakt. Hij kwam op zijn rug terecht en lag met zijn heup op maar enkele centimeters van de melder.

Ski zag drie donkere schimmen aan de bovenkant van het fort en stak zijn duim naar hen op, ervoor zorgend dat het alarm niet alsnog afging.

Voorzichtig haalde hij zijn parachute in en propte hem in zijn armen als een stapel vuile was. Met het plastic inzetstuk van de parachutetas groef hij bij de fundering van de gevangenis een ondiep gat waarin hij de hele uitrusting wierp. Aan de onderkant van de fundering zag hij ventilatiegaten, en van de bespreking voorafgaand aan de operatie herinnerde hij zich dat er onder de gevangenis tunnels liepen die zo waren aangelegd dat de wind de uitwerpselen uit de latrines wegblies. Toen hij klaar was met de parachute klom hij omhoog aan het touw dat Linc had uitgerold.

'Nou dát was leuk, zeg,' fluisterde hij toen hij boven door Eddie en Mike op het dak werd geholpen.

'Eind goed, al goed,' antwoordde Eddie.

De volgende twee uur observeerden ze de gevangenis vanaf verschillende punten op het dak. De bewakers hadden een donkere huid, iets wat hen verbaasde. Ze hadden verwacht dat deze milieuactivisten blanke Europeanen of Amerikanen zouden zijn, maar niet dat ze Afrikaanse huurlingen in dienst hadden genomen. Twee van de mannen die bij de poort post hadden gevat, maakten steeds op het hele uur een wachtronde, terwijl de derde tot hun terugkeer de open toegangspoort bewaakte.

De starre manier waarop ze aan deze procedure vasthielden, was een uiting van onprofessioneel gedrag dat het gijzelaarsbevrijdingsteam van de Corporation als een goed voorteken beschouwde. Een van de mannen rookte tijdens zijn ronde, en ontnam zichzelf zijn nachtelijke uitzicht door de sigaret met een lucifer aan te steken, waarna de gloeiende kegel van de peuk zijn positie verried.

Eddie besloot dat ze in actie zouden komen nadat de bewakers hun volgende ronde hadden afgerond. Linc zou de motoren op de grond laten zakken, terwijl hij, Mike en Ski de gevangenis van binnen verkenden. Ze hoopten Geoffrey Merrick en Susan Donleavy te vinden zonder dat de ontvoerders hun aanwezigheid zouden opmerken, maar als ze wel werden ontdekt, waren ze er goed op voorbereid.

Cabrillo had liever tot zonsopgang gewacht om achter het konvooi aan te gaan, maar de temperatuur zou algauw de vijftig graden bereiken, waarbij de zon meedogenloos elke druppel zweet die zijn lichaam kon produceren uit hem zou persen. Uitstel was simpelweg geen optie.

Nadat hij zich met zijn satelliettelefoon bij Max Hanley had gemeld, trof Juan zijn voorbereidingen. Hij trok zijn laars en sok uit, zodat hij het blok C-4 uit de zool van zijn kunstbeen kon halen. Daarna legde hij het harde inlegstuk van zijn parachutetas op de grond, ging erop staan en duwde de plaat de grond in om het zwaartepunt te vinden.

Zodra hij de juiste positie te pakken had, maakte hij zijn been los en kneedde een stukje van de plasticbom tegen de onderkant van de voet. Vervolgens bewoog hij de vlam van zijn aansteker langs de zachte springstof tot die begon te branden. Max had hem deze truc geleerd. In Vietnam gebruikten ze C-4 uit landmijnen om hun eten te koken.

Hij zette de voet exact waar hij hem wilde op de plaat en duwde hem met zijn hele gewicht vast. Razendsnel werden beide stukken plastic week als was en versmolten tot één geheel, zonder dat er een naad zichtbaar was. Hij wierp wat zand op de plaat om de laatste vlammen te doven en wachtte tien minuten tot de plaat was afgekoeld. Juan pakte hem aan de rand op en sloeg het eraan vastzittende kunstbeen met volle kracht tegen de grond. De geïmproviseerde las gaf geen

231

krimp. Om hem nog sterker te maken, schoot hij met zijn Glock vier gaten door de plastic plaat en bond de prothese nog eens extra vast met vier stukjes hanglijn die hij van de parachute had losgesneden.

Juan pakte zijn schaarse bezittingen bijeen, liet om gewicht te besparen wat van de munitie achter en klauterde naar de top van het hoogste nabijgelegen duin. Hij spreidde de parachute voor zich uit en bond de hanglijnen aan de schouderbanden van het scherfvest. Daarna stelde hij de stuurklosjes zo af dat hij de parachute onder controle kon houden. Hij ging zitten, maakte het been stevig aan de stomp vast en controleerde of hij op de plaat goed in evenwicht stond.

De wind had hij nog steeds in de rug, zo nu en dan laaide de windkracht op tot vijftig kilometer per uur, maar zakte geen moment onder de dertig. Vanaf de duintop zag hij de sporen die de vrachtwagens hadden achtergelaten in het duister vervagen, maar er was zoveel omgevingslicht dat hij zijn nachtkijker niet hoefde te gebruiken.

Hij strompelde naar de rand van het duin en lanceerde zichzelf, zonder ook maar een seconde te aarzelen als een snowboarder die opgaat voor olympisch goud van de helling af. De parachute dwarrelde achter hem aan, terwijl de plaat over het zachte zand gleed. Omdat hij steeds meer snelheid maakte, ving de parachute lucht op tot er een omslagpunt werd bereikt en het scherm openklapte. Door de beweging tolde Juan om zijn as, waarna de parachute strak in de wind voor hem hing. De windkracht won het van zijn gewicht op de plaat en opeens was Cabrillo aan het paraskiën.

Hij leunde achterover, tegen het gewicht van de parachute in, en verlegde terwijl hij het duin afraasde, voortdurend zijn zwaartepunt. Toen hij onderaan de helling de harde ondergrond raakte, boog hij zijn knieën om de schok op te vangen en zeilde zo verder door de woestijn, voortgestuwd door de wind. Zodra de wind enigszins van richting veranderde en hij te ver uit de buurt van de sporen dreigde te raken, kon hij zijn koers als een schoener corrigeren door aan de stuurklosjes te trekken, waardoor hij zich geen moment verder dan een kilometer van de sporen verwijderde.

Paraski had zich in oorden als Vermont en Colorado als een extreme sport ontwikkeld door mensen die een snowboard of ski's combineerden met een veel kleinere parachute dan die van Cabrillo. Het zand bood meer weerstand dan sneeuw, maar zijn reserveparachute trok hem over de woestijn met een snelheid waar adrenalineverslaafden slechts van konden dromen.

De eerste vijftien minuten viel hij een paar keer omdat hij zijn cadans nog moest vinden. Maar daarna raasde hij voort en volgde een slingerende koers op en af de hoogste duinen, waarbij hij een ondiepe groef door het zand trok, als het pad van een ratelslang.

Tien minuten na middernacht voltooiden de bewakers hun ronde door de Duivelsoase. De grote toegangspoort ging dicht en het geluid van een grendel die op zijn plaats werd geschoven drong door tot de mannen die in elkaar gedoken op het dak stonden. Ze gaven de bewakers nog tien minuten om lui onderuit te zakken voordat ze in actie kwamen.

Mike en Ski gebruikten een ratelschroevendraaier met demper om de grote bouten in het stevige hout van het dak te schroeven op de plek waar ze de motoren wilden laten zakken. Aan beide kanten van een raam brachten ze er nog twee extra aan. Aan deze bouten bevestigden ze klimkatrollen en maakten hun touwen klaar, waarbij ze de donkergrijze lijnen langs de gevangenispui lieten bungelen.

Eddie slingerde zijn pistoolmitrailleur over zijn schouder en zette zijn nachtbril op. Hij stapte behoedzaam over de verschansing en liet zich zo snel als een aap langs het vastgeknoopte touw zakken. Toen hij naast het glasloze raam hing, trok hij een automatisch pistool met geluiddemper uit zijn holster.

Het cellenblok was in feite drie verdiepingen hoog en nam ongeveer een kwart van het gebouw in beslag. Pal onder Sengs hachelijke positie bevonden zich twee lagen met ijzeren cellen rond een ruimte die via metalen loopbruggen en wenteltrappen toegankelijk was. De trappen en loopbrug waren vrij smal, om te voorkomen dat grote groepen gevangenen de bewakers die hier vroeger werkten zouden bestormen. In elke cel stonden twee lege stapelbedden en het materiaal waarop ooit de matrassen lagen. Eddie nam aan dat het leer was dat door de verwoestende werking van de woestijn al lang geleden was verteerd.

De begane grond was verdeeld door lange stenen scheidingswanden, die als de achtermuren van nog meer cellen dienden. De kubusvormige cellen waren niet groter dan drie vierkante meter en aan de voor- en bovenkant met ijzeren tralies afgesloten. Vanuit zijn positie bij het raam kon Eddie goed zien dat de bovenste cellen leeg waren, maar hij had geen duidelijk beeld van de lager gelegen cellen.

Hij gluurde naar boven en knikte naar Mike en Ski dat ze hem moesten volgen, terwijl Linc de crossmotoren op de grond buiten de vestingachtige gevangenis liet zakken. Achter het raam bevond zich niet meteen een cel, en dus slingerde hij het uiteinde van zijn touw naar binnen, waaraan hij zich naar de loopgang kon laten zakken die om de bovenste laag cellen liep. Hij landde zonder geluid te maken op de metalen vloer, en even later voegden zijn teamgenoten zich bij hem.

Met gebaren gaf hij Mike en Ski aan waar ze zich zo moesten opstellen dat ze hem dekten terwijl hij een langzame ronde door het cellenblok maakte. Hij schakelde zijn nachtbril om van nachtzicht naar infrarood. Zo kon hij door de warmte vaststellen of er iemand in de lagere cellen lag.

Daar!

In de verste hoek lagen in een van de cellen twee mensen, dicht genoeg bij elkaar om elkaar te kunnen aanraken. Hij klapte de bril weer terug in de nachtzichtstand. Er kwam genoeg licht door het grote raam tegenover hem om twee figuren onder een deken te kunnen onderscheiden. Een man en een vrouw. Hij lag op zijn rug met zijn gezicht weggedraaid, terwijl zij van hem afgekeerd lag, haar knieën stevig opgetrokken tegen haar borst.

Hij waarschuwde Mike en Ski, hield twee vingers omhoog en wees naar de plek waar de gevangenen sliepen. Ski bleef op de loopgang en waakte over Eddie en Mike met zijn pistoolmitrailleur met laservizier. Ze slopen de trap af, waarbij ze hun gewicht zo voorzichtig mogelijk verplaatsten, om te voorkomen dat ze ook maar het geringste geluid maakten.

Toen ze bij de cel kwamen, zagen ze dat de deur op een kier stond. Trono en Seng keken elkaar verbaasd aan. Ze hadden verwacht dat Merrick en Donleavy opgesloten waren, maar misschien was het afsluiten van de hoofddeur die uit het cellenblok leidde voldoende om hen gevangen te houden.

Eddie greep een kleine spuitbus uit een van de zakken om zijn middel en bespoot de scharnieren van de deur met grafietpoeder, een smeermiddel dat in deze situatie vele malen beter was dan olie. Toen hij de deur aan de grendel opentrok, piepte de deur zachtjes en Seng stond van schrik stokstijf stil. De vrouw prevelde iets en veranderde van houding, maar werd niet wakker. Eddie duwde de deur een fractie van een centimeter verder open, maar het grafiet was al tot in de scharnieren doorgedrongen en de deur zwaaide geluidloos open.

De twee commando's liepen met getrokken pistolen de cel in. De standaardprocedure bij het bevrijden van gijzelaars is dat je je doelwit eerst moet controleren voordat je aanneemt dat het niet de vijand is. Toen ze bij het slapende duo kwamen, gebaarde Eddie dat de vrouw voor Mike was, terwijl hijzelf aan de andere kant van de stapel dekens ging staan die het paar als bed gebruikte.

Als één man legden ze hun handen stevig over de monden van het slapende paar en duwden hun hoofden plat tegen de grond. Vrijwel meteen besefte Eddie dat de man die hier in verbijsterde paniek wakker schrok, niet de man was die hij van de foto's op de website van Merrick/Singer kende.

Eddie gaf hem met de kolf van zijn pistool een hengst achter zijn oor, en toen zijn ogen niet meteen dichtvielen, sloeg hij net zo lang tot de man buiten bewustzijn raakte. Mike op zijn beurt bleef de vrouw in een houdgreep houden tot hij haar als Susan Donleavy herkende. Hij hield zijn hand stevig over haar mond en legde een vinger op zijn lippen om haar aan te duiden dat ze kalm moest blijven. Ze bleef zich verzetten, terwijl Eddie de mond van de man dichtplakte en zijn enkels en voeten met plastic handboeien knevelde.

'We zijn hier om je te bevrijden,' herhaalde Mike fluisterend, totdat Susan ten slotte zo gekalmeerd was dat hij zijn hand kon wegnemen. Ze bleef op haar hoede.

'Wie bent u?' vroeg ze, waarop Mike haastig zijn hand weer op haar mond drukte.

'Zachtjes,' waarschuwde hij. 'We zijn hier om u en dokter Merrick te bevrijden. Wie is dat?' Mike wees naar de bewusteloze man die door Eddie aan de tralies was vastgemaakt.

'Hij... hij is een van mijn ontvoerders. Hij...' Haar stem stokte.

Mike vond het niet nodig dat ze in detail vertelde hoe een van haar kidnappers haar naar deze verlaten cel had gebracht om haar te verkrachten. 'Heeft hij een wapen?'

'Dit heb ik onder zijn kussen gevonden.' Eddie hield een pistool omhoog.

Trono keek Susan geruststellend aan. 'Het is voorbij. Hij zal u nooit meer aanraken.'

'Is hij dood?' vroeg ze met een iel stemmetje.

'Nee, bewusteloos.' Mike gaf haar een bundel kleren die op de grond lag. 'Kleed u maar aan.'

De kleren verdwenen in het bed en Susan wrong zich erin zonder de dekens op te slaan.

'Weet u waar ze dokter Merrick vasthouden?' vroeg Eddie, nadat ze de deken opzij had gegooid.

'Ja, in een ander cellenblok.'

'Waar precies?'

'Ik kan u ernaartoe brengen,' stelde ze voor.

Eddie schudde zijn hoofd. 'Te gevaarlijk.'

'Alstublieft. Dat wil ik graag.' Ze aarzelde. 'Ik moet weer een beetje tot mezelf komen. En daarbij, hij hield de wacht buiten het cellenblok. Nu is er niemand op de bovenste etage. Ze slapen allemaal in de vleugel waar vroeger de administratie was.'

'Met hoeveel zijn ze?' vroeg Mike.

'Met acht of negen man, geloof ik, maar zeker weten doe ik 't niet.'

Dat leek nogal weinig, gezien het feit dat er al drie lieden bij de hoofdpoort op wacht stonden, maar Mike ging er niet op in. 'Net zo bewapend als deze grapjas?'

'Een paar hadden machinegeweren toen we hier net waren,' vertelde Susan. Ze begon zachtjes te huilen. 'Laat me u alstublieft naar dokter Merrick brengen. Als ik niet het gevoel heb dat ik heb geholpen, denk ik niet dat ik nog kan leven met wat hij me heeft aangedaan.' Ze wees even met haar kin naar de bewusteloze verkrachter.

Eddie wilde dat nog steeds niet, maar hij geloofde haar toen ze zei dat ze nooit over de traumatische ervaring heen zou komen als ze zich stilletjes in de nacht uit de voeten zou maken. God wist dat zijn eigen zus na haar verkrachting pas rust had gevonden nadat ze meer dan een halve liter wodka en een flesje slaappillen naar binnen had gewerkt. De gelukzalige glimlach op haar koude gezicht achtervolgde hem nog altijd. Daarnaast zag hij er geen kwaad in dat Susan met hen meeging als de enige bewaker op deze verdieping was gekneveld en de mond gesnoerd. 'Oké,' zei hij. Mike keek hem afkeurend aan, maar Eddie wuifde zijn ongerustheid weg. 'U kunt meekomen tot de deur van het cellenblok. Ik blijf daar bij u en daarna maken we dat we hier wegkomen,'

'Dank u,' zei ze, en veegde met de rug van haar hand haar ogen droog.

Nadat hij een stel zware koperen sleutels uit de broek van de verkrachter tevoorschijn had getrokken, zwaaide Eddy naar Ski dat hij

236

zich bij hen moest voegen. Ski kwam de trap af en sloot zich bij de enige deur waardoor je het cellenblok kon verlaten bij hen aan. De scharnieren zaten aan de buitenkant van de deur en om zo min mogelijk geknars bij het openen te veroorzaken gingen Ski en Mike op de grond zitten en tilden de deur op, terwijl Eddie hem net ver genoeg openduwde om erlangs te kunnen glippen.

De gang achter de deur was lang en recht, en de vloer lag bestrooid met zand. Er was geen enkel licht dat de nachtkijkers konden versterken, dus schoven Ski, Eddie en Mike die op hun voorhoofd. Op de tast zochten ze hun weg en streken met hun vingertoppen over de ruwe stenen muur tot ze op een hoek kwamen. Voorbij de bocht lag weer een lange gang.

'Het is halverwege naar rechts,' fluisterde Susan. 'Meestal staat er een stoel voor de bewaker bij de deur.'

Eddie durfde het aan een zaklamp met een rode lens aan te knippen, waarna hij met zijn handpalm de helft van de rode straal afdekte. Precies op de door Susan aangegeven plek stond een metalen vouwstoel naast eenzelfde soort deur als die van het eerste celblok. Eddy besproeide het oude slotmechanisme met het grafietpoeder en gaf de bus aan Ski om er de scharnieren mee te doen, terwijl hij een voor een de sleutels uitprobeerde tot hij de passende vond.

Zelfs met het grafietpoeder als smeermiddel draaide het slot nog moeizaam open, maar gelukkig bleef het stil. De mannen zetten hun nachtbrillen weer op, en terwijl hij door Mike en Ski met hun machinepistolen in de rug werd gedekt, trok Eddie voorzichtig de deur naar zich toe. De scharnieren knarsten zachtjes bij het opengaan.

De lopen van de wapens van Ski en Mike zwaaiden voortdurend heen en weer. Terwijl er geleidelijk meer van de cel zichtbaar werd, bestreken ze elke vierkante centimeter die ze in hun vizier kregen tot de dikke deur ver genoeg openstond om erdoor te glippen.

Er viel een straal maanlicht door het grote raam en in het melkwitte schijnsel glommen de ijzeren spijlen als ivoor.

De twee jachthonden bewogen zich zo laag mogelijk door de hal en hielden met hun wapens de hele ruimte onder schot. Ze schoven dicht langs de muren, zorgden ervoor dat ze vrij zicht hadden en dat er zich niemand in de gangen bevond die tussen de rijen cellen door liep. Ski beklom aan zijn kant van de hal een reeks wenteltrappen, terwijl Mike aan de andere kant omhoogging. Ze klommen net hoog genoeg om met hun weer naar infrarood omgezette nachtbrillen in de cellen op de tweede etage te kunnen gluren. Allemaal leeg. Vervolgens controleerden ze de cellen op de derde etage, en ook daar ontdekten ze niets.

Terug op de begane grond doorzochten ze voorzichtig de rijen cellen en begonnen aan de achterkant van de hal, waarna ze de cellen richting deur afliepen, zodat ze niet terug hoefden als ze eenmaal klaar waren. Een techniek die slechts een paar tellen winst opleverde, maar elke seconde telde nu. Eddie wachtte met Susan net buiten de deur.

Ze ontdekten een slapende figuur vlak bij de voorkant van de hal. Mick besproeide de scharnieren en het slot van de celdeur, terwijl Ski de juiste sleutel vond. Even later waren ze binnen. Ski knielde naast Geoffrey Merrick en herkende hem meteen, ondanks zijn stoppelbaard van een week. Hij legde zacht zijn hand op Merricks mond en schudde hem wakker.

Merrick probeerde over de vloer weg te rollen, maar Ski hield hem gemakkelijk tegen de grond.

'We komen u bevrijden,' zei de ex-marinier. 'Alles is goed nu.'

De blik in Merricks ogen veranderde van verbijstering via angst naar opluchting, waarna hij zijn verzet opgaf. Toen Ski hem vroeg of hij zijn hand weg kon nemen, knikte Merrick.

'Wie bent u?' vroeg Merrick luid fluisterend.

'Een professioneel team voor het bevrijden van gijzelaars. Bent u gewond? Kunt u lopen?'

'Ik kan verdomd goed rennen,' zei Geoffrey. 'Heeft mijn bedrijf u gestuurd?'

'De bijzonderheden worden nog uitgewerkt. Maar het gaat er nu om dat we u en mevrouw Donleavy hieruit krijgen.'

'U hebt Susan gevonden. Hoe is 't met haar?'

'Ze is behoorlijk overstuur. Ze is verkracht.'

'Hebben die schoften haar na alles wat ze haar hebben aangedaan ook nog verkracht? God sta me bij, daar zal Dan Singer voor boeten.'

'Dus uw vroegere compagnon zit hierachter,' zei Ski, terwijl hij Merrick overeind hielp.

Met hun buit tussen zich in liepen Ski en Mike terug naar de deur. Geoffrey Merrick stormde naar voren toen hij Susan naast Eddie Seng zag staan, haar gezicht bleek in het maanlicht. Hij opende zijn armen om haar te omhelzen, maar hield in en zijn gezicht vertrok van verbijstering.

'Je gezicht,' zei hij, in de war gebracht. 'Je bent niet…'

Meer kon hij niet uitbrengen. Susan duwde Eddie weg en tegelijkertijd rukte ze zijn pistool uit zijn openstaande holster. Haar blik stond woest, uitdagend, toen ze het wapen richtte en met haar duim de veiligheidspal van de Beretta haalde.

'Sterf, klootzak!' schreeuwde ze hard en haalde de trekker over.

Ondanks het absurde van de situatie reageerde Eddie razendsnel. Maar zelfs tijdens die actie overdacht hij wat er was gebeurd. Susan Donleavy was helemaal geen slachtoffer. Ze spande samen met de ontvoerders, en in het andere cellenblok was van een verkrachting geen sprake geweest, maar daar hadden twee geliefden een plek gezocht om met elkaar alleen te zijn.

Hij zwaaide zijn hand omhoog en raakte Susans pols vlak voordat de Beretta afging. Door de terugslag en de klap vloog het vuurwapen kletterend de schemerige gang in en was haar keel onbeschermd. Bliksemsnel draaide Eddie zijn hand en sloeg met de zijkant in haar nek, waarbij hij op het laatste moment iets inhield, want anders had hij haar halsslagader verbrijzeld en haar gedood. Hij draaide zich haastig om.

Geoffrey Merrick lag op de vloer, met Ski en Trono over hem heen gebukt. Het bloed dat op de muur was gespat leek een Rorschachtest.

'Leeft hij nog?'

'Ja, maar ze heeft hem boven in zijn borst geraakt,' antwoordde Ski, terwijl hij een steriel verband uit de EHBO-doos pakte. Merricks gezicht was lijkbleek en hij haalde schokkerig adem terwijl hij tegen de pijn vocht. Zijn borst was doorweekt en er stroomde nog meer bloed uit de wond. 'Ik weet niet of er vitale organen zijn geraakt, maar voorlopig heb je zijn leven gered.'

'Nee, dat heb ik nog niet,' zei Eddie, terwijl hij het verband uit Ski's hand wegtrok. 'Daar hebben we nu geen tijd voor. Ze is een van hen en heeft ongetwijfeld gelogen over het aantal bewakers dat er is. Over tien seconden krioelt het hier van de mannen. Til hem op, we gaan.'

'Wat is er gebeurd?' vroeg Linc over de interne radio.

'Donleavy heeft Merrick neergeschoten. Ik denk dat ze onder één hoedje met de ontvoerders speelde.'

Ski knielde, zodat Mike en Eddie Merrick over zijn brede schouders konden leggen. Merrick wist zich te beperken tot jammeren en schreeuwde het niet uit. Het bloed dat zich over de onderkant van de rug van Ski's camouflagepak uitspreidde leek op inkt en rook naar oude munten.

'Hoe gaan we 't doen?' vroeg Linc.

'We houden vast aan het oorspronkelijke plan en hopen maar dat we er de tijd nog voor hebben. Maak je klaar om Merrick naar de motoren te laten zakken. Hij is zwaargewond.'

'Ik wacht op jullie.'

'Wat doen we met haar?' vroeg Mike, naar Susan Donleavy wijzend die als een versleten lappenpop bewusteloos tegen een muur lag.

'Laat maar liggen,' zei Eddie met nauwelijks onderdrukte woede. Hij had dit moeten zien aankomen, maar zijn eigen gevoelens over wat er jaren geleden met zijn grote zus was gebeurd, hadden zijn denken vertroebeld. Het leek hem niet meer dan logisch dat Juan hem voor zo'n cruciale beoordelingsfout zou ontslaan als ze ooit nog levend uit deze teringzooi weg wisten te komen.

Ze holden weg met Eddie voorop en Mike, de achterhoede dekkend, erachteraan. De lampen die aan draden tegen het plafond hingen flikkerden opeens fel op, waarna ze weer afzwakten, alsof er ergens in de vesting een generator werd aangezet. Voorbij een verre bocht klonk de klap van een deur die werd opengerukt, gevolgd door het geluid van haastige voeten op de zanderige vloer. Het werd een race naar de cel waar de touwen op hen wachtten, en de mannen gingen instinctief steeds harder lopen tot ze voluit renden; elke poging om niet gehoord te worden lieten ze varen.

Het was niet van belang dat Merrick elke keer dat hij verschoof gromde van de pijn en het opengereten vlees om de wond nog verder uitscheurde.

Ze waren nog een meter of vijf van de deur van het cellenblok verwijderd toen een dichte muur van mannen om de verste hoek opdook. De meesten hadden alleen een boxershort aan. Ze waren gewekt door de knal van het pistool, maar ze waren allemaal wel zo uitgeslapen geweest om een wapen te grijpen. Het team van de Corporation stond tegenover minimaal tien bewapende Afrikaanse bewakers in een gang die nu meer weg had van een schiettent.

Eddie had nog een fractie van een seconde voordat de bewakers beseften dat ze hun prooi hadden gevonden en met alles wat ze hadden in de aanval zouden gaan. Hij wierp zijn pistoolmitrailleur van zich af en stak zijn handen in de lucht, waarmee hij de grootste gok van zijn leven nam. Geen van de bewakers liet zijn wapen zakken, maar één seconde werden er twee, zonder dat er een schot werd afgevuurd. Eddie hoorde de geweren van Ski en Mike achter zich op de stenen vloer vallen en daarna het geluid van nog meer naderende mensen. Hij waagde het over zijn schouder te kijken. Er stonden nog minstens tien andere soldaten, die allemaal hun AK-47's op hen gericht hielden.

'We zijn de klos,' fluisterde hij in de microfoon, in de hoop dat Linc daar iets mee kon. 'Neem contact op met de *Oregon*.'

Even later arriveerde er nog een man, die ondanks zijn soldatenbroek en laarzen met losse veters de manieren en houding van een officier had. Hij had een mager gezicht, met een haakneus en ingevallen wangen.

'Mij was gerapporteerd dat er een klein leger zou komen om Moses Ndebele te bevrijden,' zei hij in vlekkeloos Engels. 'En niet een handjevol blanke huurlingen. Toch zal uw executie bij zonsopgang uiterst bevredigend zijn.'

'Wat vindt u ervan als ik u vertel dat we zijn ingehuurd om dokter Merrick te bevrijden en dat we nog nooit van Moses Ndebele hebben gehoord?' vroeg Mike Trono in een poging tot sarcasme.

'In dat geval zal uw executie allerminst bevredigend zijn.'

20

Juan Cabrillo had nooit eerder zoveel pijn gehad. Het was anders dan de bijtende scheuten toen zijn been door een schot van een Chinese kanonneerboot werd weggerukt, maar meer een door het hele lichaam scheurende pijn waardoor al zijn spieren zo verkrampten dat hij geen stap meer kon doen. Zijn dijen en rug kregen het grootste deel van de inspanning van het paraskiën te verwerken en staken alsof ze in brand stonden. Zijn om de parachuteklosjes geklemde handen waren tot klauwen verkrampt zonder dat hij ze ook maar een moment kon ontspannen. Er was geen enkel lichaamsdeel dat hij kon ontspannen, tenzij hij losliet.

Maar dat was geen optie.

Zolang de wind over de woestijn blies, hing Cabrillo aan zijn parachute geklemd en scheerde over het zand. Zijn bochtenwerk was lang zo scherp niet meer, en als hij viel, duurde het steeds langer voordat hij zich weer overeind had gehesen. Sinds zijn satelliettelefoon was overgegaan en Max Hanley hem had verteld dat Eddie, Mike en Ski gevangen waren genomen, had hij zich geen moment rust meer gegund.

Uit wat Linc over de radio had gehoord toen zijn teamgenoten ontdekt werden, had hij afgeleid dat er in de Duivelsoase een contingent soldaten uit Zimbabwe was, als bewakers van Moses Ndebele, de oppositieleider van dat land. Linda had snel wat onderzoek naar hem gedaan en uitgevonden dat hij over enkele dagen wegens landverraad terecht zou staan en waarschijnlijk ter dood zou worden veroordeeld. Een officiële klacht van de VN tegen Zimbabwe had geen enkel effect gehad, behalve dan dat de regering nog meer vrijheidsbeperkende maatregelen had afgekondigd. Het hele land verkeerde in oorlogstoestand en in Harare, de hoofdstad, was een avondklok ingesteld.

Verder leerde Linda dat Ndebele een grote aanhang had die niet tot één stam beperkt bleef. Hij was de leider van de eerste oppositie-beweging die althans iets van een kans maakte om de corrupte rege-ring van Zimbabwe op de knieën te krijgen en democratie te bren-gen in een land dat ooit een van de rijkste landen van Afrika was, maar nu door hongersnood en ziektes volledig was geruïneerd. Hoe-wel hij aanvankelijk, toen Zimbabwe nog Rhodesië heette en een blanke minderheidsregering er een apartheidachtig regime voerde, als een stoere guerrillaleider bekendstond, was hij nu voorstander van een geweldloze oppositie tegen de huidige regering, en Linda vond talloze vergelijkingen met Gandhi.

Max had de informatie al naar Langston Overholt doorgezonden. Lang had gezegd dat het opsporen van Ndebele een slimme zet zou zijn, en eraan toegevoegd dat het voor de positie van de Verenigde Staten in zuidelijk Afrika een flinke stap vooruit zou betekenen wanneer de Corporation hem kon redden. Het was nog te vroeg om al over een financiële tegemoetkoming te praten, maar Lang verze-kerde Max dat de bonus voor de bevrijding van Ndebele algauw in de miljoenen zou lopen.

Max had ook doorgegeven dat Susan Donleavy niet was ontvoerd, maar dat ze een handlanger van Merricks ontvoerders bleek te zijn die de wetenschapper in de borst had geschoten toen ze daar de kans voor kreeg. Linc wist niet hoe ernstig de verwonding was.

Aangezien de andere leden van zijn team gevangen waren geno-men en hen in alle vroegte een executie boven het hoofd hing, vroeg Linc aan Max wat hij in hemelsnaam moest doen. De bewakers zouden de gevangenis zorgvuldig uitkammen en hem binnen enkele minuten vinden. Kortom, hij zou het gevecht kunnen aangaan of kunnen proberen er meteen op een van de crossmotoren vandoor te gaan.

'Wat heb je hem verteld?' had Juan gevraagd.

'Wat denk je?'

'Hij zal hen niet graag in de steek hebben gelaten, maar het is het enige juiste wat hij kon doen.' Juan had meteen begrepen dat er niets anders opzat.

'Hij heeft er ongelooflijk de pest over in.'

'Kun je hem peilen?'

'Hij is nu ruim dertig kilometer van de plek waar Tiny is geland en op die motor haalt hij een krappe vijftig kilometer per uur. En wat jou betreft, jij hebt inmiddels zo'n vijfenzestig kilometer afgelegd.'

Het idee was bespottelijk, maar Cabrillo moest het vragen. 'Hoever ben ik van het toestel verwijderd?'

'Zo'n tweehonderdvijftig kilometer.'

Het zou allang licht zijn voordat hij zelfs maar de helft van die afstand had afgelegd, en zodra de zon opkwam, moest Juan een schuilplaats zoeken om te voorkomen dat hij door uitdroging bezweek. Een alternatief was om een plek te zoeken waar Tiny zou kunnen landen, maar tot dusver had Cabrillo uitsluitend rulle duinen gezien, waar zelfs een licht toestel niet op kon landen, laat staan het tweemotorig vrachtvliegtuig dat ze voor deze operatie hadden gehuurd.

'Als Linc niet wordt gevolgd,' zei Juan, 'wil ik dat hij bij Tiny en Hux wacht.'

'Heb je een plan?'

'Nee, ik breng alleen de beschikbare pionnen in stelling voor als ik iets heb verzonnen.'

En dat hij iets zou verzinnen, daaraan twijfelde niemand.

Dat was nu twee uur geleden, de twee langste uren van Cabrillo's leven.

Hij liet de rechterhandgreep iets vieren toen de wind draaide en vloog over de top van een zandduin, waarbij hij bijna een halve minuut door de lucht zweefde voordat hij de grond weer raakte. Hij ving de klap met hevig protesterende knieën op en scheurde langs de andere kant van het duin omlaag. De bandensporen waren steeds aan zijn rechterkant geweest, maar door het draaien van de wind schoot hij er nu recht overheen en verschoven ze naar links. Hij probeerde iets op te loeven, maar werd een volgende hoge zandberg op geblazen, de hoogste tot nu toe. Zijn snelheid viel weg toen de wind het tegen de wrijving van de plastic plank over het zand aflegde, en hij wist met de grootste moeite te voorkomen dat hij van de plank werd gerukt.

Hij was in zijn leven nog nooit zo aan het einde van zijn krachten geweest. Het was een bedwelmende vermoeidheid, die zijn reflexen vertraagde en zijn geest alleen nog maar naar slaap deed verlangen.

De parachute bleef vaart verliezen, waardoor hij zo ver achteroverhing dat zijn zitvlak haast de grond raakte. Net toen hij vreesde dat de wind hem volledig in de steek liet en hem dwong de rest van de helling op te klauteren, ving het scherm een windvlaag op, waarop Cabrillo weer overeind schoot en in één ruk over de duinkam vloog.

Tot zijn schrik zag hij aan de voet van het duin vier vrachtwagens staan, met hun koplampen op een vijfde gericht, waarvan de motorkap openstond. Rond de kapotte vrachtauto stond een groepje mannen, van wie er twee op de bumper stonden en aan de motor sleutelden. Een aantal mannen droeg machinegeweren. Juan was de auto's het liefst minder opvallend genaderd om te zien wie dit waren en wat ze hier zo diep in de woestijn uitvoerden, voor hij zich aan hen blootgaf.

Maar de windvlaag die hem zo genadig over de duintop had gedreven, joeg hem nu recht in hun armen. IJlings trok hij het scherm uit de wind en liet zich op het zand vallen, in de vergeefse hoop dat hij nog achter het duin kon terugkruipen voordat zij hem hadden opgemerkt. Hij landde op het zachte zand en werd onmiddellijk meegesleurd, waarbij hij in een wirwar van nylondraden en touwen langs de helling omlaag duikelde.

Toen hij de voet van het duin bereikte, zat de parachute even strak om zijn lijf gewikkeld als de doeken om een mummie, en zaten zijn mond en neusgaten vol zand. Cabrillo spuugde en snoof om zijn luchtwegen weer vrij te krijgen, maar in welke bochten hij zich ook wrong, het lukte hem niet een arm los te wrikken om het nylon los te snijden. Machteloos moest hij toezien hoe vier van de mannen met hun AK-47's in de aanslag op hem af renden.

'Hallo, jongens,' riep Juan hen vrolijk toe zodra ze binnen gehoorsafstand waren. 'Zouden jullie me een handje kunnen helpen?'

Nadat hun wapens, radio's en andere spullen waren afgenomen, waren Eddie, Mike en Ski in aangrenzende cellen opgesloten in hetzelfde blok waar de Zimbabwaanse soldaten Moses Ndebele gevangenhielden. Geoffrey Merrick was meegenomen door een groep burgers die eruitzagen zoals Eddie dacht dat extremistische milieuactivisten eruit zouden zien. Het verschil tussen man of vrouw viel alleen af te leiden uit hun haarlengte. De indringende lucht van patchoeli-olie kon de geur van marihuana die uit hun kleren walmde niet maskeren.

Eddie masseerde zijn kaak waar Susan Donleavy hem vol had geraakt nadat haar vrienden haar hadden bijgebracht. De bewaker die juist langs zijn cel liep en Susan hem die klap had zien geven, zag wat hij deed en grinnikte.

Eddie schatte dat er zich zo'n honderd gewapende mensen in de gevangenis bevonden. Nu de adrenaline uit zijn lichaam was verdwenen en hij tijd had gehad over zijn situatie na te denken, begreep hij waarom het er zoveel waren. Moses Ndebele werd door veel mensen als een potentiële bevrijder van zijn land gezien – het heersende regime was er alles aan gelegen hem het zwijgen op te leggen. Als ze hem in Zimbabwe gevangen zouden houden, zou de desbetreffende gevangenis een mikpunt voor zijn aanhangers vormen. Maar hier in de wildernis zou niemand hem vinden. Hier konden ze hem eindeloos lang verborgen houden.

Hij vroeg zich af waarom Merrick en Ndebele hier gelijktijdig zaten, en nam aan dat er een verband was, al had hij geen idee wat dat kon zijn. Waarschijnlijk had Daniel Singer met de regering van Zimbabwe een deal gesloten over het gebruik van de oude gevangenis, of andersom.

Er waren een paar uur verstreken sinds hun ontdekking. Omdat Linc niet naar het cellenblok was gebracht, had hij waarschijnlijk op een van de motorfietsen kunnen ontkomen. Gelukkig maar, dacht Eddie. De garnizoenscommandant had laten weten dat het team van de Corporation die ochtend bij zonsopgang geëxecuteerd zou worden. Het zou volstrekt zinloos zijn wanneer Linc zich opofferde als hij een kans had om te ontsnappen.

Maar nu de baas ergens in de woestijn vastzat, Lincoln op zichzelf aangewezen naar Tiny Gunderson en Doc Huxley op weg was en de *Oregon* zich op meer dan driehonderd kilometer afstand bevond, begreep Eddie dat de kans om nog te worden gered wel uiterst gering was. Voor een luchtaanval was een hele vloot helikopters vereist, en het enige voertuig dat zich nog aan boord van het schip bevond, was Lincs Harley. Een tocht door de woestijn was dus uitgesloten.

Eddie was direct na zijn afstuderen bij de CIA gegaan en had het grootste deel van de daaropvolgende vijftien jaar doorgebracht met reizen van en naar China voor het opbouwen van een netwerk van informanten, die op hun beurt de Verenigde Staten in staat stelden een wankele relatie met het land in stand te houden. In het voorjaar van 2001, toen de Chinezen de bemanning van een Lockheed EP-3

246

Orion-verkenningsvliegtuig vasthielden, was hij met een onderzeeër naar Hainan gebracht en had informatie doorgegeven die voorkwam dat de crisis tot een oorlog uitgroeide. Hij had zich daarbij ongestraft in het wespennest van de Chinese geheime politie begeven, omdat hij nu eenmaal goed was in wat hij deed. De ironie dat hij hier nu door de pretoriaanse garde van een derdeklas dictator te grazen was genomen, ontging hem niet.

In weerwil van de feiten vertrouwde Eddie er toch nog op dat Juan Cabrillo hen op de een of andere manier te hulp zou komen. Hoewel ze allebei in dezelfde periode bij de CIA dienden, hadden ze elkaar pas leren kennen nadat ze bij de overheidsorganisatie weg waren. Maar dat betekende niet dat Eddie nooit van Cabrillo had gehoord. Juan had geheel alleen een van de moeilijkste operaties uit de geschiedenis van de organisatie tot een goed einde gebracht. En omdat hij vloeiend Spaans, Arabisch en Russisch sprak, was hij bij diverse missies tot in de gevaarlijkste landen ter wereld doorgedrongen. Voor de mensen in Langley was hij een legendarische figuur geworden. Aan die reputatie had hij, samen met zijn witblonde haardos, de bijnaam Mister Phelps te danken, naar de held van de vroeger zo populaire tv-serie *Mission: Impossible*. Of het nu ging om de ontmaskering van een bende die drugs van Colombia naar Panama smokkelde of het infiltreren in een terroristische groepering in Syrië die met een gekaapt lijntoestel de Knesset in Israël wilde opblazen, Cabrillo had het voor elkaar gekregen.

Dus als er iemand in staat was hen met beperkte middelen en nog binnen de twee uur die nog tot zonsopgang restte uit deze hel te bevrijden, dan was dat Juan, daarvan was Eddie overtuigd.

Uit de duisternis flitste het licht van een zaklamp en verblindde Cabrillo. Vanachter het schijnsel hoorde hij duidelijk het geluid van geweergrendels die werden overgehaald. Hij hield zich stil. De nu volgende secondes waren bepalend of hij dit overleefde of niet. Een van de mannen kwam dichterbij en hield een enorme revolver, een oude Webley als hij zich niet vergiste, op hem gericht. De man was ouder dan Juan, tegen de vijftig, met grijze lokken in zijn krullende haardos en diepe groeven in zijn voorhoofd.

'Wie bent u?' vroeg hij achterdochtig.

'Ik ben Juan Rodriguez Cabrillo.' Gezien de leeftijd van de man, het feit dat ze allemaal gewapend waren en dat ze grofweg de richting van de Duivelsoase op gingen, nam Juan een gok die hem het leven kon kosten. 'Ik kom u helpen bij de bevrijding van Moses Ndebele.'

De hand van de man verstrakte om de kolf van de oude revolver, zijn donkere ogen onherkenbaar in het verblindende licht.

Juan vervolgde zijn speculaties in de hoop dat hij wat de identiteit van de groep betrof goed zat. 'Drie van mijn mannen zijn al in de gevangenis. Bij hun poging een Amerikaanse zakenman te bevrijden, zijn ze door de bewakers van Ndebele overmeesterd. Een van mijn mannen is erin geslaagd te ontsnappen en wacht nu met een vliegtuig op ongeveer zestig kilometer afstand van de gevangenis. Als het mij lukt mijn mannen te bevrijden, ben ik bereid u te helpen bij de bevrijding van uw leider.'

Het wapen bleef strak op hem gericht. 'Hoe hebt u ons gevonden?'

'Mijn parachute is niet opengegaan, en aan het reservescherm hangend zag ik de koplampen van uw wagens. Ik heb een paraski in elkaar geknutseld en ben u daarmee gevolgd.'

'Uw verhaal is bizar genoeg om waar te kunnen zijn.' De man liet zijn wapen zakken en zei iets in een inheems dialect. Een van de andere Afrikanen stapte naar voren en trok een mes uit zijn zak tevoorschijn.

'Om eerlijk te zijn, ik heb een Glock in een holster, en op mijn rug is een MP5-pistoolmitrailleur gebonden.'

De man met het mes keek om naar de leider van de groep, die knikte, waarop de tweede Afrikaan het nylon opensneed en Juan voor het eerst sinds zijn tuimeling van het duin weer diep kon inademen. Hij kwam langzaam overeind, waarbij hij ervoor zorgde dat hij met zijn arm niet in de buurt van zijn holster met de Glock kwam.

'Dank u,' zei hij, terwijl hij zijn hand uitstak. 'Noem me Juan, als u wilt.'

'Mafana,' zei de leider, waarbij hij Cabrillo's duim op de traditionele begroetingswijze omklemde. 'Wat weet u van onze *baba*, onze vader, Moses Ndebele?'

'Ik weet dat hij binnenkort terecht moet staan en ter dood zal worden veroordeeld. En als dat gebeurt, is alle hoop op een omverwerping van uw regering voorlopig weer vervlogen.'

'Hij is de eerste leider die de twee belangrijkste stammen in Zimbabwe heeft verenigd, de Matabele en de Mashona,' zei Mafana. 'Tijdens onze onafhankelijkheidsstrijd was hij al voor zijn dertigste generaal. Maar na de oorlog is de heersende elite zijn populariteit als een bedreiging voor haar macht gaan zien. Hij is regelmatig opgepakt en gemarteld. Ze houden hem nu al twee jaar gevangen en zullen hem doden als we hem niet redden.'

'Hoeveel man hebt u?'

'Dertig. We hebben allemaal onder Moses gediend.'

Juan bekeek de gezichten van de mannen. Geen van hen was jonger dan veertig, maar toch glansde er een gretigheid in hun ogen, een vorm van vertrouwen die kenmerkend was voor mensen die de zorg over de duur van hun jarenlange strijd allang achter zich hadden gelaten.

'Is uw auto te repareren?' vroeg hij, terwijl hij een stap naar voren deed, maar daarbij vergat dat hij nog aan de plastic plank van de parachute vastzat. Hij viel prompt plat op zijn gezicht. Een paar mannen schoten in de lach.

Geïrriteerd draaide Cabrillo zich om, kwam half overeind en trok zijn broekspijp op. Het lachen verstomde toen ze het glanzende kunstbeen zagen. Hij rukte het los en zei: 'Ziehier het grootste Zwitserse legermes ter wereld.'

Er werd weer gelachen. Mafana hielp Juan overeind en bood hem ter ondersteuning zijn arm aan, terwijl hij over het zachte zand naar het tijdelijke kamp hinkte.

'Als antwoord op uw vraag: ja, we kunnen hem maken. De benzinepomp is door zand verstopt geraakt. We hadden het in een paar minuten kunnen verhelpen, maar nu hebben we veel tijd verloren.'

Juan viste een hamer en een beitel tussen het gereedschap op dat op een naast de gestrande vrachtwagen uitgespreide deken lag en zette zich aan het losmaken van zijn prothese van de plastic plank. 'Hoe was u van plan Ndebele te gaan bevrijden?'

'We gaan bij de gevangenis in een hinderlaag liggen en wachten tot ze Moses wegbrengen. Dat doen ze misschien met vrachtwagens, maar we denken dat ze er een vliegtuig voor inzetten. In onze hoofdstad doet het gerucht de ronde dat de rechtszaak over twee dagen is.'

En dat is voor een bevrijding van mijn jongens te laat, dacht Juan. Ook bedacht hij dat Ndebele bij een hinderlaag zoals Mafana zich die voorstelde, gegarandeerd bij de eerste confrontatie met de bewakers direct een kogel in zijn kop kon verwachten. Hij moest Mafana zover zien te krijgen dat ze de Duivelsoase nog voor zonsopgang aanvielen als hij de executie van Eddie, Mike en Ski voor wilde zijn.

'Wat dacht u hiervan? Mijn plan was eigenlijk om Moses vannacht nog te bevrijden en hem met een vliegtuig naar een veilig oord in Zuid-Afrika te brengen.'

De voormalige guerrillastrijder keek Cabrillo peilend aan. 'Interessant plan, daar hoor ik graag wat meer over.'

'Ik ook, ja,' mompelde Juan in zichzelf. Hij besefte dat hij nu heel snel met iets op de proppen moest komen. 'Ik wil u eerst vragen: beschikt u over raketwerpers?'

'Oude Russische RPG-7's, restanten uit de oorlog.'

Juan gromde. De onafhankelijkheidsoorlog in Zimbabwe was vijfentwintig jaar geleden geëindigd.

'Maakt u zich geen zorgen,' voegde Mafana er snel aan toe. 'Ze zijn getest.'

'En touw? Hoeveel touw hebt u?'

Mafana stelde de vraag aan een van zijn mannen en vertaalde het antwoord voor Juan. 'Heel wat, kennelijk. We hebben minstens zeshonderd meter nylontouw.'

'Dan nog een laatste vraag,' zei Juan, terwijl hij omkeek naar zijn in de wind flapperende parachute en er als een bliksemflits een idee bij hem insloeg. 'Kan een van uw mannen naaien?'

21

Door het constante geluid van de insecten op de achtergrond had Daniel Singer het overgaan van zijn satelliettelefoon bijna gemist. Zonder te kijken tastte hij tussen de warboel van lakens en het muskietennet naar het toestel. Hij hield het ook als hij sliep onder handbereik, omdat hij zijn huurlingen voor geen cent vertrouwde. Met geld gekochte loyaliteit had zo haar grenzen.

'Hallo,' zei hij schor.

'Dan, met Nina. Er is een probleem. Iemand heeft geprobeerd om Merrick te bevrijden.'

Singer was meteen klaarwakker. 'Wat? Vertel, wat is er gebeurd?'

'Ze waren met z'n vieren. Drie hebben we gepakt, en de vierde is op een motorfiets ontsnapt. Susan heeft Merrick in zijn borst geschoten. Daardoor hebben wij gehoord dat ze er waren. De bewakers van Moses Ndebele hebben op het dak parachutes gevonden.'

'Wacht even. Heeft Susan op Geoff geschoten?'

'Ja, in zijn borst. Ze deed alsof zij ook ontvoerd was, maar toen ze de kans kreeg heeft ze een pistool gepakt en hem neergeschoten. We hebben het bloeden kunnen stoppen en hem met heroïne uit Jans voorraad verdoofd. En maak je geen zorgen, de rest heb ik in beslag genomen.'

Het drugsgebruik van zijn mensen was wel het minste waarover hij zich zorgen maakte. 'Wat zijn dat voor lieden die Merrick wilden bevrijden?'

'Ze beweren dat ze door een bedrijf zijn gehuurd om hem en Susan te bevrijden. Verder willen ze niks zeggen. De commandant van de bewakers wil ze bij zonsopgang executeren, Danny.' In de manier waarop ze dit laatste meedeelde klonk duidelijk afschuw en schrik door. 'Ik heb 't gevoel dat het vreselijk uit de hand loopt. Ik weet echt niet meer wat ik moet doen.'

'Kalmeer nu eerst eens, Nina.' Singer haalde diep adem om zijn eigen zenuwen in bedwang te houden en erover na te denken hoe hij deze situatie het beste kon aanpakken. Uit het mangrovemoeras buiten de open overkapping waaronder hij sliep, stegen vochtige dampen op. Vlakbij gromde een van zijn Afrikaanse huursoldaten in zijn slaap, terwijl in de verte de vlammen van de talrijke olie-installaties oplaaiden en zo de indruk wekten dat de halve wereld in brand stond. Het zien van die walgelijke milieuverwoesting greep hem steeds weer naar de keel.

'Wat wil je dat ik doe?' vroeg Nina.

Singer tuurde naar de zwakjes oplichtende wijzerplaat van zijn horloge tot hij kon zien dat het halfvijf in de ochtend was. Voor het slapengaan had hij de weersverwachtingen nog bekeken. Midden op de Atlantische Oceaan was zich een storm aan het ontwikkelen die hoogstwaarschijnlijk tot de tiende orkaan zou uitgroeien die dit jaar een naam kreeg, en alle voortekenen wezen erop dat het een heel zware zou worden.

Het opsluiten van zijn voormalige compagnon in de Duivelsoase om daar een beetje met hem te sollen, was pas fase één van zijn plan. Sindsdien was het wachten op een zware storm, en nu leek het moment gekomen dat Singer het tweede deel van zijn operatie kon starten. Nu moeder natuur zich zo coöperatief toonde, al was dat dan met enige hulp van de verwarmingsinstallaties die hij al in 2004 voor de kust van Namibië had geplaatst, kon hij Merrick die ochtend onmiddellijk per vliegtuig hier naar Cabinda laten overbrengen.

'Ik regel nu meteen een vliegtuig dat jullie morgenochtend komt ophalen,' zei hij.

'Hmm,' begon Nina, waarna ze stilviel.

'Wat is er?'

'Dan, bij zonsopgang gaan ze die drie commando's executeren. We hebben er met z'n allen over gesproken, en geen van ons wil hier ook maar enigszins in de buurt zijn als dat gebeurt. De stemming is echt om te snijden. De commandant van de bewakers denkt nog steeds dat er een groep onderweg is om Ndebele te bevrijden, en geen van de vrouwen, ikzelf incluis, voelt zich erg prettig met die gasten om ons heen, als je begrijpt wat ik bedoel.'

Singer dacht een moment na. 'Goed, er is een nederzetting op ongeveer vijfenzestig kilometer ten oosten van jullie. De piloot die me op het bestaan van de Duivelsoase heeft gewezen, heeft erover verteld. Ik weet niet meer hoe het heet, maar het staat op de kaart. Het is een spookstad, maar er is een landingsstrook. Ik bel de piloot in Kinshasa en zeg hem dat hij er meteen als het licht wordt naartoe moet vliegen. Neem een van de vrachtwagens en wacht daar op hem. Hij zal er dan zo tegen het middaguur moeten zijn.'

'Bedankt, Danny. Dat is prima.'

Singer verbrak de verbinding. Hij wist dat hij niet hoefde te proberen weer te gaan slapen. Jaren van zorgvuldige planning moesten nu tot succes leiden. Hij had het heel wat makkelijker gehad als hij wat spaarzamer met zijn geld was geweest nadat hij Merrick had gedwongen hem uit te kopen. Hij had gewoon de dingen moeten betalen die hij direct nodig had, waardoor al die ingewikkelde stappen niet nodig zouden zijn geweest.

Maar terwijl hij tegen een paal leunend naar de helse gloed van de olievelden staarde, besefte hij dat de moeilijkheidsgraad van deze operaties het succes ervan alleen maar mooier maakte. Hard werken, daar kon niets tegenop. En misschien was dat ook wel waarom hij zoveel van zijn miljarden had weggegeven. Ze waren hem te makkelijk in de schoot geworpen. Hij en Merrick waren nog maar net in de twintig toen ze het patent op hun kolenzuiveraars kregen. Natuurlijk, ze hadden er onnoemelijk veel tijd in gestoken om het systeem te perfectioneren, maar dat was niets vergeleken bij de eeuwigheid die het hem had gekost om de waarde van die immense rijkdom in te zien en te waarderen.

Omdat hij nu zo hard aan de voorbereidingen van deze operatie had moeten werken, was dat besef alleen nog maar sterker geworden. Na alle opofferingen, ontberingen en het overwinnen van tegenslagen schonk de uiteindelijke overwinning hem meer voldoening dan al het geld dat hij in zijn vroeger leven had vergaard. En dat het bovendien het welzijn van de mensheid ten goede kwam, maakte het nog mooier.

Hij vroeg zich af, en dat niet voor het eerst, hoeveel levens hij zou redden door de wereld de ernst van de opwarming van de aarde te laten inzien. Het zouden er tientallen miljoenen zijn, maar soms had hij zelfs het idee dat hij hiermee de hele mensheid redde en dat historici die er in de toekomst op terugblikten dit jaar en deze storm als dé gebeurtenis zouden beschouwen waardoor de mensen uiteindelijk waren wakker geschud en daadwerkelijk een einde aan de onverantwoorde verwoesting van de planeet hadden gemaakt.

Hij vroeg zich af hoe men zo iemand zou noemen. Het enige woord dat hem te binnen schoot, was *messias*. Ook al had hij dan totaal geen religieuze bijgedachten en waren alle godsdiensten voor hem niet meer dan mythes, toch leek hem dit het meest passend.

'Messias,' fluisterde hij hardop. 'Ze zullen nooit weten dat ik ze heb gered, maar ik ben hun messias.'

Het konvooi, minus een van de vrachtwagens, stopte op zo'n acht kilometer voor de Duivelsoase om de laatste voorbereidingen voor de aanval te treffen. Ze trokken zodanig in een halve cirkel om de gevangenis heen dat ze de wind van achter hadden. Cabrillo had het grootste deel van de rit in de voorste vrachtauto met Mafana een aanvalsplan opgezet en het vervolgens met Max Hanley en Franklin Lincoln uitgewerkt. De accu van zijn satelliettelefoon was zogoed als leeg toen ze uiteindelijk allemaal het gevoel hadden dat ze zich tegen alle eventualiteiten hadden gewapend.

Voor Mafana leek het een hele opluchting dat hij Juan erbij had. Hij moest toegeven dat hij gedurende de oorlog slechts sergeant was geweest en niet het tactisch inzicht van Juan bezat. Het plan dat Juan had uitgedacht was heel wat gecompliceerder dan Mafana's directe aanpak, maar bood een aanzienlijk grotere kans op succes.

Nadat hij was uitgestapt, masseerde Cabrillo met zijn knokkels zijn onderrug, in een poging er verdraaiingen uit te drukken waaraan een professionele masseuse haar handen vol zou hebben gehad. Zijn ogen waren roodomrand door het zand, en hoeveel water hij ook dronk, er bleven korrels tussen zijn tanden knarsen. Als dit voorbij was, nam hij beslist de langste douche uit zijn leven. Door de gedachte aan warm water voelde hij die tergende vermoeidheid weer opkomen. Als hij de cafeïnepillen niet had gehad die hij een paar maanden geleden nog aan zijn eerstehulpset had toegevoegd, was hij ter plekke neergestort en opgerold als een hond in slaap gevallen.

Hij ademde een paar keer diep in en uit en schudde zijn armen om de doorstroming van het bloed weer op peil te brengen en besloot dat hij na afloop beter snel kon douchen om daarna voor eeuwig zijn bed in te duiken. Terwijl een paar van Mafana's mannen de parachute uitvouwden en op het woestijnzand uitspreidden, doorzocht

Cabrillo zijn uitrusting en haalde er alles uit wat hij niet absoluut nodig had, waaronder zijn Glock en het holster, een werpmes, zijn veldfles en EHBO-set, plus de helft van de munitie voor de H&K-pistoolmitrailleur. Hierdoor kon hij twee extra projectielen meenemen voor de RPG-7 die hij van Mafana had geleend.

Hij vergewiste zich er wel van dat hij zijn zakmes bij zich had. Het oorspronkelijke exemplaar had hij op zijn tiende verjaardag van zijn opa gekregen. Dat was hij al tientallen jaren geleden kwijtgeraakt en daarna nog een heel stel, maar steeds als hij het jachtmes in zijn zak voelde, herinnerde hij zich hoe hij op de dag dat hij het mes cadeau kreeg in zijn vinger had gesneden en aan zijn opa met tranen in zijn ogen had verteld dat hij nog te jong was voor zoiets scherps. Waarop de oude man glimlachend had geantwoord dat hij, juist omdat hij dat dacht, het tegendeel bewees.

Hij riep Max weer op. 'Over vijf minuten gaan we tot de aanval over.'

'Met Linc en Tiny is alles geregeld,' reageerde Max. 'George staat met de Robinson paraat, en ook wij nemen onze posities in. Mark belde. Eric en hij zijn klaar om zodra het licht wordt met hun zoektocht naar de vermiste wapens te beginnen. Door zijn netwerk van pilotenvriendjes heeft Tiny een van de beste junglevliegers van Centraal-Afrika kunnen krijgen.'

'Oké, perfect.'

'Hoe staat 't met jou, Hoss? Je klinkt niet zo best.'

'Ik ben oké. Ik ben er alleen weer eens op gewezen dat ouder worden klote is.'

'Wacht maar tot je je gerimpelde reet uit je bed moet hijsen als je de zestig bent gepasseerd.'

Juan grinnikte. 'En met dat fijne beeld voor ogen moet ik aan de slag.'

'Succes!'

'Bedankt. Tot over een paar uur.'

'Ik zet alvast wat biertjes voor je koud.'

'We zijn met z'n vieren, dus maak er maar een kratje van.' Waarna Juan de verbinding verbrak.

Mafana kwam naast hem staan, terwijl Cabrillo ging zitten en de vervormde plastic plank weer aan zijn prothese bevestigde. De knopen zaten goed strak, al waren ze niet zo sterk als wanneer hij de stukken weer aan elkaar had kunnen kitten, maar voor zijn plan was het stevig genoeg.

'Bent u klaar?' vroeg de voormalige rebel. 'Over een uur komt de zon op en het duurt nog wel even voordat we onze posities hebben ingenomen.'

Juan kwam overeind. 'Zeker weten.'

Geholpen door Mafana strompelde Cabrillo naar de parachute. Op zijn aanwijzingen hadden Mafana's mannen het zwarte nylon zo wijd mogelijk op de woestijngrond uitgespreid en de randen met zand verzwaard, om te voorkomen dat de wind het nylon opschepte en wegblies. Voordat hij zich in het tuig vastgespte, sjorde Juan een rugzak met de raketten voor de RPG zodanig over zijn schouders dat de zak voor zijn borst hing. De lanceerbuis en zijn MP5 waren aan de onderkant ervan bevestigd. De plek waar een van de Afrikanen de scheuren in de parachute had dichtgenaaid die waren ontstaan doordat ze hem hadden moeten lossnijden, had hij al geïnspecteerd, dus had hij niets anders meer te doen dan de angstige voorgevoelens die in zijn buik knaagden van zich af te schudden en zijn tuig nog eens strak aan te trekken.

'We wachten op uw teken,' zei Mafana, terwijl hij Cabrillo de hand schudde. 'Hiermee helpt u een heel land.'

De Afrikaanse rebellen holden terug naar hun wagens die een halve kilometer verderop stonden. Even later klonk het starten van de motoren. Onder het wachten controleerde Juan nogmaals de knopen, waarna hij in afwachting van de eerste ruk iets achterover-leunde.

De chauffeur van de wagen die hem zou optrekken bleek gelukkig een vlotte man. De nylondraad die ze tot een lengte van ruim zes-honderd meter aan elkaar hadden geknoopt, kwam na het optrek-ken van de vrachtwagen onmiddellijk strak te staan. Cabrillo leunde nog verder naar achteren toen het om zijn borst gebonden touw hem vooruitrukte. De plastic plank die hij voor het paraskiën door de woestijn had gebruikt, schoot ruisend over het zand terwijl de vrachtauto vaart maakte. De parachute schoot los uit het zand dat op de randen lag, en bij een snelheid van vijftien kilometer per uur begon het scherm door de luchtdruk op te bollen. Het schoot over de woestijngrond en rukte aan Cabrillo's tuig, maar ze gingen niet snel genoeg om hem op te tillen en de lucht in te trekken.

Juan begreep dat de chauffeur wanneer hij viel door de lengte van de lijn met geen mogelijkheid zou kunnen zien dat hij nog niet was opgestegen. Dan werd hij net zo lang over de grond meegesleurd tot hij zich van het touw kon bevrijden. Om overeind te blijven, moest hij zich nu diep vooroverbukken, terwijl de vrachtwagen bleef versnellen en de spanning op de hanglijnen met de seconde toenam.

Juan sprong naar links om een steen te ontwijken, waarbij hij haast een andere raakte en net niet achteroverviel toen de plank onder hem wegglipte. Met behulp van de opwaartse kracht van de half uitgeklapte parachute tilde hij beide benen op om de ski weer onder zich te krijgen. Door deze manoeuvre klapte het scherm bijna weer dicht, maar hij slaagde erin overeind te blijven en zijn evenwicht weer terug te vinden.

De vrachtauto reed inmiddels ruim dertig kilometer per uur en even later ruim veertig. Juans benen en knieën leken in brand te staan tot hij opeens niets meer voelde. Hij was los van de grond.

Er kwam nu voldoende lucht onder het scherm om zijn gewicht en dat van zijn uitrusting te kunnen dragen. De vrachtwagen bleef versnellen en Juan steeg steeds hoger. Al snel gaf de hoogtemeter om zijn pols een hoogte van vijfhonderdtachtig meter aan. Dit was een enorme stimulans.

'Parachutespringen, paraskiën en parasailen.' Hij lachte. 'En dat allemaal op één dag.'

Met zijn zakmes sneed hij de touwen door waarmee zijn kunstbeen aan de plank vastzat die hij voor het skiën had gebruikt. Hij had het olijfgroene stuk plastic graag als souvenir behouden, maar om veilig te kunnen landen, moest hij dit wel doen.

Er zat voldoende speling in het touw, waardoor de vlucht nog redelijk schokvrij was, al was het lang niet zo comfortabel als wanneer hij achter een speedboot had gehangen, de manier waarop parasailen over de hele wereld een populair tijdverdrijf was geworden. De vrachtwagen beneden hem dook zo nu en dan een dal in, waarbij hij Juan als een vlieger aan een touw omlaag rukte, maar dat leverde geen problemen op.

Het was aan Cabrillo om te besluiten wanneer het moment was gekomen om de sleeplijn los te maken. Achter hem waaierde als een kobaltblauwe inktvlek het eerste vage schijnsel van de dageraad over de horizon uit. Van hun gevechtsbespreking op de *Oregon* herinnerde hij zich dat de zonsopgang hier nauwelijks een kwartier duurde. Maar in het vage licht dat zich over de woestijn verspreidde, ontwaarde hij op zo'n anderhalve kilometer afstand het hoekige silhouet van de Duivelsoase. Zonder er verder nog over na te denken, klikte hij het touw los van een D-ring aan zijn scherfvest. De lijn glipte uit zijn handen, terwijl de van de vrachtwagen losgekoppelde parachute nog zo'n dertig meter hoger de lucht in schoot.

Een van Mafana's mannen zou de parachute in de gaten houden tot hij hem uit de lucht zag zakken, waarop het konvooi zou stoppen voordat ze door de schildwacht van de gevangenis gezien konden worden. De mannen hadden dan nog krap een paar minuten de tijd om hun posities in te nemen.

Juan hanteerde de stuurklosjes zodanig dat hij zo lang mogelijk in de lucht bleef, terwijl de wind hem naar de oude gevangenis blies. Het was niet voor het eerst die nacht dat het lot hem gunstig gezind was. Als de wind zo aanhield, had hij hoogte genoeg om op het gevangenisdak te kunnen landen.

Maar de wind trok zelfs nog iets aan en joeg hem als een boomblad voort. Met de stuurklosjes spelend, veranderde hij de koers iets, zodat hij de gevangenis tussen zijn bungelende voeten hield. De lucht was nog donker indigoblauw toen hij boven de Duivelsoase aankwam en er geen alarm had geklonken. Door lucht uit de parachute te laten ontsnappen zette hij een gecontroleerde afdaling in en kwam zo zachtjes neer dat het leek alsof hij van de laatste trede van een trap stapte.

Zich meteen omdraaiend frommelde hij de parachute in zijn armen ineen om te voorkomen dat het scherm naar de binnenplaats van de gevangenis waaide. Hij ontdeed zich van het harnas en de rugzak met de granaten, die hij tijdelijk als gewicht gebruikte om het scherm in bedwang te houden, nam de MP5 in zijn hand en verkende vluchtig de borstwering langs de dakrand. Hij ontdekte de plekken waar zijn team eerder de touwen had bevestigd om in de gevangenis af te dalen. De lijnen waren weggesneden, maar de oogbouten zaten nog in het dikke houten dak geboord. Over het muurtje op de buitengevel turend zag hij dat het zand eronder was omgewoeld en ook herkende hij er de sporen van de motorfietsen. Twee bogen er af naar de hoofdingang, terwijl de derde, die van Linc dus, de woestijn inliep. Er was ook een breder dubbel spoor, zo te zien van een vrachtauto, dat in oostelijke richting uit het zicht verdween.

Nadat hij zijn parachute aan een van de oogbouten had vastgemaakt, koos Cabrillo snel zijn doelen uit en vond de meest geschikte startplek voor zijn aanval. Hij had zeven raketten voor de RPG-7 en vier doelen, maar hij calculeerde in dat een paar projectielen na al

258

die jaren blindgangers zouden zijn. Toch zag hij zijn kansen niet somber in.

Hij belde de *Oregon*. Hoewel Hali Kasim de dagelijkse leiding over de communicatieapparatuur had, was Linda Ross degene die de aanval coördineerde. Ze nam al op voordat de telefoon goed en wel was overgegaan. 'Linda's salon voor al uw genot en pijn,' zei ze bij wijze van begroeting.

'Noteer me maar voor dat eerste,' fluisterde Juan. 'Ik ben binnen.'

'We hadden niet anders verwacht. Bij Cabo heb ik zeventigjarige omaatjes zien parasailen, dus zo imponerend is dat niet.' Haar luchtige toon viel weg toen ze vervolgde: 'Tiny is ongeveer een kwartier geleden vertrokken. Hij blijft buiten bereik tot een kwartier na zonsopgang. Daarna moet het mogelijk zijn om via het eigen netwerk met Linc te praten.'

Het leek Cabrillo niet handig in die precaire positie overbodig geluid te maken, dus reageerde hij niet.

'Ik wens je veel succes,' vervolgde Linda, 'en haal onze jongens daar weg. *Oregon* over.'

Juan klikte de telefoon uit en deed hem terug in de houder op zijn heup.

De drie bewakers die bij de hoofdingang rondlummelden, kwamen opeens, niet zozeer in actie als wel dat ze hun oren spitsten, toen er recht onder de plek waar Juan tegen het dak gedrukt lag een deur openging. Achter de kantelen van de kasteelachtige borstwering vond Juan voldoende dekking, terwijl hij toekeek hoe een donkere gestalte met een zaklamp in de hand de binnenplaats overstak. De figuur sprak kort met een van de bewakers en liep daarna terug in de richting vanwaar hij gekomen was.

Juan voelde op zijn rug de warme stralen van de zon die zich nu boven de horizon verhief. In de lange schaduwen ontwaarde hij nog net de drie houten palen die voor de muur links van de hoofdingang waren opgesteld. Voordat de gevangenis volledig in het felle zonlicht baadde, diepte Juan uit zijn zak zijn jachtmes op en gooide het met een soepel boogje naar de executiepalen. Na het neerkomen gleed het mes door tot vlak bij de middelste paal. Dezelfde opa die hem dat eerste mes had gegeven, had hem ook het hoefijzerwerpen bijgebracht.

Terwijl Juan de raketwerper in stelling bracht, verschenen er geleidelijk steeds meer mensen op het exercitieplein, alleen en in groepjes van twee, maar al snel kwamen ze met tientallen toegestroomd.

Aan de lichaamstaal en de manier waarop ze met elkaar dolden, kon hij zien dat ze met spanning op de executie wachtten. Hij schatte dat het er een stuk of honderd waren. En helaas had meer dan de helft van hen een wapen bij zich. Het geroezemoes van hun stemmen en af en toe een luide lach klonken helder in de ochtendlucht tot er een deur openzwaaide.

Juan moest zijn nek iets draaien om de bewakers te kunnen zien die Eddie, Mike en Ski de gevangenis uit leidden. Hij voelde een steek van trots in zijn borst. Zijn mannen liepen met rechte rug en opgeheven hoofd, en als hun handen niet op hun rug gebonden waren, hadden ze beslist met iedere stap hun armen meebewogen. Ze gingen als mannen hun dood tegemoet.

Hij klikte het laservizier op zijn pistoolmitrailleur aan.

Eddie Seng had tijdens zijn geheime missies in China diverse executies meegemaakt en terwijl die steevast op een kalme, hoogst efficiënte wijze werden uitgevoerd, maakte de groepscommandant hier er een show voor zijn mannen van, ongetwijfeld geïnspireerd door de manier waarop dit soort gebeurtenissen over het algemeen in films werd getoond.

Als hij niet degene was geweest die gekneveld tegenover het executiepeloton stond, was hij beslist in lachen uitgebarsten om de absurditeit ervan.

Hij was moedig, moediger dan de meeste anderen, maar sterven wilde hij nog niet en al helemaal niet zo... machteloos. Hij dacht aan zijn familie. Hoewel zijn ouders al een aantal jaren dood waren, had hij nog tal van ooms en tantes in New York, en het aantal neven en nichten was helemaal niet te tellen. Geen van hen wist wat hij precies voor werk deed en ze zouden er ook nooit naar vragen als hij na een van zijn vele reizen weer eens thuiskwam. Ze namen hem domweg weer in hun midden op voor zolang hij bleef, vertroetelden hem met meer voedsel dan hij op kon en toonden hem vol trots de kinderen die gedurende zijn afwezigheid geboren waren.

Hij zou hen meer missen dan hij besefte. En dat hij er niet meer was, zouden zij pas horen wanneer Juan zich bij hen meldde met een cheque voor een bedrag met zes of zeven nullen, de waarde van Eddies aandeel in de Corporation. Met welke verklaring de baas ook voor dat enorme fortuin zou komen, ze zouden hem toch niet geloven. Het waren eenvoudige, hard werkende mensen die er automatisch van uit zouden gaan dat het illegale zaken waren geweest waarmee Eddie zijn geld had verworven. Ze zouden de cheque weggooien en nooit meer een woord aan hem vuilmaken.

Eddie klemde zijn kaken nog steviger op elkaar, en bij de gedachte dat hij zo schande over zijn familie bracht, sprongen de tranen hem in de ogen.

Hij besteedde geen aandacht aan het minuscule lichtpuntje dat onderaan zijn hals flikkerde, tot hij onbewust waarnam dat het onwillekeurige patroon helemaal niet onwillekeurig was. Het waren morsetekens.

'... eau Geste dekt je rug.' Eddie moest zich bedwingen niet om zich heen te kijken toen ze de executieplaats bereikten. De baas was in de buurt en seinde met laserlicht, waarschijnlijk van het vizier van zijn wapen, om hem een teken te geven. Die doortrapte klootzak ging hen hieruit halen.

'RPG B 4 U gereed. Mes onder mid paal.'

Eddie begreep dat Cabrillo hen met een geleide raketaanval dekking wilde geven en dat er aan de voet van de middelste paal een mes lag, de paal waar ze hem waarschijnlijk aan vast zouden binden omdat hij tussen Mike en Ski in liep. Het was een briljant plan, want als de bewakers nog bij hen stonden om hen vast te binden, was de kans klein dat hun collega's het vuur op hen zouden openen.

'De baas is hier,' fluisterde Seng in het kabaal van de juichende omstanders tegen Mike en Ski. Meer hoefde hij niet te zeggen. Wat Cabrillo ook deed, ze zouden onmiddellijk reageren en naadloos meegaan met wat er in de veranderende omstandigheden van hen werd verwacht. Ski's enige teken dat hij het had verstaan was een licht knikje.

'Wordt tijd ook,' zei Mike, waarop een bewaker hem met de zijkant van zijn hand in zijn nek sloeg.

Sommige soldaten spuugden naar hen als ze passeerden of probeerden hen te laten struikelen. Eddie merkte het nauwelijks. Hij concentreerde zich erop hoe hij het mes te pakken kon krijgen en nam in zijn gedachten de bewegingen door die hij moest maken om Ski's plastic boeien door te snijden.

De falanx van soldaten week uiteen toen ze de houten palen naderden. Er stonden drie bewakers achter met stukken touw om hen vast te binden. Een van de mannen die de stoet begeleidde, keek toevallig omlaag toen ze bij de palen aankwamen. Hij zag het mes liggen, en voordat een van de anderen het zag, graaide hij het van de grond en stak het in een zak van zijn uniform.

Toen hij zich naar de ter dood veroordeelden omdraaide, schrok hij van de agressieve blik waarmee Eddie terugkeek.

De vergissing van je leven, vrind, dacht Eddie, terwijl hij zijn aanvalsplan wijzigde.

Terwijl Cabrillo afwachtte, was slechts een hoekje van zijn gezicht zichtbaar voor de mannen beneden, maar geen van hen had zijn aandacht op iets anders dan de gevangenen gericht. Zijn hand lag om de greep van de RPG-7, en hij zou er nog geen seconde voor nodig hebben om het wapen tegen zijn schouder te leggen en af te drukken.

De groepscommandant stapte zwaaiend en af en toe terloops saluerend door de menigte juichende soldaten. Hij had hun onverwacht vermaak bezorgd en koesterde zich in de waardering die hem dit opleverde. Hij posteerde zich voor zijn gevangenen en hief zijn armen op om de rumoerige menigte tot stilte te manen.

Juan hoopte dat hij de man persoonlijk kon uitschakelen, maar bij gevechten stond niets van tevoren vast.

De commandant sprak in een Afrikaanse taal, waarbij zijn lage stem tegen de muur langs de exercitieplaats weerkaatste. De mannen luisterden en barstten zo nu en dan na kennelijk gepeperde uitspraken in gejuich uit.

Cabrillo kon zich wel voorstellen wat hij ongeveer zei. Drie CIA-spionnen gepakt, blablabla... Lang leve de revolutie, enzovoort, enzovoort. Ben ik niet de beste commandant die jullie ooit hebben gehad, jajaja...

Schiet toch op, man.

Na tien minuten beëindigde de commandant zijn toespraak, draaide zich om en knikte naar de drie mannen die klaarstonden om de gevangenen vast te binden.

Juan kromde zich om de stenen kanteel waarachter hij zich verborgen hield en hief zijn RPG op. Zodra hij een van de buitendeuren van de gevangenis in het korrelige vizier van de raketwerper had, haalde hij de trekker over en sprong overeind op het moment dat het projectiel de lanceerbuis verliet. De raket ontbrandde en schroeide de rug van zijn hand, die al op weg was om een tweede projectiel te pakken.

Met een lange staart van witte rook stoof de ruim twee kilo zware granaat over de binnenplaats en ontplofte net boven de deur naar de cellen van de oude gevangenis. Door de exploderende granaat versplinterde de bovendorpel en stortte de muur erboven gedeeltelijk in. Losse stenen kletterden in de opening tot die volledig was geblokkeerd.

Op hetzelfde moment dat Eddie de zoef van de raketontsteking hoorde, zwenkte hij om zijn as en trapte de bewaker die klaarstond om hem vast te binden zo hard tegen de zijkant van zijn hoofd dat hij twee meter naar achteren vloog. Vervolgens stapte hij op de soldaat af die het mes had gevonden. Eddie zette een voet achter de benen van de man en liep door. Hoewel de bewaker een halve kop groter was dan hij, had Eddie het verrassingseffect aan zijn zijde en haalde hem zonder problemen onderuit.

Ze sloegen tegen de grond op het moment dat het projectiel tegen de gevangenismuur explodeerde. Omdat zijn handen op zijn rug gebonden waren, benutte Eddie de vaart van de val door zijn kin zo hard in de keel van de bewaker te rammen dat hij diens adamsappel verbrijzelde. Door de dichtgeslagen luchtpijp hapte de soldaat naar adem en greep klauwend naar zijn keel, alsof hij die open kon krabben.

Eddie rolde van hem af en tastte naar zijn jaszak, maar kon zijn hand er door het spastische gekronkel van de man niet in krijgen. Hij voelde de vorm van Cabrillo's kleine zakmes door de stof van de uniformjas heen, en in een kort moment van concentratie en bundeling van kracht wist hij het mes met een lap stof los te scheuren.

Door het open gedeelte van de lucht boven de binnenplaats vloog een tweede RPG, en hoewel Eddie niet oplette waar hij insloeg, nam hij aan dat de baas systematisch alle ingangen tot de gevangenis ermee wilde blokkeren. Hij wrikte het mes open. Ski had de volgende stap kennelijk al voorzien, want hij lag al op nog geen halve meter afstand met zijn rug naar Eddie gekeerd op de grond. Seng rolde naar hem toe tot ze met hun rug tegen elkaar lagen en zo sneed hij de plastic boeien door die om de handen van de forse Pool zaten.

Ski nam het mes van hem over en sneed ook Eddies boeien door. Om nog geen fractie van een seconde te verliezen, rolde Eddie meteen van Ski weg, zodat de ex-marinier Mike Trono kon bevrijden. Nu hij zijn handen vrij had, ontfutselde Eddie met één gerichte klap met de zijkant van zijn hand een AK-47 aan een van de overdonderde bewakers. Anders dan toen hij Susan Donleavy buiten westen sloeg, hield hij nu niet in. De soldaat was al dood voor zijn lichaam goed en wel op de grond lag.

Eddie zwenkte om zijn as en zag dat een bewaker zijn wapen richtte op de plek waar Ski juist Mikes boeien doorsneed. Eddie haalde uit met een dubbel salvo, waardoor de man met gespreide armen achterover tegen een aantal van zijn maten tuimelde. Het geluid van zijn schoten was overstemd door het ratelen van het machinegeweervuur dat op de borstwering van de gevangenis was gericht. Minstens twintig geweren joegen kogels naar de van kantelen voorziene dakrand, waarop de lage muur door een wolk van stukken steen en stof aan het zicht werd onttrokken. Eddie spurtte naar zijn teamgenoten en dekte hen met zijn machinegeweer tot ze achter een van de op de binnenplaats geparkeerde vrachtwagens dekking hadden gezocht.

Terwijl de soldaten langs de oost- en westmuur wegrenden, haastte Cabrillo zich diep bukkend naar de andere kant van de gevangenis. Onder het rennen laadde hij de RPG met een nieuwe granaat. Recht tegenover de laatste deur die toegang tot de gevangenis gaf, bleef hij staan. Tot dusver had nog geen van de bewakers zijn strategie doorzien om hen in de exercitieplaats in te sluiten, maar er hoefde slechts één wakkere officier te zijn die dat gevaar inzag en hij zou onmiddellijk zijn mannen naar binnen sturen. Hij wist dat ze dan als eerste Moses Ndebele om zeep zouden helpen. Zijn hele plan was erop gebaseerd dat alle bewakers zich voor het bijwonen van de executie op het plein bevonden, en hij moest voorkomen dat er ook maar één naar binnen vluchtte.

Hij richtte zich op tussen twee kantelen en schoot, om onmiddellijk weer weg te duiken, terwijl een tiental soldaten met de loop van hun machinegeweer de condensatiestreep van het projectiel terugvolgden en het vuur op zijn dekking openden. De lucht was vergeven van opwaaierend stof en kogelscherven. De raket ontbrandde niet gelijkmatig, waardoor het projectiel omhoog de lucht inschoot en het doel volledig miste. Hij kroop een meter of tien weg uit de vuurlijn en wachtte tot het ongecoördineerde geweervuur afzwakte. Hij hield zijn MP5 boven het muurtje en schoot een half magazijn leeg, waarbij hij niet lager dan de bovenverdieping richtte om te voorkomen dat hij per ongeluk een van zijn eigen mannen daarbeneden zou treffen.

De bewakers daarentegen beantwoordden zijn schoten met dubbele vuurkracht en bestookten de muur alsof ze de stenen puur door de massaliteit van hun kogels hoopten te verpulveren. Juan negeerde het gegier en gesuis van de kogels die op enkele centimeters langs zijn hoofd scheerden en laadde rustig de RPG. Hij kroop nog een stuk door over het dak tot hij op een punt kwam vanwaar hij de overgebleven deur nog net vanuit de meest schuine hoek kon raken, maar daar was hij wel zo'n vijftien meter verwijderd van de plek die de bewakers nog steeds massaal met hun AK's bestookten.

Door de afstand die hij zo had genomen, had hij misschien net een seconde de tijd voordat ze hem weer zouden zien. Maar hij kreeg een beter idee en rolde weg van de muur rond de binnenplaats. Hij kroop zo ver naar achteren dat hij geknield nog net de mannen op de grond kon zien. Belangrijker was dat zij hem zo niet konden zien. Hij schuifelde weer iets naar voren zodat hij wat verder de gevangenis in kon kijken en een beter zicht op de tegenoverliggende muur had. Op zijn knieën schoof hij nog een stukje door. Ja! Nu zag hij de Romeins aandoende boog boven de bewuste deur, maar niet de in het wilde weg om zich heen maaiende bewakers.

Cabrillo bracht de RPG naar zijn schouder, richtte zorgvuldig en haalde de trekker over.

Wat hij niet kon zien en ook niet kon weten, was dat een sergeant van de bewakers Juans tactiek had doorzien en juist een groepje mannen naar de deur leidde toen de raket over de binnenplaats raasde. Een van de soldaten stond recht onder de boog van de deuropening op het moment dat het projectiel in de muur insloeg. Door de explosie spatten de stukken steen tot ver op de exercitieplaats en sloegen de groep uiteen, terwijl het lichaam van de voorste man door de schok tot op het bot verbrijzelde alvorens het onder een lawine van vallend puin werd bedolven.

Juan rende naar voren om het resultaat van zijn schot te zien. Hoewel de doorgang zwaar beschadigd was, waren de donkere contouren van het interieur van de gevangenis erdoorheen toch nog zichtbaar. Er waren openingen tussen het puin waar een mens zich doorheen kon wringen. Hij zag een soldaat naar de deur rennen. Cabrillo klikte het laservizier van zijn pistoolmitrailleur aan en zodra hij het minuscule lichtpuntje tussen de schouderbladen van de bewaker ontwaarde, drukte hij af, waarbij hij vergat dat het wapen, dat hij in één hand hield, nog op automatisch stond. Het deed er weinig toe dat de tweede, derde en vierde kogel alle kanten op vlogen. De eerste kogel trof de bewaker precies op de plek waarop hij had gericht. De man sloeg tussen het neergekomen puin tegen de grond en bleef roerloos liggen.

Cabrillo laadde de raketwerper voor de vijfde keer en nam een nieuwe positie in, vanwaar hij een beter zicht op de deur had. Van de woedende soldaten steeg een dichte regen van kogels op en leek de lucht weg te blazen van de plek waar hij een paar tellen eerder nog had gestaan. Hij kwam weer een paar passen naar voren totdat hij net de bovenkant van de deuropening kon zien en vuurde, waarna hij wegdook toen hij zag dat het schot doel had getroffen. Opnieuw laadde hij het antieke Russische wapen, terwijl hij boven het kabaal van het hevige geweervuur uit het geraas van neerstortende stenen hoorde. Toen hij over het muurtje tuurde, zag hij dat de deuropening achter een enorme berg puin en opdwarrelende stofwolken schuilging.

De bewakers konden de gevangenis niet meer op een normale manier in. Hoog tijd om de cavalerie op te roepen.

Beneden op de binnenplaats schreeuwde de commandant zijn longen uit zijn lijf om de aandacht van zijn mannen te krijgen. Door de verrassingsaanval waren ze volledig buiten zinnen geraakt, en afgezien van de ene sergeant die had beseft dat de aanval erop was gericht hen op de exercitieplaats in te sluiten, waren de mannen zich er absoluut niet van bewust dat ze op een plek stonden waar ze stuk voor stuk konden worden afgeslacht. Hij verwachtte dat er nu elk moment schutters op het dak zouden verschijnen om zijn mannen als lammeren op de slachtbank af te schieten.

Hij selecteerde de drie kleinsten van zijn mannen, slanke, lenige jongeren die zich misschien een weg door het puin in de verwoeste deuropeningen konden wringen om Moses Ndebele te doden voordat de aanvalsploeg de kans kreeg hem weg te sluizen. Ook instrueerde hij een aantal soldaten om de grote poort van het gevangenisterrein te openen, maar wel voorzichtig, voor het geval er buiten nog meer troepen op de loer lagen. In het kabaal van het aanhoudende geweervuur was het onmogelijk te horen of het buitenalarm afging.

Hij gromde tevreden toen hij zag dat een van zijn officieren een lange buis tegen de dakrand plaatste, waarlangs zijn mannen naar het dak konden klimmen. Zodra het uiteinde van de buis in de nis tussen twee stenen kantelen houvast had gevonden, werkte een soldaat op blote voeten met een AK-47 op zijn rug hangend zich zo behendig als een spin langs de roestige stalen pijp omhoog.

Eddie Seng zag de klimmende soldaat net te laat. Hij had nog maar een paar seconden om op hem te richten voordat hij de bovenrand van de muur had bereikt en erachter zou verdwijnen. Omdat zijn blikveld door het onderstel van de vrachtwagen beperkt was, draaide hij zich op zijn rug om beter zicht te hebben en tilde de loop van zijn machinegeweer op om vrij te kunnen schieten. Maar op het moment dat hij de trekker wilde overhalen, was de man verdwenen en trok hij kwaad zijn vinger terug. Het had geen zin meer om te schieten en zo zijn positie bloot te geven. Juan moest dit nieuwe gevaar zelf zien op te lossen. Eddie kroop dieper terug in de schaduw van de vrachtauto. Mike legde een hand op zijn schouder, een geruststellend gebaar om hem te laten merken dat hij er niets aan kon doen.

Dat voelde goed.

Cabrillo zat gebogen over de RPG om die met zijn op een na laatste raket te laden. Het enige wat hij nog moest doen, was de hoofdpoort openschieten, zodat Mafana met zijn mannen het gevangenisterrein op kon komen om hem te bevrijden en Ndebele en Geoffrey Merrick te zoeken. Hij klikte de granaat vast en kwam overeind.

De zon stond nog laag boven de horizon en de schaduwen waren zo lang dat de voorwerpen die ze opwierpen zogoed als niet te herkennen waren. De schaduw die hij plotseling naast zich zag, was daar een seconde eerder nog niet geweest. Juan tolde om zijn as en had nog net tijd om de bewaker te zien die met zijn rug naar de binnenplaats stond voordat de AK het vuur opende. De flits uit de loop flikkerde als het licht van een stroboscoop in zijn ogen.

Juan dook naar links, sloeg met zijn schouder op het houten dak en voordat de bewaker kon reageren op het feit dat zijn prooi de verrassingsaanval had ontweken, had hij zijn RPG al in zijn flank gedrukt. Hij haalde de trekker over, waarbij hij meer op gevoel richtte dan dat hij het doelwit duidelijk zag.

De raket schoot in een wolk van bijtend gas uit de loop. Het lichaam van de bewaker bood onvoldoende weerstand om de granaatkop tot ontploffing te brengen toen die zich in zijn borstkas boorde, maar de kinetische energie van een met driehonderd meter per seconde voortrazend, tweeënhalve kilo zwaar projectiel richtte meer dan voldoende schade aan. Met tegen zijn ruggengraat verbrijzelde ribben vloog de bewaker als een lappenpop van het dak. Hij landde te midden van zijn kameraden op zo'n tien meter van de muur waarop hij had gestaan en nu was de klap wel krachtig genoeg voor de ontsteker in de met springstof geladen kop. De explosie scheurde vlees en botten uiteen en liet een door doden en gewonden omgeven rokende krater achter.

Juan had nog maar één raket voor zijn RPG, en als die het doel miste, was de hele aanval mislukt. Hij laadde hem haastig, snelde naar voren om goed zicht te hebben op de dikke houten balken waarmee de hoofdingang van de gevangenis vergrendeld was en drukte af, waarbij hij nog vaag waarnam dat er een groepje mannen bezig was de poort te openen.

De raket trof doel en raakte de poort exact in het midden, maar het projectiel ontplofte niet. De bewakers, die zich plat op de grond hadden laten vallen toen het projectiel over hen heen schoot, kwamen langzaam weer overeind, waarna hun nerveuze lachjes overgingen in gejuich toen ze zich realiseerden dat ze het hadden overleefd.

Cabrillo, die zag wat er gebeurde, trok zijn pistoolmitrailleur van zijn rug. Zodra het laservizier in de buurt bij de ingeslagen raket oplichtte, opende hij het vuur. De splinters spatten van de poort toen de 9mm-kogels zich in het hout boorden. Net voordat het magazijn leeg was, trof een van de kogels de blindganger. Door de hierop volgende explosie sloegen de mannen die een ogenblik eerder hun geluk nog hadden gevierd als luciferhoutjes tegen de grond, terwijl de poort in een regen van gloeiende brokstukken uit elkaar spatte.

Net buiten bereik van de sensoren van het buitenalarm stonden vier vrachtwagens met stationair draaiende motoren klaar. De inzittenden waren in de strijd geharde veteranen uit een van de bloedigste Afrikaanse burgeroorlogen, stuk voor stuk bereid hun leven te offeren voor de enige man van wie zij verwachtten dat hij hun land van de rand van de ondergang kon redden.

22

'Lawrence of Arabia voor Beau Geste. Hoort u mij?'

Door de uitputtende inspanningen van de afgelopen achtenveertig uur – en vooral de laatste twaalf – had Cabrillo helemaal niet meer aan de interne zender gedacht die hij bij zich had en heel even dacht hij dat hij stemmen in zijn hoofd hoorde. Tot hij zich herinnerde dat Lawrence of Arabia Lincs codenaam was.

'Verdomme, Larry,' reageerde Juan. 'Wat ben ik blij om jou te horen.'

'Ik zag daarnet een ontploffing bij de hoofdpoort, en zo te zien trekken nu onze nieuwe bondgenoten op.'

'Klopt. Waar ben jij?'

'Wij zijn op vijftienhonderd meter hoogte nog vijf kilometer weg. Arendsoog Gunderson zag de explosie. Zijn jullie zover klaar dat we kunnen landen?'

'Nog niet,' antwoordde Cabrillo. 'Ik moet onze passagiers in veiligheid brengen, en we moeten zeker kunnen zijn dat Mafana's mannen de bewakers zo goed in bedwang hebben dat jullie kunnen komen.'

'Geen probleem, wij blijven wel cirkelen,' zei Linc, waarop hij met zijn humorvolle lage baritonstem liet volgen: 'Bovendien, gevaar wordt per uur betaald.'

Juan ramde een nieuw magazijn in zijn MP5 en grendelde door, zodat er een patroon in de kamer zat. Voordat een volgende aanvaller hem door op het dak te klimmen de pas af kon snijden, sprintte hij naar de plek waar zijn parachute over de buitenmuur van de gevangenis wapperde en alleen nog vastzat aan een van de oogbouten die zijn mannen daar eerder hadden aangebracht – toen ze nog in de veronderstelling verkeerden dat ze bij een eenvoudige clandestiene bevrijdingsactie met een stelletje langharige ecoterroristen te maken hadden.

De strijd die nu op de binnenplaats werd gevoerd, had ondertussen meer weg van een Derde Wereldoorlog, waarbij de Zimbabwanen elkaar op zo'n kleine afstand bevochten dat ze hun geweren vaker als knuppels gebruikten dan dat ze ermee schoten.

Zich aan de stof van het valscherm vastklampend, gleed Juan voorzichtig over de dakrand tot zijn voeten drie verdiepingen boven de grond bungelden. Heel geleidelijk liet hij zich zakken. Het nylon was zo glad als zijde. Toen hij aan het uiteinde van de in elkaar gedraaide strook parachutestof hing, was hij nog altijd een meter van het eerste raam verwijderd. Hij plantte zijn schoenen stevig tegen de muur, trok zijn knieën op tot tegen zijn borst en zette zo hard af als hij kon.

Zijn lichaam slingerde tot bijna drie meter van de muur weg voordat de zwaartekracht vat op hem kreeg en hem naar het gebouw terugtrok. Hij had het gevoel dat zijn knieën uit elkaar klapten toen ze hem weer tegen het harde steen opvingen, maar de proef bewees dat hij de poging kon wagen, maar de timing moest dan wel perfect zijn.

Nogmaals boog hij zijn benen en lanceerde zich, het nylondoek in een ijzeren greep geklemd, de lucht in. Toen hij het einde van de zwaai bereikte, concentreerde hij zich op het donkere gat dat een toegang tot de gevangenis vormde. Hij zwenkte terug, waarbij de snelheid toenam en – belangrijker nog – zijn zwaaikracht. Juan liet los op het moment zijn benen recht op het raam wezen en schoot als een steen uit een katapult weg.

Hij vloog door het raam, rakelings over de vensterbank, sloeg tegen de grond en rolde door tot hij met een harde klap tegen de balustrade van de overloop tot stilstand kwam. De dreun waarmee hij tegen de loszittende balustrade sloeg, galmde door het grotachtige cellenblok.

Hij kwam kreunend overeind, zich bewust dat zijn rug over een paar uur met een evenwijdig gestreept zebrapatroon van blauwe plekken getooid zou zijn.

Omdat hij zich na de knal waarmee hij zijn komst had aangekondigd in dit cellenblok niet meer schuil hoefde te houden, snelde Cabrillo de trappen af. Van Eddies verslagen aan Linc wist hij dat dit deel van de gevangenis leeg was. Op de begane grond bleef hij bij de openstaande deur staan en gluurde voorzichtig – gelukkig werkte

270

de generator voor het opwekken van de stroom voor de verlichting nog – of de gang in beide richtingen vrij was. Terwijl hij de gang naar rechts door rende, tikte hij in het voorbijgaan uit voorzorg stuk voor stuk de kale peertjes stuk. Hij was niet van plan de gevangenis te verlaten langs de weg die hij gekomen was en wilde het de bewakers die de gevangenis door de opgeblazen deuren toch wisten binnen te dringen, niet te gemakkelijk maken.

Hij gluurde om een hoek en zag een stoel voor een grote deur staan, precies zoals Eddie de plek had beschreven waar ze Merrick hadden opgesloten. Hoewel hun oorspronkelijke missie de bevrijding van de wetenschapper was, lag Cabrillo's prioriteit nu toch bij het in veiligheid brengen van Moses Ndebele. Hij liep langs de deur en stelde zich voor hoe Merricks ontvoerders zich daarbinnen schuilhielden, niet wetend wat ze in de situatie zoals die zich nu ontwikkelde moesten doen.

De gevangenis raakte de hitte die overdag in de brandende zon werd geabsorbeerd nooit helemaal kwijt en in de gang was het, hoewel de zon pas op was, al bijna ondraaglijk heet. Onder het rennen droop het zweet uit al Cabrillo's poriën. Halverwege de lange gang zag hij iets bewegen. Twee iel gebouwde bewakers kwamen van de andere kant op hem af gerend. Ze waren veel dichter bij de toegang naar het volgende cellenblok dan Cabrillo, en uit hun aanwezigheid leidde hij af dat ze hun kostbare gevangene daar hadden opgesloten.

Juan liet zich plat op de grond vallen, en zijn ellebogen schraapten pijnlijk over de stenen vloer toen hij zijn pistoolmitrailleur richtte. Hij vuurde een woest salvo af dat de soldaten dwong terug te keren en achter een hoek van de gang dekking te zoeken.

Ze hadden zich kennelijk door het puin in de deuropeningen heen gewrongen, dacht hij vaag, en probeerde het besef dat hij geen dekking had en zo neergeknald kon worden, van zich af te zetten. Hij kroop terug naar het gedeelte van de gang waar het veel donkerder was en rolde naar de tegenoverliggende muur om hen te misleiden. Hij schoot steeds wanneer een van de bewakers om het hoekje probeerde te kijken, en de gang vulde zich met een benauwende kruitgeur. De plek rond Cabrillo lag bezaaid met lege koperen patroonhulzen.

Hij sloop weer naar de andere kant, voordat een van de soldaten een ratelend salvo dekkingsvuur de gang in joeg. De ruimte leek één brandende zee van stukjes steen en koperen munitie. Juan probeerde

271

het machinegeweervuur met een salvo van zijn kant te stoppen, maar de bewaker hield stug vol en bleef schieten.

Ook zijn collega sprong tevoorschijn en begon mee te vuren. Hoewel geen beiden Cabrillo in de donkere gang kon zien, werd de kans dat een afzwaaier hem trof twee keer zo groot. De eerste bewaker veranderde van positie en rende naar de toegang van het cellenblok. De deur was niet afgesloten, of hij had het slot kapotgeschoten, want hij was al binnen voordat Juan hem kon neerschieten.

Over een paar seconden zou de bewaker Moses Ndebele hebben vermoord. In wat een roekeloze opwelling van woede moet hebben geleken, spurtte hij met een katachtige sprong uit de duisternis weg. Onder het rennen schoot hij vanuit zijn heup. De straal van zijn laservizier boorde een rode lijn door de rook. Ten slotte vond de laserstip de torso van de bewaker, waarop de volgende drie kogels hem vol in de borst troffen en hem neerhaalden.

Cabrillo bleef rennen. In plaats van af te remmen om de bocht door de deur te kunnen nemen, scheerde hij langs de stevige deurpost en ving de klap tegen zijn schouder haast zonder vaart te verliezen op.

Recht tegenover zich zag hij een rij cellen, waarvan de voorkanten met een ijzeren traliehek waren afgesloten. Ze waren allemaal leeg. Hij begreep dat Ndebele zich op de eerste of tweede etage moest bevinden en dat de bewaker een te grote voorsprong op hem had. Opeens hoorde hij boven het geluid van zijn hijgende ademhaling en bonkende hart stemmen opklinken. Een van de stemmen klonk melodieus, kalmerend, niet als het jammerlijke schreeuwen van een verdoemd slachtoffer, maar eerder vaderlijk begripvol, als van een priester die absolutie verleende.

Hij sprintte de hoek om. De bewaker had zich voor een van de cellen opgesteld, waarin een man in een vuil gevangenisuniform vlak achter de tralies stond, op nog geen halve meter afstand van de soldaat die een AK-47 op zijn hoofd gericht hield. Moses Ndebele stond doodkalm, met zijn armen langs zijn lichaam alsof hij niet met zijn moordenaar sprak, maar met een vriend die hij lang niet had gezien.

Juan tilde zijn wapen naar zijn schouder, met de laser strak op het glanzende voorhoofd van de bewaker gericht, terwijl de Afrikaan zich op het geluid van de naderende Cabrillo omdraaide. Juan bleef op een meter of tien afstand staan. De soldaat trok zijn wapen naar zich toe om de loop op Juan te kunnen richten, maar zou te laat zijn geweest want Juan had de trekker al overgehaald. Het slot sloeg op een lege kamer. De klik van metaal op metaal was goed hoorbaar, maar tegelijkertijd gebeurde er niet wat in de lijn der verwachtingen lag.

De bewaker hield zijn wapen midden tussen Juan en Moses Ndebele in. Hij verspilde een halve seconde aan de keuze of hij zijn heilige plicht zou doen of eerst Cabrillo zou elimineren. Hij moet hebben geconcludeerd dat hij Juan altijd nog kon neerhalen voordat Cabrillo zijn pistoolmitrailleur had kunnen laden of een ander wapen kon pakken, want hij maakte aanstalten om zich weer op Ndebele te richten.

Juan liet de Heckler & Koch uit zijn handen vallen en trapte zijn kunstbeen omhoog tot tegen zijn borst, zodat hij met zijn handen zijn kuit kon vastpakken om zo zijn knie tegen zijn schouder te drukken, waardoor het leek alsof hij een geweer schouderde.

De loop van de AK van de bewaker was op een paar graden na weer op Ndebele gericht toen Juans vingers in het hardplastic omhulsel van zijn gevechtsbeen een knop vonden. Het was een veiligheidspal die het hem mogelijk maakte een tweede knop aan de andere kant van het been in te drukken.

In de prothese was nog een door Kevin Nixon in de Magic Shop op de *Oregon* ontwikkelde truc ingebouwd: een vijfenveertig centimeter lange, nikkelstalen .44 mm loop. Door de dubbele vergrendeling met de extra knop was het uitgesloten dat het wapen per ongeluk kon afgaan. Toen Juan de tweede knop indrukte, boorde het éénschotswapen met een knal die het stof van de dakspanten sloeg een gat van anderhalve centimeter in de zool van zijn schoen.

Door de terugslag kwakte hij tegen de grond. Hij had zich onmiddellijk weer onder controle en gaf een ruk aan zijn broekspijp, zodat hij het Kel-Tec .380 automatische pistool kon trekken. Maar hij had zich de moeite kunnen besparen. De holle .44-kogel had de bewaker, die met zijn zijkant naar Cabrillo toegekeerd stond, in zijn rechterarm getroffen en was vervolgens dwars door zijn borstkas gegaan, waar hij alle inwendige organen kapot had getrokken. Het gat waar de kogel het lichaam weer verlaten had, was zo groot als een etensbord.

Moses Ndebele keek Juan in stille verbazing aan, terwijl Cabrillo een nieuw magazijn in zijn pistoolmitrailleur ramde en de Kel-Tec in de geheime bergplaats in zijn been terugstopte. Er zaten bloedspetters op zijn gevangenispak en een paarse veeg op zijn wang. Juan zag de brandwonden op Ndebeles blote armen, de opgezwollen ogen en mond, en dat hij met zijn hele gewicht op één been steunde. Juan keek omlaag naar Ndebeles blote voeten. De ene zag er normaal uit, maar de andere was zo dik als een voetbal. Hij vermoedde dat alle botten van zijn enkel tot zijn tenen gebroken waren.

'Meneer Ndebele, ik ben hier met een contingent van uw aanhangers onder commando van een zekere Mafana. We komen u hier weghalen.'

De Afrikaanse leider schudde zijn hoofd. 'Wat een eigenwijze dwaas is dat toch. Al toen ze me voor het eerst gevangennamen, heb ik hem gezegd dat ze zoiets als dit niet moesten proberen, maar ik had moeten weten dat hij niet zou luisteren. Mijn oude vriend Mafana kiest de bevelen die hij wenst op te volgen zelf uit.'

Juan gebaarde dat hij zich van de celdeur moest verwijderen, zodat hij het slot kapot kon schieten. Ndebele moest hinken om te voorkomen dat hij met zijn gewonde voet de grond raakte. 'Ik heb een vriend die Max heet en die dat met mij ook zo doet.' Juan keek op om Ndebele in de ogen te kunnen kijken. 'En in de meeste gevallen heeft hij gelijk om een bevel niet te gehoorzamen.'

Hij pompte twee kogels in het oude ijzeren slot en gaf de deur een krachtige duw, die met knarsende hengsels openzwaaide. Ndebele wilde de cel uit hinken, maar Juan hield hem met zijn hand tegen.

'We gaan via een andere weg.'

Bij haar onderzoek naar de Duivelsoase was Linda Ross het verslag tegengekomen over een gevangene die had geprobeerd de vijftien centimeter brede afvoerputjes in een van de cellen op de begane grond te vergroten. Een medewerker van de gevangenis controleerde om de dag de putjes, en toen hij ontdekte dat de man de dertig centimeter dikke steenlaag rond het gat in zijn cel met een lepel of een ander werktuig weg schraapte tot het groot genoeg was om te kunnen ontsnappen, had hij dat onmiddellijk aan de bewakers gerapporteerd. Daarop hebben ze de gevangene centimeter voor centimeter en daarbij al zijn hiervoor noodzakelijke botten brekend door de smalle opening geperst tot alleen zijn hoofd nog in de cel uitstak.

Sindsdien had niemand meer geprobeerd op die manier te ontsnappen.

Juan gaf Ndebele de MP5 met het verzoek hem te dekken en ging naast het gat zitten. Snel trok hij zijn schoen uit en haalde er het restant van de plasticbom uit. Van de kneedbare stof maakte hij een lange streng, die hij als een ring in het gat legde. Uit de achterkant van zijn enkelgewricht diepte hij de ontsteker op en stelde de tijdklok in op één minuut, wat lang genoeg was om met Ndebele voldoende afstand te nemen.

Met zijn schoen in zijn hand stak hij de ontsteker in de zachte springstof, tilde Moses over zijn schouder om diens voet te ontzien en liep de cel uit. De bom ging af als een vulkaan. Een fontein van vlammen, rook en brokken steen spatte op tot tegen het plafond. Toen Cabrillo naar de cel terugkeerde, had hij zijn schoen weer aangetrokken, maar niet de moeite genomen om de veter te strikken. Zoals hij had verwacht, had de bom zijn werk meer dan voldoende gedaan. Het gat was, met een door de explosie zwartgeblakerde rand, nu ruim anderhalve meter breed.

Hij liet zich door de opening zakken en hielp vervolgens Ndebele bij het afdalen. De man zoog door zijn opeengeklemde tanden lucht op toen zijn gebroken voet tegen de bodem onder de gevangenis stootte.

'Alles oké?'

'Als dit achter de rug is, ga ik u vragen waar u dat kunstbeen vandaan hebt, want ik geloof dat ik die voet van mij wel kan afschrijven.'

'Dat komt wel goed. Ik ken een behoorlijk goede dokter.'

'U bent uw been kwijt, dus zo goed kan hij niet zijn.'

'Geloof me, ze is... ze is pas bij ons komen werken toen mijn been er al af was.'

Samen baanden ze zich een weg door de tunnel, waar de eeuwige woestijnwind het menselijke afval dat er ooit van boven in was gedumpt, droogde en zo het stinkende karwei van het legen van toiletemmers overbodig maakte.

Het was een vrij nauwe gang en ze moesten op ellebogen en knieën door het vuil kruipen. Juan leidde hen naar het oostelijk deel van de gevangenis dat zich het dichtst bij de landingsbaan bevond. Gelukkig hadden ze de wind in de rug, zodat ze het prikkende zand niet in hun gezicht kregen. Na vijf minuten bereikten ze de buitenkant van het gebouw. Na de relatieve duisternis van de gevangenis was het zonlicht dat door de opening scheen extra fel. De beide mannen bleven vlak bij de opening naast elkaar liggen.

Cabrillo klikte zijn zender aan. 'Beau Geste voor Lawrence of Arabia. Hoor je mij, Larry?'

'Zo helder als wat, Beau,' antwoordde Linc. 'Situatie?'

'Ik heb de inheemse gast bij me. We zijn bij de buitenmuur. Ik kan de landingsbaan zien. Geef me nog een kwartier voor het oorspronkelijke target en pik ons dan op. Onze jongens verzinnen zelf wel iets om uit te breken zodra ze het vliegtuig zien.'

'Negatief, Beau. Zo te zien maken onze bondgenoten er daarbinnen nogal een potje van. Die houden dat geen kwartier meer vol. Ik kom nu direct.'

'Tien minuten dan.'

'Baas, ik maak geen grapjes. Die tijd heb je niet meer. Als we nu niet meteen komen, is er van Mafana's mannen niemand meer over. Dit was geen zelfmoordactie. We zijn het hun schuldig dat we hun aftocht dekken.' Terwijl Linc dit zei, dook er een enorm vrachttoestel aan de hemel op. 'Ook heb ik zojuist van Max vernomen dat onze situatie lichtelijk is veranderd.'

Door nu al te landen, was Cabrillo door Linc voor een voldongen feit geplaatst. Moses zou nooit zonder hulp naar de landingsstrook kunnen komen, en Juan zou hem moeten dragen. Aan de grond was het vliegtuig te kwetsbaar om te kunnen blijven wachten terwijl hij terugging om Geoffrey Merrick te redden. En zodra Mafana en zijn mannen zich terugtrokken, zouden de bewakers meteen de achtervolging inzetten, en zonder luchtdekking zouden ze in de open woestijn onbarmhartig worden afgeslacht.

Wat die verandering waar Max het over had ook mocht zijn, Juan moest erop vertrouwen dat zijn tweede man een betere kijk op het totaalplaatje had dan hij.

De oude de Havilland Caribou was een nogal log ogend toestel, met een staartstuk zo hoog als een gebouw van drie verdiepingen en een cockpit die bovenop de stompe neus uitstak. Door de hoog geplaatste vleugels had het vliegtuig een voor zijn formaat relatief groot laadvermogen en had voor het opstijgen en landen slechts een verbazingwekkend korte baan nodig. Het toestel dat Tiny Gunderson had gehuurd was wit met een verbleekte blauwe streep over de lengte van de romp.

Juan zag dat de piloot al positie koos voor de definitieve landing. Het was tijd om te gaan.

'Kom,' zei hij tegen Moses Ndebele, terwijl hij uit hun schuilplaats onder de gevangenis tevoorschijn kroop. Het geluid van het schieten op de binnenplaats werd gedempt door de dikke muren van het ge-

276

bouw, maar het klonk nog steeds alsof duizend mensen er om hun leven streden.

Toen ze allebei overeind waren gekrabbeld, nam Juan zijn H&K in zijn linkerhand en bukte zich om de Afrikaanse leider op zijn schouder te tillen. Ndebele was een lange man, maar door de jarenlange gevangenschap was hij nog maar weinig meer dan vel over been. Veel meer dan een kilo of zestig zal hij niet hebben gewogen. Normaal gesproken was het dragen van een dergelijk gewicht voor Juan geen probleem geweest, maar door de nu al urenlang aanhoudende inspanningen was zijn lichaam uitgeput.

Met een verbeten trek om zijn mond strekte Juan zijn benen. Zodra Ndebele enigszins stevig over zijn schouder lag, begon hij te hollen. Door het sukkeldrafje zakten zijn schoenen weg in het zand, wat zijn trillende benen extra belastte, en met elke stap schoten de pijnscheuten door zijn rug. Angstvallig hield hij de kant van de gevangenis waar de toegangspoort zich bevond in de gaten, maar tot dusver had nog geen van Mafana's mannen geprobeerd te vluchten. Ze bleven zich op de bewakers richten, in het besef dat hoe langer ze dat volhielden des te groter de kans was dat hun leider weg kon komen.

Het ruim twintig meter lange tweemotorige vrachtvliegtuig raakte de grond toen Cabrillo halverwege was. Tiny veranderde de draairichting van de propellers en gaf gas, waarop de plotseling versnellende propellers een ware zandstorm opwervelden waarin het toestel vrijwel volledig uit het zicht verdween. Met deze manoeuvre verkortte hij de afstand die hij voor de landing nodig had tot minder dan tweehonderd meter, waardoor hij meer dan voldoende ruimte overhield om weer te kunnen opstijgen zonder dat hij naar het einde van de strook hoefde te taxiën. Gunderson zette de propellers in de vaanstand om de luchtweerstand te verminderen, waardoor ze nauwelijks nog vermogen onttrokken aan de twee motoren die elk vijftienhonderd paardenkrachten leverden. Het toestel schudde door de plotseling minder wordende energie.

In een ooghoek ving Juan een beweging op. Toen hij omkeek, zag hij een van Mafana's vrachtauto's wegrijden uit de gevangenis. De mannen in de bak bleven in de richting van de binnenplaats schieten, terwijl de chauffeur op het vliegtuig af stuurde. Het volgende ogenblik doken ook de overige drie vrachtwagens op. Ze reden niet zo hard. De bevrijders probeerden een uitbraak van de bewakers zo lang mogelijk tegen te gaan.

277

Juan richtte zijn aandacht weer op de Caribou. Het vrachtluik zakte omlaag. Op de uiterste punt stond Franklin Lincoln met een aanvalsgeweer in de aanslag. Hij zwaaide naar Juan maar hield zijn aandacht op de naderende vrachtauto gericht. Er stond nog een zwarte man naast hem. Het was de soldaat van Mafana die Juan de vorige avond op pad had gestuurd om contact met de mensen bij het vliegtuig op te nemen.

De grond onder Cabrillo's voeten werd vaster toen hij de met stenen verharde landingsstrip bereikte, en hij wist zelfs nu nog iets te versnellen. Door de adrenaline in zijn lijf kon hij de pijn in zijn rug die laatste paar minuten nog van zich afzetten.

Juan bereikte het toestel en strompelde een paar seconden voordat de vrachtwagen voor het neergelaten luik tot stilstand kwam wankelend het hellend vlak op. Doc Huxley zat met haar medische apparatuur al paraat. Aan een draad aan het plafond had ze infusen met een zoutoplossing opgehangen, en ook had ze zakken plasma gereed voor de strijders die te veel bloed hadden verloren. Juan legde Ndebele op een van de uitklapbare kunststoffen brancardstoelen en liep terug om te zien wat hij nog kon doen.

Linc had de achterklep van de vrachtwagen al opengeklapt. Er lag een tiental gewonde mannen in de laadbak, en Juan hoorde hun pijnkreten boven het gebulder van de motoren uit. Er sijpelde bloed langs de achterklep.

Lincoln tilde de eerste man op en droeg hem het vliegtuigruim in. Ski liep met een tweede gewonde zeulend achter hem aan. Mike en Eddie droegen een derde soldaat tussen hen in, een beer van een vent, bij wie het bloed vanaf zijn dijen door zijn broekspijpen drong. Juan hielp een man die nog zelf op zijn benen kon staan bij het uitstappen. Hij hield zijn arm stijf tegen de zijn borst gedrukt. Het was Mafana, en zijn gezicht was lijkbleek, maar toen hij Moses Ndebele tegen de zijwand van het toestel zag zitten, schreeuwde hij het uit van vreugde. De beide gewonde mannen begroetten elkaar zo goed en zo kwaad als dat nog ging.

Bij de gevangenis gaven de van het oorspronkelijke konvooi overgebleven vrachtwagens gas, waarbij de wielen door de plotselinge acceleratie enorme wervelende stofwolken opwierpen. Het volgende moment doken er nog twee wagens op. Een van de twee reed de vluchtende terreinwagens achterna, terwijl de andere op de landingsbaan af reed.

'Baas,' riep Linc boven het kabaal uit, terwijl hij met een volgende gewonde op het vrachtluik stapte. 'De laatste. Zeg tegen Tiny dat hij zorgt dat we hier wegkomen.'

Juan gebaarde dat hij het begrepen had en liep verder het toestel in. Tiny hing omkijkend over zijn stoelleuning, en toen hij Cabrillo zijn duim zag opsteken, richtte hij zijn aandacht weer op het bedieningspaneel. Nadat hij de stand van de propellers had veranderd, kwam het toestel langzaam in beweging.

Cabrillo haastte zich weer naar achteren. Julia knipte het gevechtsjack van een van de mannen open om een paar kogelgaten in zijn borst te kunnen behandelen. De wonden borrelden. Zijn longen waren doorboord. Zonder zich om de allesbehalve hygiënische omstandigheden en het gebonk van het opstijgen te bekommeren moest zij de slachtoffers op de aard en de ernst van hun verwondingen selecteren.

'Moest je het nou per se op de laatste seconde laten aankomen?' vroeg Eddie toen Cabrillo op hem afkwam. Hij grijnsde.

Cabrillo schudde zijn uitgestoken hand. 'Je weet toch dat ik soms een onvoorstelbare treuzelaar kan zijn. Alle oké met jullie?'

'Een paar grijze haren erbij, maar verder niks ernstigs. Binnenkort moet je me maar eens vertellen hoe je hier in de middle of nowhere een heel leger hebt opgeduikeld.'

'Goede goochelaars geven hun geheimen nooit prijs.'

Het vliegtuig bleef vaart maken en was spoedig sneller dan de vrachtwagen van de bewakers. Door het openstaande luik zag Juan dat ze uit pure frustratie nog een paar salvo's afvuurden, waarna de chauffeur krachtig afremde, omkeerde en de achtervolging van de overige mannen van Mafana inzette. Vanaf het gevangenisterrein stoven vervolgens nog een derde en een vierde vrachtwagen de woestijn in.

Tiny trok de stuurknuppel naar zich toe, waarop de oude Caribou zich van de hobbelige baan verhief. Het trillen van het toestel, dat zo heftig was dat Juan bang was dat zijn tandvullingen eruitsprongen, viel weg. Omdat het luik open moest blijven, werden de patiënten naar de voorkant van het vliegtuig gebracht. Linc stond op het hellende vlak van het openstaande luik. Het rugpand van zijn scherfvest zat met een veiligheidslijn vast aan een in de bodem van het luik gemonteerde D-ring. Hij droeg een helm met een ingebouwde microfoon, waardoor hij met Tiny in de cockpit kon praten. Er stond een langwerpig krat aan zijn voeten.

Ook Juan klikte zich vast aan een veiligheidslijn en liep voorzichtig naar de forse SEAL toe. Er joegen warme windvlagen door de cabine toen Tiny het toestel met een schuine bocht tot achter de vrachtauto's van de bewakers bracht. Met hun veel nieuwere wagens hadden ze de achterstand die ze aanvankelijk op Mafana's mannen hadden al voor de helft ingelopen.

De voorste auto's naderden een diep dal tussen twee hoge duinenrijen toen het vliegtuig op de twee groepen vrachtwagens af vloog. Ze waren nog zo'n driekwart kilometer van elkaar verwijderd. Tiny vloog op een hoogte van driehonderd meter in de lengterichting door het dal, dat echter onverwacht snel doodliep. In plaats van dat het op de open woestijn uitkwam, liep het na vijf kilometer dood op een duin dat zo steil was dat de vrachtwagens er slechts met een slakkengangetje tegenop zouden komen.

'Keer om,' riep Linc in de microfoon, 'en positioneer ons er weer achter.'

Hij gebaarde naar Mike en Eddie dat ze zich naast hen moesten opstellen. De beide mannen klikten zich ook snel vast aan een veiligheidslijn en leunden scherp opzij om in het overhellende vliegtuig niet om te vallen. Linc opende het krat. Er lagen vier van Mafana's RPG's in. Dit was de reden waarom Juan een van Mafana's mannen al meteen naar Linc toe had gestuurd.

Linc reikte hun alle drie een antitankraketwerper aan.

'Dit gaat een behoorlijk pittige schietpartij worden,' riep Mike aarzelend. 'Vier vrachtauto's. Vier RPG's. Wij vliegen met tweehonderd kilometer per uur en zij rijden nauwelijks harder dan tachtig.'

'Ja, een beetje vertrouwen is nooit weg,' gilde Linc terug.

Het vliegtuig draaide bij tot het weer recht op de ingang van het dal af vloog. Tiny liet het toestel iets zakken en kreeg te maken met de tegenwerkende thermiek, de van het hete woestijnzand opstijgende warme lucht. Aan weerszijden flitsten de duintoppen op nog geen dertig meter afstand langs de vleugels. Linc luisterde naar de piloot, die voor hem aftelde hoelang het nog duurde tot ze over het konvooi van de bewakers zouden scheren. Toen hij zijn RPG naar zijn schouder bracht, volgden de drie anderen zijn voorbeeld.

Hij wees naar Juan en Ski. 'Richt op de voet van het duin links van het konvooi. Mike en ik nemen de rechterkant. Zorg dat de granaten zo'n twintig meter voor de voorste auto inslaan.'

Tiny bracht het toestel nog iets lager en trok onmiddellijk weer op toen ze vanaf de grond onder vuur werden genomen. Hij had de Caribou net weer recht toen ze de achterste vrachtwagen passeerden. In een fractie van een seconde zagen Juan en de anderen het konvooi onder hen door glijden, en het leek alsof alle wapens die de bewakers tot hun beschikking hadden in hun richting vuurden.

'Nu!'

Alle vier drukten ze tegelijk af. De raketten schoten uit de buizen, ontbrandden en raasden met hun spiraalsgewijs uitwaaierende condensstrepen de heldere lucht in. Het vliegtuig was al voorbij de wagens van Mafana's mannen toen de granaten aan de voet van de duinen insloegen. De springladingen ontploften in alles verblindende zandfonteinen. En hoewel die tegen de hoog optorenende duinen nogal magertjes afstaken, hadden ze wel degelijk het gewenste effect.

Het evenwicht tussen hellingshoek en hoogte van de duinen werd door de explosies zodanig verstoord dat het zand langs de hellingen begon te glijden, en het leek alsof beide zijden van het dal op elkaar af raasden, en elkaar in het midden zouden raken, precies daar waar het konvooi van de bewakers zich bevond.

De beide landverschuivingen denderden naar de bodem van het dal. De lawine aan de rechterkant ging net iets sneller waardoor de vier vrachtwagens door de kracht van het razende zand kantelden. De mannen werden met hun wapens uit de bak geslingerd, waarna de tweede lawine zich van de andere kant op hen stortte en hen onder een minstens tien meter dikke laag zand bedolf.

Een stofwolk markeerde hun graf.

Linc drukte op de knop om het luik te sluiten, waarop de vier mannen dieper het ruim inliepen.

'Heb ik 't niet gezegd?' Linc keek Mike grijnzend aan. 'Fluitje van een cent.'

'Mazzel dat dat dal er was,' reageerde Mike.

'Mazzel? Aan me hoela. Ik had het gezien toen we er afgelopen nacht overheen vlogen. Juan had Mafana's mannen gezegd dat ze die kant op moesten rijden, zodat we alle bewakers in één klap konden uitschakelen.'

'Niet slecht, baas,' moest Trono toegeven.

Juan nam niet de moeite zijn zelfvoldane glimlach te verbergen. 'Zeker. Zeker.' Hij wendde zich tot Lincoln. 'Heeft Max alles geregeld?'

'De *Oregon* ligt in Swakopmund afgemeerd. Max staat op het vliegveld klaar met een oplegger en een lege scheepscontainer. Daarin leggen we de gewonden en laten we ook onszelf opsluiten. Max rijdt dan naar de werf, waar een met baksjisj overladen douane-inspecteur de vrachtpapieren zal tekenen, waarna we aan boord worden gehesen.'

'En de mannen van Mafana rijden door naar Windhoek,' concludeerde Juan, 'om vandaar naar een voor Ndebele veilig oord te vliegen.' Waarop hij knorrig vervolgde: 'Alles goed en wel, maar ondertussen hebben we Geoffrey Merrick niet bevrijd en is de kans om hem terug te vinden verkeken. Ik weet zeker dat zijn ontvoerders nog geen vijf seconden na de bewakers ook uit de Duivelsoase zijn vertrokken.'

'Een beetje vertrouwen, baas,' zei Linc voor de tweede keer, waarbij hij meewarig zijn hoofd schudde.

Nina Visser zat in de schaduw van een aan de laadbak van hun vrachtwagen bevestigde zeildoek toen ze een zoemend geluid hoorde. Ze had in haar dagboek geschreven, een gewoonte die ze sinds haar tienerjaren nooit had opgegeven. In de loop der jaren had ze tientallen opschrijfboekjes vol geschreven, in de veronderstelling dat ze ooit een belangrijke bron voor haar biograaf zouden zijn. Want dat haar leven zo belangwekkend was dat er ooit nog eens een boek over haar zou worden geschreven, daaraan had ze nooit getwijfeld. Ze zou tot een van de belangrijkste voorvechters van de milieubeweging uitgroeien, in de sporen van Robert Hunter en Paul Watson, de oprichters van Greenpeace.

Uiteraard zou de huidige actie daar niet bij vermeld worden. Dit was een miskleun die ze volledig uit de annalen zou schrappen. Ze schreef nu zuiver uit gewoonte, en ze wist dat ze dit dagboek en alle andere waarin haar betrokkenheid bij Dan Singers zaakjes ter sprake kwam, moest vernietigen.

Ze klapte het opschrijfboek dicht en schoof haar pen in de spiraalband. Terwijl ze vanonder het zeildoek overeind krabbelde, leek het alsof ze de deur van een oven opentrok. De middagzon brandde meedogenloos. Ze sloeg het zand van het zitvlak van haar broek en beschermde haar ogen met haar hand tegen de zon, terwijl ze de lucht afzocht naar het vliegtuig dat Danny haar had beloofd. Zelfs door de donkere zonnebril duurde het een paar seconden voordat haar ogen zo aan het licht gewend waren dat ze de glanzende stip aan de hemel zag. Vanonder het zeildoek dook nog een aantal van haar vrienden op, onder wie ook Susan. Ze waren stuk voor stuk vermoeid van de rit en hadden dorst omdat ze niet voldoende water hadden meegenomen.

Merrick was er veruit het ergst aan toe. Met een prop in zijn mond en geboeid lag hij met zijn rug tegen de zijkant van de vrachtwagen, waar maar een smalle rand schaduw was. Sinds de spuit heroïne die ze hem hadden toegediend, was hij niet meer bij kennis geweest, en zijn zonverbrande gezicht was bevlekt met opgedroogd zweet. Om zijn wond zoemden vliegen.

Het vliegtuig vloog over de onverharde landingsstrook en iedereen zwaaide toen het eroverheen kwam. De piloot bewoog de vleugels van het toestel even op en neer en zwenkte terug. Het vliegtuig vloog zo'n dertig meter boven over de landingsstrook voordat de piloot het aan de grond zette. Hij nam onmiddellijk gas terug en taxiede naar de plek waar de vrachtwagen langs de rand van het veld geparkeerd stond. Het verlaten stadje lag een paar honderd meter achter hen, een samengeklonterde verzameling vervallen gebouwen die geleidelijk steeds verder onder het woestijnzand bedolven raakten.

Aan de achterkant van het vliegtuig zakte langzaam een luik omlaag, wat Nina aan een middeleeuwse ophaalbrug deed denken. In de opening doemde een haar onbekende man op, die vervolgens op het groepje af liep. 'Nina?' vroeg hij, luid boven het gebulder van de motoren uit.

Nina stapte op hem af. 'Ik ben Nina Visser.'

'Hoi,' zei hij vriendelijk. 'Van Dan Singer moet ik je zeggen dat de Verenigde Staten een programma hebben ontwikkeld dat ze Echelon noemen. Daarmee kun je vrijwel alle elektronisch gevoerde gesprekken waar ook ter wereld afluisteren.'

'En?'

'Je had iets voorzichtiger moeten zijn met wat je over de satelliettelefoon zei, want er heeft vannacht iemand meegeluisterd.' Terwijl de betekenis van zijn woorden langzaam tot haar doordrong, liet Cabrillo zijn welwillende houding varen en trok een pistool vanachter zijn rug tevoorschijn. Hij richtte de loop op Nina's hoge voorhoofd. Onder aanvoering van Linc kwamen er nog drie mannen over het luik van de Caribou naar buiten gestormd. Ze waren allemaal met een MP5-pistoolmitrailleur gewapend en zwaaiden er dreigend mee naar het overblufte groepje. 'Ik hoop maar dat jullie je hier

283

vermaken,' vervolgde Juan. 'We hebben een nogal strak schema af te werken en geen tijd om jullie bij de politie af te leveren.'

Een van de ecoterroristen verplaatste zijn gewicht, waardoor hij iets dichter bij de vrachtwagen kwam te staan. Juan schoot een kogel zo rakelings langs zijn voet dat hij de rubberen zool van zijn schoen schampte. 'Weet wat je doet.'

Linc hield de ecoterroristen onder schot, zodat Juan Geoff Merrick kon bevrijden, terwijl twee andere leden van de Corporation de ontvoerders met plastic binders boeiden. Merrick was nog bewusteloos, en zijn hemd was met opgedroogd bloed besmeurd. Julia was aan boord van de *Oregon* druk in de weer met de behandeling van de gewonde vrijheidsstrijders uit Zimbabwe, maar een van haar verpleeghulpen was met het vliegtuig meegekomen. Juan gaf Merrick over aan de ziekenbroeder en stapte met twee jerrycans met water het zonlicht weer in.

'Als je dit goed rantsoeneert, kun je er een week mee voort.' Hij zette de blikken in de bak van de vrachtwagen.

Hij doorzocht de cabine en vond in het handschoenenkastje Nina's satelliettelefoon. Ook een stel aanvalsgeweren en een pistool ontsnapten niet aan zijn aandacht.

'Wapens zijn geen kinderspeelgoed,' zei hij, naar het vliegtuig teruglopend, over zijn schouder. Tot hij opeens bleef staan en naar het groepje terugkeerde. 'Ik was haast nog iets vergeten.'

Hij speurde een voor een hun gezichten af tot hij degene vond die hij zocht en die zich achter de rug van een lange jongen met een baard probeerde te verbergen. Juan liep ernaartoe en trok Susan Donleavy aan haar arm naar voren. De jongen achter wie ze zich verschool, haalde uit naar Cabrillo's hoofd. De manier waarop hij dat deed was nogal onhandig en Juan wist de klap makkelijk te ontwijken, waarop hij de loop van zijn 9mm-wapen tussen de ogen van de angstige ex-student priemde. 'Probeer dat niet nog eens.'

De jongen stapte naar achteren. Juan trok Susan Donleavy's boeien zo strak aan dat ze begreep dat het ergste nog moest komen, en duwde haar voor zich uit naar het vliegtuig. Bij het luik bleef hij staan en richtte zich tot de twee mannen van zijn team die zouden achterblijven. Ze droegen allebei een rubberen zak met brandstof voor de vrachtwagen het vliegtuig uit. 'Jullie weten wat de bedoeling is?'

'We rijden nog zo'n vijftig kilometer de woestijn in en daar gooien we ze eruit.'

284

'Zo zal het vliegtuig van Singer ze niet snel vinden,' zei Juan. 'Noteer alleen wel de gps-coördinaten, zodat we ze later kunnen ophalen.'

'Daarna rijden we terug naar Windhoek, verbergen daar de vrachtwagen ergens en zoeken een hotel.'

'Neem meteen bij aankomst contact op met het schip,' zei Juan, terwijl hij hun een hand gaf. 'Misschien kunnen we jullie oppikken als we in het noorden van Congo achter die wapens aan gaan.'

Vlak voordat Cabrillo met zijn gevangene in het ruim van de Caribou verdween, riep hij de ecoterroristen nog toe: 'Tot over een week!'

Linc holde achter hem aan, en zodra ook hij aan boord was, gaf Tiny een stevige dot gas. Anderhalve minuut nadat ze waren geland, hingen ze alweer in de lucht en lieten acht totaal verbouwereerde would-be ecoterroristen achter die bij god niet wisten wat hen overkomen was.

23

'Welkom terug, baas,' zei Max Hanley toen Juan van de scheepsladder op het dek van de *Oregon* stapte.

Ze schudden elkaar de hand. 'Blij dat ik terug ben,' zei Cabrillo, die zijn ogen nauwelijks nog kon openhouden. 'De afgelopen twaalf uur waren zo'n beetje de ergste van m'n leven.' Hij draaide zich om en wuifde naar Justus Ulenga, de Namibische kapitein van de *Pinguïn*, de boot die Sloane Macintyre en Tony Reardon aan boord had genomen toen ze achtervolgd werden. Juan had de visser in Terrace Bay gecharterd, waar hij zich na de aanval op zijn boot schuilhield.

De vriendelijke kapitein beantwoordde de groet van Cabrillo met een tikje tegen zijn honkbalpet. Hij keek hem breed grijnzend aan vanwege het forse pak bankbiljetten dat hem was toegestopt voor het simpel vervoeren van Juans gezelschap van en naar het vrachtschip dat net buiten de twintig-kilometergrens van de territoriale wateren van Namibië voor anker lag. Zodra zijn boot zich ver genoeg van de *Oregon* had verwijderd, zette de reusachtige vrachtvaarder koers naar het noorden en steeg er een dikke wolk neprook uit de enkele schoorsteen op.

Geoffrey Merrick was in een speciale brancard aan dek gehesen. Julia Huxley had zich al over hem ontfermd. Onder haar met hard geworden olievlekken besmeurde doktersjas droeg ze met bloed bevlekte operatiekleding. Vanaf het moment dat ze de container hadden geopend waarin Max de soldaten naar het schip had gebracht, was ze aan één stuk door bezig geweest met het oplappen van de gewonde mannen. Ze werd bijgestaan door twee verplegers, die Merrick naar de lager gelegen behandelkamer zouden brengen, maar ze wilde eerst zo snel mogelijk een diagnose stellen.

Susan Donleavy was door Mike, Ski en Eddie direct nadat ze voet aan boord van de *Oregon* zette geblinddoekt naar de scheepscel gebracht. Ze was duidelijk geïntimideerd door het feit dat sinds Juan haar uit de woestijn had opgepikt, niemand ook maar één woord tegen haar had gezegd. Hoewel ze nog niet helemaal verslagen was, stond ze op instorten.

'Wat denk je, doc?' vroeg Juan, toen Julia haar stethoscoop van Merricks borst wegnam.

'De longen zijn schoon, maar de hartslag is zwak.' Ze keek naar de infuuszak met een zoutoplossing die een van haar mensen boven Merricks forse lijf hield. 'Dit is al de derde zak. Ik wil zijn bloed zo snel mogelijk weer op peil hebben, voordat ik de kogel kan verwijderen die nog in de wond zit. Het bevalt me niet dat hij nog steeds buiten kennis is.'

'Kan dat met de heroïne te maken hebben die ze hem in de Duivelsoase hebben ingespoten?'

'Die zou inmiddels wel uit de bloedcirculatie weg moeten zijn. Het is iets anders. Hij heeft ook koorts en de wond lijkt ontstoken. Ik moet hem antibiotica geven.'

'En de anderen? Hoe is 't met Moses Ndebele?'

Er kwam een sombere blik in haar ogen. 'Ik heb er twee niet meer kunnen helpen. Er is er nog één in levensgevaar. Bij de anderen waren het voornamelijk vleeswonden. Zolang die niet ontstoken raken, zijn zij oké. Moses is er rampzalig aan toe. Een mensenvoet telt zesentwintig botjes. Op de röntgenfoto heb ik geprobeerd de losse botfragmenten te tellen, maar bij achtenvijftig ben ik gestopt. Als hij die voet wil behouden, moeten we er binnen een paar dagen een orthopeed bijhalen.'

Cabrillo knikte, maar zei niets.

'Hoe gaat 't met jou?' vroeg Hux aan hem.

'Ik voel me slechter dan ik eruitzie,' antwoordde Juan met een vermoeid glimlachje.

'Dan voel je je behoorlijk beroerd, want je ziet er allerbelabberdst uit.'

'Is dat jouw officiële medische diagnose?'

Julia drukte haar handpalm tegen zijn voorhoofd, als een moeder die bij haar kind voelt of het koorts heeft. 'Jep.' Ze gebaarde haar verplegers dat ze Merricks brancard konden optillen en liep naar het dichtstbijzijnde luikgat. 'Ik ben beneden als je me nodig hebt.'

Opeens riep Cabrillo haar terug. Hij herinnerde zich iets waarvan hij niet begreep hoe hij dat had kunnen vergeten. 'Julia, hoe is 't met Sloane?'

'Uitstekend. Ik heb haar de ziekenboeg uitgezet en later ook uit het gastenverblijf, want die had ik nodig als verkoeverkamer. Ik heb haar zelfs als *candy striper* aan het werk gezet. Ze ligt bij Linda in de hut. Ze wilde hier zijn om je te begroeten, maar ik heb haar naar bed gestuurd. Er is veel gebeurd en ze is nog zwak.'

'Bedankt,' zei Juan opgelucht, waarna Julia en haar team in het schip verdwenen.

Max dook naast hem op. Zijn pijp verspreidde een aangename geur van appel en cederhout. 'Dat was een akelig goed voorgevoel om mij te vragen met Langston contact op te nemen en Echelon te kraken.'

Een van de eerste dingen die Juan deed toen hij hoorde dat de bevrijding van Geoffrey Merrick was mislukt, was Max vragen om Overholt ertoe over te halen dat ze een beroep op het Echelon-programma van de NSA mochten doen. Elke seconde vonden er over de aardbol honderden miljoenen elektronische data-uitwisselingen plaats: gsm's, gewone telefoonverbindingen, faxen, radio's, satelliettelefoons, e-mails en websites met chatboxen. In Fort Meade, het hoofdkwartier van de NSA, stonden zalen vol met aan elkaar gekoppelde computers die alle golflengtes afzochten naar specifieke zinsneden of woorden die voor de Amerikaanse inlichtingendienst van belang konden zijn. Hoewel het programma niet was ontworpen als een rechtstreeks afluisterinstrument, kon Echelon na het instellen van de juiste toepassingen – zoals het invoeren van de geografische locatie van de Duivelsoase en termen als *Merrick, Singer, gijzelaar, bevrijding, Donleavy* – een dergelijke naald in de hooiberg wel degelijk vinden. Drie minuten na de telefonische aanvraag had Max aan boord van de *Oregon* per e-mail een afschrift van Nina Vissers gesprek met Daniel Singer ontvangen.

'Nadat onze jongens in de gevangenis gepakt waren, had ik het gevoel dat degene die daar de leiding had, Singer op de hoogte zou stellen van wat er aan de hand was en om nieuwe orders zou vragen.' Juan probeerde met de rug van zijn handen de vermoeidheid uit zijn ogen te wrijven. 'Het zijn een stelletje amateurs. Ze hadden niet eens een plan voor onvoorziene omstandigheden.'

'Wat heb je met de overige ontvoerders gedaan?' vroeg Max. Zijn pijp was uitgegaan en het waaide te hard om hem weer aan te kunnen steken.

Juan liep in de richting van een luikgat en stond met zijn gedachten al in zijn glazen douchecel onder de heetst mogelijke straal die hij kon verdragen. Max liep met hem op. 'Ik heb ze daar met voor een week water achtergelaten. Ik heb Lang gevraagd contact met Interpol op te nemen. Dan kunnen zij ze in samenwerking met de Namibische autoriteiten oppikken en naar Zwitserland terugbrengen, zodat ze daar wegens ontvoering aangeklaagd kunnen worden, en Susan Donleavy wegens een poging tot moord.'

'Waarom heb je haar dan meegenomen hiernaartoe? Je had haar toch bij de rest kunnen laten verrotten?'

Cabrillo bleef staan en wendde zich tot zijn oude vriend. 'Omdat de NSA Singers locatie niet kon vaststellen en ik weet dat zij die wel weet. Bovendien is dit nog niet afgerond. Nog lang niet. Het ontvoeren van Merrick was pas de openingszet van iets veel groters dat zijn voormalige compagnon heeft gepland. Zij en ik gaan straks nog een hartig woordje met elkaar wisselen.'

Even later kwamen ze bij Juans hut, waar ze hun gesprek vervolgden, terwijl Juan zijn smerige uniform uittrok en de kleren in een wasmand gooide. Ook smeet hij zijn schoenen bij het vuile goed, maar pas nadat hij er een mokvol zand uit had verwijderd dat er door het gat van de .44-kogel was ingedrongen. 'Maar goed dat ik dat niet heb gevoeld,' merkte hij terloops op. Hij haakte zijn gevechtsbeen los en zette het tegen de muur. Hij wilde het aan het personeel van de Magic Shop geven met het verzoek het wapen weer te laden en de mechanische onderdelen goed schoon te maken.

'Mark en Eddie hebben zich ongeveer een uur geleden gemeld,' zei Max. Hij zat op de rand van de koperen jacuzzikuip, terwijl Juan in de stoomwolk stapte die uit de douchecel dreef. 'Ze hebben al zo'n anderhalf duizend vierkante kilometer afgewerkt, maar nog steeds geen enkel teken van de wapens of van het Congolese Revolutieleger van Samuel Makambo.'

'En de CIA?' riep Juan boven het geraas van de kletterende waterstraal uit. 'Weten zij niets over het doen en laten van Makambo?'

'Helemaal niets. Het lijkt wel of die vent op eigen commando in het niets verdwijnt.'

'Eén vent kan verdwijnen, maar niet vijf- à zeshonderd van zijn aanhangers. Hoe heeft Murph de zoekactie opgezet?'

'Ze zijn vanaf de aanlegsteiger begonnen en vliegen in steeds grotere cirkels, waarbij ze voor de zekerheid een overlappingsstrook van zo'n dertig kilometer aanhouden.'

'De rivier is de grens tussen de Republiek Congo en de Democratische Republiek Congo,' zei Juan. 'Blijven ze steeds aan de zuidkant?'

'Afgezien van de overeenkomst in de namen, zijn de betrekkingen tussen beide landen niet best. Voor het luchtruim van de Republiek Congo hebben ze geen toestemming kunnen krijgen, dus ja, ze blijven ten zuiden van de grens.'

'Hoe groot is de kans dat Makambo de wapens naar het noorden heeft gebracht?'

'Het zou kunnen,' bevestigde Max. 'Als de noorderbuur zijn leger bescherming biedt, zou dat verklaren waarom hij nooit is opgepakt.'

'We hebben nog maar een paar uur tot de batterijen van de zendchips opraken.' Juan draaide de kraan dicht en klapte het deurtje open. Hij was schoon maar nauwelijks opgefrist. Max gaf hem een dikke handdoek van Braziliaans katoen aan. 'Laat Mark weten dat hij alles in het werk stelt om over die grens heen te gaan en daar gaat luisteren. Die wapens bevinden zich binnen een straal van tweehonderdvijftig kilometer van de rivier. Daar ben ik zeker van.'

'Ik roep hem nu meteen op,' zei Max, terwijl hij van de smalle rand opstond.

Het haar van Juan was zo kort dat hij het niet hoefde te kammen. Hij deed wat deodorant op en besloot dat hij er met een baard van anderhalve dag agressiever uitzag, dus liet hij zijn scheermes in de badkamer ongemoeid. Door de donkere randen onder zijn roodomrande ogen lag er een duivelse trek op zijn gezicht. Hij trok een zwarte werkbroek en een zwart T-shirt aan en belde de Magic Shop om te vragen of een van de technici zijn gevechtsbeen kon komen ophalen, en onderweg naar het scheepsruim griste hij uit de kombuis snel een sandwich mee.

Linda Ross stond voor het ruim te wachten. Ze had een Black-Berry-smartphone in haar hand die de signalen van het interne wifi-netwerk opving.

'Hoe is 't met onze gast?' vroeg Juan.

'Kijk zelf maar.' Ze hield het toestel zo op dat hij op het scherm kon kijken. 'O ja, nog gefeliciteerd met de succesvolle bevrijdings-actie.'

'Ik heb veel hulp gehad.'

Susan Donleavy lag vastgebonden op een roestvrijstalen balsem-tafel in het midden van het holle, donkere ruim waarin Juan een dag eerder zijn parachute had ingepakt. Het enige licht kwam van een felle halogeenlamp die een kegelvormig schijnsel rond de tafel wierp, waardoor zij niets in de ruimte om haar heen kon zien. De beelden op het scherm van de BlackBerry kwamen van een camera die recht boven de lamp hing.

Susans haar was lang en sprietig door het lange verblijf in de woes-tijn zonder voldoende water voor persoonlijke hygiëne, en de huid op haar armen zat onder de bulten van insectensteken. Het bloed was uit haar gezicht weggetrokken, waardoor het was ingevallen, en haar onderlip trilde. Ze baadde in het zweet.

'Als we haar niet hadden vastgebonden, had ze haar nagels tot op de huid afgebeten,' zei Linda.

'Ben je er klaar voor?' vroeg Juan.

'Ik heb wat aantekeningen doorgekeken. Het is al een tijdje gele-den dat ik een verhoor heb afgenomen.'

'Zoals Max altijd zegt: het is net als bij een val van je fiets. Als je 't één keer hebt gedaan, vergeet je 't nooit meer.'

'Dan hoop ik maar dat bij zijn sollicitatieprocedure een gevoel voor humor niet vereist is geweest.' Linda drukte de BlackBerry uit. 'Gaan we?'

Juan opende de deur naar het ruim. De hitte sloeg hem tegemoet. Ze hadden de thermostaat op 38 graden gezet. Net als de lamp was de temperatuur onderdeel van de verhoortechniek die Linda had voorbereid om Susan Donleavy zo snel mogelijk te laten doorslaan. Ze stapten zwijgend de ruimte in, maar bleven net buiten de licht-cirkel.

Hij moest Susan wel een hoge score geven, want ze hield zich bijna een minuut lang stil. 'Wie is daar?' vroeg ze met een van spanning trillende stem.

Cabrillo en Ross bleven zwijgen.

'Wie is daar?' herhaalde Susan op een al iets scherpere toon. 'U kunt me op deze manier niet vasthouden. Ik heb ook rechten.'

De scheidingslijn tussen paniek en woede was flinterdun – bij een verhoor ging het erom dat die grens nooit overschreden werd. Je moest te allen tijde voorkomen dat de angst van de te ondervragen persoon in woede omsloeg. Linda's timing was perfect. Ze zag aan de manier waarop de spieren in Susans hals zich spanden, dat ze steeds woedender werd. Net voordat Donleavy wilde gaan gillen, stapte ze in de lichtcirkel. Haar ogen sperden zich wijdopen toen ze zag dat het een vrouw was die zich bij haar in het ruim bevond.

'Mevrouw Donleavy, laat ik u maar meteen zeggen dat u goed moet begrijpen dat u absoluut geen rechten hebt. U bent aan boord van een onder Iraanse vlag varend schip in internationale wateren. Er is hier niemand die u op welke manier dan ook kan vertegenwoordigen. U hebt twee keuzemogelijkheden, meer niet. U vertelt me alles wat ik wil weten of ik draag u over aan een professionele ondervrager.'

'Wie bent u? U hebt opdracht om Geoffrey Merrick te bevrijden, is 't niet? Nou, die hebt u nu, lever mij dan uit aan de politie of zoiets.'

'Wij volgen de "of zoiets" route,' reageerde Linda. 'Dat houdt onder meer in dat u ons vertelt waar Daniel Singer zich op dit moment bevindt en wat hij verder van plan is.'

'Ik weet niet waar hij is,' antwoordde Susan haastig.

Té haastig voor Linda's gevoel. Ze schudde haar hoofd alsof ze teleurgesteld was. 'Ik had gehoopt dat u iets meer zou meewerken. Meneer Smith, wilt u er alstublieft even bijkomen?' Juan stapte naar voren. 'Dit is meneer Smith. Tot niet zo lang geleden werkte hij voor de Amerikaanse regering, met als taak om informatie uit terroristen los te krijgen. U zult de geruchten wel hebben gehoord over de Verenigde Staten die gevangenen naar landen brachten met, hoe zal ik 't zeggen, een wat soepeler wetgeving ten aanzien van foltermethoden. Hij was de man die werd ingezet als de zwaarste middelen nodig waren om de inlichtingen los te krijgen.'

Susan Donleavy's lip begon weer te trillen terwijl ze Juan aanstaarde.

'Hij heeft alles wat hij wilde losgekregen uit enkele van de meest taaie lieden ter wereld, mannen die in Afghanistan tien jaar lang tegen de Russen hadden gevochten en daarna jarenlang tegen onze troepen, mannen die een eed hadden gezworen liever te sterven dan zich aan een ongelovige te onderwerpen.'

Juan streek lichtjes over de huid van Susans arm. Het was een intiem gebaar, eerder de streling van een minnaar dan van een folteraar. Ze verstijfde en probeerde terug te deinzen, maar omdat ze vastgebonden lag, lukte dat maar een paar centimeter. De dreiging van pijn was veel effectiever dan de pijn zelf. In Susans hoofd vormden zich al beelden die veel angstaanjagender waren dan Linda of Cabrillo kon verzinnen. Zij lieten de foltering aan haarzelf over.

Opnieuw was Linda's timing perfect. Susan probeerde uit alle macht haar verbeelding in te dammen en alles wat ze voor zich zag van zich af te zetten. Ze schraapte alle moed bijeen om alles wat komen ging zo rustig mogelijk onder ogen te zien. Het was Linda's taak om haar te blijven overrompelen.

'Ik heb geen idee wat hij met vrouwen doet,' zei Linda zachtjes, 'maar ik weet wel dat ik er niet bij wil zijn.' Ze boog voorover en bracht haar gezicht tot op een paar centimeter van dat van Susan, maar wel zo dat ook Juan nog in haar gezichtsveld was. 'Vertel me wat ik van u horen wil en dan gebeurt er verder niets met u. Dat beloof ik.'

Juan kon met moeite een glimlach onderdrukken omdat Susan Donleavy Linda opeens met zoveel vertrouwen aankeek dat hij begreep dat ze alles uit haar zouden krijgen wat ze weten wilden en meer nog.

'Susan, waar is Daniel Singer?' fluisterde Linda. 'Zeg maar waar hij is.'

Susans trok met haar mond alsof ze met de gedachte van verraad worstelde, wat het voor haar gevoel was als ze vertelde wat ze wist. Plotseling spuugde ze een klodder speeksel in Linda's gezicht. 'Krijg de klere, trut. Ik zeg niks.'

Linda's enige reactie was dat ze het spuug wegveegde. Ze hield haar hoofd vlak bij dat van Susan en vervolgde op fluistertoon: 'U moet goed begrijpen dat ik dit liever ook niet zou doen. Echt niet. Ik weet dat het redden van de natuur belangrijk voor u is. Misschien bent u zelfs bereid om uw leven voor die zaak te geven. Maar u hebt geen benul van wat u te wachten staat. De pijn die u te verwerken krijgt, daar hebt u geen voorstelling van.'

Terwijl ze haar rug rechtte, gebaarde ze naar Juan. 'Meneer Smith, het spijt me dat ik u gevraagd heb uw gereedschap niet meteen mee te nemen. Ik had gedacht dat ze mededeelzamer zou zijn. Ik help u met het halen van de boren en andere spullen en dan laat ik u beiden alleen.' Ze keek weer naar Susan. 'U beseft dat u na vandaag de rest van uw leven schrikt als u in de spiegel kijkt?'

'Voor Dan Singer is geen offer me te groot,' reageerde Susan uitdagend.

'Hebt u zich ook afgevraagd wat hij voor u zou opofferen?'

'Het gaat niet om mij. Het gaat om het redden van de planeet.'

Linda keek in de donkere ruimte om zich heen alsof ze iets zocht. 'Ik zie hier verder niemand, Susan, dus dit gaat wel degelijk alleen maar om u. Singer zit ergens veilig ver weg en u ligt op een tafel vastgebonden. Denk daar nou even over na. En bedenk dan ook hoe lang u nog met de consequenties van wat u vandaag doet moet leven. U gaat voor vele jaren de gevangenis in. Waar kunt u dan nog het beste iets voor anderen doen: in een Namibische gevangenis of in een nette, knusse cel in Europa met stromend water en een bed dat niet van de vlooien vergeven is? We hebben nog niet besloten aan wie we u gaan uitleveren.'

'Als jullie me iets doen, gaan jullie daarvoor boeten, daar zorg ik wel voor,' snauwde Susan.

Linda trok een wenkbrauw op. 'Pardon? Gaan wij daarvoor boeten?' Ze grinnikte. 'U hebt geen idee wie wij zijn, dus hoe wilt u dat aanpakken? U begrijpt het nog niet helemaal. U bent volledig aan ons overgeleverd, lichaam en ziel. We kunnen straffeloos met u doen wat we willen. U hebt niets meer te willen. Dat is u afgenomen vanaf het moment dat we u hebben opgepakt, en hoe sneller u dat begrijpt, hoe eerder dit voorbij is.'

Hier had Susan Donleavy geen antwoord op.

'Wat dacht u hiervan? Als u mij vertelt wat Dan Singers plannen zijn, dan zorg ik ervoor dat u op beschuldiging van medeplichtigheid aan een ontvoering aan de Zwitserse autoriteiten wordt overgedragen. En dan zal ik Geoffrey Merrick overhalen af te zien van een aanklacht wegens poging tot moord.' Linda had haar een paar gevoelige tikken uitgedeeld, en nu was het tijd om haar de koek voor te houden. 'U hoeft me niet eens te vertellen waar hij is, oké? Vertel me alleen in grote lijnen wat hij van plan is en uw leven zal er echt in onvoorstelbare mate op vooruitgaan.'

Linda maakte met haar handen het gebaar van een uit balans geraakte weegschaal en vervolgde: 'Een jaar of twee, drie in een Zwitserse gevangenis of een paar decennia in een stinkende derdewereldgevangenis. Kom op, Susan, maak 't uzelf nou niet zo moeilijk. Vertel wat hij van plan is.'

Het behoorde tot Linda's tactiek dat ze bleef hameren op hoe simpel het voor Susan zou zijn, dat ze alles te winnen had en niets te verliezen als ze haar mond opendeed. Als Juan de informatie niet zo snel al nodig had gehad, zou Linda een andere vraag hebben gesteld, een vraag die minder consequenties had en vooral was bedoeld om het ijs te breken. Maar ze kreeg wel voet aan de grond. Het uitdagende verzet dat Susan Donleavy's gezichtstrekken even eerder nog zo had verhard, begon barstjes van onzekerheid te vertonen.

'Dit blijft strikt onder ons,' bleef Linda aandringen. 'Vertel wat hij wil gaan doen. Ik neem aan dat hij ons op de een of andere manier iets wil laten zien, iets waarvan hij Merrick getuige wilde laten zijn. Is 't dat, Susan? U hoeft alleen maar te knikken als ik gelijk heb.'

Susans hoofd bewoog niet, maar haar ogen gingen iets op en neer.

'Kijk, zo moeilijk is dat niet,' reageerde Linda sussend, alsof ze tegen een kind sprak dat zojuist een vies medicijn had doorgeslikt. 'Wat wil hij laten zien? We weten dat het met het opwarmen van de Benguelastroom te maken heeft.'

Aan haar gezicht was te zien dat ze schrok, en haar mond viel open.

'Dat weten we. We hebben de door golven aangedreven generatoren en de onderzeese verwarmingselementen gevonden. Die zijn al een tijdje geleden uitgeschakeld. Een deel van Singers plan is al achterhaald, maar daar gaat 't nu niet om. Belangrijk is dat u me de rest van het verhaal vertelt.'

Omdat Susan hier nog altijd niet op reageerde, stak Linda haar handen in de lucht. 'Ik sta hier m'n tijd te verdoen! Ik probeer u te helpen, en daar wenst u niet op in te gaan. Goed, als dat is wat u wilt, dan moet 't maar zo. Meneer Smith.' Waarop Linda met grote passen en met Juan op haar hielen het ruim uitliep. Hij deed de deur achter hen dicht en draaide het slot om.

'Sjongejonge, wat kun jij eng doen, zeg,' zei Juan.

Linda controleerde de accustand van haar BlackBerry en reageerde zonder op te kijken: 'Kennelijk niet eng genoeg. Ik dacht dat ze zou breken.'

'Wat doet ze nu?'

'Probeert niet in haar broek te plassen.'

'En nu is 't afwachten?'

'Ik ga over een halfuur terug,' zei Linda. 'Dan heeft ze lang genoeg kunnen nadenken over wat er komen gaat.'

'En als ze dan nog niet praat?'

'Als we de tijd niet hebben om haar op deze manier murw te krijgen, zal ik op medicijnen over moeten gaan. Waar ik overigens een hekel aan heb. Je krijgt dan te snel dat ze gaan zeggen wat je wilt horen en niet per se de waarheid.' Linda keek weer op het scherm-pje. 'Hoewel...' Linda hield haar hand op met gestrekte vingers, die ze zwijgend een voor een aftellend omlaag drukte. Toen de laatste vingertop in haar handpalm lag, begon Susan Donleavy aan de andere kant van de gesloten deur te schreeuwen.

'Kom terug, alstublieft! Ik vertel alles wat hij wil gaan doen!'

De blik in Linda's ogen versomberde. In plaats van dat ze tevreden was over het resultaat van haar werk, leek ze verdrietig.

'Wat is er?' vroeg Juan.

'Niets.'

'Kom op, zeg. Wat is er aan de hand?'

Ze keek naar hem op. 'Ik vind dit verschrikkelijk. Het breken van mensen, bedoel ik. Dat ik tegen ze moet liegen om te krijgen wat ik hebben wil. Het maakt me, ik weet niet, dood vanbinnen. Ik begeef me in het hoofd van een ander om er informatie aan te ontfutselen en uiteindelijk weet ik alles van zo iemand: hoe ze denken, hun verwachtingen en dromen, alle geheimen waarvan ze dachten dat ze die nooit zouden vertellen. Over een paar uur weet ik meer over Susan Donleavy dan wie dan ook hier op aarde. Maar het is niet als bij een vriend die je in vertrouwen neemt. Het is alsof je die informatie steelt. Dat vind ik vreselijk om te doen, Juan.'

'Dat wist ik niet,' zei hij. 'Als ik 't had geweten, had ik je dit nooit gevraagd.'

'Daarom heb ik 't je ook nooit verteld. Jij hebt me aangenomen vanwege mijn achtergrond en vaardigheden die niemand anders van je mensen bezit. Dat ik een deel van mijn werk niet leuk vind om te doen, wil niet zeggen dat ik het niet hoef te doen.'

Juan kneep lichtjes in haar schouder. 'Denk je dat je door kunt gaan?'

'Ja. Ik laat haar nog een paar minuten gillen voordat ik weer naar binnen ga. Ik kom wel naar je toe als ik klaar ben. Daarna ga ik een paar glazen wijn te veel drinken en probeer Susan Donleavy uit mijn hoofd te zetten. Ga jij maar wat rusten. Je ziet er niet uit.'

'Dat is het beste advies dat ik vandaag te horen heb gekregen.'

Hij draaide zich om en liep de gang in. Hij moest eraan denken hoezeer ze zich allemaal voor de Corporation opofferden. Ze waren zich altijd bewust van de fysieke gevaren die ze liepen wanneer ze een missie accepteerden, maar daar kleefden ook verborgen nadelen aan. Het vechten in de schemerzone hield in dat ieder voor zich een rechtvaardiging voor de eigen acties moest zien te vinden. Ze waren geen soldaten die zich erachter konden verschuilen dat ze bevelen moesten gehoorzamen. Zij hadden er zelf voor gekozen om hieraan mee te doen en zich in te zetten voor een vrije wereld, ook al moesten ze daarvoor dingen doen die buiten de legale grenzen van de samenleving vielen.

Juan had die last zelf bij meerdere gelegenheden gevoeld. En hoewel de Corporation regelmatig de internationale wetten aan haar laars lapte teneinde hun inzet steeds weer tot een succes te maken, waren er grijze gebieden waarin ze zich hadden begeven die hem meer dan alleen een ongemakkelijk gevoel gaven.

Toen hij terugliep naar zijn hut, besefte hij dat er geen alternatief was. De vijanden met wie hij in zijn CIA-periode te maken had gehad, speelden het spel meestal volgens de regels. Maar die werden genadeloos overboord gegooid toen ze het met gekaapte vliegtuigen invliegen op wolkenkrabbers als een legitieme manier van actievoeren gingen beschouwen. Oorlogen werden niet meer tussen legers op het slagveld uitgevochten. Het strijdtoneel had zich naar metrostations, moskeeën, nachtclubs en marktpleinen verplaatst. Het leek wel of in de huidige maatschappij alles en iedereen tot doelwit was geworden.

Terug in zijn suite trok hij de gordijnen voor de patrijspoorten dicht. Nu hij zijn bed binnen handbereik had, werd hij zo door vermoeidheid overmand dat hij wankelde. Hij kleedde zich uit en schoof tussen de koele lakens.

Ondanks dat hij hondsmoe was, duurde het nog lang voordat hij insliep.

24

Juan zag aan de bloedrode kleur van het gedempte zonlicht dat langs de gordijnen de hut binnenkwam dat hij maar een paar uur had geslapen toen de telefoon ging. Hij drukte zich omhoog tegen het opstaande hoofdeinde en voelde zich alsof hij zojuist vijftien ronden tegen de wereldkampioen zwaargewicht had gebokst. En op punten had verloren.

'Hallo,' zei hij, en streek met zijn tong langs zijn gehemelte om het dikke speeksel eraf te schrapen.

'Sorry dat ik je in je schoonheidsslaapje stoor.' Het was Max, en het klonk alsof hij er wel lol in had om zijn baas te wekken. 'Er zijn belangrijke ontwikkelingen. Ik trommel iedereen op voor overleg in de directiekamer. Over een kwartier.'

'Maak me maar nieuwsgierig dan.' Juan gooide zijn lakens van zich af. De huid rond zijn stomp was rood en opgezwollen. Een van Julia's verpleeghulpen was masseuse van beroep, en hij begreep dat er iets aan zijn been gedaan moest worden.

'Daniel Singer bereid zich voor op het veroorzaken van de grootste olievlek ooit, en hij wordt daarbij geholpen door een huurlingenleger dat wij van wapens hebben voorzien.'

Dit nieuws verdrong ogenblikkelijk alle slaap uit Cabrillo's hersenen.

Veertien minuten later verscheen hij met natte haren van een snelle douche in de directiekamer. Maurice had koffie en een omelet barstensvol worst en uien voor hem klaargezet. Zijn eerste gedachte ging uit naar Linda Ross. De kleine inlichtingenofficier zat op haar gewoonlijke plaats met een opengeklapte laptop voor zich. Haar gezicht was zo bleek en fragiel als van een porseleinen pop, en haar normaal zo levendige ogen waren dof als oude munten. Hoewel er maar een paar uur verstreken waren sinds ze met het verhoor van Susan Donleavy was begonnen, leek Linda minstens tien jaar ouder geworden. De glimlach waarmee ze Juan wilde begroeten, verstarde op haar lippen. Hij knikte haar begripvol toe.

Franklin Lincoln en Mike Trono waren er ook, als vervangers voor de afwezige Eric Stone en Mark Murphy.

Max kwam als laatste, en hij was aan het bellen toen hij de directiekamer binnenliep. 'Dat is goed. Een olie-installatie voor de kust. Ik weet niet precies waar, maar jullie piloot heeft misschien een idee.' Hij zweeg een moment om te luisteren. 'Ik begrijp dat er inmiddels al chips zijn uitgevallen. Ik weet ook dat jullie altijd marges inbouwen, dus er zijn er ook die nog zenden. Je moet zorgen dat je dichter in de buurt komt om ze te vinden.'

'Murph?' vroeg Juan, nadat hij haastig een hap van zijn omelet had doorgeslikt.

'Ik wil dat hij zich op de kust concentreert. Ik heb wat nagezocht, en ontdekt dat er een lange rij olieplatforms in de monding van de rivier de Congo staat, die daar aan de noordkant aan de Angolese provincie Cabinda grenst.'

'Angola ligt toch ten zuiden van de Congo?' zei Eddie.

'Dat dacht ik ook.' Max liet zich in zijn stoel zakken. 'Maar er ligt een exclave aan de noordkant van de rivier, en daar zit uitgerekend een paar miljard ton olie in de grond. Of het van belang is weet ik niet, maar ik ontdekte dat de Verenigde Staten meer ruwe olie uit Angola betrekken dan uit Koeweit, wat dan weer vraagtekens oproept over de oorlog om de olievelden een aantal jaren geleden.'

Juan richtte zich tot Linda. 'Wil je ons vertellen wat je weet?'

Ze rechtte haar schouders. 'Zoals jullie allemaal weten, heeft Daniel Singer zijn compagnon Geoffrey Merrick gedwongen hem uit te kopen. Sindsdien besteedde Singer zijn geld aan het subsidiëren van milieugroeperingen: het behoud van de regenwouden in Zuid-Amerika, pogingen om het stropen in Afrika tegen te gaan, en het in alle hoofdsteden ter wereld engageren van de beste lobbyisten die je met geld kunt kopen. Tot hij begon te beseffen dat ondanks al het geld dat hij uitgaf de mentaliteit van de mensen nauwelijks veranderde. Ja, hij redde wel wat dieren en wat stukken land, maar hij had geen enkele invloed op het onderliggende probleem. Dat probleem zit 'm in het feit dat de mensen, hoewel ze zeggen dat ze om het milieu geven, niet bereid zijn om, zodra het om de centjes gaat, ook maar iets van hun levensstijl op te offeren en zo aan een positieve verandering bij te dragen.'

'Dus besloot Singer het radicaler te gaan aanpakken?' vroeg Juan.

'Ronduit fanatiek kun je beter zeggen.' Linda keek op het scherm van haar computer. 'Volgens Susan raakte hij betrokken bij groepen die luxueuze villa's in Colorado, Utah en Vermont in brand staken en SUV's op de parkeerplaatsen van garagebedrijven vernielden. Ze zegt dat hij golfballen in de benzinetanks van vrachtwagens van houthakkers stopte, en ook wel zand in de oliefilters.'

'Golfballen?' vroeg Linc.

'Die lossen kennelijk op in dieselolie, wat vervolgens tot schade aan de rubberen pakkingen leidt. Is veel effectiever dan suiker of zout. Singer pochte dat hij op die manier een totale schade van minstens vijftig miljoen dollar heeft aangericht, maar dat vond hij niet genoeg. Hij heeft overwogen om topmensen in de olie-industrie bombrieven te sturen, maar besefte dat hij daar eerder een onschuldige medewerker in de postkamer mee zou treffen. Hij begreep ook dat dit de mensen niet zou stimuleren hun leven te veranderen.

'Toen hoorde hij dat de orkaanseizoenen de komende jaren behoorlijk heftig zouden worden. Omdat dit een afwijking van een natuurlijke kringloop zou zijn, gaat hij ervan uit dat de media een verband met de opwarming van de aarde zullen willen leggen, en hij vroeg zich af of hij die stormen niet nog wat kon aanwakkeren.'

'Dus we hebben gelijk wat betreft die onder water geplaatste verwarmingselementen voor de kust van Namibië.' Het was meer een vraag dan een opmerking van Cabrillo.

'Hij heeft al zijn contacten met de milieubewegingen verbroken en is aan zijn plan gaan werken. Vervolgens heeft hij een aantal topklimatologen en -oceanografen in dienst genomen om de juiste locatie en omvang van de verwarmingselementen te berekenen. Maar Susan zegt dat ze in de waan werden gelaten dat het puur om een onderzoek ging en dat het nooit in de praktijk zou worden gebracht. Ze kregen de opdracht de Benguelastroom zo te verleggen dat de temperatuur van het zeewater voor de kust van West-Afrika een paar graden stijgt. En we hebben het er al eerder over gehad: warmer water betekent meer verdamping, wat tot zwaardere en heftigere stormen leidt.

'Het is onmogelijk om een orkaan als die er eenmaal is nog te veranderen,' vervolgde Linda. 'Zelfs een atoombom zal geen enkele invloed meer hebben op de structuur van het oog, de windsnelheid of de richting van de orkaan. Maar als je begint bij de factoren waardoor een storm ontstaat, denkt Singer dat hij, wat hij hyperorkanen noemt, kan creëren, stormen die categorie vijf van de schaal van Saffir-Simpson nog overtreffen.'

'Wat heeft dit met het opblazen van olie-installaties te maken?' vroeg Eddie, terwijl hij voor zichzelf een kop koffie van het ontbijtblad van Juan inschonk.

'Hiermee speelt hij in op de sentimenten van de media. De ruwe olie die uit de wateren rond de monding van de Congo wordt gewonnen heeft het hoogste benzeengehalte ter wereld. Bij olie uit Alaska is dat eenduizendste procent, maar bij olie uit de nieuwste velden voor de kust van Angola en Congo ligt dat percentage ruim honderd keer hoger. Ook is de ruwe olie met arseen verontreinigd. Dat wordt er in de raffinaderijen uitgehaald, maar als het uit de grond komt, is het een behoorlijk caustisch mengsel van olie en een stof die ze benzeenarseenzuur noemen, een berucht en streng gecontroleerd carcinogeen, ofwel kankerverwekkende stof.'

'Hij wil dus een massa West-Afrikanen ziek maken?' vroeg Linc met walging in zijn stem.

'Niet echt, hoewel hier wel wat slachtoffers zullen vallen. Nee, wat hij wil, is dat de olievlek zich zo ver verspreidt dat een deel van de olie verdampt.'

'En zodra het in de lucht zit,' concludeerde Juan, 'worden de giftige dampen door de westenwind over de oceaan naar de oostkust aan de overzijde geblazen.'

'Het gehalte zal niet hoog genoeg zijn om mensen in de Verenigde Staten ziek te maken,' zei Linda. 'Maar om zijn punt te maken, rekent Singer op de paniek die een op de kust af razende, giftige orkaan zal veroorzaken.'

'Stel dat het hem lukt een grote hoeveelheid olie te laten lekken,' onderbrak Mike. 'Kan die dan niet worden opgeruimd voordat het spul gevaarlijk wordt?'

'Dat is om twee redenen nogal lastig,' antwoordde Juan. 'Ten eerste zijn de wettelijke voorschriften ten aanzien van olieverontreiniging in dit deel van de wereld nogal beperkt. Voor het opruimen van de olie zullen er niet voldoende schepen of indammingsmaterialen beschikbaar zijn. Ten tweede, en corrigeer me als ik het fout heb, behelst Singers plan het aanrichten van een dermate omvangrijke schade dat de opruimingsploegen, zelfs met voldoende materiaal, handen te kort komen.'

'Dat is 't in een notendop,' bevestigde Linda. 'De lokale arbeiders kunnen een olievlek die door het onzorgvuldig laden van een tanker of door een lek in de romp van een schip dat per ongeluk is ontstaan nog wel aan. Maar wanneer Singers leger hen daar ter plekke van weerhoudt en de olie vrij uit vernielde platforms en pijpleidingen blijft stromen, is er niets meer tegen te doen.'

'Hoelang duurt het voordat de lekkende olie voldoende is verdampt?' vroeg Max.

'Dat gebeurt vrijwel onmiddellijk,' antwoordde Linda. 'Maar het duurt een week voordat het de Atlantische Oceaan is overgestoken. Het is aan Singers huurlingen om die olieplatforms zo lang mogelijk onder controle te houden. Als hen dat een aantal dagen lukt, hebben we het over een hoeveelheid gelekte olie die zo'n honderd keer groter is dan bij de ramp met de *Exxon Valdez*.'

Juan wierp een onderzoekende blik op de gezichten van de aanwezigen en zei: 'Dus dan wordt het onze taak om te voorkomen dat ze de olieplatforms bestormen, en als we te laat zijn moeten we de hele boel zien terug te draaien.'

'Dat zou wel eens een probleem kunnen worden,' zei Eddie. Hij legde zijn ineengeslagen handen op tafel. 'Linda, je hebt Max verteld dat Singer Samuel Makambo heeft aangetrokken om de olie-installaties aan te vallen, toch?'

'Susan Donleavy noemde zijn naam, en had het ook over zijn Congolese Revolutieleger. Het gaat Makambo puur om het geld. Hij heeft hier geen enkel politiek belang bij. Voor een paar miljoen dollar uit de zak van Singer is Makambo bereid om kanonnenvoer te leveren.'

'Fijne vent,' reageerde Linc sarcastisch. 'Zijn mannen volgen hem vanuit hun politieke overtuiging en hij verkwanselt ze om voor wie dan ook te sterven. Ik haat Afrika.'

'Dat kan ik je niet kwalijk nemen,' reageerde Eddie. 'Maar zie je ons probleem? We hebben hem van voldoende AK-47's, RPG's en munitie voorzien om er een paar honderd man mee te kunnen bewapenen.'

Juan begreep het meteen. 'De *Oregon* heeft voldoende vuurkracht om het tegen de zeemachten van de halve wereld te kunnen opnemen, maar daar heb je weinig aan tegen een stel terroristen op olieplatforms die de arbeiders als schild gebruiken.'

'Exact.' Eddie leunde naar voren. 'Voor het terugveroveren van de platforms zullen man-tot-mangevechten nodig zijn. Onze mannen zijn daar stuk voor stuk op getraind, maar wanneer Makambo, zeg, vijf platforms inneemt en er op elk ervan honderd man neerzet, veroveren we die niet terug zonder dat het ons de levens van een derde tot driekwart van onze mensen gaat kosten.

'En verwacht niet dat het Angolese leger of de politie ons daar zal kunnen helpen,' vervolgde hij. 'Alleen om zich te organiseren hebben ze al een paar dagen nodig. Tegen die tijd heeft Singer de hele Congodelta al in een stinkende olievlek veranderd en zijn de olie-installaties zodanig vernield dat de uitstromende olie niet meer te stoppen is. Als we niet kunnen voorkomen dat ze de platforms bestormen, hebben we hoogstens een dag om ze terug te veroveren.'

Eddies sombere verslag bleef enige tijd hangen, omdat geen van de aanwezigen er iets zinnigs tegen in kon brengen.

Er werd op de openstaande deur van de directiekamer geklopt. Juan draaide zich om en zag tot zijn vreugde Sloane Macintyre in de deuropening staan. Ze droeg een wijde broek en een spierwit T-shirt. Haar arm hing in een mitella voor haar buik. Haar koperkleurige haren vielen in golven tot op haar schouders. Het was voor het eerst dat hij haar met make-up op zag. De mascara en de oogschaduw accentueerden de diepte van haar grijze ogen, en de kunstig aangebrachte rouge verhulde de bleke tint van haar nog herstellende lichaam. Haar volle lippen glommen.

'Ik hoop dat ik niet stoor,' zei ze met een verontschuldigende glimlach.

Juan stond op. 'Nee, helemaal niet. Hoe voel je je?'

'Prima, dank je. Dokter Huxley zegt dat ik over een paar weken weer zogoed als nieuw ben, als ik me strikt hou aan de therapie die ze me heeft voorgeschreven. De hele bemanning heeft 't over je bevrijdingsactie, en dat je niet alleen je eigen mensen en Geoffrey Merrick hebt bevrijd, maar ook een leider uit Zimbabwe.'

'Geloof me, het was een teamprestatie.'

'Ik hoorde stemmen en wilde even goeiedag zeggen.' Ze keek Juan aan. 'Je bent me nog een verklaring schuldig over wat jullie nu precies doen en waar je dit waanzinnige schip vandaan hebt.'

303

'Ik ga 't je allemaal vertellen. Dat beloof ik.'

'Dat is je geraden ook.' Ze wendde haar blik naar Linda. 'Ik zie je straks wel in je hut.'

'Tot dan, Sloane.'

'Oké, wat gaan we nu in vredesnaam doen?' vroeg Max kortaf om het gesprek weer op gang te brengen.

'We kunnen natuurlijk contact opnemen met Langston,' zei Linda. 'Als hij de weg voor een snelle interventiemacht niet kan vrijmaken, kan hij toch op z'n minst de regeringen van Angola en Congo waarschuwen dat er een ernstige terroristische aanslag dreigt.'

'Hoe zijn de diplomatieke betrekkingen met deze landen?' vroeg Linc.

'Geen idee.'

'Als we nu eerst eens contact opnemen met een paar van onze mensen die bij de Corporation zijn weggegaan, zoals Dick Truitt, Carl Gannon en Bob Meadows,' stelde Mike voor. 'Ik weet bijvoorbeeld dat Tom Reyes in Californië een bodyguardservice heeft.'

'Hebben de oliemaatschappijen niet een eigen veiligheidsdienst?' vroeg Max. 'Dat lijkt me toch wel. Juan?'

'Hè?'

'Vervelen we je?'

'Nee.' Cabrillo stond op. 'Ik ben zo terug.'

Hij was de deur al uit voordat iemand kon vragen waar hij heen ging. Met grote passen snelde hij door de gang, zijn brede schouders gebogen en zijn hoofd omlaag. Het nemen van besluiten was hem nooit moeilijk gevallen en dat was nu niet anders, maar hij moest iets navragen voordat hij ermee naar buiten wilde komen. Hij haalde Sloane in toen ze net de hut van Linda Ross wilde binnengaan.

'Juan,' zei ze, geschrokken door zijn plotselinge verschijnen en de serieuze trek om zijn mond.

'Hoe zeker ben jij van het feit dat er diamanten aan boord van de *Rove* zijn?' vroeg hij plompverloren. Voor wat hij van plan was, zou zelfs de aanzienlijke financiële armslag van de Corporation niet voldoende zijn, en hij betwijfelde of hij de CIA kon overhalen om zijn plan naar behoren te financieren.

'Wat bedoel je?'

'De *Rove*. Hoe zeker ben je ervan dat er diamanten aan boord zijn?'

'Ik begrijp niet goed waar je...'

'Als je zou moeten wedden, hoe groot schat je de kans dan in? Eén op de honderd? Eén op de duizend? Hoe groot?'

Het duurde een seconde voordat ze haar gedachten weer op een rijtje had. 'H.A. Ryder was in die tijd de beste gids in Afrika, en hij kende de woestijn als geen ander. Ik ben ervan overtuigd, zo zeker als ik hier sta, dat hij die mannen door de Kalahari heeft geleid. Ze hadden de stenen nog toen ze de kust bereikten.'

'Dan zijn ze dus op de *Rove*.'

'Ja.'

'Zeker weten?'

'Honderd procent.'

'Oké. Bedankt.'

Hij draaide zich om en wilde weglopen, maar Sloane legde een hand op zijn arm om hem tegen te houden. 'Waar gaat dit over? Waarom vraag je me naar die diamanten?'

'Omdat ik die aan iemand ga beloven als hij me nu helpt.'

'Je weet niet waar de *Rove* is. Alleen het zoeken ernaar kan nog jaren duren.'

Juan keek haar met een schaapachtige grijns aan. 'Er is iemand die mij nog iets schuldig is, en die vindt de *Rove* wel voor me.'

'Aan wie ga je die diamanten geven, en waarom?' In de ban van Juans vastberadenheid was Sloane even vergeten voor wie ze werkte en waarom ze in feite naar Namibië was gekomen. 'Wacht nu eens. Die stenen zijn helemaal niet van jou. Die zijn van het bedrijf waar ik voor werk.'

'Volgens het zeerecht zijn ze van degene die ze vindt. Als je wilt weten waar ik ze voor nodig heb, kom maar mee dan.'

Juan liep eerst naar zijn hut om er iets uit zijn kluis te halen. Toen ze bij de gastensuite kwamen, klopte Juan op de deur en ging naar binnen. Moses Ndebele zat in de woonkamer op de grond met vier van zijn mannen te praten. Ze waren alle vier flink in verband verpakt. Over de vloer lagen, als een reusachtig mikadospel, stokken en krukken verspreid. Maar geen van hen leed er erg onder. Ze waren allemaal blij dat ze hun leider terug hadden.

Moses maakte aanstalten om overeind te komen, maar Juan gebaarde dat dat voor hem niet hoefde. 'Uw dokter Huxley heeft me verteld dat ik niet naar de winkel hoef om een nieuw been te kopen,' zei Ndebele.

'Dat is goed om te horen. Ik functioneer prima met één been, maar reken maar dat ik ze dolgraag weer allebei had,' zei Juan, terwijl ze elkaar een hand gaven. 'Zou ik u even onder vier ogen kunnen spreken?'

'Natuurlijk, kapitein.' Hij sprak een paar woorden tegen zijn aanhangers, waarop ze moeizaam overeind krabbelden en naar de slaapkamer hinkten.

Juan wachtte tot ze de deur achter zich hadden dichtgedaan.

'Hoe groot is de kans dat het u ooit lukt uw regering omver te werpen en weer iets van welvaart in Zimbabwe terug te brengen?'

'U bent een man, dus laten we als mannen onder elkaar praten. Ik heb enthousiaste strijders, maar weinig wapens. Wanneer het volk de straat op gaat om een slecht bewapende revolte te steunen, wordt het neergeknald. Onze regering is meedogenloos. De leiders zijn tot de ergste gruweldaden in staat om aan de macht te blijven.'

'Wat is er nodig om ze af te zetten?'

'Dat is altijd weer hetzelfde verhaal. Geld en tijd.'

'Aan die tijd kan ik weinig doen, maar wat dacht u ervan als ik uw beweging financier?'

'Kapitein, ik ken u als een dapper en eerlijk mens, maar nu hebt u het wel over enkele tientallen miljoenen dollars.'

'Meneer Ndebele, ik heb het eigenlijk over enkele hónderden miljoenen dollars.' Juan zweeg een tel om dit tot hem door te laten dringen, waarna hij eraan toevoegde: 'En die zijn voor u, maar ik wil daar wel iets van u voor terug.'

'Vooralsnog ga ik het niet over geld hebben,' zei Moses. 'Vrienden praten daar niet over. Maar wat kan ik voor u doen?'

'Ik heb honderd van uw beste strijders nodig,' antwoordde Cabrillo. Vervolgens verklaarde hij hem de situatie. Ndebele luisterde zwijgend, terwijl de mond van Sloane openviel bij het horen van het verhaal over de giftige orkaan die de Verenigde Staten bedreigde, en dan hoogstwaarschijnlijk vooral haar geboortestaat Florida.

'Mijn volk is tot offers bereid voor de toekomst van zijn kinderen en ons land,' zei Ndebele toen Juan was uitgesproken. 'U vraagt van mij om hen in een strijd te sturen waar zij geen vruchten van plukken, maar wel hun leven voor riskeren. Na wat u voor mij hebt gedaan, zal ik overal waar dat nodig is aan uw zijde vechten. Maar van mijn mannen kan ik dat niet vragen.'

'Maar ze vechten uiteindelijk voor hun land,' bracht Juan ertegen in. 'Door dat te doen, verzekeren ze zich van de financiële middelen om uw regering te verdrijven en Zimbabwe de democratie terug te geven waarvoor u met z'n allen aanvankelijk in de onafhankelijkheidsstrijd hebt gevochten. Ik ga niet tegen u liegen en zeggen dat al uw mannen van deze missie zullen terugkeren. Want dat is niet zo. Maar het offer dat zij brengen zal het aanvalssignaal zijn voor uw volgelingen. Vertel ze wat ze ermee zullen winnen en dan doen ze het voor u, voor uw land en – het belangrijkste – voor henzelf.'

Ndebele zweeg een moment en keek Cabrillo diep in de ogen.

'Ik ga dit aan een *indaba*, een raad van mijn mannen, voorleggen.' Hij zwaaide naar de gesloten slaapkamerdeur. 'En dan is het aan hen.'

'Meer kan ik niet van u vragen,' zei Juan, waarna hij Ndebele nogmaals de hand schudde. Hij diepte een zakje op uit zijn jaszak en draaide Ndebeles hand met de palm naar boven. Op de geopende handpalm strooide hij de ruwe diamanten die hij in ruil voor de wapens had gekregen. 'Beschouw dit als een gebaar van goede wil. Ze zijn voor u, wát er ook besloten wordt. Aan dek is een intercom. De communicatieofficier die opneemt, weet me te vinden.'

Terug in de gang greep Sloane Juans hand. 'Is dat allemaal waar? En hoe kom je aan die diamanten?'

'Helaas is het waar, ja. Daniel Singer heeft dit jaren kunnen voorbereiden, en wij hebben maar een paar dagen om het tegen te houden. En wat de herkomst van de diamanten betreft, dat is een lang verhaal dat de cirkel van deze puinzooi rond maakt.'

'Ik vrees dat ik dat ook nu nog even niet te horen krijg.'

'Ja, sorry. Ik moet terug naar de vergadering. We hebben nog heel wat te bespreken.'

Sloane liet zijn hand los. 'Ik wil dat je weet dat ik je zal helpen, waar ik maar kan.'

'Mooi, want als we de *Rove* hebben gevonden, moet jij me helpen met het chanteren van je bazen dat ze de diamanten kopen.'

'Dat,' zei ze grijnzend, 'zal me een waar genoegen zijn.'

Voordat hij naar de directiekamer terugging, liep hij naar zijn hut om te telefoneren. Aan de oostkust was het vroeg in de ochtend, maar hij verwachtte dat de man die hij wilde spreken op zijn kantoor zou zijn.

Juan had zijn doorkiesnummer en toen de telefoon werd opgenomen, zei hij zonder inleiding: 'Je bent me een been schuldig, maar we staan weer quitte als je me nu een hand toesteekt.'

'Dat is even geleden, directeur Cabrillo,' antwoordde Dirk Pitt in zijn kantoor op de bovenste etage van het NUMA-gebouw met een panoramisch uitzicht over Washington DC. 'Wat kan ik voor je doen?'

25

De *Oregon* koerste strak als een hazewindhond naar het noorden, voortgedreven door de fenomenale motoren en het ongeduld van de bemanning. Er heerste bedrijvigheid in vrijwel alle delen van het schip. In het wapenmagazijn waren vijf man bezig met het uitpakken en schoonmaken van de met cosmoline ingesmeerde wapens die de mannen van Ndebele zouden meenemen, en met het vullen van honderden magazijnen. Andere wapenmeesters testten de verdedigingssystemen van het schip, controleerden of alle munitievoorraden waren aangevuld en of er door de zoute lucht geen roestvorming in de machinegeweren, Gatlings en automatische kanonnen was opgetreden.

Beneden bij het duikersgat inspecteerden technici de twee duikboten van de *Oregon*. Beide werden van overbodige uitrustingsstukken ontdaan en er werden extra maskers met CO_2-filters geïnstalleerd om het maximumaantal opvarenden te vergroten. Ook werkten ze de echovrije coating bij, waardoor de beide vaartuigen vrijwel niet te detecteren waren zodra ze zich onder water bevonden. De geluiden van hun werkzaamheden werden ruimschoots overstemd door een luchtcompressor waarmee tientallen persluchtflessen werden gevuld voor het geval die nodig zouden zijn.

In de keuken waren alle koks en hulpen druk in de weer met het bereiden van gevechtsrantsoenen, terwijl het bedienend personeel het voedsel meteen als het uit de kombuis kwam in porties verdeelde en luchtdicht verpakte. In de ziekenboeg werkte Julia Huxley met haar verpleegkundigen aan het inrichten van een operatiekamer voor de opvang van een mogelijke stroom zwaargewonden.

Juan Cabrillo zat in het commandocentrum op zijn gewone plek, terwijl zijn staf met een duizelingwekkende energie om hem heen aan de laatste voorbereidingen voor de inzet van het schip en henzelf werkte. Hij las alle rapportages over de status van het schip zodra ze bij hem binnenkwamen. Nog niet het kleinste detail werd over het hoofd gezien.

'Max,' riep hij zonder van zijn computerscherm op te kijken. 'Ik heb hier een aanwijzing dat de druk in het vuurbeveiligingssysteem vijftien pond te laag is.'

'Ik heb in het ruim een extra test laten doen. De druk in het systeem moet over een uur weer volledig op peil zijn.'

'Oké. Hali, wanneer kan George hier zijn?'

Hali Kasim trok zijn koptelefoon weg van zijn rechteroor. 'Hij is net uit Cabinda in Angola vertrokken, met Eric en Murph aan boord. Aankomst over ongeveer tweeënhalf uur. Hij belt tien minuten van tevoren, zodat we vaart kunnen minderen en de hangar klaar kunnen maken.'

'En Tiny? Waar is hij?'

'Negen kilometer boven Zambia.'

Juan was tevreden. Het plan was, zoals wel vaker de laatste tijd, haastig in elkaar gedraaid. Een van de grootste hindernissen was het transport van honderd van de beste mannen van Moses vanuit hun vluchtelingenkamp naar de industriestad Francistown in Botswana. In tegenstelling tot de meeste aan de Sahara grenzende landen speelde corruptie in Botswana een bescheiden rol, en bleek het veel duurder dan het Cabrillo zinde om de mannen zonder paspoort aan boord van een vliegtuig te krijgen. Tiny's vriend de junglepiloot had de weg aan de andere kant vrijgemaakt en ervoor gezorgd dat de landing in Cabinda geen problemen zou opleveren. De *Oregon* zou ongeveer vijf uur na hun aankomst aan de hoofdsteiger van de stad aanleggen en onmiddellijk weer vertrekken zodra ze aan boord waren.

Vandaar zouden ze in noordelijke richting doorvaren naar de olievelden voor de kust, waar Murph en Eric drie van de tien met een zendchip van de Corporation uitgeruste AK- 47's hadden gelokaliseerd. De wapens bevonden zich bij elkaar in een moeras op nog geen acht kilometer afstand van een reusachtige tankerterminal en op minder dan tien minuten varen van een twaalftal booreilanden voor de kust.

Juan had direct nadat Murph zich had gemeld contact met Langston

Overholt opgenomen. Daarop had Lang het ministerie van Buitenlandse Zaken ingelicht, zodat zij de regering van Angola konden waarschuwen. Maar de diplomatieke molens draaien traag, en vooralsnog verkommerden Juans inlichtingen op het ministerie totdat die sukkels van beleidsambtenaren een verklaring hadden uitgedokterd.

Vanwege de burgeroorlog die in de hele provincie Cabinda sluimerde, hadden de oliemaatschappijen die er de olievelden exploiteerden ter plekke hun eigen beveiligingsmaatregelen getroffen. De tankerterminal en arbeiderswijken waren door hekken omgeven, waarlangs gewapende bewakers patrouilleerden. Cabrillo had overwogen rechtstreeks met de maatschappijen contact op te nemen, maar hij wist dat ze hem niet serieus zouden nemen. Hij wist ook dat de beveiliging ter plaatse op diefstal en het weren van onbevoegden was berekend, en niet op de aanval van een leger. Wanneer hij hen waarschuwde, zou dat waarschijnlijk alleen maar tot een groter aantal slachtoffers onder hun bewakers leiden.

Ook wist hij van Murphs luchtverkenning dat er honderden mensen in krottenwijken in de directe omgeving van de olieconcessies leefden. Er zouden aanzienlijk minder burgerslachtoffers vallen wanneer de gevechten in de installaties zelf zouden plaatsvinden.

Linda Ross kwam met Sloane Macintyre in haar spoor het controlecentrum in. Direct nadat Sloane door de deur naar binnen was gestapt bleef ze staan. Met een half opengezakte mond van verbazing bekeek ze het futuristische commandocentrum. Het grote scherm aan de tussenwand was verdeeld in de beelden van tientallen camera's die de bedrijvigheid op het schip vanuit diverse hoeken registreerden. Ook waren er scherpe beelden van de zich krachtig door het water ploegende boeg van de *Oregon*.

'Linda zei dat ik een beter idee zou krijgen van wat jullie aan het doen zijn als ik met haar meekwam,' zei Sloane ten slotte, terwijl ze op Juan af liep. 'Ik geloof dat mijn verbazing de laatste vijf seconden alleen maar is toegenomen. Wat is dit allemaal?'

'Hart en ziel van de *Oregon*,' antwoordde Juan. 'Vanhier uit voeren we het commando over het roer, de motoren, de communicatie, de beveiliging en de in het schip geïntegreerde wapensystemen.'

'Dus jullie zijn van de CIA of zoiets?'

'Zoals ik je al eerder heb verteld, was ik dat vroeger. Wij zijn gewone burgers, die een commercieel bedrijf leiden dat in freelance beveiligingswerk is gespecialiseerd. Hoewel ik moet toegeven dat de CIA in de

311

loop der jaren steeds een goede klant van ons is geweest, over het algemeen voor missies die zorgvuldig buiten de boeken zijn gehouden.

'De klus die we oorspronkelijk hadden aangenomen, bestond uit het verkopen van wapens aan een groep Afrikaanse revolutionairen. De wapens waren aangepast zodat de rebellen erdoor konden worden opgespoord. Helaas is er dubbelspel met ons gespeeld, maar daar kwamen we pas achter toen we de bevrijding van Geoffrey Merrick al op ons hadden genomen. Nu zitten we weer achter die wapens aan, waarbij opeens bleek dat Merricks ex-compagnon daar heel andere plannen mee heeft.'

'Wie heeft jullie in eerste instantie voor de levering van die wapens betaald?'

'Dat kwam voort uit een overeenkomst tussen onze regering en de beide Congo's. Het meeste geld kwam van de CIA. De rest zou de verkoop moeten opleveren van de bloeddiamanten die we in ruil voor de wapens hadden gekregen.'

'De diamanten die je aan Moses Ndebele hebt gegeven voor zijn hulp?'

'In de roos. Goh, zo'n lang verhaal is 't eigenlijk helemaal niet,' flapte Juan eruit.

'En daar leef jij van?' vroeg ze, en beantwoordde de vraag vervolgens zelf. 'Uiteraard. Ik heb de kleren in Linda's kast gezien. Als je ziet wat daar hangt, het lijkt Rodeo Drive wel.'

'Baas, kan ik je even onder vier ogen spreken?' vroeg Linda.

De toon waarop ze dat zei, beviel Juan niet. Hij stond uit zijn stoel op en bood hem Sloane met een zwierig gebaar aan. 'Het schip is helemaal voor jou.' Hij liep met Linda naar een afgeschermd hoekje van het controlecentrum. 'Wat is er?'

'Ik heb mijn aantekeningen van het verhoor nog eens doorgekeken en hoewel ik er niet helemaal zeker van ben, denk ik dat Susan Donleavy nog iets achterhoudt.'

'Iets?'

'Niet over wat Singer hier van plan is. Daarover heb ik alles wel uit haar gekregen. Het is iets anders. Maar ik krijg mijn vinger er niet op.'

'Het is iets met de timing van de hele operatie,' stelde Juan.

'Zou kunnen. Ik weet 't niet. Waarom denk je dat?'

'Ik heb er wakker van gelegen,' gaf hij toe. Hij verklaarde wat hem zorgen baarde. 'Singer is hier al jaren mee bezig, met die generatoren en verwarmingselementen, en dan opeens gaat hij olie-installaties aanvallen om een giftige olievlek van een paar miljoen ton te creëren. Waarom? Waarom nu? Hij verwacht orkanen die de dampen de oceaan over moeten blazen, maar wanneer en waar zo'n storm ontstaat, dat kan hij niet precies voorspellen.'

'Denk je dat hij dat misschien wel kan?'

'Ik denk dat hij dénkt dat hij dat kan.'

'Dat is toch onmogelijk? Althans niet met enige precisie. Orkanen ontstaan willekeurig. Sommige worden nooit krachtiger dan een tropische storm en raken boven zee vanzelf weer uitgeraasd.'

'Klopt, en dat is voor zijn doel nu net niet de bedoeling.'

'Jij denkt dat hij weet dat er een zware storm op komst is die krachtig genoeg zal zijn om de giftige dampen de oceaan over te brengen?'

'Sterker nog,' zei Juan. 'Ik denk dat hij weet dat die storm recht op de Verenigde Staten af zal gaan.'

'Hoe kan hij dat weten?'

Juan streek met een hand door zijn kortgeknipte haar. Dat was de enige manier waarop hij zijn frustratie liet blijken. 'Dat is waar ik niet van kon slapen. Ik weet dat het voor hem niet mogelijk is om een orkaan te voorspellen, en al helemaal niet de route, maar Singers gedrag laat geen andere conclusie toe. Ook als wij hier niet zouden zijn, worden Makambo's mannen op een gegeven moment uitgeschakeld en wordt het weglekken van de olie gestopt. Dus heeft Singer niet de zekerheid dat de dampen ver genoeg afdrijven en lang genoeg in de lucht blijven om door een orkaan te worden meegevoerd, en ook niet dat die storm niet vanzelf weer gaat liggen. Tenzij er nóg een factor in het spel is waar wij niets van weten.'

'Ik kan 't nog een keer bij Susan proberen,' bood Linda aan. 'Ik ben met het verhoor gestopt toen ze had verteld wat ik weten wilde over de aanval op de olie-installaties.'

Juan was trots op haar. Ze legde nu nog meer van haar ziel bloot. En hoezeer hij haar de tol die het ondervragen van Susan Donleavy van haar eiste wilde besparen, hij begreep dat ze het toch nog een keer moest doen.

'Er zit nóg iets achter,' zei hij. 'En ik weet dat jij daar achter kunt komen.'

'Ik zal m'n best doen.' Linda draaide zich om en liep weg.

'Hou me op de hoogte.'

313

Vijftien kilometer ten noorden van het vliegveld van Cabinda, waar Tiny Gunderson met honderd gretige soldaten in zijn toestel klaarstond, sprak Daniel Singer met generaal Samuel Makambo van het Congolese Revolutieleger. Het was twee uur voor zonsopgang en de jungle kwam geleidelijk tot rust nu de 's nachts actieve insecten en andere dieren hun schuilplaatsen voor de dag opzochten. In de gloed van de talrijke olie-installaties die voor en langs de kust hun overbodige gassen affakkelden, was het eigenlijk een wonder dat de dieren hun dag-en-nachtritme nog aanhielden. Om hen heen stonden onder een afdak de meest ervaren soldaten die Makambo voor deze missie wilde opofferen. De vierhonderd man sterke expeditie-eenheid stond onder commando van kolonel Raif Abala. Er waren twee redenen voor zijn aanwezigheid: straf voor het debacle aan de oever van de Congo, toen hij de wapenhandelaren met de diamanten had laten vertrekken, en omdat Makambo de kolonel ervan verdacht dat hij stenen achteroverdrukte die ze voor hun handel in bloeddiamanten gebruikten. Hij zou er niet rouwig om zijn wanneer Abala niet terugkeerde.

De rebellen hadden zich verzameld in het zicht van de illegale woonwijken die rond de installaties van het olieconcern Petromax waren ontstaan. Ze droegen normale, nogal haveloze kleren en gedroegen zich alsof ze op zoek naar werk waren. Hun wapens en met buitenboordmotoren uitgeruste boten hadden ze eenvoudig in de mangrovenbossen kunnen verbergen en er bewakers achtergelaten die ervoor zorgden dat vissers en stropers niet te dicht in de buurt kwamen.

'Kolonel,' zei Makambo, 'u kent uw plicht.'

Alleen al vanwege zijn postuur was Samuel Makambo een indrukwekkende verschijning. En hoewel zijn ooit in de strijd gestaalde spieren geleidelijk in vetweefsel veranderden, was hij nog altijd onvoorstelbaar sterk. Net als zijn mentor, Idi Amin, droeg hij bij voorkeur een spiegelende zonnebril en zwaaide met een rottinkje, een zogenaamde sjambok, gemaakt van gevlochten nijlpaardenhuid. In zijn beide holsters staken handgemaakte Beretta's, waarvan het gouden inlegwerk alleen al een klein fortuin waard was.

'Jazeker,' antwoordde Abala zonder aarzeling. 'Honderd manschappen voeren met de boten aanvallen uit op de laadterminal en de booreilanden voor de kust, terwijl het merendeel van mijn mannen zich op het innemen van het fabrieksterrein concentreert.'

'Het is van essentieel belang dat u zowel de elektriciteitcentrale als de controlekamers van de pompinstallaties onder controle krijgt,' zei Dan Singer, de architect van de aanval. 'En ze moeten heel blijven.'

'De aanval op deze beide onderdelen van de terminal wordt door mijn beste mannen uitgevoerd. Zodra we door de omheining zijn binnengedrongen, gaan zij eropaf.'

'En je mannen weten hoe ze met de apparatuur moeten omgaan?' vroeg Singer.

'De meesten van hen hebben in deze fabriek gewerkt tot de regering leden van onze stam verbood om nog langer in de olie-industrie van Congo te werken,' antwoordde Abala. 'Zodra de tanker die momenteel wordt geladen van de terminal is losgekoppeld, zullen zij de pompen weer aanzetten, zodat die de olie op volle kracht in zee kunnen lozen.'

'En op de booreilanden?'

'Daar vernielen ze de onderwaterpijpen, waardoor de ruwe olie naar de opslagtanks aan de kust stroomt.'

Singer had het liefst de opslagtanks zelf opgeblazen, maar ze stonden binnen een aarden omwalling waaruit de olie niet weg kon stromen. Opdat de olie goed zou kunnen verdampen, moest hij de vloeistof over een zo groot mogelijk oppervlak verspreiden. Hij wendde zich tot Makambo. 'Voor elk uur dat ze de terminal bezet houden en er olie in zee stroomt, wordt automatisch een miljoen dollar naar uw Zwitserse bankrekening overgemaakt.'

'Dat geld gaat goed gebruikt worden bij de financiering van mijn revolutie die tot een verbetering van de levensomstandigheden van ons volk zal leiden,' zei de guerrillaleider met een strak gezicht. Singer wist dat het leeuwendeel van het geld op Makambo's rekening zou blijven staan. 'Ik heb dit akkoord gesloten en een beroep op onze soldaten gedaan om deze strijd aan te gaan voor het hogere doel van ons allemaal.'

Toen hij op zoek ging naar een huurlingenleger was Singer een diepgaand onderzoek gestart naar Makambo en zijn Congolese Revolutieleger. Ze waren niet veel meer dan een bandeloze bende moordenaars, die zichzelf met behulp van folter en het intimideren van de burgerbevolking in leven hielden. Hoewel het deels om een stammenconflict ging, schatten mensenrechtenorganisaties dat het CRL meer leden van hun eigen volk had gedood dan de regering waartegen ze vochten. Ook Makambo was een voorbeeld van het in de Afrikaanse politiek gewortelde despotisme.

'Heel goed,' zei Singer. 'Dan wordt 't voor mij tijd om te vertrekken.'

Het plan was dat hij een dag voor de aanval uit Cabinda weg zou gaan, maar hij was gebleven zolang hij durfde, in de ijdele hoop dat Nina Visser zich nog zou melden. Zij en de anderen waren niet op de afgesproken plek toen het vliegtuig daar aankwam, hoewel sporen van banden in de directe omgeving van de landingsstrook erop wezen dat er kort daarvoor nog mensen waren geweest. De piloot had de sporen vanuit de lucht nog een paar kilometer kunnen volgen, tot de aanhoudende wind ze van de woestijnbodem had weggevaagd. Hij had nog een tijd boven het gebied rondgecirkeld tot zijn brandstof opraakte en hij naar Windhoek terug moest keren zonder dat hij ook maar enig teken van hen had gevonden.

Singer had hem naar Cabinda laten komen, zodat ze naar de havenstad Nouakchott in Mauretanië konden vliegen, waar de oude tanker met een laadvermogen van honderdduizend ton die hij van een Libische maatschappij had gekocht, op hem wachtte. De *Gulf of Sidra* had zijn leven in het Middellandse Zeegebied gesleten met het vervoeren van Libische olie naar Joegoslavië en Albanië.

Toen hij het schip samen met Susan Donleavy bezichtigde, had zij opgemerkt dat de tanks uitstekend geschikt waren als kweekkamers voor organische vlokvorming. Het maritieme ingenieursbureau dat Singer in de arm had genomen om het schip te keuren had schriftelijk vastgelegd dat de romp bestand was tegen een thermische lading van zestig graden Celsius. Waarbij ze aantekenden dat zij geen enkele olieterminal in de wereld kenden waar olie met een dergelijke hoge aardwarmte werd geladen. Singer had het schip gekocht en het in Liberia laten registreren, waar dat veruit het makkelijkst ging, en niet eens de moeite genomen het van naam te veranderen.

Susan had vervolgens de eerste groei van haar warmtegenererende brij begeleid en was er in de periode voor haar 'ontvoering' regelmatig gaan kijken. Uit haar rapporten bleek dat alles perfect verliep, dus wist Singer dat zij er niet persoonlijk bij hoefde te zijn wanneer hij er gebruik van ging maken. Toch zou er iets kunnen gebeuren waarbij hij haar expertise nodig had. Het wegvallen van Nina en haar groep was van minder belang, hij had alleen Susan graag bij zich gehad. De vlokstof was haar geestesproduct, en toen zij met haar ontdekking bij hem kwam om hem de toepassingsmogelijkheden te laten zien, had ze hem duidelijk laten merken dat ze er in die laatste fase bij wilde zijn.

En waar was Merrick? Singer had zo graag dat zelfvoldane gezicht van hem grauw zien worden terwijl hij moest toezien hoe een relatief onschuldige storm zich tot de krachtigste orkaan ontwikkelde die de Verenigde Staten ooit getroffen had, waarbij het tot hem zou doordringen dat hij, en vervuilers zoals hij, daarvoor verantwoordelijk waren. Singer had Merrick over zijn plannen verteld, dus hoopte hij dat zijn voormalige compagnon nog in leven was en de waarheid over wat hen te wachten stond alsnog onder de neus gewreven kreeg.

Omdat het varen met een supertanker specifieke kennis vereiste, kon hij niet op een stelletje langharige milieuactivisten vertrouwen en was hij gedwongen een professionele bemanning in dienst te nemen. Maar hun zwijgen kon worden gekocht. De kapitein was een Griekse alcoholist die zijn gezagvoerderslicentie was kwijtgeraakt nadat hij in de Perzische Golf een tanker aan de grond had laten lopen. De eerste machinist was ook een Griek, die niet van de fles af kon blijven. Hij had geen werk meer gehad sinds er bij een ontploffing van een stoompijp vier van zijn hulpen waren omgekomen. Een onderzoekscommissie verklaarde hem onschuldig, maar de geruchten over grove nalatigheid waren funest voor zijn carrière.

De overige bemanningsleden waren heiligen bij die twee vergeleken.

'Bij zonsopgang vallen jullie aan?' vroeg Singer.

'Ja. U hebt nog voldoende tijd om in uw vliegtuig te komen,' zei Makambo lichtelijk spottend. Niet dat hij bij de gevechten aanwezig zou blijven, want hij had een snelle boot klaarliggen die hem als een speer langs de kust en via de Congo landinwaarts zou brengen.

Singer negeerde het aanmatigende toontje van hem. Hij stond op. 'Denk eraan, voor elk uur een miljoen dollar. Als uw mannen erin slagen de veiligheidstroepen en de Angolese politie nadat ze zich hebben georganiseerd nog achtenveertig uur af te houden, heb ik een bonus van vijf miljoen dollar voor u.' Hij keek naar Abala. 'En ook vijf miljoen voor u, kolonel.'

'Nou, hakken dan maar,' zei Makambo; het was zijn favoriete aanvalskreet. 'Op ter plundering en verwoesting.'

26

Juan stond op de brugvleugel naar de oude schoolbussen te kijken die over de verhoogde weg in een langzaam vorderende stoet naar de enige aanlegsteiger van Cabinda reden. Ze waren allemaal felgekleurd en de zwoegende motoren verspreidden een vettige walm van uitlaatgassen. Ze vervolgden hun weg langs een rij scheepscontainers en wat landbouwwerktuigen die zojuist uit het ruim van een Russisch vrachtschip dat voor de *Oregon* lag afgemeerd op de kade waren gehesen.

Omdat ze op zijn schip de ballasttanks hadden leeggepompt om de relatief ondiepe aanlegplaats te kunnen bereiken, had hij een goed zicht op de stad en de heuvels eromheen. In het licht van de opkomende zon zag hij dat maar weinig van Angola's olierijkdommen aan de dichtst bij de olievelden gelegen stad was besteed.

Op de kade beneden hem stonden Max Hanley en Franklin Lincoln met een douanier te wachten. Om in stijl te blijven bij het haveloze uiterlijk van de *Oregon* waren ze allebei als havenarbeider gekleed. Ook Tiny Gundersons vriend, de junglepiloot, was aanwezig om te zien of alles gladjes verliep, evenals Mafana, de trouwe sergeant van Ndebele. De douanier had al een aktetas aan zijn vrouw gegeven, die speciaal naar de kade was gekomen om het smeergeld alvast mee naar huis te nemen.

Opeens dook de lift vanuit het controlecentrum door de vloer in de brug op. Linda Ross wachtte niet tot hij op gelijke hoogte van het dek was, maar sprong er zodra dat kon uit en holde op Cabrillo af.

'Juan, je hebt je telefoon uitgezet,' zei ze hijgend. 'De aanval is be-

318

gonnen. Hali heeft oproepen van de Petromax-fabriek aan haar hoofdkwartier in Delaware onderschept. Volgens hun inschatting hebben zo'n vierhonderd gewapende mannen hun hekken bestormd. En de platforms melden dat er een hele vloot kleine bootjes hun kant op komt. Hun beveiliging is volkomen overrompeld.'

Hij had gehoopt en gebeden dat hij minstens een dag met de troepen van Moses Ndebele had kunnen oefenen, maar op de een of andere manier had hij meteen al gevoeld dat dat er niet in zat. Hij moest erop vertrouwen dat hun gevechtservaring, die ze bijna dertig jaar geleden in hun felle burgeroorlog hadden opgedaan, niet door de tijd was aangetast.

Cabrillo hield zijn handen als een toeter voor zijn mond en riep Max. Toen Hanley opkeek, maakte Juan hem met een armgebaar duidelijk dat ze moesten opschieten. Max zei iets tegen Mafana op het moment dat de eerste bus bij de loopplank tot stilstand kwam. De zijdeur van de bus klapte open en er stapte een rij mannen uit. De eerste liep op Mafana af om hem met een omhelzing te feliciteren met de bevrijding van Moses Ndebele, maar de Afrikaanse rebel zei kennelijk dat hij meteen aan boord moest gaan. De mannen liepen het hoofddek op, terwijl nu ook de andere bussen bij het schip stopten.

Juan klikte zijn telefoon aan en belde met de hangar, waar George 'Gomez' Adams met zijn heli klaarstond. De piloot nam op nadat de telefoon twee keer was overgegaan.

'Firma Nachtvluchten.'

'George? Juan.'

'Wat is er, baas?'

'De mannen van Singer hebben hun aanval ingezet. Zodra we buitengaats zijn, moet een van onze UAV's de lucht in.' Deze onbemande toestellen waren in feite gewoon in de handel verkrijgbare modelvliegtuigjes die met minicamera's en infrarooddetectoren waren uitgerust.

'Ik maak er een klaar,' zei Adams. 'Maar als je ook de heli nodig hebt, kan ik ze niet allebei besturen.'

'Tiny komt met Ndebeles mannen mee aan boord. Hij kan het besturen. Ik wil alleen dat jij zorgt dat het klaarstaat.'

'Ik ben al bezig.'

Cabrillo keek weer over de reling. Er marcheerden twee rijen soldaten de loopplank op. Geen van hen had last van overgewicht, wat hem niet verbaasde, aangezien ze in een vluchtelingenkamp woonden, maar er liepen wel een paar reuzen tussen. Hij zag meer grijze haren dan hij had gehoopt, maar de voormalige vrijheidsstrijders maakten een capabele indruk. Dit waren zeker geen oude gebogen mannen, maar soepele, gretige soldaten die hun plicht kenden.

Hij belde Eddie Seng om hem te vragen de nieuw aangekomenen op te vangen, maar zijn hoofd landoperaties stond al bij de loopplank en dirigeerde de soldaten naar een van de scheepsruimen, waar Moses Ndebele hen opwachtte. Daar ook zouden ze hun aanvalsgeweren, munitie en andere spullen krijgen.

Onder druk van de urgentie van de komende aanval leken Juans mensen weer hoogst efficiënt te functioneren. Hij verwachtte ook niet anders.

Eric Stone had de aankomst van de stoet op de schermen van het gesloten camerasysteem in het controlecentrum gevolgd. Meteen nadat Max en Linc achter de laatste soldaat aan dek stapten, ging de loopplank al omhoog. Juan keek op en zag een dikke rookpluim uit de schoorsteen van de *Oregon* opstijgen. De op het oog totaal versleten intercom net achter de deur van de brugvleugel rinkelde.

'We zijn klaar,' zei Eric toen Juan zich meldde. Hij keek langs het schip naar achteren, waar ter hoogte van de achterplecht een stuwadoor stond te wachten. Hij gaf de man een teken, waarop die het dikke touw van de meerklamp tilde en in het water liet vallen. Met een lier werd de meertros onmiddellijk het schip in getrokken. Juan herhaalde het gebaar naar de havenarbeider die bij de boeg wachtte. Voordat hij Stone had kunnen doorgeven dat ze los waren, zag hij het water tussen de kade en de *Oregon* bruisend opborrelen, wat betekende dat de dwarsscheepse stuwschroeven al aansloegen. Toen ze van de achtersteven van het Russische vrachtschip waren weggedraaid, liet Eric de magnetohydrodynamische motoren opkomen, maar hield de voorwaartse stuwkracht beperkt tot een snelheid waarbij de boeg niet omhoogkwam, maar de romp ook niet dieper in het water kwam te liggen. Pas toen ze anderhalve kilometer van de ondiepe haven weg waren, begon hij de snelheid geleidelijk op te voeren.

Juan bleef nog even op de brugvleugel, in het besef dat dit tot na afloop van de missie de laatste ogenblikken van rust waren. De lichte schrik die hij had gevoeld toen Linda hem vertelde dat de aanval was begonnen, maakte plaats voor een heel andere sensatie, die hij maar al te goed kende. Het was het moment waarop hij de adrenaline door zijn lichaam voelde stromen. Het was haast alsof hij het letterlijk voelde dat zijn adrenalineklieren weer een dosis in zijn bloedstroom spoten.

Zijn stomp schrijnde, maar dat voelde hij niet meer. Zijn rug deed nog pijn, maar daar zat hij niet meer mee. Ook het slaaptekort oefende geen invloed meer op hem uit. Zijn geest concentreerde zich op de taak die hem wachtte en zijn lichaam reageerde daarop, bereid om te doen wat ervan gevraagd werd.

Hij wendde zich tot Linda. 'Klaar?'

'Aye, aye.'

In de lift naar het controlecentrum vroeg hij haar naar Susan Donleavy.

'Ik was van plan om vandaag met haar te praten, maar tja...'

'Geen probleem,' zei Juan. De liftdeur gleed open. 'Hali? Laatste nieuws?'

'Petromax probeert de desbetreffende autoriteiten te bereiken om hen over de aanval in te lichten, maar tot dusver heeft de regering niet gereageerd. Op het terrein van de arbeidersverblijven gebeurt niets. De aanval is uitsluitend op de terminal en de booreilanden voor de kust gericht. Het lijkt erop dat twee platforms door de terroristen zijn ingenomen, terwijl twee andere zich nog met waterkanonnen proberen te verdedigen. Een boormeester op een van de eilanden liet via de radio weten dat ze een paar mannen door geweervuur hadden verloren en dat hij vreest dat ze het niet lang meer volhouden.'

'Eric, wat is onze tijd van aankomst?'

'Over een uur.'

'Murph, alle wapensystemen paraat?'

Mark Murphy strekte zijn hals uit om Juan te kunnen zien. 'We zijn op alles voorbereid, baas.'

'Oké, prima. O ja, jongens, goed werk dat jullie de wapens met de chips hebben opgespoord. God mag weten wat er was gebeurd als we nu nog bij de rivier de Congo aan het zoeken waren.'

Cabrillo draaide zich om en wilde naar zijn hut gaan, toen hij Chuck 'Tiny' Gunderson achter in de zaal aan een werkblad zag zitten. Voor hem stond een computermonitor. Op het scherm was te zien hoe George Adams de lens van de camera in de neus van het radiografisch bestuurde vliegtuigje schoonmaakte.

'Prima zo,' zei Tiny in zijn microfoon. Hij bewoog zijn handen over het toetsenbord van de computer. 'Stapje terug. Ik ga nu de motor starten.'

De camera begon te trillen toen het minimotortje van het vliegtuigje aansloeg.

'Oké, we hebben groen licht. Omhoog en wegwezen.'

Het beeld bewoog terwijl het toestel langs een lanceerplatform scheerde, de voorste kranen van de *Oregon* passeerde en over de reling schoot. Met een joystick bracht Tiny de neus iets omlaag, om zo in plaats van hoogte meer aan snelheid te winnen, waarna hij de joystick weer naar zich toe trok en het toestel de lucht in schoot.

Juan liep voor de laatste voorbereidingen naar zijn hut. Voordat hij zijn prothese voor zijn weer opgelapte gevechtsbeen verwisselde en zwarte werkkleding aantrok, zette hij zijn computer aan, zodat hij op het scherm de livebeelden van de camera in het onbemande vliegtuigje kon volgen. Terwijl hij met één oog de monitor in de gaten hield, bracht hij zijn arsenaal aan wapens in gereedheid.

Het één meter twintig lange vliegtuigje vloog op zo'n driehonderd meter hoogte over het schiereiland waar de *Oregon* omheen moest varen om bij de olieterminal van Petromax te komen. Door het radiografisch bestuurde toestel van een veel sterkere zender te voorzien, hadden ze de actieradius van zo'n vijfentwintig naar vijfenzestig kilometer vergroot, met als resultaat dat het toestel niet meer zo heel dicht bij het schip hoefde te blijven. Het scheerde over akkerland en een junglegebied tot het de mangrovemoerassen bereikte die de haven – afgezien van één weg – volledig van de rest van Cabinda afscheidde.

Tiny liet het vliegtuigje zakken tot het op zo'n honderdvijftig meter hoogte boven de aanvoerweg vloog. Op een paar kilometer voor de ingang van de terminal stond een rij vrachtauto's stil. Juan vermoedde al waarom, en het volgende moment onthulden de camerabeelden dat de weg met gevelde boomstammen was geblokkeerd. Omdat de bermen langs de weg te zacht waren, konden de zware tankwagens niet omkeren. Het zou een paar grote grondverzetmachines of een week lang kettingzagen vergen om het obstakel te verwijderen. Als de Angolese regering troepen stuurde, zouden ze vlak voor het bereiken van hun bestemming alle gevechtsvoertuigen moeten achterlaten.

Nadat hij de satellietfoto's van de afgelegen haven had bestudeerd, had Cabrillo al voorzien dat dit zou gebeuren, omdat het exact was wat hij als aanvalsleider ook zou hebben gedaan.

Hij zag dat Tiny het modelvliegtuig weer een stuk omhoog bracht toen het de terminal naderde. Vanaf driehonderd meter zag alles er in eerste instantie normaal uit. Het fabrieksterrein lag in een lange strook van zo'n tachtig hectare langs de kust, met in de zuidelijkste punt een enorm tankpark en een afgescheiden gedeelte met de woonblokken en recreatiegelegenheden aan de noordkant. Ertussenin lagen vele kilometers pijpleidingen die in wel honderd verschillende maten over en onder elkaar door kronkelden in een netwerk waaruit alleen degenen die het hadden aangelegd wegwijs konden. Er stonden magazijnen met een voor Cabrillo ongekende omvang, en er was een haven voor de bevoorradingsboten en de werkschepen waarmee het personeel van en naar de booreilanden werd gebracht. Vanaf het fabrieksterrein liep een anderhalve kilometer lange pier naar de laadplatforms, waarlangs de supertankers aanlegden die de ruwe olie naar raffinaderijen waar ook ter wereld brachten. Aan een van de aanlegplaatsen lag een driehonderd meter lange tanker. Van de strook rode roestwerende verf die ver boven de waterlijn uitstak, leidde Juan af dat de tanks nog leeg waren.

Hij zag een groot gebouw dat op een speciaal verhard platform stond bij een van de hoogste ontluchtingstorens van de terminal. Van zijn mensen die het hadden uitgezocht, wist hij dat er zich in dat bouwwerk drie General Electric-straalmotoren bevonden die de elektriciteit voor de hele installatie leverden. Vanuit het gebouw liepen dikke krachtstroomkabels tot in de verste uithoeken van de haven.

Vijf kilometer voor de kust strekte zich in noordelijke richting als een door de mens gecreëerde archipel een lange rij olieplatforms uit, die stuk voor stuk door middel van onderzeese leidingen met de haven verbonden waren. Hoewel ze niet zo groot waren als de booreilanden die Juan in de Noordzee of de Golf van Mexico had gezien, waren ze alle minstens zestig meter hoog, met een bovenbouw die op stevige draagpijlers ver boven de golven uitstak.

Het zag er allemaal heel normaal uit, tenzij je iets beter keek. Sommige vlammen waren niet van de natuurlijke gassen die bewust werden afgefakkeld. Er stonden verschillende vrachtwagens in brand en meerdere gebouwen waren in vettige rookwolken gehuld.

De kleine zwarte hoopjes die over het terrein verspreid lagen, bleken bij nadere beschouwing de lijken van arbeiders en mensen van de beveiliging te zijn die door de soldaten van Makambo waren neergeschoten. De donkere plekken om hen heen, waarvan Juan in eerste instantie dacht dat het schaduwen waren, bleken in werkelijkheid plassen bloed.

Tiny Gunderson stuurde het vliegtuigje naar de kustlijn en volgde de verhoogde pier de zee in. De pijpleidingen waardoor de olie naar de laadplatforms stroomde, hadden een doorsnee van een gemiddeld treinstel. Juan vloekte toen hij de mannen al bij de laadinstallaties zag rondlopen. Ze hadden ze van de tanker losgekoppeld en de olie stroomde nu in vier forse stralen de zee in. De vlek verspreidde zich al rond de pier en werd met de seconde groter. Een van de mannen had kennelijk het vliegtuigje gezien, want opeens keek een aantal van hen op. Sommigen wezen ernaar, terwijl anderen het model-vliegtuigje onder vuur namen.

De kans dat ze het onbemande toestel raakten was niet zo groot, maar Tiny zwenkte de UAV weg en zette koers naar het dichtstbij-zijnde booreiland. Van een kilometer afstand zag Juan al dat er een olievlek omheendreef. De ruwe olie was zwaar genoeg om de golven die er onderdoor liepen af te vlakken. Op het water leek de vlek een traag rimpelende lap zwarte zijde. Door de heersende stroming dreef de olielaag in noordelijke richting, waar de vlek zich, gevoed door de als een zwarte regen uit het platform neerkletterende olie, steeds verder uitspreidde. Toen het modelvliegtuigje het tweede booreiland bereikte, zag Juan dat de vlek daar zelfs al groter was dan bij het eerste.

Hoewel het onmogelijk was, had Juan het gevoel dat hij de scherpe chemische stank van de in de zee stromende ruwe olie kon ruiken. De olie prikte in zijn keel en deed zijn ogen tranen. Tot hij besefte dat dit zijn fysieke reactie van walging was over deze moedwillige milieuvervuiling en zinloze verspilling van mensenlevens. Singers demonstratie was de grootste vorm van ecoterrorisme uit de geschiedenis, en hoezeer hij ook beweerde dat hij de planeet wilde redden, voor deze actie zou de aarde een zware tol betalen.

En als de inzet van de Corporation faalde, zouden de gevolgen over de halve aardbol merkbaar zijn.

Hij pakte zijn spullen bij elkaar en liep naar het ruim. Toen hij daar aankwam, zag hij dat er ruim honderd man in de ruimte verzameld waren. De groep bestond voor slechts een klein deel uit zijn eigen mensen, de meesten waren soldaten van Moses Ndebele. De Afrikanen waren van wapens en munitie voorzien en van de kledingsstukken die ze zelf niet bezaten, voornamelijk stevig schoeisel. Ze zaten allemaal op de grond en luisterden aandachtig naar hun leider, die hen vanaf een verhoging van pallets toesprak. Zijn voet was in dik verband gewikkeld en tegen de scheidingswand achter hem stonden twee krukken. Juan liep het ruim niet in, maar bleef tegen de deurpost geleund meeluisteren. Hij verstond de taal niet, maar dat deed er niet toe. Hij voelde de passie in de woorden van Ndebele en het effect dat hij daarmee op zijn volgelingen had. Het hing haast tastbaar in de lucht. Hij sprak duidelijk articulerend, waarbij hij zijn blik door de zaal liet gaan en alle mannen even aankeek. Toen hij zijn ogen op Juan richtte, voelde Cabrillo een steek in zijn borst, alsof Ndebele hem recht in het hart keek. Juan knikte en Moses knikte terug.

Toen hij uitgesproken was, reageerden zijn mannen met een donderend applaus dat door het ruim galmde. Het duurde zeker twee minuten voordat het gejuich langzaam wegebde.

'Kapitein Cabrillo,' riep Moses boven het kabaal uit. De mannen waren meteen stil. 'Ik heb mijn mannen verteld dat vechten aan uw zijde hetzelfde is als vechten aan mijn zijde. Dat u en ik broeders zijn, na wat u voor mij hebt gedaan. Ik heb ze verteld dat u zo sterk bent als een mannetjesolifant, zo slim als een luipaard en zo dapper als een leeuw. Ik heb gezegd dat vandaag, ook al vechten we dan in een ander land, de eerste dag is van het terughalen van de zeggenschap over ons eigen land.'

'Dat had ik niet beter kunnen zeggen,' antwoordde Juan. Hij vroeg zich af of hij zich niet ook nog tot de mannen moest richten. Maar hij zag in hun ogen, in de manier waarop ze reageerden, dat niets wat hij nog kon toevoegen hen meer zou inspireren dan de woorden van Moses al hadden gedaan. Dus zei hij alleen: 'Ik bedank jullie dat jullie mijn strijd tot die van jullie maken. Daarmee bewijzen jullie mij en jullie thuisland een enorme eer.'

Hij wist Eddie Sengs aandacht te trekken en gebaarde hem naar hem toe te komen. 'Heb je het dienstrooster klaar?'

'Dat heb ik hier.' Hij tikte op een elektronisch klembord. 'Mafana heeft me voordat ze aankwamen met het indelen van zijn mannen geholpen, en ik heb nu een behoorlijk goed zicht op wat ze kunnen.

Ook heb ik de verdeling over de schepen die bij de aanval worden ingezet uitgewerkt.'

'Waren er nog aanpassingen nodig aan het plan zoals we dat hebben uitgedokterd?'

'Nee, niets, baas.'

'Oké. Laten we de boel dan maar opstarten.'

Juan zou de aanval op het ene booreiland dat al was ingenomen leiden en Eddie de aanval op het andere. Dus verzamelden ze beiden hun groep Zimbabwanen om zich heen en liepen met hen van het ruim naar het duikersgat. Andere groepjes zouden met de reddingsboot en andere vaartuigen van het schip naar het laadplatform en de fabriek varen voor een gezamenlijke aanval met de *Oregon*, die hen onder Max' commando vuurdekking zou geven.

Terwijl ze naar beneden liepen, belde Max vanuit het controlecentrum. 'Ik wil je alleen even laten weten dat we op locatie zijn en dat de duikboten over tien minuten het water in kunnen.'

Juan keek op zijn horloge. Eric had hen daar sneller heen gekregen dan beloofd. 'Zodra we hier het luik door zijn, kost het ons nog twintig minuten om bij de booreilanden te komen, dus ga niet naar de kust voordat wij ons melden.'

'Ik heb niet zitten slapen bij de bespreking vannacht,' zei Max pinnig. 'Vlak voordat jij in de tegenaanval gaat, storten wij ons op de terminal en sturen er de reddingsboot op af. We schakelen alle terroristen die het op de volgende twee booreilanden gemunt hebben uit, en posteren ons dan voor de kade. Zodra we zo dichtbij zijn dat we ze dekking kunnen geven, vertrekken Ski en Linc in de SEAL-aanvalsboot ter ondersteuning van de herovering van de laadpier.'

'Dan hopen we maar dat Linda gelijk heeft en Makambo's mannen niet bereid zijn zich dood te vechten voor het behoud van de terminal. Hopelijk geven ze zich meteen over als we hen keihard en snel genoeg overrompelen.'

'Maar wat als ze geen gelijk heeft, en die gasten echt in hun missie geloven?'

'Dan wordt het een lange dag met veel bloedvergieten.'

Zolang het schip nog voer, bleven de luiken onder in het duikersgat gesloten. Maar het ijzeren rooster over het gat was al verwijderd en de grootste van de twee duikboten van de *Oregon*, een twintig meter lange Nomad 1000, hing in het hijstuig boven de opening. De Nomad, die ruim driehonderd meter diep kon gaan, was uitgerust

326

met een batterij lampen in de stompe neus en een robotarm die qua buigzaamheid en precisie niet onderdeed voor een mensenarm, maar bovendien zo sterk was dat hij staal kon scheuren. De kleinere Discovery 1000 hing boven de Nomad klaar en zou te water worden gelaten zodra de grote zus vertrokken was.

Linda zou Juan vergezellen, terwijl Jerry Pulaski klaarstond om zich bij Eddie aan te sluiten. De aanval aan land werd geleid door Franklin Lincoln en Mike Trono, die hun manschappen al bij de reddingsboot en de midscheeps gelegen botenloods hadden verzameld. De technici hadden de duikboten al gecontroleerd, dus Juan hoefde niets anders meer te doen dan een oppeppend klapje op de romp te geven en de door een bemanningslid stevig vastgehouden ladder te beklimmen. De duikboot schommelde lichtjes toen hij de bovenkant bereikte. Hij zwaaide een vluchtige groet naar Eddie en liet zich door het luik zakken.

Juan daalde in de boot af en liep naar de cockpit, een claustrofobisch hokje met twee ligstoelen, omgeven door een tiental computerschermen, bedieningspanelen en drie kleine patrijspoorten. Hoewel de Nomad groter was dan de Discovery, was het interieur krapper, als gevolg van de dikkere romp en de enorme accu's die voor zestig uur energie leverden, plus het feit dat de boot was uitgerust met een speciale duikerklok voor korte decompressietijden. De mannen van Juan hadden er alle overbodige spullen uit verwijderd, zodat er ruimte ontstond voor het vergroten van het aantal zitplaatsen van zes naar acht, evenveel als de Disco bevatte. Het bleef een klein aantal voor een aanval op de booreilanden, en alleen de crème de la crème van Ndebeles strijders was voor de duikboten geselecteerd.

Linda klom na hem naar binnen, maar ging nog niet zitten. Ze liet de andere mannen zien hoe ze de veiligheidsriemen om moesten doen, terwijl Juan de laatste controlecheck doornam.

Cabrillo sloot een lichtgewicht koptelefoon aan op het communicatiepaneel. 'Nomad voor *Oregon*. Dit is een test. Hoort u mij?'

'Perfect, Nomad,' antwoordde Hali onmiddellijk. 'We liggen bijna stil, Juan. De luiken van het duikersgat kunnen over ongeveer een minuut worden geopend.'

'Roger.'

Hij keek over zijn schouder, terwijl Linda ook haar plaats innam en haar pistoolmitrailleur met geluiddemper naast dat van Juan

327

neerzette. 'Zit iedereen?' Een paar mannen voelden zich duidelijk niet op hun gemak in de nauwe ruimte, en al helemaal niet toen het luik werd dichtgedraaid. Maar op zijn vragend oké-teken staken ook zij allemaal hun duim op. 'Mafana? Alles goed?'

Hoewel hij bij de bevrijdingsactie van Moses lichtgewond was geraakt, wilde de voormalige sergeant per se Cabrillo vergezellen. 'Ik begrijp de Bijbel nu veel beter.' Toen hij de verbaasde blik van Juan zag, vervolgde Mafana: 'Jonas en de walvis.'

'We zijn er zo, en we gaan niet dieper dan een meter of vijftien.'

Een reeks stroboscooplampen die verspreid door de drie verdiepingen hoge hal hingen, begon te flitsen en er moest ook een sirene afgaan, maar die kon Juan in de miniduikboot niet horen. Hij keek door de patrijspoort onder hem omlaag en zag de luiken in de onderkant van het schip openschuiven. Door de metalen koker borrelde water op dat gecontroleerd door de opening werd toegelaten tot het waterpeil in het duikersgat op gelijke hoogte was met de waterlijn van de *Oregon*.

Met een metaalachtig geratel zakte het hijstuig met de duikboot langzaam de zee in. De waterlijn steeg tot boven de patrijspoorten, waarop het in de Nomad merkbaar donkerder werd. Het interieur werd alleen nog verlicht door de computerschermen en een twaalf-volts-verlichting in het passagiersgedeelte. Zodra de duikboot vrij in het water dreef, werd het hijstuig losgekoppeld.

'Jullie zijn los,' riep een bemanningslid door de headset.

'Begrepen.' Met een druk op een knop liet hij de ballasttanks vollopen en in enkele seconden zakte de miniduikboot door het duikersgat en voer de open zee in. 'Nomad is weg. De Disco kan te water.'

Hij gaf gas, luisterde naar het gierende geluid van de accelererende schroefturbines en stelde op de computer een vaardiepte van vijftien meter in. Op die diepte zou een waarnemer boven water de dof-zwarte romp niet langs zien komen. De hoofdcomputer van de *Oregon* had de koers berekend en doorgegeven aan de miniduikboot, zodat Juan voorlopig niets anders te doen had dan van het tochtje te genieten.

Vijf minuten later meldde Eddie dat ook de Discovery te water was gelaten en naar het tweede booreiland onderweg was.

Met een maximumsnelheid van slechts tien knopen leek de oversteek naar het olieplatform eeuwen te duren, hoewel Juan zich ervan bewust was dat hij zich vooral ergerde aan het feit dat er gedurende elke minuut die verstreek meer olie in de zee werd gepompt. Als hij had gedacht dat het zou helpen, was hij naar buiten gegaan om te duwen.

'*Oregon*, met de Disco,' riep Eddie via de akoestische verbinding. 'We zijn bij het booreiland aangekomen en hangen net onder de oppervlakte. De olievlek moet inmiddels al zo'n vijf kilometer lang zijn.'

'Disco, hier de Nomad,' zei Juan. 'Volgens de computer zijn we over drie minuten onder ons platform.' Uit het feit dat het zeewater aanmerkelijk donkerder was geworden, concludeerde hij dat zijn miniduikboot onder een dergelijke olievlek voer, en dat al gedurende enige tijd.

Het gps-systeem van de Nomad leidde de duikboot tussen twee draagpijlers van het booreiland door en bracht het vaartuig op nog geen meter afstand voor een derde pijler tot stilstand. Een pijler die volgens waarnemingen van het onbemande vliegtuigje van een ladder was voorzien die tot op het platform door liep.

'Houston, de Nomad is geland.'

'Roger, Nomad,' antwoordde Hali. 'Geef ons één minuut, zodat Tiny nog één keer kan checken dat jullie daarbeneden geen gezelschap hebben en dat het veilig is om naar de oppervlakte te komen en de luiken te openen.'

Juan sloot zijn headset weer aan zijn eigen zender aan, drukte zich op uit zijn gevoerde stoel en liep voorzichtig met zijn MP5 over zijn schouder naar het luik. Mafana en zijn mannen klikten hun veiligheidsriemen los.

'Juan,' riep Linda door de cabine, 'Hali zegt dat alles veilig is. Hierbeneden is niemand, maar Tiny schat dat er minstens dertig terroristen op het platform rondlopen.'

'Niet lang meer,' mompelde hij, waarna hij Linda vroeg geleidelijk de ballasttanks te laten leeglopen.

Als een monster in een griezelfilm brak de brede rug van de Nomad langzaam door de stinkende laag ruwe olie onder het booreiland. De vettige drab die van de romp droop terwijl de duikboot steeds hoger aan de oppervlakte verscheen, was zo dik dat er restanten achter alle uitstekende delen van de duikboot bleven plakken. Rond het luik en het roer kleefden dikke klodders.

'Maskers,' zei Juan, waarna hij een operatiemasker over zijn mond en neus trok. Julia had de giftige stof en het effect ervan op het menselijk lichaam onderzocht en geconcludeerd dat een veel onhandiger gasmasker niet noodzakelijk was zolang men zich er niet meer dan een paar uur aan blootstelde en in een goed geventileerde ruimte verbleef.

Hij drukte op de knop om het luik te openen en kokhalsde door de scherpe chemische geur die hem tegemoetkwam. Nu de drab zo dichtbij was, sprongen de tranen hem in de ogen.

Hij klauterde uit de duikboot en klikte een lijn vast aan een aan de romp gelast oog. Er was een met zeepokken begroeid platform rond de dichtstbijzijnde draagpijler. Hij sprong erop en maakte de lijn vast aan de in de pijler geïntegreerde ladder. Exact in het midden van de vier enorme draagpijlers liep de stijgbuis van het olieplatform de zee in. In die buis bevond zich de boor zolang er nog naar olie werd gezocht, en daarna een pijpleiding waardoor de olie via een verdeelsysteem en transportleidingen naar de wal werd geleid. In tegenstelling tot bij andere velden stond de ruwe olie onder zoveel druk dat hij niet uit de aarde hoefde te worden opgepompt. Hij kwam vanzelf omhoog. En nu de terroristen leidingen op het platform hadden vernield of ventielen hadden opengedraaid, kletterde de olie van het booreiland in zee als een waterval van glimmend en in het heldere ochtendlicht wervelende schitteringen uitstralend lavaglas. Met donderend geraas stortte de drab zich op de drijvende olielaag.

Het was een fascinerend gezicht, en Juan had moeite zich af te wenden en zijn blik op de zee te richten, terwijl de mannen een voor een uit de duikboot klauterden. De *Oregon* voer naar de kust. Hoewel het een lelijk, voornamelijk op de functionaliteit gericht vrachtschip was, waarvan het dek een ontmanteld bos van kranen leek en de romp een ineengeflanste lappendeken van met elkaar vloekende kleuren, had het er in zijn ogen nog nooit zo goed uitgezien. Max was onderweg naar het derde platform, waar het personeel van Petromax de terroristen nog wist af te houden, maar meldde dat ze op het punt stonden om het booreiland in hun reddingsboten te verlaten. De mannen die het vierde platform verdedigden, lieten over de radio weten dat ze nooit zouden opgeven.

Nadat ze het luik achter zich had gesloten, was Linda de laatste die van de Nomad op het platform sprong. 'Laten we gaan,' schreeuwde ze boven het kabaal van de neerkletterende olie uit.

'De lucht hier is de pest voor mijn huid. Ik voel de olie al in mijn poriën dringen.' Waarna ze met een uitdagende grijns vervolgde: 'Reken maar dat de Corporation het verblijf in het kuuroord van mijn keuze gaat betalen.'

27

Toen de *Oregon* aan de horizon opdoemde, besteedde geen van de rebellen in de snelle motorboten die bij de pijlers van het derde platform dobberden er ook maar enige aandacht aan. Ze waren volledig geconcentreerd op het beklimmen van de ladder om het booreiland in te nemen. Tot dan toe waren hun pogingen verijdeld door de arbeiders die hun waterkannonen langs de pijlers richtten en de terroristen terug het water in spoten. Maar dat was geen eenrichtingsverkeer. De mannen in de boten vuurden een aanhoudende reeks salvo's langs de twaalf meter lange pijler omhoog, waarbij ze zo nu en dan doel troffen en er een medewerker van Petromax van het platform in het water plonsde. Dan juichten de aanvallers. Het was een uitputtingsslag tussen waterpistooltjes en machinegeweren waarvan de afloop van tevoren vaststond.

Gezeten achter het bedieningspaneel van de wapensystemen in het controlecentrum hield Mark Murphy tegelijkertijd de beelden van een zestal camera's en de statusdisplays van het op de *Oregon* aanwezige wapenarsenaal in de gaten. Eric Stone zat aan de console ernaast met zijn ene hand op de joystick van het roer en de zijwaartse stuwschroeven, en zijn andere losjes op de gashendel.

'Stone, breng ons tot vijfhonderd meter van het platform,' zei Max vanaf de gezagvoerdersstoel. 'En maak de boeg vrij, zodat de Gatling in stelling kan worden gebracht. Wepps, open de rompluiken voor de Gatling en prepareer voor bevel vuur.'

Tiny Gunderson stuurde het onbemande vliegtuigje in een wijde cirkel rond het booreiland zodat de Mark zijn doelen kon selecteren. Murph benoemde de vier boten die onder het booreiland dreven als

Tango Een tot en met Vier, en zodra ze in de computer waren inge- voerd bleef het elektronische brein ze voortdurend volgen. Hoog in de boeg draaide de zesloops GE M61A1 naar buiten en bewoog de draaiende lopen op en neer. Op die manier corrigeerde de computer de schommelbeweging van de *Oregon* op het water en de snelheid van de veraf varende motorsloepen.

'Nomad voor *Oregon*, we zijn bij het platform.' Juans stem vulde vanuit verborgen luidsprekers de hele ruimte.

'Hoog tijd, Nomad,' plaagde Max. 'Discovery wacht al twee minuten.'

'We zijn onderweg gestopt voor koffie met gebak. Liggen jullie klaar?'

'We wachten op jouw bevel om de reddingsboot te water te laten. Dan kunnen we gaan.'

'Wij zijn er klaar voor.'

Max veranderde van kanaal op zijn communicatieconsole. 'Con- trolecentrum voor reddingsboot. Mike, ben je daar?'

'We zijn klaar,' antwoordde Trono. Hij sprak op de emotieloze toon die een volledige concentratie verraadde.

'Reddingsboot nu gaan, en succes.'

Op het dek en vanaf het olieplatform onzichtbaar achter de scheeps- romp, werd de reddingsboot, die volgepropt was met zestig, letterlijk bij elkaar op schoot zittende vrijheidsstrijders, uit de houder getild en over de reling gehesen. Aan de davits zakte de boot langzaam naar het wateroppervlak, en zodra hij dreef, maakte Mike de touwen los en startte hij de motor.

Toen Trono na zes jaar als parachutist met spectaculaire piloot- bevrijdingen op zijn conto bij de luchtmacht afzwaaide, had hij nog een tijdje als professioneel coureur speedbootraces gevaren. Door de kick van het met meer dan honderdvijftig kilometer per uur over het water razen wist hij zijn adrenalineverslaving wel enigszins te bevre- digen, maar de uitnodiging om de Corporation met zijn ervaring als een van de beste speedbootcoureurs ter wereld te komen versterken had hij met beide handen aangegrepen.

Hij had de reddingsboot onmiddellijk in evenwicht. Vervolgens klapte hij de draagvleugels uit en voerde de snelheid op. Het onoog- lijke vaartuig scheerde als een vliegende vis over het water, waarbij hij ervoor zorgde buiten bereik van de terroristen te blijven, terwijl hij het bevel afwachtte om naar het oosten te draaien en in de buurt van de opslagtanks op het terrein van Petromax aan land te gaan. Vandaar zou hij de tegenaanval leiden om de controle over de terminal van Makambo's mannen over te nemen.

Er klonk een onverwachte explosie op het booreiland dat de *Oregon* tot doel had. Tiny zoomde met een camera in en zag een stel rebellen in een van de aluminium motorboten een raketwerper laden. Een loopbrug vanwaar een moment eerder nog twee arbeiders met harde stralen vele honderden liters water op de aanvallers hadden gericht, was nu in vlammen en dikke rookwolken gehuld. De mannen waren verdwenen en het waterkanon was een verwrongen hoop staal.

'Hé, ik heb hier weer een oproep van het booreiland aan het hoofdkwartier van Petromax in Delaware,' zei Hali, terwijl hij met opgeheven vinger luisterde. 'Ze gaan het platform verlaten.'

'Nee, dat doen ze niet,' zei Max botweg. 'Wepps?'

'Ik heb 'm.'

Mark ontgrendelde de Gatling en gaf de computer toestemming om te schieten. Hoewel het een constante stroom van zesduizend 20mm-projectielen per minuut kon afvuren, had Murph de rotatiesnelheid van de lopen vertraagd, zodat het wapen in de twee seconden dat de munitie het magazijn verliet slechts tachtig kogels spuwde, hoewel dat nog steeds het geluid van een professionele cirkelzaag teweegbracht.

De juichende terroristen onder het booreiland hebben nooit geweten waardoor ze werden neergemaaid. Het ene moment klapten de vier boten woest op en neer, en het volgende waren er twee in een poel van aluminiumscherven en verdampt vlees verdwenen.

De Gatling had Tango Twee en Vier vernietigd. De stuurman van Tango Een moet hebben gezien waar het salvo vandaan kwam, want hij schoot met zijn boot achter een van de pijlers weg en bleef vervolgens uit het zicht van de *Oregon*. De computer wachtte naar de zin van Murph net iets te lang op de boot, waarop hij met een ruk aan een hendel het automatische systeem van de Gatling uitschakelde en zich voornam om op een later tijdstip de programmering van het wapen nog eens goed na te kijken.

Op zijn grootste display verscheen een dradenkruis dat het punt aangaf waarop de loop was gericht, de gebogen grijze zijkant van de draagpijler. Hij zoomde de camera uit en vond de vierde buitenboordmotorboot, die op hoge snelheid naar het volgende booreiland voer. Met een kleine beweging van een joystick richtte hij het vizier op het vluchtende vaartuig en blies het met een nog geen seconde durende druk op de afvuurknop naar de vergetelheid.

Hij stelde het wapen weer op automatisch vuur in, waarop het zesloops boordkanon op zoek naar de laatste boot naar het platform terugdraaide. Vanachter de pijler was een glimp van de achtersteven van de boot zichtbaar, een doelwit van nog geen halve vierkante meter. Maar zelfs vanaf een schommelend schip op vijfhonderd meter afstand was dat meer dan genoeg. Opnieuw klonk het hoge gekrijs van de Gatling. De buitenboordmotor explodeerde, waarop de boot hoog uit het water spatte en de acht inzittenden alle kanten op vlogen. Een paar kwamen er in zee terecht, anderen kwakten tegen de pijler en twee van hen leken door de kracht van de ontploffing volledig in het niets te zijn verdwenen.

'Platform drie buiten gevaar,' zei Mark met een diepe zucht.

'Roer, op naar het laatste booreiland dat wordt aangevallen,' gromde Max, en hij besefte dat de twee teams in de duikboten het heel wat minder makkelijk hadden.

Cabrillo dacht precies hetzelfde toen hij via een vrijhangende trap over de rand van het platform klom. Onder hem golfde de oliedrab als een levende deken die alles in de omringende zee verstikte. De olie had zich al als een inktvlek zo ver als hij kon zien in alle richtingen verspreid en had waarschijnlijk ook al de betonnen golfbreker bereikt die langs de hele voorkant van de terminal liep. Door de frisse bries uit het zuiden was de stank niet zo erg als hij beneden was geweest, maar de petrochemische geur hing nog wel degelijk in de lucht.

In tegenstelling tot de gigantische olie-installaties in de Noordzee of de Golf van Mexico, waarop honderden arbeiders maanden achtereen konden verblijven en die hoger waren dan menige wolkenkrabber, was dit platform maar net honderdtwintig bij honderdtwintig meter en werd gedomineerd door een spits toelopende boortoren en een felgekleurde hijskraan, die voor het ophijsen en neerlaten van de goederen van de bevoorradingsschepen werd gebruikt.

Er stonden een paar op het dek vastgeklonken gebouwtjes die deels over de rand van het booreiland uitstaken. Een ervan was het controlecentrum, en in de andere stonden de machines die de toestroom van de aardolie door de stijgbuis regelden. Ook over het dek liep kriskras een heel netwerk van pijpleidingen, met ertussen allerlei werktuigen, zoals kapotte boorijzers, stukken boorkabel en een paar kleine vrachtcontainers voor de opslag van spullen. Hoewel het platform pas enkele jaren oud was, zat het onder een laag vuil en vertoonde overal tekenen van achterstallig onderhoud. Het leek hem een goed teken dat hij nergens lijken zag liggen.

Aan de voet van de boortoren spoot de olie op als uit een eeuwig uitbarstende vulkaan in dikke stromen uit de diepte van de aarde. De pikzwarte fontein bereikte een hoogte van zo'n vierenhalve meter voordat hij onder zijn eigen gewicht bezweek, maar werd steeds weer door de nieuwe aanvoer overeind gehouden. De neerkletterende olie gutste door gaten in de draaitafel de Atlantische Oceaan in. Bij deze hoeveelheid uit de stijgbuis omhoogkomende olie was het niet te zien of er leidingen gesaboteerd waren of dat er afsluiters waren opengedraaid.

Cabrillo was zich er voortdurend heel goed bewust van dat de olie door het minste vonkje in brand kon vliegen, en bij de daaropvolgende explosie zouden waarschijnlijk de bomen langs de kust niet gespaard blijven.

Toen hij en zijn team het platform bereikten, liepen de terroristen er ontspannen rond. Een aantal van hen tuurde ongeïnteresseerd naar de omringende zee om zich ervan te vergewissen dat er niemand naderde, maar over het geheel genomen leken ze ervan overtuigd dat ze de situatie volledig in de hand hadden.

Pas toen de *Oregon* bij het derde booreiland aankwam en daar hun kameraden met zoveel overwicht uitschakelde, hervonden ze weer enigszins hun discipline. De leider van het dertig man sterke contingent zette wachtposten op de uitkijk naar naderende schepen en liet anderen hun RPG's in stelling brengen voor het geval het vrachtschip binnen het bereik van zijn wapens kwam. Juan had zich met zijn mensen verborgen in een kettingbak toen een patrouille van vier man de loopbrug rondom het onderste dek van het twee verdiepingen tellende platform controleerde.

Nu de *Oregon* in de richting van de verderaf gelegen booreilanden voer, schenen de terroristen hun waakzaamheid weer iets te laten vieren. De aandacht van de wachten verslapte en de mannen verzamelden zich bij de reling aan de andere kant om te zien wat de gevolgen zouden zijn van de aanval van het vrachtschip op hun medestrijders die het vierde olieplatform onder vuur hielden. Juan herinnerde zich dat veel van Makambo's mannen nog maar net tieners waren, en hij betwijfelde of de rebellengeneraal voor Daniel Singer zijn beste troepen zou inzetten, hoe goed hij daar ook voor werd betaald. Hij moest er niet te lang over nadenken hoe armoede en pure machteloosheid deze mannen hierheen had gebracht, maar wat ze hier deden was een terroristische daad en daarin moesten ze worden gestopt.

Hij gebaarde Mafana dat hij zijn positie boven aan de trap moest overnemen, waarna hij zich naar beneden terugtrok om met Linda Ross te overleggen. 'Dit was het eerste booreiland dat ze aanvielen, dus ik neem aan dat ze daarbij niet op verzet zijn gestuit,' fluisterde hij, hoewel zijn stem in het kabaal van de neerstortende olie toch niet voor anderen hoorbaar zou zijn geweest. 'Pas toen ze het tweede booreiland aanvielen, is het personeel in de tegenaanval gegaan.'

'Denk je dat ze ze gevangen hebben genomen en ergens hebben opgesloten?'

'Ik weet dat ze meedogenloos zijn, maar het zou praktischer zijn dan honderd arbeiders te moeten executeren.'

'Wil je dat ik ze ga zoeken?'

Juan knikte. 'Als we het eiland in handen hebben, hebben we ze nodig om de olie af te sluiten, en als er op Eddies platform geen overlevenden zijn, moeten we ze daarheen brengen om het daar ook te doen. Neem drie mannen mee en controleer alle binnenruimtes. Er moet een eetzaal of een recreatieruimte zijn, iets waarin de hele bemanning past.'

'Ik ben al bezig.'

Cabrillo moest glimlachen om de kleine Linda, die met drie bijna twee keer zo grote kerels in haar voetspoor door een deur het binnenste van het booreiland inliep. Het deed hem denken aan Goudhaartje met de drie beren, alleen was Baby Beer dan wel een paar maten te groot. Hij klom de ladder weer op en ging naast Mafana liggen. Hij nam het tafereel nog eens goed in zich op, berekende vuurlijnen en zocht dekkingsmogelijkheden en plekken waar ze zich eventueel konden terugtrekken. Hij voelde dat Mafana naar hem keek.

'U wilt aanvallen, hè?' vroeg Cabrillo.

'Een beter plan heb ik niet,' gaf hij met een brede grijns toe. 'En dat heeft wat mij betreft altijd gewerkt.'

Juan schudde zijn hoofd en gaf Mafana zijn instructies. De sergeant bracht ze aan zijn mannen over. Zwijgend klauterden de Afrikanen over de bovenrand van de ladder. Cabrillo had de hinderlaag voorbereid met het inzicht van een schaakgrootmeester die zijn stukken in stelling bracht om uiteindelijk zijn slag te kunnen slaan.

Hoewel ze gevechten in de jungle gewend waren, bewogen de mannen zich goed in deze onbekende omgeving en slopen als ervaren jagers over het dek – jagers die al in hun jeugd op de gevaarlijkste prooi van allemaal hadden gejaagd: mensen. Het duurde tien minuten tot ze allemaal hun positie hadden ingenomen, en Juan bestudeerde opnieuw het dek om er zeker van te zijn dat iedereen was waar hij hem hebben wilde. Dat er iemand door eigen vuur getroffen werd, was wel het laatste wat hij op zijn geweten wilde hebben.

Tevredengesteld drukte hij zich op van de bovenste treden van de trap en spurtte naar de hoek van een dichtbij staande container, drukte zich plat tegen de wand en checkte drie keer of zijn aanvalsgeweer was doorgegrendeld. De commandant van de terroristen stond op nog geen honderd meter afstand in een grote zender te praten, vermoedelijk met degene die het commando over de gehele aanval voerde en zich waarschijnlijk ergens aan wal bevond. Juan legde de MP5 tegen zijn schouder en richtte het laservizier op de borst van de man, net iets links van het midden.

Het volgende moment was de rode stip van de laser in een kogelgat ter grootte van een cent veranderd. De man zakte in elkaar alsof opeens al zijn botten uit zijn lijf waren verdwenen. De geluiddemper voorkwam dat de anderen het schot hoorden, maar een paar mannen zagen hun leider neergaan. Het was alsof de rebellen één entiteit met één brein vormden, want hun waakzaamheid was op hetzelfde moment bij iedereen gewekt. De greep op hun wapen verstevigde terwijl ze dekking zochten.

Toen een van Cabrillo's soldaten het vuur opende met de AK-47 die hij uit de scheepsvoorraad had gekregen, werd dat door dertig wapens beantwoord. Honderden kogels vlogen kriskras over het dek alle kanten op, maar in één richting niet. Cabrillo had ervoor gezorgd dat geen van zijn mensen zich in de buurt van de boortoren bevond, waardoor de rebellen op veilige afstand langs de opspuitende, hoogst ontvlambare olie schoten.

Zes rebellen gingen al in de eerste salvo's van de aanval neer, en Juan schakelde er met een automatisch salvo vanuit de heup nog twee uit toen die om de hoek van de container opdoken. Maar dat voerde de felheid en intensiteit van het vuurgevecht alleen maar op. Een van zijn mannen snelde naar zijn tweede dekkingspositie en kreeg daarbij een kogel in zijn been. Op een meter of drie van Cabrillo sloeg hij plat tegen het harde dek. Zonder er ook maar een moment over na te denken, gaf Juan een verdedigende muur van tegenvuur af, sprong de open ruimte in en trok de man aan zijn kraag in dekking.

'*Nheyabongo,*' zei de soldaat naar adem happend en zijn handen om zijn bloedende dij geklemd.

'Graag gedaan,' reageerde Juan, die de bedoeling begreep van wat hij niet woordelijk verstond. Nog geen seconde later stond zijn hele wereld op zijn kop toen er aan de andere kant van de container een RPG ontplofte.

Linda had het liefst gehad dat er geen licht in de binnenruimtes van het platform brandde, zodat ze haar nachtbril kon gebruiken en zelf beter gedekt zou zijn, maar de gangen waren felverlicht.

De onderste verdieping van het booreiland bestond voornamelijk uit machines, verdeeld over vier grote ruimtes, maar toen ze het bovendek betraden, bevonden ze zich in een doolhof van gangen en aaneengeschakelde vertrekken. Ze vonden diverse slaapzalen voor mannen die langer dan alleen de uren die ze dienst hadden op het platform verbleven, en een paar kantoren van het administratief personeel.

Het controleren van alle ruimtes was tijdrovend, maar er zat niets anders op. Ze voelde de tijdsdruk. Hoe langer dit duurde, des te langer miste de baas bijna de helft van zijn mannen. Ze was het niet eens met zijn tactiek en wilde intensiever bij het gevecht betrokken zijn.

Ze gluurde om een hoek en zag twee rebellen die met hun AK's losjes over hun schouder ieder aan een kant van een deur tegen de muur leunden. Ze trok haar hoofd ijlings terug, maar die onverhoedse beweging trok de aandacht van de mannen. Linda wees op haar ogen, maakte een gebaar van om de hoek en stak twee vingers op. Deze gebarentaal was vrijwel universeel voor iedereen die in een oorlog had gevochten, en haar mannen knikten. Ze wees een van hen aan en gebaarde dat hij op de grond moest zakken. Hij schudde zijn hoofd, wees op een kameraad, maakte een gebaar alsof hij schoot en stak zijn duim op. Nee, maakte hij haar zo duidelijk, deze man is een betere schutter. Linda gaf met een knikje te kennen dat ze akkoord ging, waarop de scherpschutter zijn positie innam.

Het laservizier van haar H&K beschreef een willekeurig patroon op het plafond, terwijl ze langzaam dichter naar de hoek schoof.

Voorzichtig bracht ze het wapen omlaag toen ze nogmaals om de hoek gluurde. Ze trof de verste bewaker twee keer in de borst, terwijl de scherpschutter tegelijkertijd de dichtstbijzijnde man met één kogel uitschakelde. De knal van zijn AK maskeerde het zachte zoeven van haar pistoolmitrailleur met geluiddemper.

Haar hele team stormde de hoek om en stoof op de deur af. Aan het eind van de gang dook een derde bewaker op en alle vier openden ze tegelijk het vuur. Door de kinetische kracht van de kogelregen sloeg het lichaam met een dreun tegen de wand. Toen het schieten stopte, hoorde Linda achter de deur machinegeweersalvo's opklinken en het gegil van mensen in paniek.

Ze was als eerste bij de deur en schoot het slot met een salvo van drie kogels aan gruzelementen. Zonder in te houden wierp ze zich tegen de deur, vloog het vertrek in, waarbij haar iele lichaam een paar meter door de lucht zeilde voordat ze op haar schouder tegen de grond sloeg. Met de vaart die ze daarbij had, draaide ze door tot ze op haar knieën zat en drukte in één vloeiende beweging de MP5 tegen haar schouder. Gewaarschuwd door het geweervuur buiten de eetzaal schoten twee rebellen willekeurig hun magazijnen op de groep doodsbange arbeiders leeg.

Het was één grote chaos van heen en weer rennende, gillende en in hun haast om uit het schootsveld weg te komen over elkaar heen duikelende mannen, terwijl anderen met de vreselijkste verwondingen over de vloer kronkelden. Linda kreeg van een paar mannen die op de deur afstormden, precies op het moment dat ze de trekker overhaalde, een duw, waardoor haar drie kogels door de doorgang naar de keuken vlogen en een strakke rij gaten in een ventilatiekoker boorden. Er werden nog twee arbeiders neergeschoten alvorens ze opnieuw kon richten en de eerste rebel met een schot in zijn hoofd doodde.

Haar drie mannen hadden zich een weg verder de eetzaal in gebaand en riepen de arbeiders toe op de grond te gaan liggen, terwijl ze de tweede terrorist zochten. Hij was onmiddellijk met schieten gestopt toen Linda zijn maat doodde en probeerde zich tussen de arbeiders te verbergen die op de uitgang afstormden.

'Iedereen blijft hier,' schreeuwde Linda, maar haar hoge stem ging vrijwel volledig in het tumult verloren. De scherpschutter had haar echter gehoord. Hij en zijn maten liepen terug en blokkeerden de deur, waar ze standhielden, ondanks de kracht waarmee de arbeiders zich er toch langs probeerden te dringen.

Linda krabbelde overeind en bekeek de gezichten om haar heen. Ze had een glimp van de tweede rebel opgevangen, maar vond hem nu niet terug. Opeens was er een beweging links van haar. De keukendeur zwaaide lichtjes in de beide hengsels heen en weer. Ze sprintte de zaal door, waarbij de mannen uit ontzag voor het geweer in haar handen en de moorddadige blik in haar ogen voor haar opzij sprongen.

Toen ze de stevige deur bereikte, ramde ze hem met haar voet naar voren open. Halverwege de zwaai sloeg hij tegen iets hards aan en klapte terug. Toen er geen reactie vanuit de keuken kwam, dook ze diep in elkaar en sloop voorzichtig naar binnen. Links zag ze een afwasmachine en een gang die naar een opslagruimte liep, of misschien ook wel een uitgang van de keuken was. Haar zicht op de rest van de keuken werd door de deur geblokkeerd.

Op het moment dat ze zich wilde omdraaien om rechts van haar achter de deur te kijken, greep een sterke hand haar in de nek. Ze werd overeind getrokken en voelde de hete loop van een aanvalsgeweer in haar zij drukken. De rebel sprak in zijn eigen taal hijgerig woorden die ze niet verstond, maar wel heel goed begreep. Ze was nu zijn gevangene, en als iemand hem aanviel, zou hij haar ingewanden uit haar lijf schieten voordat hij zelf tegen de grond ging.

In nog geen tien minuten had de *Oregon* het vierde platform bereikt en de boten van de rebellen tot zinken gebracht. Na het uitschakelen van de eerste groep buitenboordmotorboten was er bij het booreiland maar één overgebleven, maar Tiny Gundersons vliegende oog vond de overige drie terwijl ze naar het laadplatform vluchtten. Om te voorkomen dat ze zich bij de troepen aansloten die de aanval op de oeverinstallaties uitvoerden, had Max Hanley aan Murph het bevel gegeven ze uit te schakelen. De afstand was al vrij groot geworden tegen de tijd dat Murph de laatste boot onder schot nam, waardoor er een vijf seconden durend salvo voor nodig was voordat acht van de kogels uit de Gatling te midden van het hoog opspattende water van inslagen rond de boot doel troffen. De laatste buitenboordmotorboot maakte een radslag over de golven nadat hij door de kogels vrijwel doormidden was gescheurd.

In een manoeuvre waartegen de rompplaten kreunend protesteerden, had Eric de *Oregon* met behulp van de dwars geplaatste schroeven en stuwmotoren in een scherpe bocht gelegd en stevende voordat de kleine sloep goed en wel in de golven was verdwenen al met hoge snelheid op de haven af.

'*Oregon* voor *Liberty*,' riep Max door de radio. Hoewel ze officieel geen namen hadden, werd de eerste reddingsboot steevast *Liberty* genoemd. De tweede, die Juan voor de kust van Namibië onder zijn kont had laten wegblazen, had de bijnaam *Or Death*.

'Hier de *Liberty*,' antwoordde Mike Trono.

'Het gevaar voor het vierde booreiland is afgeslagen, en we komen nu in positie om jullie aanval te dekken.' Om met de ongewapende reddingsboot een zwaar bewaakte kade te naderen zou pure zelfmoord zijn. Maar onder bescherming van de wapens van de *Oregon* hadden Cabrillo en de leidinggevende officieren die het plan hadden bedacht, er alle vertrouwen in dat ze zo veilig aan land zouden komen.

'Roger, *Oregon*. Ik zie jullie. Zo op het oog hebben jullie nog vijf minuten nodig voordat wij aan land kunnen gaan.'

'Wacht niet op mij,' zei Eric, terwijl hij de gashendels nog verder openzette. 'Ik lig op m'n plek voordat jullie op anderhalve kilometer van de kust zijn.'

Max veranderde het beeld op zijn monitor om de status van zijn geliefde motoren te bekijken en zag dat Stone de snelheid tot net onder de rode lijn had opgevoerd. Alle twijfel over eventuele schade ten gevolge van het aan de grond lopen in de rivier de Congo vervloog. De oude dame gaf alles wat ze in huis had.

'Wij gaan nu!'

Mike had met de draagvleugelboot trage rondjes varend op zo'n vijf kilometer afstand van de kust gewacht tot het tijd was om aan te vallen. Hij stuurde scherp naar het oosten en richtte de steven op een groep enorme opslagtanks aan de zuidrand van de terminal. Via het onbemande vliegtuigje hadden ze in dat gedeelte de minste activiteit van rebellen waargenomen, maar ze werden ongetwijfeld opgemerkt als ze dichterbij kwamen, en dan zouden er beslist mannen naartoe gestuurd worden om de aanval af te slaan.

Hij moest om de olievlekken heen varen die zich geleidelijk tot één immens olietapijt aaneenvoegden. De totale omvang was voor hem niet meer te overzien, maar zo op het oog begon het al angstwekkend op de Prince William Sound te lijken nadat de *Exxon Valdez* daar tegen het Bligh Rif was lekgeslagen.

Hij stond in de cockpit achter in de boot vanwaar hij rondom zicht had en hoorde het onbemande modelvliegtuigje door het kabaal van de motor van de draagvleugelboot niet aankomen. Tiny liet de UAV tot op zes meter hoogte zakken en liet de vleugels op en neer gaan toen hij hem op de zeewering afstuurde.

'Kleine klootzak,' mompelde hij grijnzend, terwijl hij naar de platte monitor keek die de vorige avond in allerijl was geïnstalleerd.

Het zag er allemaal net zo uit als toen het modelvliegtuigje het fabrieksterrein voor de eerste keer verkende. Er waren geen rebellen in het tankpark of bij de energiecentrale. Pas toen Tiny het toestelletje naar het noorden wendde, zag hij indringers lopen. Een aantal van hen bewaakte de hoofdingang, terwijl anderen een konvooi zware tankwagens lieten leeglopen. Uit de achterkant van alle wagens stroomde de olie in dikke stralen over de zeewering. Een andere groep was op de drijvende pier druk in de weer bij de tweede reeks laadinstallaties, die ze gereedmaakten om de aardolie in de zee te pompen. Linc zou de aanval daar leiden zodra Mike en zijn mannen in positie waren om hun dekking te kunnen geven.

Maar toen ze nog zo'n anderhalve kilometer van de kade die het dichtst bij het tankpark lag verwijderd waren, zag hij op het digitale scherm dat ze ontdekt waren. Er renden mannen van de verhoogde weg naar auto's van Petromax, waarin ze zich naar de andere kant van het terrein haastten. Ze kwamen in alle voertuigen die ze in beweging konden krijgen: vrachtwagens, vorkheftrucks en zelfs een hijskraan. Anderen kwamen te voet en zwermden als een stelletje ongeregeld over de hele terminal uit.

'*Oregon*, zien jullie wat ik zie?'

'Dat zien we, ja,' antwoordde Max.

Mark Murphy schoof de rompplaten weg die het automatische 40mm Bofors-kanon afschermden en activeerde het hydraulische systeem waarmee het wapen in stelling werd gebracht. Het beeld op zijn computerscherm deelde zich automatisch in tweeën: aan de ene kant de beelden van de viziercamera van de Gatling en aan de andere kant die van het 'pom-pom' kanon. Zo snel als hij kon, begon hij doelwitten te markeren. Met een stel joysticks bewoog hij het vierkantje als een razende over het scherm en markeerde de voertuigen die hij in zicht kreeg zodra de computer aangaf dat hij beet had. De Bofors begon hoog explosieve granaten af te vuren en de Gatling spuwde een vijf meter lange vuurtong uit de zijkant van de *Oregon*.

Nog voordat de eerste salvo's goed en wel doel hadden getroffen, waren de wapens alweer op zoek naar nieuwe doelen.

De kogels van de Gatling doorzeefden de zijkant van een kiepauto. De haast hypersonische projectielen scheurden de motor uit het chassis, sloegen alles in de cabine aan flarden en doorboorden het centimeter dikke staal van de laadbak met vuistgrote gaten. Door de kracht van de inslag balanceerde het voertuig heel even op de rechterwielen alvorens het volledig omkiepte.

Een tweetal 40mm-granaten sloeg kraters in het asfalt vlak voor een SUV met gewapende mannen, die op de treeplanken stonden en aan de deuren hingen. De chauffeur zwenkte scherp opzij, maar de linkervoorband zakte weg in het rokende gat op het moment dat een derde projectiel net achter het rechtervoorwiel insloeg. Door de klap vloog de auto een paar meter de lucht in en werden de rebellen als door een verwend kind weggesmeten poppen uit het rondtollende wrak geslingerd.

'Eric,' zei Murph zonder van zijn computer op te kijken, 'leg ons dwars. We zijn dicht genoeg bij om de .30's op het dek te kunnen inzetten.'

De M-60's met hun .30-kaliber konden vanaf andere wapenconsoles ook allemaal individueel worden bediend. Hoewel ze in eerste instantie bedoeld waren voor het afweren van enteraars, konden de zes zware machinegeweren zonder meer worden ingezet voor het beschieten van individuen aan land. Ze waren verborgen in op het dek staande olievaten, en na een simpele druk op een knop door Murph zwaaiden de deksels open en plopten de wapens tevoorschijn, waarna de lopen omlaag zakten en zich over de reling richtten. Elk wapen had een eigen camera die aan weinig licht genoeg had en van infraroodlenzen was voorzien. Zodra ze in stelling stonden, richtte Mark zijn aandacht weer op zijn eigen wapensystemen en liet zijn schutters hun werk met de M-60's doen. Binnen enkele seconden voegden de machinegeweren hun ratelende tonen bij de symfonie die hij dirigeerde.

Het duurde nog vijf minuten om de onstuimige stormloop op de kade bij het tankpark te stuiten, waar Mike de draagvleugelboot in het water liet terugzakken om de boot er af te meren. Toch waren er nog steeds rebellen die erin slaagden in groepjes van twee of drie het terrein over te steken, van dekking naar dekking spurtend op momenten dat de M-60's zich op andere doelen concentreerden. Ook was er een vrachtwagen vol schutters langs de buitenste omheining gereden, waarbij ze de hele terminal als dekking gebruikten om hun nadering verborgen te houden.

Murph had zich van zijn taak gekweten door het grootste deel van Mikes landingszone schoon te vegen, maar er waren nog steeds rebellen die tegenstand boden. En zolang Trono en zijn Afrikaanse troepen niet alle bendeleden op het terrein hadden uitgeschakeld, konden Linc en Ski de tankerpier niet aanvallen om de indringers daar een halt toe te roepen bij het in zee dumpen van zo'n vierhonderd ton giftige aardolie per minuut.

28

Eddie Seng keek naar de olie die uit de diep onder het platform aangeboorde bron omhoog spoot en had de vijftien rebellen die zich na een vuurgevecht van vijf minuten hadden overgegeven het liefst doodgeschoten. De arbeiders van Petromax die de toevoer probeerden te stoppen, leken nietig en onmachtig in hun dappere poging deze geweldige natuurkracht de baas te worden.

Hij keek opnieuw naar de terroristen, die geknield langs de rand van het platform zaten. De handen op de rug gebonden met de flexibele plastic strips die hij had meegenomen en de elektriciteitsdraad die de arbeiders hadden opgeduikeld. Ze waren geen van allen ouder dan vijfentwintig en toen hij zijn ogen langs de rij liet gaan, kon geen van hen zijn kille blik weerstaan. De met kogels doorzeefde lijken van de zes strijders die bij Eddies bliksemaanval gesneuveld waren, hadden ze in een hoek bijeengelegd en met een stuk zeildoek afgedekt.

Tijdens de slechts enkele minuten durende aanval was maar één van Eddies mannen gewond geraakt en zijn verwonding was niet meer dan een vleeswond in zijn been door een afgeketste kogel. Zodra de overgebleven rebellen beseften met welk gewelddadig overwicht ze werden aangevallen, hadden ze hun wapens neergegooid en hun handen opgestoken. Een enkeling was zelfs in huilen uitgebarsten. Vervolgens was Eddie naar beneden gegaan en had daar het personeel van het booreiland onbewaakt in de eetzaal aangetroffen. Van hen hoorde hij dat acht van hun mensen bij de eerste aanval op het platform waren omgekomen.

De boormeester van het olieplatform was gedood toen de rebellen zich over het booreiland verspreidden, en dus was het zijn tweede man die de leiding over het afsluiten van de oliestroom op zich moest nemen. Hij maakte zich los uit het groepje mannen dat rond het spuitgat stond en kwam op Eddie af. Zijn overall en handschoenen zagen zwart van de olie en zijn zwarte gezicht zat onder de vettige vegen.

'We kunnen 'm sluiten,' zei hij met een zwaar accent in het Engels. 'Ze hebben het bovenste spuitkruis door een afsluiter van dertig centimeter vervangen. Die afsluiter hebben ze opengedraaid, waarna ze de hendel hebben afgebroken. Het spuitkruis hebben ze waarschijnlijk in zee gegooid.'

Eddie veronderstelde dat wat de olieman het spuitkruis noemde, in feite de verdeler was die de olie over de diverse leidingen naar de kust verdeelde. 'Hoelang duurt dat?'

'We hebben nog een kruis op voorraad. Die is niet zo sterk als het kruis dat we nu kwijt zijn, maar de druk kan-ie wel aan. Een uur of drie.'

'Verspil dan geen tijd meer met praten.'

Hoewel het anderhalve kilometer van hem vandaan was en het kabaal van de opspuitende olie niet onderdeed voor het geluid van een langsdenderende trein, hoorde Eddie toch het aanhoudende geweervuur op het booreiland van de baas. Hij begreep dat Juan het een stuk lastiger had dan hij.

Heel even had Cabrillo geen flauw benul waar hij was of zelfs wie hij was. Pas toen het voortdurend ratelen van automatische wapens in de verte door het suizen in zijn hoofd brak, herinnerde hij zich weer waar hij mee bezig was. Hij opende zijn ogen en schreeuwde het haast uit van schrik. Hij hing zo'n tien meter boven de bruisende oliemassa die rond de pijlers van het platform deinde en was helemaal van het booreiland afgeblazen als hij niet verstrikt was geraakt in de veiligheidsnetten die rondom het bovendek waren gespannen. De container waarachter hij zich had verborgen lag schommelend in het olietapijt, en er was geen spoor meer van de gewonde man die naast hem lag toen de RPG-granaat ontplofte.

Hij draaide zich op zijn buik en kroop als een spin over het slingerende net, waarbij hij met één oog de rand van het platform in de gaten hield om er zeker van te zijn dat niet een van de rebellen hem in deze kwetsbare positie zag. Toen hij het platform bereikte, gluurde hij voorzichtig over de rand. De terroristen hadden het booreiland nog steeds in handen en het terugschieten van zijn eigen mensen was verflauwd. Hij begreep dat er nog maar een paar in het vuurgevecht actief waren, en uit de manier waarop ze slechts losse schoten losten concludeerde hij dat hun munitie opraakte. De rebellen leken daar geen gebrek aan te hebben en bleven lukraak doorvuren.

Zodra Juan zeker was dat er niemand zijn kant op keek, sloop hij vanuit het net naar de rails van de mobiele hijskraan. Hij controleerde zijn wapen en verwisselde het half leeggeschoten magazijn. Hij had onvoldoende overzicht over het strijdtoneel om de rebellen met enkele schoten te bestoken zonder een nieuwe mortieraanval te riskeren. Hij schoof naar achteren en sloop op zijn buik kronkelend naar de achterkant van de hijskraan, heel voorzichtig op zoek naar een betere dekking.

Plotseling sprong er vanachter een krat een aanvaller tevoorschijn die een granaat over het dek wilde gooien naar de plek waar een gewonde Zimbabwaan zich achter een enorme afsluiter verschool. Juan trof de terrorist met een enkel schot. Het volgende moment ontplofte de granaat en vloog zijn lijk met het verminkte lichaam van een kameraad in een zuil van vuur en rook de lucht in.

Voordat iemand kon vaststellen waar het schot vandaan was gekomen, spurtte Juan vanonder de hijskraan weg, rende ineengedoken het dek over en dook weg achter een stapel vijftien centimeter dikke boorbuizen. Vliegensvlug kroop hij naar het uiteinde, zodat hij in de lengte door de buizen kon kijken. Het zicht was nogal desoriënterend, het leek alsof hij met de prismatische ogen van een vlieg keek, maar hij zag een van de rebellen langs de ijzeren stellage van de boortoren lopen vlak bij de plek waar de olie uit de pomppijpenkop omhoogspoot.

Juan stak de loop van de MP5 in een buis en vuurde een salvo van drie kogels af. Twee kogels raakten de binnenkant van de buis en ketsten af, maar de derde trof de terrorist onder in zijn buik. Hij sloeg wankelend achterover en belandde in de oliefontein. Een seconde lang leek hij tegen de opwellende zuil te leunen, en het volgende moment was hij meegesleurd, alsof hij was opgeslokt door de oliestroom die als een waterval in zee stortte.

Cabrillo trok zich weer haastig terug achter de stapel buizen, die ogenblikkelijk door een zestal rebellen onder vuur werd genomen, wat door de afketsende kogels een kleurrijk klankspel opleverde. Hij begon te beseffen dat hun aanval wel eens zou kunnen mislukken.

Wanneer Linda haar missie beneden niet snel afrondde en met haar team versterking bood, zou hij serieus moeten overwegen of ze zich niet moesten terugtrekken. De *Oregon* kon hen op geen enkele manier te hulp komen, althans niet zonder het risico dat ze het hele booreiland opbliezen.

Omdat er nog zoveel rebellen doorvochten, zou de terugtocht naar de miniduikboot pure zelfmoord zijn. Ze zouden een voor een afgeschoten worden voordat ze ook maar een kwart van de afstand langs de pijler zouden hebben afgelegd. Juan moest een alternatief bedenken, en overwoog of ze de reddingsboot van het platform konden gebruiken, een versterkte polyester vluchtcapsule die automatisch te water kon worden gelaten. Het enige probleem was dat de davits van de reddingsboot op een afgezonderde plek aan de andere kant van het dek stonden, midden in een open ruimte – een *killing field* zoals Juan nog niet eerder had meegemaakt.

Op zijn radio toetste hij de frequentie van Linda in terwijl er nieuwe salvo's op de buizenstapel kletterden. 'Linda, met Cabrillo. Vergeet de arbeiders en kom als de bliksem naar boven.' Omdat ze niet reageerde, herhaalde Juan haar naam. 'Waar ben je, verdomme?'

Ze had er twee jaar lang elke week vijf uur aan besteed. Meer dan vijfhonderd trainingsuren op de matten die Eddie Seng in de dojo van het fitnesscentrum van de *Oregon* had laten leggen. Hij had het geleerd van een meester die zich niet meer om de hoogte van zijn graad bekommerde, omdat er maar een paar mensen op de planeet de bevoegdheid hadden hem een hogere graad te verlenen.

Het horen van Juans stem was net het zetje dat Linda nodig had om haar paniek te overwinnen en in actie te komen. Ze stapte zo snel naar voren en terug dat de moordenaar niet merkte dat de loop van zijn geweer zich nu ter hoogte van haar heup bevond. Door de stoot van haar elleboog in zijn borstbeen blies hij een vleug stinkende adem in haar gezicht. Vervolgens ramde ze haar vuist tussen zijn benen, waarbij ze zich de woorden van Eddie op dit punt van deze zo vaak geoefende tegenaanval herinnerde: 'Als je zijn gewicht op je rug voelt, werp hem dan. Zo niet, hou dan vast tot hij naar de grond gaat.'

Maar ze voelde de man tegen haar in elkaar zakken. Ze greep zijn arm, boog haar heup en smeet hem over haar schouder, waarbij ze hem vast bleef houden, zodat hij onder hun gezamenlijke gewicht tegen het dek sloeg. Doordat hij geen lucht meer in zijn ingeklapte longen kreeg, hapte hij als een vis naar adem. Linda sloeg hem met een gekapte slag op een drukpunt aan de zijkant van zijn vrijliggende keel, waarop zijn ogen heen en weer schoten en in de kassen wegdraaiden. Hij was de komende uren uitgeschakeld.

Ze kwam overeind en zag dat de man van wie ze had gedacht dat het de 'scherpschutter' was haar door het doorgeefluik naar de eetzaal aanstaarde. Hij liet zijn AK zakken die hij had aangelegd voor een schot dat hij niet had durven afvuren. Ze maakte een knicks naar hem, wat met een brede glimlach werd beantwoord.

Linda legde een tweetal flexibele boeistrips om de poot van het fornuis en bond voor de zekerheid de polsen van de terrorist bijeen. Terug in de eetzaal zag ze dat haar beide andere mannen nog steeds de deur bewaakten en ervoor zorgden dat geen van de arbeiders de zaal verliet om op het dek in een volgend vuurgevecht verzeild te raken.

De vloer lag bezaaid met lichamen. Een paar waren er dood, maar de meesten waren in de onoverzichtelijke chaos slechts gewond geraakt. Een aantal van hun collega's was al druk bezig hen in comfortabele houdingen te leggen en probeerde met lappen stof en proppen van papieren servetten het bloeden van hun wonden te stelpen. Vooral één man leek deze medische hulp te leiden. Het was een blanke man met een zandkleurige krans haar om een ronde schedel, en de grootste handen die Linda ooit had gezien. Toen hij overeind kwam, nadat hij een tegen een omgevallen tafel leunende collega had onderzocht, zag hij haar staan en stevende met vijf lange passen dwars door de zaal op haar af.

'Mevrouwtje, ik weet niet wie u bent en waar u zo opeens vandaan kwam, maar verdorie, meid, wat ben ik blij u te zien.' Hij torende hoog boven haar uit en sprak met een zuiver West-Texaans accent. 'Ik ben Jim Gibson, en de boormeester van dit eiland.'

Linda wist dat dit de titel was waarmee de baas van olie-installaties op zee werd aangesproken. 'Ross, ik ben Linda Ross. Wacht even.' Ze deed het oortje van haar radio weer in dat tijdens het gevecht was losgeraakt. 'Juan, met Linda.'

'Godzijdank. Ik heb jou en je mannen nodig, nu meteen! We worden hier in de pan gehakt. De arbeiders komen later wel.' Het geluid van gierende salvo's op de achtergrond onderstreepte de urgentie van zijn woorden.

'Hier is iedereen veilig. Ik kom eraan.' Ze keek weer op naar de grote Texaan. 'Meneer Gibson.'

'Jim.'

'Jim, zorg jij dat je mensen hier beneden blijven. Boven zijn nog terroristen bezig. Ze hebben iets met de installatie gedaan waardoor er olie in zee stroomt. Als wij die rebellen hebben uitgeschakeld, kunnen jullie de olie dan stoppen?'

'Wat dacht je, natuurlijk kunnen we dat. Wat gebeurt hier eigenlijk?'

Linda stak een nieuw magazijn in haar pistoolmitrailleur en antwoordde: 'Iemand heeft een groep Congolese rebellen ingehuurd om een aantal platforms en de tankerterminal in te nemen.'

'Is dit een politiek spel?'

'Jim, ik beloof je dat ik het je, als we hier klaar zijn, allemaal uitleg, maar nu moet ik er echt vandoor.'

'Vertel 't maar tijdens een etentje. In Cabinda City ken ik een fantastisch Portugees restaurant.'

'Ik ken een nog veel beter in Lissabon,' riep Linda over haar schouder, 'maar daar moet je nog wel even voor sparen.'

Mike hield de steven van de *Liberty* recht op de zeewering gericht tot hij op het allerlaatste moment het roer omgooide en het gas dichttrok. Hoewel de boot al niet meer op de vleugels voer, zakte ze nog dieper in het water toen ze met haar zijkant zo zacht tegen het beton stootte dat ze geen enkele van de mossels die tegen de wand kleefden beschadigde.

Het voorste luik stond al open en achter elkaar sprongen de mannen van de boot op de kade, waar ze zo snel mogelijk dekking zochten. Uit de richting van de terminal kwamen wat schoten uit lichte handwapens, maar door Mark Murphy's uitgekiende inzet en Trono's behendige stuurkunst waren er maar een paar rebellen binnen schootsbereik.

Mike pakte zijn spullen en sprong aan wal. Omdat er nergens iets was om de boot aan vast te leggen, trok hij een speciaal pistool uit een holster op zijn rug tevoorschijn. Met het wapen schoot hij een in een .22-patroon verwerkte, vijftien centimeter lange pin in het beton. Hij haalde de grendel over voor een volgend schot en joeg een tweede pin de grond in, waarna hij er een lijn aan vastbond die langs de romp van de *Liberty* bungelde.

De vrijheidsstrijders waren de harde lessen die ze in hun burger-oorlog hadden opgedaan in al die jaren nog niet verleerd. Ze hadden zich keurig verspreid, waarbij iedereen de man naast zich dekking kon geven. Hun eerste doel bevond zich op nog geen honderd meter afstand. Mike keek naar het in het weefsel van de binnenkant van zijn mouw geïntegreerde schermpje en vloekte. De voeding was uitgevallen.

Omdat er niets anders opzat, leidde hij de aanval en snelde met katachtige sprongen van dekking naar dekking, terwijl zijn mannen achter hem de terroristen met aanhoudend geweervuur op afstand hielden. Hoewel daar op dat moment nog maar een handjevol rebellen aanwezig was, kwamen er met de minuut steeds meer aan rennen die aan de sensoren van de geavanceerde detectieapparatuur van de *Oregon* waren ontsnapt.

Het zestig man sterke contingent incasseerde zijn eerste dodelijke treffer toen er vanachter een kleine opslagschuur een schutter opdook die als een Hollywood-gangster met zijn AK laag vanuit zijn heup vurend en met zijn vinger om de trekker gekromd een onafgebroken kogelregen in het rond sproeide. Het was een zelfmoordaanval en het tegenvuur legde hem snel het zwijgen op, maar toch gingen er vier van Mikes mannen neer, van wie er één op slag dood was.

Onverschrokken renden ze door, wegduikend en zigzaggend, wachtend op plaatsen waar ze veilig waren zodat ze op hun beurt het oprukken van de tirailleurslinie dekking konden geven. Het was als bij straatgevechten in de ergste vorm, de vijand kon elk moment overal opduiken.

Mikes radio piepte, waarop hij achter een kapotgeschoten kraanwagen glipte om te luisteren wat er was. '*Liberty*, hier Arendsoog, sorry voor de vertraging, maar ik heb je weer in het systeem.' Het was Tiny Gunderson die met de UAV vloog.

Trono keek opnieuw naar het vierkantje dat in de mouw van zijn zwarte gevechtsjack was ingenaaid. Het zilverkleurige materiaal vormde een schermpje waarop beelden van de tankerterminal verschenen, afkomstig van het modelvliegtuigje. De resolutie van deze flexibele monitor was zó hoog dat de beeldscherpte niet onderdeed voor het grote platte scherm in het controlecentrum van de *Oregon*, hoewel het door de beperkte energievoorziening alleen snapshots kon ontvangen die de UAV met tussenpozen van tien seconden uitzond. Het was ultramoderne technologie die nog aan kinderziektes leed, waardoor het nog jaren zou duren voordat het Amerikaanse leger ermee zou gaan werken.

De beelden wisselden elkaar af terwijl Tiny op de locatie van Mike inzoomde. Hij zag dat er drie rebellen om een opslagloods heen liepen en op het punt stonden om zijn mannen in de flank aan te vallen. Zonder de anderen iets te zeggen, sprong hij vanachter de kraanwagen weg en rende een stuk terug tot hij om de hoek van het gebouw kon kijken waar de drie mannen zich verscholen. Een knop op de raketwerper die hij onder zijn pistoolmitrailleur meedroeg maakte het mogelijk de loop een fractie van een millimeter te vernauwen, wat het projectiel vertraagde. Zo kon hij elk gewenst schootsbereik instellen. Hij schatte de afstand tot de hoek van het gebouw op een meter of veertig en stelde dat in. Het wapen maakte een raar, hol *plop*-geluid toen hij afdrukte, maar het gevolg was allesbehalve komisch. De granaat sloeg op een halve meter van de hoek van het gebouw in en ontplofte in een allesverwoestende waaier van metaalsplinters en puin.

Toen hij weer op het schermpje in zijn mouw keek, zag hij de drie rebellen in een gaswolk uitgestrekt op de grond liggen.

Nu ze vanboven een beschermengel op de uitkijk hadden, verdubbelde de snelheid waarmee ze oprukten. Steeds kon Mike zijn mannen, ruim voordat de terroristen tevoorschijn sprongen, aanwijzen waar ze in een hinderlaag lagen.

Zonder ook maar één man te verliezen bereikten ze de energiecentrale van de terminal. Ondanks dat het gebouw geluiddicht was gemaakt, stond het te trillen door het geweld van de straalmotoren die de elektriciteit opwekten. Mike had al vijf soldaten geselecteerd die hem zouden vergezellen en hij instrueerde de rest van de groep het terrein over te steken om Linc bij zijn aanval op de tankerpier te steunen.

Hij ging de energiecentrale binnen door een zijdeur waarvan hij het slot kapot had geschoten. Het geluid van de motoren zwol aan. Zonder deugdelijke oorbeschermers hielden ze het daarbinnen maar een paar minuten uit. Hij rende het gebouw in en zwiepte het laservizier van zijn H&K door de enorme hal. Op stalen stellages stonden de drie General Electric-straalmotoren in een rij achter elkaar, met glanzende buizen voor de luchtaanvoer en op de achtermuur aangesloten, door de geweldige hitte zwartgeblakerde pijpen voor de afvoer van de uitlaatgassen.

Maar een van de turbines was in werking. Max had uitgelegd dat in dit soort centrales meestal twee turbines afwisselend in gebruik waren, met een derde als reserve om pieken in de vraag naar elektriciteit op te vangen. Om niet meteen de hele centrale met het 120mm-kanon van de *Oregon* plat te leggen, hadden ze besloten om alleen de in werking zijnde turbine uit te schakelen, omdat ze beseften dat de mensen bij het opruimen van de schade weer elektriciteit nodig zouden hebben.

Onder dekking van zijn mensen rende Mike naar de controlekamer aan de voorkant van het gebouw. Ze zagen dat een stel technici achter deuren van drie lagen dik glas de centrale observeerden in het gezelschap van een trio bewakers. De medewerkers van Petromax bestudeerden een paneel met lampjes en displays. De bewakers en arbeiders stonden zo dicht bij elkaar dat een gericht schot te riskant was, dus richtte Mike boven hun hoofden en schoot het glas met een donderende knal van uiteenspattende scherven aan barrels. Alleen al de schok van het motorkabaal dat plotseling de geïsoleerde ruimte binnendrong was desoriënterend genoeg, maar Mike verhoogde de verwarring nog door een zogenaamde *flash/bang* door de verbrijzelde ruit naar binnen te werpen.

Hij dook ineen, zodat het geweld van de explosie over hem heen vloog, en hij was al in de controlekamer voordat de mannen daarbinnen de gelegenheid hadden gehad weer overeind te komen. Hij drukte een van de rebellen met de kolf van zijn wapen tegen de grond, terwijl zijn mannen de twee anderen met hun AK's onder schot namen. Mike wierp een van hen een handvol flexibele boeistrips toe en richtte zijn aandacht op de technici. Een was er door rondvliegend glas geraakt, maar de wond leek niet ernstig. De anderen waren alleen verdoofd door de schok.

Hij keek de minst verdwaasde man in zijn ogen en moest zijn longen uit zijn lijf schreeuwen om boven het kabaal van de gierende straalmotor uit te komen. 'Kunt u dat geval uitzetten?' vroeg hij, met zijn duim over zijn schouder wijzend.

De man staarde hem met een holle blik in zijn ogen aan. Mike wees nog eens op de turbine en maakte een snijbeweging voor zijn keel. Dit universele gebaar werd begrepen. De technicus knikte en liep naar de controletafel. Met een muis doorliep hij een reeks schermen op een computer, onderwijl driftig op icoontjes klikkend. Het leek of het allemaal geen effect had, tot het doordringende gieren tot onder de pijngrens afzwakte en in een draaglijker zoemen overging. De turbine bleef nog even doordraaien tot de compressorbladen uiteindelijk helemaal stilvielen. Hoewel dat niet betekende dat het suizen in Mikes oren nu ophield.

Hij wendde zich tot de leider van zijn verkenningsploeg. 'Blijf hier en zorg dat niemand die motor weer aanzet.' Hij had de man al een walkietalkie gegeven. 'Laat me weten als er rebellen opduiken.'

'Ja, *Nkosi*.' Aan de toon waarop hij dat zei, viel af te leiden dat hij het niet leuk vond dat hij zo buiten de gevechten werd gehouden. 'Wat doen we met hen?' Hij zwaaide met de loop van zijn aanvalsgeweer naar de geboeide rebellen.

Mike holde al naar de uitgang. 'Als ze moeilijk doen, schieten.'

'Ja, *Nkosi*.' Dit antwoord klonk iets enthousiaster.

Terwijl Linda haar mannen naar het hoofddek van het platform bracht, stond ze in verbinding met Juan, die haar op de hoogte stelde van de posities bij het vuurgevecht. In plaats van naar het dichtstbijzijnde deurluik te gaan dat naar buiten leidde, zei Cabrillo dat ze op de benedenverdieping binnendoor naar de rand van het platform moest lopen, zodat ze daar achter de grootste groep schutters tevoorschijn kon komen.

Daar moest ze buiten zicht wachten, terwijl hij zijn overgebleven strijders met gebaren zo organiseerde dat ze klaar waren voor een beslissende aanval waarmee ze óf de wil van de rebellen om verder te vechten braken, óf hen compleet overweldigden. Met nog maar twee magazijnen in zijn munitiehouders was dit de laatste zet die hij nog kon doen.

'Oké, Juan, we zijn in positie,' zei Linda. 'Ik zie er vier. Ze liggen achter die grote opslagtank. Er is er nog een die dichter bij de kraan probeert te komen.'

'Zeg me wanneer hij op een meter van de rails is. Dan neem ik 'm. Nemen jullie de vier die jullie kunnen zien. Ik denk dat er nog een stelletje onder de rand van het platform in het veiligheidsnet hangt. Ik weet niet of die het hebben opgegeven of zo, maar kijk of je ze ergens ziet.'

'Roger. Jouw jongens hebben nog tien meter te gaan.'

Juan wachtte, met zijn rug tegen de warme buizen gedrukt. Ondanks de chaos en de adrenaline was het probleem van Daniel Singers timing geen moment uit zijn gedachten. Hoe vergezocht het hele idee ook was, toch was hij ervan overtuigd dat Singer een manier had gevonden om een orkaan naar zijn hand te zetten. Singer was tenslotte een geniale techneut. Door zijn uitvinding was hij al rond zijn twintigste honderdvoudig miljonair. Zoals Max zou zeggen: aan de man was misschien een schroefje los, maar zijn machine liep als een zonnetje.

'Vijf meter,' liet Linda via de radio weten.

Wat Singer had gepland, moest iets van een onvoorstelbare omvang zijn, maar Juan had geen idee wat het kon zijn. Hij zag niet in hoe je van een orkaan de kracht en de route kon sturen. Er welde een nieuwe woede in hem op. Als Singer inderdaad de technologie daarvoor had ontwikkeld, waarom gebruikte hij die dan voor zoiets? Orkanen en hun neefjes in de gebieden rond de Stille en Indische Oceaan, de cyclonen en tyfoons, veroorzaakten voor miljarden aan schade, kostten jaarlijks duizenden mensen het leven en lieten nog eens onoverzienbare mensenmassa's berooid achter in het spoor van verwoesting dat ze over het land trokken. Als Singer de planeet wilde redden, zou in Juans ogen juist het beëindigen van deze ellende een geweldige eerste stap zijn. Het was die zinloze verwoesting waar hij zich zo kwaad over maakte. Zoals deze aanval hier, zoals Samuel Makambo's puur op zelfverheerlijking en -verrijking gerichte revolutie, zoals de corruptie die Moses Ndebeles vaderland aan de rand van de afgrond bracht.

'Twee meter.'

Mijn god, wat was hij die strijd inmiddels zat. Toen de Berlijnse Muur viel en ook de Sovjet-Unie uiteenviel, kwamen zijn superieuren van de CIA bijeen en gaven elkaar schouderklopjes voor het goede werk dat ze hadden gedaan. Juan wist dat het ergste nog moest komen, nu de wereld langs religieuze en etnische grenzen versplinterde en de strijd vanuit de duisternis werd gevoerd.

Hij vond het verschrikkelijk dat hij gelijk had gekregen.

'Pak ze.'

Cabrillo's concentratie was ogenblikkelijk weer bij het gevecht. Hij wierp zich half over de stapel boorbuizen en vuurde een salvo van drie kogels af dat de kruipende schutter in zijn zij en rug trof. Meteen barstte er geweervuur los van rebellen die hem van links bestookten. Zij werden door Linda en haar team neergemaaid. Juan sprintte vanachter de buizen weg, zo bewust een doelwit vormend om de aanvallers te verleiden zich bloot te geven. De rest van zijn ploeg was op deze actie voorbereid, en voor de tweede keer sinds het begin van het gevecht ontstond er zulk heftig machinegeweervuur op het platform dat het leek alsof de hel was losgebarsten.

Het was het felste korteafstandsgevecht dat hij ooit had meegemaakt. De lucht leek vol kogels te zitten, waarvan er enkele zo rakelings langs scheerden dat hij de hitte ervan duidelijk kon voelen. Hij dook over een omgevallen olievat dat, vanwege de kracht van minstens twee AK-salvo's die er aan de zijkant insloegen, tegen hem aan rolde.

Linda zag een van de mannen op Juan schieten, maar haar directe schot miste op het moment dat de man achter een wirwar van leidingen verdween. Ze verliet haar plaats en snelde achter hem aan. Het was alsof ze door een bos van metalen bomen rende. De manier waarop de leidingen kriskras over en door elkaar heen kronkelden was in het voordeel van de schutter. Waar ze ook keek, onder- of bovenlangs, overal werd haar zicht voortdurend geblokkeerd.

Omdat ze besefte dat ze elk moment in een val kon lopen, begon ze zich uit het labyrint van buizen terug te trekken, waarbij ze haar ogen geen seconde op hetzelfde punt gericht hield voor het geval de schutter haar in een omtrekkende beweging de pas afsneed.

Toen ze een verticale pijp met de omvang van een forse rioolbuis rondde, schoot er een hand tevoorschijn die de loop van haar pistoolmitrailleur wegrukte, waardoor ze languit tegen de grond sloeg. Ze had gehoopt dat er in die ene seconde nog iets diepzinnigs in haar opkwam, maar haar laatste gedachte was dat ze zo stom was geweest een beginnersfout te maken die haar de kop kostte.

Het geweer klonk als een kanon. Het hoofd van de rebel die over haar heen stond rekte uit als een halloweenmasker, waarna het gewoonweg verdween. Toen ze opkeek, zag ze op nog geen meter afstand Jim Gibson in zijn buitenmaatse Tony Lama-laarzen staan met een enorme revolver in zijn hand. Uit de omhoog wijzende loop kronkelde een rookwolkje op.

'Strikt gesproken mag ik mijn schietijzer hier op het platform helemaal niet bij me hebben, maar regels zijn voor sukkels, dat is mijn motto.' Hij stak haar een forse hand toe en trok haar overeind. 'Alles oké, wijfie?'

'Gered door een echte cowboy. Wat wil je nog meer?'

Gibson, die elke moer, schroef en lasnaad op het booreiland kende, leidde haar zonder omwegen het labyrint uit. Toen ze bijna terug waren op het punt waar ze het buizennet was ingegaan, realiseerde ze zich dat ze geen geweervuur meer hoorde.

Ze keek voorzichtig om een hoekje. Er stonden vijf terroristen stijf rechtop, met hun handen zo hoog in de lucht dat ze kennelijk op hun tenen stonden. Twee anderen klommen tevoorschijn uit het veiligheidsnet waarin ze zich hadden verborgen.

'Juan, ik geloof dat het voorbij is,' zei ze in haar halsmicrofoon.

Juan kroop om het vat heen en kwam overeind, waarbij hij zijn wapen angstvallig op de overvallers gericht hield. 'Neer! Op de grond jullie, allemaal!' schreeuwde hij, op hen af rennend.

Terwijl ze zich plat op de grond wierpen, snelde ook Linda toe om hem bij het inrekenen te helpen. De Zimbabwanen ontfermden zich over hun gewonden en doden, terwijl Juan de overlevenden in de boeien sloeg. Toen hij daarmee klaar was, riep hij het schip op.

'Nomad voor *Oregon*, doel is veilig. Ik herhaal, doel is veilig.'

'Eén keer is wel genoeg,' reageerde Max lijzig. 'Ik mag dan ouder zijn dan jij, maar ik ben nog niet doof.' Waar hij aan toevoegde: 'Goed werk. Daar heb ik geen moment aan getwijfeld.'

'Bedankt. Hoe staat 't verder?'

'Mike heeft de energiecentrale stilgelegd. De olie stroomt nog uit het laadstation, maar een stuk minder krachtig zonder de pompen. Het is puur door de zwaartekracht dat er nog olie van het tankpark door de leidingen stroomt.'

'Is Linc oké?'

'Het sein om de SEAL-boot te water te laten kwam vijf minuten nadat Mikey de generatoren in handen had. Hij vertrekt nu.'

Als een straaljager die van een vliegdekschip wordt gekatapulteerd, werd de zwarte semipolyester boot door het trekmechanisme van de lanceerinstallatie langs een platform de zee in geschoten. De boot, die door de legerafdeling van Zodiac in Vancouver, Canada, was gebouwd, had een hoge V-romp en een opblaasbare rand voor extra laadvermogen. Ze schoot zo soepel als een otter door de hoogste golven, en met haar twee 300 pk buitenboordmotoren haalde ze snelheden van boven de veertig knopen.

Linc had het stuurwiel en Jerry Pulaski stond naast hem. Allebei droegen ze een scherfvest over hun werkkleding. Er waren extra kogelvrije schermen aangebracht, waardoor het roer midscheeps zogoed als onkwetsbaar was. Aan hun voeten lagen twee lange zwarte houders met daarin Barrett M107-geweren met een kaliber van .50. Met een schootsbereik van ruim anderhalve kilometer waren deze vijftien kilo zware wapens waarschijnlijk de beste scherpschutters-geweren die er ooit waren gemaakt.

Met de dikke laag aardolie die rondom het laadstation op het water dreef, was Juan noch Max bereid het risico te nemen dat de stuwbuizen van de *Oregon* verontreinigd raakten. En ook wilden ze het gevaar vermijden dat er op de hoogst ontvlambare laadinstalla-ties werd geschoten zolang ze geen honderd procent trefzekerheid van hun wapensystemen konden garanderen. Het was aan Linc en Ski om Mikes aanval over de verhoogde weg te dekken.

Ze stoven over de golven naar de boeg van de supertanker die er voor anker lag en minderden pas vaart toen de boot de drab bin-nenvoer. De olielaag was minstens vijftien centimeter dik en kleefde aan de rubberen rand rond de romp. Gelukkig staken de schroeven ver onder de giftige derrie, anders waren ze nauwelijks nog vooruit-gekomen.

Achter hen kwam de *Oregon* weer in beweging en manoeuvreerde in een positie van waaruit dit gevaarlijke deel van de terminal onder schot kon worden genomen. Hoewel ze niet direct op de verhoogde weg of de honderden meters lange steiger wilden schieten, zou Max er niet voor terugschrikken om de zee eromheen met de Gatlings te bestoken.

Turend door een kijker speurde Ski de tanker met zijn loodrechte zijkanten af of er iets was dat erop wees dat de terroristen het schip als uitkijkpost gebruikten. Hij zag niets. Voor de zekerheid zouden ze bij de boeg aan boord gaan, op ruim driehonderd meter afstand van de bovenbouw, de meest voor de hand liggende plek voor een uitkijk.

Ze bereikten een rij boeien die de honderd meter brede veilig-heidszone rond het gigantische schip markeerden, zonder dat er op hen geschoten werd.

'Niets, zoals we al dachten,' merkte Linc op.

Van onderaf leek de met rode roestwerende verf beschilderde romp van de tanker meer op een stalen muur dan op iets wat ont-worpen was voor het doorklieven van de wereldzeeën en met vrijwel lege tanks doemde de reling langs het dek zo'n twintig meter boven hen op.

Terwijl Linc de boot met behulp van stuur en gashendel zo dicht mogelijk langs de boeg legde, prepareerde Ski een enterkanon. Net voordat de aanvalsboot onder de boog van de boeg gleed, schoot hij de met rubber beklede grijphaak omhoog, met de dubbele ultradunne glasvezeldraad er zwiepend achteraan. De haak vloog over de reling, en toen hij door de draad terugviel, klapte hij met een knal vast. Linc wierp een meertouw met een krachtige magneet tegen de romp van de tanker om er de aanvalsboot mee vast te leggen.

Hoewel hij te dun was om er langs omhoog te kunnen klimmen, was glasvezel sterker dan staal. Ski trok de draad door een op het dek van de boot gemonteerde windas en controleerde of de voetbeugels goed strak zaten. Vervolgens zag hij dat Linc de gevoerde houders met de beide scherpschuttergeweren had geopend. De wapens waren beide al met een tienpatroonsmagazijn geladen, en ze hadden ieder nog tien losse patronen bij zich.

'Je strijdwagen staat klaar,' zei Ski, terwijl hij in de voetbeugels stapte.

Linc volgde zijn voorbeeld en drukte op de startknop van de lier. De glasvezeldraad gleed door de katrol aan de enterhaak. Ski's voetbeugel kwam strak te staan, waarop hij met het geweer in zijn ene en de draad in zijn andere hand uit de aanvalsboot werd gehesen. Toen hij zich tweeënhalve meter boven de aanvalsboot bevond, pikte de draad ook Lincs gewicht op en werden beide mannen langs de zijkant van de tanker omhoog gehesen.

Binnen een paar seconden waren ze boven. Ski trapte de voetbeugel los en sprong over de reling. Hij kwam zacht neer, bracht onmiddellijk zijn geweer naar zijn schouder, drukte zijn oog tegen het vizier en speurde het dek en de bovenbouw af. Zijn voetbeugel knalde tegen de kleine katrol, waardoor de glasvezeldraad tot stilstand kwam en Linc over de reling moest klimmen om aan dek te komen.

'Alles vrij,' zei Ski zonder naar hem om te kijken.

Ze gingen op weg naar het achterschip, waarbij ze om beurten stukken van vijftien meter rennend overstaken en weer dekking zochten, terwijl de ander de bovenbouw in de gaten hield. Hoewel ze nergens op het schip tekenen van enige activiteit waarnamen, hielden ze deze kikvorstechniek voor alle zekerheid tot het einde toe vol. Na drie minuten bereikten ze de stuurhut en begaven ze zich nu pas naar bakboordzijde om een blik omlaag op het laadplatform te werpen. De beide laadinstallaties waren hoger dan het schip, maar de forse slangen hingen los, waardoor de eruit stromende olie van een meter of zes op de steiger kletterde en vandaar uiteindelijk in zee stroomde.

Een snelle telling leerde dat er minstens honderd indringers klaarstonden om de steiger te verdedigen. Ze hadden de tijd gehad om barricades op te werpen en hun posities te dekken. Trono en zijn mannen zouden het zwaar te verduren krijgen als Linc en Ski deze verdediging niet wisten te ontwrichten.

'Wat dacht je?' vroeg Ski. 'Is dit goed zo, of wil je nog hoger?'

'De hoogte is oké, maar we staan te veel in het zicht in het geval er iemand op het schip rondsluipt. Laten we naar het dak van de bovenbouw gaan.'

Terwijl ze het schip in liepen en een eindeloze reeks wenteltrappen beklommen, gaf Linc aan Max een korte situatieschets door en hoorde hij dat Mike en zijn mannen zich een weg door de terminal hadden gevochten en nu in positie lagen.

Boven aan een trap ging een deur open. In de opening verscheen een man in een zwarte broek en een wit hemd met epauletten. Linc had zijn pistool paraat en drukte de loop tussen de ogen van de scheepsofficier voordat de man doorhad dat hij zich niet alleen in het trapportaal bevond.

'Nee, alstublieft,' riep hij fel.

'Rustig maar,' zei Linc, terwijl hij zijn pistoolmitrailleur terugtrok. 'Wij zijn de goeden.'

'Bent u Amerikanen?' De officier was een Engelsman.

'Dat klopt, kapitein,' antwoordde Linc, die zag dat hij vier gouden strepen op zijn schouderstukken had. 'We zijn bezig deze situatie op te lossen. We moeten het dak op.'

'Natuurlijk. Ik ga wel voor.' Ze liepen een volgende trap op. 'Wat is er aan de hand? Ik weet alleen dat we het ene moment nog heel normaal aardolie aan het laden waren, en het volgende had een of andere idioot de slangen losgegooid en mijn schip daarbij beschadigd. Ik heb het havenkantoor gebeld, maar daar nam niemand op. Vervolgens meldden mijn wachten dat er gewapende mannen op de pier liepen. En wat ik nu allemaal hoor, doet me aan mijn tijd op de Falklandeilanden denken.'

'U kunt in elk geval gerust zijn, uw bemanning loopt geen gevaar meer. Maar zorg er wel voor dat er niemand in de buurt van het dek of van de andere open ruimtes komt.'

'Dat bevel geldt al de hele ochtend,' verzekerde de kapitein. 'Hier is 't.'

Ze stonden bovenaan de laatste trap. Er waren geen deuren, maar er zat een luik in het plafond, waar een ladder naartoe leidde. Zonder iets te zeggen klom Ski naar boven.

Linc stak zijn hand uit. 'Bedankt, kapitein. Nu nemen wij 't weer over.'

'O ja, natuurlijk. Veel succes,' zei hij, terwijl hij Lincs uitgestoken hand schudde.

Ski drukte het luik open, waarop het trapportaal in het felle zonlicht baadde. Hij klom door het gat en Linc volgde. Het was niet mogelijk om het luik van bovenaf weer te sluiten, dus moesten ze het in de gaten blijven houden om te voorkomen dat ze van die kant werden verrast.

Het dak van de stuurhut was een fel witgeschilderd plat vlak in de schaduw van de schoorsteen en een stellage met antennes. Bij de rand gekomen, gingen ze om niet te worden gezien op hun buik liggen en keken voorzichtig omlaag naar de pier. Aan het einde van de verhoogde weg zagen ze het legertje van Mike, dat op hun signaal wachtte. De UAV zoefde langs.

'*Oregon*, hier Linc. Wij zijn in positie. Geef ons nog een moment om onze doelen in te stellen. Blijf aan de lijn.'

Nadat ze hun geweren hadden opgesteld en de volle magazijnen langs de rand van het dak hadden klaargezet, zodat ze snel van positie konden veranderen, lokaliseerden de twee mannen stuk voor stuk alle vijandelijke soldaten en stelden vast wie de commandanten en onderofficieren waren. Om meteen het leiderschap te onthoofden, zoals men dat zo fraai zegt.

'Krijg nou wat,' mompelde Linc.

'Wat?'

'Om elf uur. Die gozer met een zonnebril die een tiener staat uit te kafferen.'

Ski verschoof zijn geweer zodat hij kon zien wie Linc bedoelde. 'Ik heb 'm. En? Hoezo? Wie is dat?'

'Dat is nou kolonel Raif Abala, de gluiperige klootzak die dat dubbelspelletje met de wapens met ons heeft gespeeld. Hij is de rechterhand van generaal Makambo.'

'Hij is kennelijk uit de gratie, als Makambo hem hierheen heeft gestuurd,' zei Ski. 'Neem jij 'm als eerste?'

'Nee, ik wil z'n gezicht wel eens zien als hij doorkrijgt hoe de boel hier nu echt in elkaar steekt. Ben je klaar?'

362

'Op mijn helft van de steiger heb ik minstens vier officieren, plus nog een stuk of zes die eruitzien alsof ze weten wat ze aan 't doen zijn,. De rest is kanonnenvoer.'

'Oké, bloed aan de paal. *Oregon*, we zijn zover.'

'Wij zijn klaar om te gaan,' hoorde hij Mike Trono over de interne lijn zeggen.

Op Max' teken vuurde Mark Murphy met het Gatling-boordkanon een regen van granaten af. Het met olie doordrenkte moeraswater langs de verhoogde weg explodeerde over de hele lengte van de dijk. Het was alsof de oceaan als een reusachtige muur oprees. De rebellen doken geschrokken in elkaar, alsof ze met een smerige spray werden besproeid. Een op de verhoogde weg geposteerde soldaat sprong uit zijn dekking tevoorschijn en vluchtte naar de drijvende steiger.

In het gebulder van de Gatling, dat hun schoten overstemde, openden ook Linc en Ski het vuur, zo snel als ze maar konden. Elk schot was raak. Elke keer weer. Nadat ze vijf schoten hadden gelost, zagen ze dat de soldaten bij het zien van hun gesneuvelde leiders in paniek om zich heen keken. De beide scherpschutters schoven weg van de rand en verplaatsten zich verder naar achteren. Toen Linc weer door zijn vizier keek, zag hij dat Abala tegen zijn mannen stond te schreeuwen. Door de angst, die zelfs voor Linc duidelijk zichtbaar op de gezichten van Abala's mannen geschreven stond, had zijn getier nauwelijks effect. In de verte rukten Mike en zijn team behoedzaam langs de verhoogde weg op.

Opnieuw troffen de wapens van Linc en Ski doel en weer werd een groot deel van de rebellenaanvoerders uitgeschakeld. Uiteindelijk besefte een van de soldaten dat de schoten van boven en van achteren kwamen, en hij keek omhoog naar de tanker. De guerrillastrijder wilde zijn kameraden waarschuwen, maar voordat hij zijn mond kon openen had Ski hem met een half-inch kogel uit zijn Barrett neergeschoten.

'Mike, je bent nu zo'n vijfentwintig meter voor de eerste hinderlaag,' zei Tiny Gunderson over de radio.

'Wat doen ze? Mijn mouwscherm is weer eens uitgevallen.'

'Als ik erom moest wedden, zou ik zeggen dat ze het erover hebben om zich over te geven. O nee, wacht, mijn fout. Ik geloof dat een van hen probeert ze op te peppen. Of nee, wacht nog even. Hij gaat neer. Mooi schot, Ski.'

'Dat was ik,' zei Linc.

'En de moed zakt hen de in schoenen,' kraaide Tiny. 'Ze hebben hun wapens neergegooid en staan nu op hun tenen in de lucht te graaien.'

Dat eerste signaal van overgave werkte voor de rest als een katalysator. Overal langs de verhoogde weg en op het laadplatform gooiden mannen hun wapens neer. Alleen Abala leek door te willen vechten, want hij zwaaide als een wildeman met zijn pistool. Linc zag dat hij luid schreeuwend zijn wapen op een jonge guerrillastrijder richtte, hem kennelijk manend zijn AK-47 weer op te pakken. Hij schoot Abala's voet aan flarden voordat de kolonel de kans kreeg de ongewapende soldaat te vermoorden.

Trono's team ontfermde zich over de verslagen rebellen. Ze gooiden de buitgemaakte AK's op een hoop en fouilleerden hen op nog eventuele andere wapens.

Linc en Ski bleven in hun scherpschuttersnest om erop toe te zien dat niemand zich probeerde te drukken zolang ze niet het hele gebied hadden uitgekamd.

'Dit is de laatste,' meldde Mike. Hij stond over kolonel Abala gebogen, die kronkelend van de pijn op de steiger lag. 'Wie heeft deze vent gemist?'

'Dat was geen misser, man,' reageerde Linc. 'Als hij eenmaal uit het ziekenhuis ligt, is dat de vogel die een hartig woordje met Makambo en Singer gaat wisselen.'

Het duurde tien minuten voordat Linc en Ski naar de steiger waren afgedaald. Linc liep op Abala af en knielde naast hem. De rebellenkolonel verkeerde zogoed als in shock en merkte zijn aanwezigheid niet op. Linc gaf hem een paar zachte tikjes in het gezicht tot hij opkeek. Het schuim stond Abala op de lippen en zijn donkere huid was vaalbleek weggetrokken.

'Ken je me nog, halvegare?' vroeg Linc. Abala's ogen sprongen wijd open. 'Ja inderdaad, op de rivier, de Congo, een week geleden ongeveer. Je dacht dat je ons kon belazeren. Dat heb je er nou van.' Linc boog zich nog dichterbij. 'Probeer nooit, maar dan ook nooit de Corporation een loer te draaien!'

Toen het Angolese leger ten slotte bij de terminal van Petromax arriveerde, was de *Oregon* – inclusief de hele uitrusting, de bemanning en alle mannen van Moses Ndebele, zowel de doden als de levenden – al lang en breed achter de horizon verdwenen.

De Angolese troepen stelden vast dat de pijpleidingen waardoor de olie in zee was gestroomd, nu waren dichtgedraaid en dat het personeel op de twee booreilanden ook daar de olielekken had gedicht. Ook troffen ze naast het administratiekantoor in een lange rij achtenzestig lijken aan, en opgesloten in het gebouw nog eens ruim vierhonderd angstige, aan elkaar vastgebonden mannen, onder wie veel gewonden. Een van hen, een man met een bloederig verband om een zwaar verminkte voet, had een bord om zijn nek met daarop de volgende tekst:

IK BEN RAIF ABALA, KOLONEL IN HET CONGOLESE REVOLUTIONAIRE LEGER VAN SAMUEL MAKAMBO, EN IK BEN DOOR DANIEL SINGER, VOORHEEN MERRICK/SINGER, INGEHUURD VOOR HET PLEGEN VAN DEZE TERRORISTISCHE AANSLAG. IK BEN ME ERVAN BEWUST DAT DE MENSEN DIE ME VANDAAG HEBBEN GESTOPT, ME WETEN TE VINDEN ALS IK NIET MEEWERK. EEN FIJNE DAG NOG.

29

De haveloze aanblik van de *Oregon* was een kunstig aangebrachte camouflage om het schip niet te laten opvallen, maar de vervallen staat waarin de *Gulf of Sidra* verkeerde was echt. Twintig jaar lang had het met ladingen olie in de Middellandse Zee op en neer gevaren, waarbij de eigenaren tot de laatste cent op de winst aasden die ze eruit konden peuren. Alles wat kapotging, werd door tweedehands spullen vervangen, provisorisch met plakband of ijzerdraad gerepareerd of domweg genegeerd. Toen zijn afvalwaterzuiveringsinstallatie het begaf, werd er een leiding omheen gelegd en het afvalwater rechtstreeks in zee gedumpt. De airco voerde een warme luchtstroom door de binnenruimtes in plaats van ze te koelen. En nadat de koelcel in de kombuis het had begeven, moesten de koks het voedsel direct uit de vrieskist laten ontdooien en het verwerken voordat het bedierf.

Zijn zwarte romp zat onder de roestvlekken en op de bovenbouw schemerde op veel plekken het metaal door de verf. De enige schoorsteen was door de uitlaatgassen zo zwartgeblakerd dat niet meer te zien was dat hij ooit groen met geel was geweest. Het enige nieuwe aan boord was de reddingscapsule die boven de achtersteven hing. Daar had de kapitein fel op aangedrongen nadat hij te horen had gekregen wat hun bestemming was.

Met een maximale breedte van ruim zesendertig meter en een lengte van drie voetbalvelden was de *Gulf of Sidra* een reusachtig schip, hoewel het magertjes afstak bij de tanker van 350.000 ton die bij de terminal van Petromax lag afgemeerd. Zijn verouderde laadruimte bestond uit zeven tanks met een totale capaciteit van slechts 104.000 ton ruwe aardolie.

Hoewel het op zijn ankerplaats voor de kust van de havenstad Nouakchott in Mauritanië een vertrouwd gezicht was geworden, een wazig silhouet aan de westelijke horizon dat daar wekenlang had gelegen, was zijn vertrek vrijwel onopgemerkt gebleven. Het schip was onmiddellijk weggevaren nadat Daniel Singer vanuit Angola was aangekomen, en het had zich inmiddels ruim driehonderd kilometer van de kust verwijderd.

Steeds verder op de Atlantische Oceaan volgde het een tropische depressie die zich mogelijkerwijs tot een orkaan kon ontwikkelen. Het was de storm waarop Singer had gewacht, met de ideale condities om te testen wat de meest briljante meteorologische koppen en meest geavanceerde computermodellen hadden berekend.

Aangezien de temperatuur in zijn hut tegen de veertig graden liep, bracht Singer zoveel mogelijk tijd op de brugvleugel door, omdat daar, door de snelheid van zeventien knopen waarmee het schip door de golven kliefde, althans nog iets van een briesje stond.

Hij had juist via de BBC-radio gehoord dat de aanval van Samuel Makambo door Angolese troepen was afgeslagen. Bij de flitsende tegenaanval waren bijna honderd guerrillastrijders gesneuveld en ruim vierhonderd gevangengenomen. Een moment lang vroeg Singer zich af of kolonel Abala, de enige rebel die hem kon identificeren, zich wellicht onder de overlevenden bevond, tot hij concludeerde dat het er niet toe deed. Wanneer zijn betrokkenheid bij de aanval bekend werd, zou de publiciteit rond zijn berechting zijn zaak alleen maar ten goede komen. Hij zou de beste advocaten nemen die hij kon vinden en ervoor zorgen dat zijn zaak door het Internationaal Gerechtshof in Den Haag in behandeling werd genomen. Die gelegenheid zou hij aangrijpen om de verkrachting van de aarde door de mens aan de orde te stellen.

Wat hem over de mislukte aanval wel zorgen baarde, was dat er volgens de schattingen zo'n twaalfduizend ton olie in zee was gestroomd. Hoewel het zonder meer een milieuramp was, was het toch aanzienlijk minder dan de miljoenen tonnen waarop hij had gerekend. Er zou geen giftige wolk benzeenarseenzuur door de storm worden meegevoerd en zich over het zuidoosten van de Verenigde Staten verspreiden. Het zou een verschrikkelijke storm worden, de zwaarste orkaan die Amerika ooit getroffen had, maar zonder de giftige bijwerking zou hij, was hij bang, niet de door hem beoogde paniek veroorzaken.

Hij wist dat hij, zodra de storm voorbij was – of beter al meteen op het moment dat hij het vasteland naderde – de publiciteit moest zoeken om de media uit te leggen dat door een toevallige strijd in een afgelegen deel van de wereld een ramp was voorkomen. Het zou weer een voorbeeld zijn hoe alles op aarde onderling met elkaar verbonden is en hoe we onze toekomst overleveren aan de grillen van het lot.

Adonis Cassedine, de scheepskapitein, kwam het stuurhuis uitgelopen. In tegenstelling tot zijn knappe mythologische naamgenoot was Cassedine een zuur kijkende man met een ongeschoren kin en scherpe kraaloogjes. Zijn neus stond scheef doordat hij na een breuk niet goed was gezet, waardoor een van de poten van zijn vettige bril iets boven zijn bloemkooloor zweefde.

'Ik kreeg net een melding van een containerschip dat zo'n honderd mijl voor ons vaart.' De zon was al uren geleden ondergegaan en zijn adem rook naar de goedkope gin die hij voortdurend achteroversloeg. Maar voor hem pleitte dan weer wel dat hij bij het spreken altijd duidelijk bleef articuleren en ook altijd vrij vast op zijn benen stond. 'Zij hebben te maken met windkracht vier, uit het noordoosten.'

'De storm is op komst,' zei Singer. 'En precies op de plek waar het zou moeten. Niet te ver weg, zodat hij weer kan afzwakken, en ook niet zo dichtbij dat hij niet kan toenemen.'

'Ik kan u erheen brengen,' zei Cassedine, 'maar dat zie ik niet zitten.'

Daar gaan we weer. Singer was al kwaad over Makambo's falen, en nu had hij helemaal geen behoefte aan dat geklaag van deze opgeblazen dronkenlap.

'Dit schip is oud. De romp is aan het wegroesten en wat u in de tanks hebt gepompt, is veel te warm. Het verzwakt het staal.'

'En ik heb u de rapporten van de technici laten zien waarin duidelijk staat dat de wanden de thermische lading aankunnen.'

'Pfuh.' Cassedine maakte een wegwerpgebaar. 'Mooie mannen in zondagse pakken die de zee niet kennen. U wilt ons een orkaan insturen, en ik zeg u dat het schip doormidden breekt in een storm met windkracht zes.'

Singer deed een stap dichter naar de kapitein en intimideerde de Griek met zijn lengte. 'Luister goed, gore zuiplap. Ik betaal u meer geld dan u ooit bijeen had kunnen sparen, meer dan voldoende om nog tientallen jaren aan de fles te blijven. En daarvoor verwacht ik dat u uw werk doet en me niet langer lastigvalt met die voorspellingen, zorgen en meningen van u. Is dat duidelijk?'

'Ik zeg alleen maar…'

'Kappen!' gilde Singer. 'U zegt helemaal niets meer. Uit mijn ogen, ik word kotsmisselijk van die adem van u.'

Singer bleef Cassedine aankijken tot de kapitein inbond, waaraan hij ook geen moment had getwijfeld. Volgens Singer waren alle alcoholisten zwakkelingen, en dat was in dit geval niet anders. Hij was al zover heen dat hij alles zou doen wat hem gevraagd werd om zijn beneveling op peil te houden. Hij zag er absoluut niet tegenop om dat soort zwakheden uit te buiten, zoals hij er ook niet voor terugschrok om de naïviteit van Nina Vissers milieuactivisten of de hebzucht van Samuel Makambo voor eigen doeleinden te misbruiken. Als dat nodig was om de mensen de ogen te openen voor de verwoesting die ze op hun planeet aanrichten, dan moest dat maar. Zo had Geoffrey Merrick Singers eigen genialiteit toch ook voor het ontwikkelen van hun uitvinding misbruikt? Singer had het leeuwendeel van het werk gedaan, waarna Merrick met de eer was gaan strijken.

Al die tijd had iedereen geloofd dat Singer liever uit de schijnwerpers en op de achtergrond bleef. Wat een bullshit. Wie genoot er nu niet van de complimenten van zijn collega's, van alle eerbetoon en het in ontvangst nemen van prijzen? Singer had het ook allemaal graag gewild, maar het leek wel of de media slechts de helft van Merrick/Singer wilden zien, de fotogenieke helft, de helft met de innemende glimlach en mooie praatjes. Het was Singers schuld niet dat hij achter een katheder verkrampte en op tv een stijve hark leek of bij interviews als een warrige professor overkwam. Iets anders dan een schaduwbestaan had er vanaf het begin al niet ingezeten – maar het was wel de schaduw van Merrick waarin hij moest leven.

Opnieuw had hij er vreselijk de pest in dat zijn voormalige compagnon hier niet bij was, waardoor hij de kans niet had gekregen nu eens de baas over hem te zijn. Hij wilde Merrick recht in de ogen kijken en hem toeschreeuwen: 'Het is jouw schuld! Jij hebt eraan meegewerkt dat de vervuilers het milieu blijven verwoesten, en nu ga jij met eigen ogen de consequenties zien.'

Hij spuugde over de reling van de *Gulf of Sidra* en keek hoe zijn speeksel in de oceaan werd opgenomen, een druppel in de grootste emmer ter wereld. Singer was dat vroeger zelf ook geweest, een heel klein deeltje van iets dat veel groter was dan hijzelf, waardoor het onmogelijk was om te denken dat hij er iets aan kon veranderen.

Maar zo onbetekenend was hij niet meer.

Toen Cabrillo op de *Oregon* terugkeerde, gaf hij meteen opdracht de steven naar het noorden te wenden, waar Afrika ver in de Atlantische Oceaan uitstak en waar door de hete wind uit de Sahara geregeld zoveel water verdampte dat er orkanen ontstonden. Hij ging pas terug naar zijn hut nadat hij erop had toegezien dat alles op zijn schip weer in orde was gebracht. De romp van de *Liberty* hing schoon geschrobd en met volle brandstoftanks weer aan de davits. Ook van de twee duikboten was de olielaag met oplosmiddelen en bezems verwijderd, waren de accu's bijgevuld en alle spullen weer op hun vaste plek teruggebracht. De Gatlings, 40mm-kanonnen en .30-machinegeweren waren stuk voor stuk gecontroleerd, de lopen en mechanische onderdelen waren schoongemaakt en de magazijnen aangevuld. De wapenmeesters hadden de aan de mannen van Moses uitgeleende AK-47's weer opgeborgen en de bijna vijfhonderd vuurwapens die ze van Makambo's soldaten hadden ingenomen van labels voorzien. Juan was de bonus niet vergeten die Lang Overholt voor de teruggave van die wapens had uitgeloofd.

Maar hoe druk hij ook bezig was geweest, het kwam niet in de buurt bij de inspanningen die dokter Julia Huxley en haar team in de ziekenboeg zich getroostten. Ze hadden drieëntwintig patiënten die om verzorging vroegen. Er moesten in totaal eenendertig kogels worden verwijderd en er waren zoveel verwondingen aan organen en ledematen te behandelen dat het leek alsof ze eeuwig in de operatiekamer bezig zou blijven. Wanneer ze haar bebloede rubberen handschoenen van haar vingers stroopte, stond er alweer een verpleger met een nieuw paar klaar om de volgende patiënt onder handen te kunnen nemen. Op een gegeven moment merkte de anesthesist luchtig op dat hij al meer gas had verwerkt dan de juryleden bij een wedstrijd chili con carne eten.

Maar nadat ze vijftien uur aan één stuk had doorgewerkt en met voorzichtige steken een kogelwond op Mike Trono's schouder dichtnaaide, een schampschot waarvan hij niet eens wist wanneer hij het had opgelopen, besefte ze dat dit de laatste was. Toen Mike van de behandeltafel hupte, rolde Julia er met een theatrale zucht op.

'Kom op, Hux,' zei Mike pesterig. 'Het oplopen van verwondingen is toch vervelender dan ze te behandelen.'

Met gesloten ogen antwoordde ze: 'Ten eerste kun je dat krasje dat jij hebt opgelopen niet eens een verwonding noemen. Mijn kat heeft me vroeger heel wat erger gekrabd. En ten tweede, als jij mijn werk niet ziet zitten, joh, dan trek ik die hechtingen bij jou er net zo lief weer uit. Kun je nog effe doorbloeden.'

'Nou, nou, vergeet je je eed van Hippocrates niet?'

'Toen hield ik m'n vingers gekruist, hoor.'

Hij zoende haar op haar wang. 'Welterusten, dokter. Bedankt.'

Mike was nog maar net uit de operatiekamer vertrokken of er gleed een schaduw voor de lampen die boven de tafel hingen. Julia sloeg haar ogen open en zag dat de baas zich over haar heen boog. Door de grimmige trek op zijn gezicht begreep ze direct wat hij wilde.

'Ik wil haar zien.'

Julia liet zich van de tafel zakken en bracht Cabrillo naar een ander deel van de ziekenboeg, een kleine, kille ruimte met in het midden maar één tafel. In een van de wanden was een roestvrijstalen ladekast ingebouwd. Zonder iets te zeggen schoof ze een van de brede lades open, waarop in een ondoorzichtige plastic zak een naakt lichaam lag. Juan trok het plastic van het hoofd weg en deed een stapje achteruit om het vaalgrijze gezicht van Susan Donleavy goed te kunnen zien.

'Hoe heeft ze 't gedaan?'

'Het was geen prettige manier om dood te gaan,' antwoordde Julia, die opeens tien keer zo moe was dan ze zich vlak daarvoor had gevoeld. 'Ze heeft haar tong zo ver mogelijk uitgestoken en zich vervolgens naar voren laten vallen. Ze is met haar kin op de grond gekwakt, waarbij ze haar tong half heeft doorgebeten. Daarna is ze op haar rug gerold en letterlijk in haar eigen bloed gestikt. Ik kan me niet voorstellen dat je je zo op de grond kunt laten vallen zonder dat je probeert je met je handen op te vangen.'

'Ze was geboeid.'

'Ze had tot op het laatste moment haar hoofd opzij kunnen draaien.' Julia bekeek het lijk met een droevige blik in haar ogen. 'We weten 't niet, maar misschien heeft ze dat steeds weer gedaan tot ze uiteindelijk de moed had om het vol te houden.'

Cabrillo zweeg een moment. Hij dacht aan de achtervolging in de boten in de Sandwichbaai, nadat hij en Sloane getuige waren geweest van de moord op Papa Heinrick. De man die ze achternazaten had zich met zijn boot liever tegen de oever te pletter gevaren dan zich over te geven. Hij had gedacht dat hij dat uit pure angst voor een verblijf in een Afrikaanse gevangenis had gedaan, maar in werkelijkheid had hij zich opgeofferd voor de zaak. Net als Susan Donleavy.'

'Nee,' zei hij vastbesloten. 'Dat heeft ze in één keer gedaan.'

'Heb je de opgenomen beelden van de camera in haar cel bekeken?'

Hij draaide zich naar haar toe. 'Dat hoeft niet. Ik ken dat soort mensen.'

'Fanatici?'

'Jep. Het afbijten van je tong was in de Tweede Wereldoorlog onder de gevangengenomen Japanse soldaten een aanvaardbaar alternatief voor harakiri.'

'Het spijt me, Juan. Op het schip gaan geruchten dat ze waarschijnlijk nog nuttige informatie heeft achtergehouden.'

'Dat klopt.' Hij keek Julia aan. 'En volgens mij weet Geoff Merrick ook wat zij wist. Je moet hem voor me wakker maken.'

'Vergeet het. Zijn bloeddruk is nog veel te laag. Ik heb zijn wonden niet op scherven kunnen onderzoeken, en probeer nu eerst zijn infectie onder controle te krijgen. Ik geef toe dat zijn coma niet zo diep meer is, maar zijn lichaam weigert om bij te komen.'

'Julia, ik kán niet anders. Singer heeft de aanval vanochtend op een bepaald tijdstip laten uitvoeren omdat hij nog iets anders heeft gepland. Hij heeft Merrick ontvoerd omdat hij hem wilde laten zien wat dat is. Tijdens de ondervraging door Linda heeft Susan verteld dat Singer in de Duivelsoase een paar uur met Merrick heeft gesproken. Ik durf te wedden dat hij toen zijn hele plan heeft prijsgegeven.'

'Wil je daar zijn leven voor riskeren?'

'Ja,' antwoordde Juan zonder te aarzelen. 'Wat Singer heeft voorbereid is hoogstwaarschijnlijk het opwekken van een orkaan. Ik vermoed dat hij een manier heeft ontwikkeld waarmee hij dat voor elkaar kan krijgen. Moet ik jou nog vertellen wat dat betekent? Jij bent na Katrina in New Orleans vrijwilligster geweest.'

'Ik ben daar geboren.'

'Wij kunnen voorkomen dat een andere stad hetzelfde lot treft. Julia, jij hebt de volledige zeggenschap over alle medische zaken hier op het schip, maar dat is alleen omdat ik dat bepaal. Als je liever hebt dat het onder mijn bevel gebeurt, dan doe ik dat.'

Ze aarzelde, maar gaf toch toe. 'Ik doe 't wel.'

Juan wist dat hij Linda moest vragen de ondervraging te doen, het was haar vakgebied, maar het ging nu niet om het ontfutselen van informatie uit een tegenstribbelende gevangene, maar om een gesprek met een slechts nauwelijks bij bewustzijn verkerend slachtoffer. 'Kom op dan.'

Hux zocht snel wat spullen uit de operatiekamer bij elkaar en liep met Cabrillo naar de ziekenkamers. Hoewel Geoffrey Merrick aanvankelijk een kamer voor zich alleen had gehad, moest hij die nu delen met drie gewonde Afrikanen. Zijn zonverbrande gezicht was met een dikke, genezende huidcrème ingesmeerd, maar Juan zag dat de wetenschapper eronder nog lijkbleek was. Nadat Julia het functioneren van zijn belangrijkste organen had getest, injecteerde ze een stimulans in zijn infuus.

Merrick kwam langzaam bij. Eerst hield hij zijn ogen nog dicht en was zijn tong die zijn lippen probeerde te likken het enige wat aan hem bewoog. Julia bevochtigde hem met een natte doek. Vervolgens knipperden zijn ogen en deed hij ze open. Hij keek van Julia naar Juan en weer terug naar de arts, duidelijk in verwarring.

'Meneer Merrick, ik ben Juan Cabrillo. U bent in veiligheid. U bent bevrijd uit de handen van de lieden die u hadden ontvoerd, en u ligt nu in de ziekenboeg van mijn schip.'

Voordat Merrick kon antwoorden, vroeg Julia: 'Hoe voelt u zich?'

'Dorst,' zei hij schor.

Ze hield een glas water met een rietje voor zijn mond en hij zoog dankbaar een paar slokjes op. 'Hoe is 't met uw borst?'

Hij dacht er even over na. 'Gevoelloos.'

'U bent neergeschoten,' zei Juan.

'Daar herinner ik me niets van.'

'Susan Donleavy heeft bij de bevrijding op u geschoten.'

'Ze is niet in elkaar geslagen,' zei Merrick, terwijl hij flarden van zijn geheugen terugvond. 'Ik dacht dat ze haar hadden gefolterd, maar dat was allemaal in scène gezet.'

'Toen u daar gevangen zat, is Daniel Singer op een dag langsgekomen. Herinnert u zich dat?'

'Ik dacht 't wel.'

'Ja, en toen hebt u met hem gesproken.'

'Waar is Susan nu?' vroeg de wetenschapper.

'Ze heeft zelfmoord gepleegd.' Merrick keek hem aan. 'Dat heeft ze gedaan opdat wij niet te weten zouden komen wat Singer van plan is.'

'Booreilanden.' Merricks stem zwakte af tot een fluistering. Zijn lichaam vocht tegen de medicijnen die hem bij bewustzijn moesten houden.

'Dat klopt. Hij wilde olie-installaties voor de kust van Angola aanvallen om een gigantische olievervuiling te veroorzaken. Maar wat is hij verder van plan? Heeft hij dat aan u verteld?'

'U moet hem tegenhouden. Die olie is extreem giftig.' Die laatste woorden sprak hij nauwelijks verstaanbaar lispelend uit.

'Dat hebben we gedaan,' zei Juan. 'Zijn aanval is mislukt. De olievervuiling is beperkt gebleven.'

'Schip,' bracht hij dromerig uit.

'Er lag een schip bij de terminal, maar dat is niet aangevallen.'

'Nee. Singer heeft een schip.'

'Wat wil hij daarmee doen?'

'Het was een uitvinding van Susan. Zij heeft 't hem voorgesteld. Ik dacht dat het een test was, maar zij had 't al uitgewerkt.' Zijn ogen vielen dicht.

'Wat heeft ze uitgewerkt, Geoff? Wat heeft Susan uitgewerkt? Merrick?'

'Een organisch gel dat water in een brij verandert.'

'Waarvoor?' vroeg Juan wanhopig, bang dat Merrick weggleed. 'Wat doen ze ermee?'

Merrick bleef minstens twintig seconden stil. 'Hitte,' fluisterde hij ten slotte. 'Er komt veel warmte bij vrij.'

En hier was de link waar Cabrillo naar zocht. Een orkaan had warmte nodig, en Singer ging zo'n storm een zetje geven. Als hij de inhoud van een schip, dat geladen was met het gel van Susan Donleavy, in de oceaan liet lopen, waarschijnlijk in het epicentrum van de zich ontwikkelende storm, zou de hitte dat proces exact waar en wanneer hij dat wilde met een bliksemstart versnellen. Daarom wist hij precies wanneer hij de terminal van Petromax moest aanvallen. De heersende wind zou de oliedampen in noordelijke richting naar de orkaan blazen die hij had doen ontstaan.

374

Juan begreep dat de wateren voor de westkust van Afrika voor Singer de meest logische plek waren om het gel te dumpen, maar het gebied was gigantisch groot en ze hadden geen tijd meer om er uitgebreid naar te gaan zoeken. Hij moest het exacter weten. 'Wat voor soort schip gebruikt Singer?' Een tanker lag het meest voor de hand, maar Juan wilde de half bewusteloze man niet met zijn veronderstellingen verwarren.

Merrick bleef zwijgen, met gesloten ogen en zijn lippen iets van elkaar. Julia keek op een monitor en Juan kende de uitdrukking op haar gezicht. Het beviel haar niets wat ze daar zag.

Hij schudde Merricks schouder. 'Geoff, wat voor soort schip?'

'Juan,' zei Julia op een waarschuwende toon.

Merricks hoofd draaide opzij om hem aan te kijken, maar hij kreeg zijn ogen niet open. 'Een tanker. Hij heeft een tanker gekocht.'

De monitor begon te piepen omdat zijn hartslag gevaarlijk afzwakte. Julia duwde Juan weg en gilde: 'Hij glijdt weg. Ik heb de *cart* nodig!' Ze trok het laken van zijn borst weg, terwijl een van haar hulpen met een draagbare defibrillator de kamer binnenstormde.

In alle tumult slaagde Merrick erin zijn ogen te openen, die dof waren van de pijn. Hij probeerde Cabrillo's hand te grijpen, terwijl zijn mond drie woorden vormde, maar het ontbrak hem aan de lucht om ze uit te spreken.

Het piepalarm werd een aanhoudende toon.

'Klaar,' zei Julia, terwijl ze de paddels op Merricks naakte borstkas plaatste. Juan trok zijn hand terug, zodat Julia de elektrische schok kon geven om het hart weer aan de gang te krijgen. Zijn lichaam verkrampte toen de stroom door hem heen schoot, en de lijn op de monitor sprong stijl omhoog om direct daarna weer tot een strakke horizontale streep terug te vallen.

'Epi.' De verpleger gaf Julia een injectiespuit met epinefrine. De naald leek veel te lang. Ze prikte op een plek tussen twee ribben door en spoot het medicijn rechtstreeks in zijn hart. 'Opladen naar tweehonderd joules.'

'Komt-ie, komt-ie, komt-ie,' zei de verpleger, met zijn ogen strak op het apparaat gericht. 'Nu.'

Ze hield de paddels weer op zijn borst en voor de tweede keer kwam Merricks lichaam met een schok los van het bed. De streep op de monitor schoot weer omhoog.

'Kom op. Kom op,' drong Julia aan, en opeens was de hartslag terug, eerst met lange tussenpozen, maar al snel steeds stabieler. 'Ga een ventilator halen.' Ze keek Cabrillo vernietigend aan. 'Was dit het waard?'

Hij keek strak terug. 'Dat weten we als we een tanker met de naam *Gulf of Sidra* hebben gevonden.'

30

Het weer werd zienderogen slechter, terwijl de *Oregon* naar het noorden voer met de hoogst mogelijke snelheid, waarbij het schip zodanig stabiel op de golven lag dat de gewonden niet te zeer onder de schommelingen leden. Julia had een stap terug naar de negentiende eeuw gedaan en de ernstig gewonden in hangmatten gelegd, waardoor ze met de golven mee heen en weer deinden en de schokken van plotselinge hoge golven beter werden opgevangen. Sinds ze Merricks hart weer op gang had gekregen, was ze twintig minuten lang niet van zijn zijde geweken.

Nadat hun de naam was doorgegeven, hadden Murph en Eric binnen een uur uitgevonden dat er bijna een maand lang een tanker met de naam *Gulf of Sidra* voor de kust van Mauritanië had gelegen, die pas de vorige dag het anker had gelicht. Het schip was eigendom geweest van het staatsoliebedrijf van Libië, tot het onlangs aan de nieuw opgerichte Libische maatschappij CroonerCo. was verkocht. In die naam zag Murph wel iets van een verwijzing naar Singers achternaam.

Uitgaande van deze informatie had het duo, door een steeds wijdere cirkel te trekken, berekend waar het schip zich zou kunnen bevinden: een gebied waar zich op een kleine duizend kilometer van de Afrikaanse kust een tropische depressie ontwikkelde. Nu voeren ze zo snel als verantwoord was die kant op.

Om de kans van slagen te vergroten, had Juan nogmaals Lang Overholt te hulp geroepen met het verzoek om het netwerk van spionagesatellieten van de Amerikaanse regering te mogen gebruiken voor het opsporen van de exacte locatie van de *Gulf of Sidra*. Nu het voor iedereen duidelijk was wat er op het spel stond, had Overholt ook het hoofd van de CIA van de bevindingen van Cabrillo op de hoogte gebracht. Niet veel later had men ook de president ingelicht en waren de Kustwacht en de Marine gewaarschuwd, evenals de NUMA en de nationale meteorologische dienst, die toch al regelmatig controles uitvoerde in het orkaangevoelige gebied. Er was een juist van een veiligheidsmissie in de Rode Zee terugkerende pantserkruiser opgeroepen, en een torpedobootjager die een beleefdheidsbezoek aan Algerije bracht, brak zijn verblijf daar af en vertrok uit het Middellandse Zeegebied. Bovendien bleken er twee kernonderzeeërs zo dicht in de buurt dat ze binnen twintig uur ter plaatse konden zijn.

Ook de Britse regering werd op de hoogte van de situatie gebracht, waarna ze aanbood om twee schepen uit Gibraltar en een uit Portsmouth naar het gebied te sturen. Die zouden daar pas dagen na de Amerikanen arriveren, maar hun inzet werd hogelijk op prijs gesteld.

Desondanks begreep Juan dat zelfs met alle schepen die nu naar de tanker onderweg waren de *Oregon* met zijn superieure snelheid als eerste de periferie van de storm zou bereiken, en dat de taak om Daniel Singer tegen te houden op hun schouders rustte.

Sloane Macintyre zocht zich met een dienblad vol met door Maurice persoonlijk bereide gerechten een weg door het gangenstelsel van het schip. Met haar arm nog in een mitella was dat lastig, en ze moest steeds met haar schouder tegen de muur steunen om overeind te blijven. Het was bijna elf uur, en op weg naar het achterschip kwam ze niemand tegen. Ten slotte bereikte ze de deur die ze zocht, en ze gebruikte haar voet om zachtjes aan te kloppen. Toen er geen reactie kwam, schopte ze wat harder, met hetzelfde resultaat.

Ze zette het blad op de zachte vloerbedekking en deed de deur open. De hut was schemerig verlicht.

'Juan,' riep ze zachtjes, terwijl ze het blad weer oppakte. 'Je was niet bij het eten, dus heb ik Maurice gevraagd iets voor je klaar te maken.'

Ze stapte de drempel over zonder dat ze zich daarbij een indringer voelde. Het schijnsel van een lamp verlichtte een deel van Cabrillo's bureau. Het andere deel schemerde in de gloed van een computermonitor. De stoel was naar achteren geschoven, alsof Juan net van zijn werk was opgestaan, maar hij was niet in de archiefkamer of de antieke kluis. De bank die onder een verduisterde patrijspoort stond, was leeg.

Ze zette het dienblad op het bureau en riep opnieuw zijn naam, terwijl ze naar de spaarzaam verlichte slaapkamer liep. Hij lag met zijn gezicht omlaag op het bed, en nog voordat Sloane het hele tafereel in zich had kunnen opnemen, wendde ze zich af omdat ze dacht dat hij naakt was. Toen ze verlegen nog eens keek, zag ze dat hij een boxershort aanhad in een kleur die vrijwel dezelfde was als van zijn huid, terwijl er langs de bovenrand van de broek een blekere streep huid uitstak. Even was ze bang dat hij niet meer ademde, tot zijn borst als een blaasbalg opzwol.

Voor het eerst stond ze zichzelf toe wat langer naar zijn stomp te kijken. De huid was rood en pukkelig en leek opgeruwd, ongetwijfeld door alle gevechtshandelingen die hij had doorgemaakt. De spieren van zijn bovenbenen waren dik en leken zelfs in zijn slaap niet ontspannen. In feite gold dat voor zijn hele lichaam. Hij was overal even gespannen. Ze hield haar adem in om beter te kunnen luisteren en hoorde hem knarsetanden.

Zijn rug was een lappendeken van oude littekens en verse kneuzingen. Ze zag zes identieke rode vlekken, die eruitzagen alsof hij door een schot hagel was getroffen. En iets waarvan ze hoopte dat het van een genezen chirurgische ingreep was en niet van een messteek, want het litteken begon net boven zijn nier en liep door tot onder zijn broek.

Zijn kleren lagen over de grond verspreid, en terwijl ze ze opvouwde, vroeg ze zich af wat dit voor een mens moest zijn die bereid was zo'n zware prijs te betalen om te doen wat hij deed. Uiterlijk maakte hij niet de indruk dat hij 's nachts door zulke heftige dromen werd gekweld dat hij zijn tanden dreigde te verpulveren. En hoewel hij nog maar net in de veertig was, had hij een verzameling littekens waar een normaal mens in nog geen twee levens aan toekwam. Een innerlijke drang maakte dat hij steeds weer gevaren trotseerde, ondanks de gevolgen die dat steevast voor zijn lichaam had.

Het was geen fatalistische doodswens, daar was ze zeker van. Uit zijn montere omgang met Max en de anderen leidde ze af dat Juan Cabrillo als geen ander van het leven genoot. En dat was het waarschijnlijk nou net. Hij had het op zich genomen om voor anderen de zekerheid te creëren dat ook zij net zo van het leven konden genieten als hij. Hij had zichzelf tot beschermer gemaakt, ook al zouden de mensen voor wie hij het opnam daar waarschijnlijk nooit iets van merken. Ze dacht terug aan hun gesprek over wat hij was geweest als hij niet kapitein van de *Oregon* zou zijn. Een ziekenbroeder, had hij gezegd, een onopvallende held zoals er geen tweede was.

Toen ze zijn broek over een houten standaard hing, viel zijn portefeuille op de grond.

Sloane keek naar Juan. Hij lag doodstil. Hoewel ze zich wel een beetje schuldig voelde, was haar nieuwsgierigheid sterker. Ze sloeg de portefeuille open. Er zat niets anders in dan geld in verschillende valuta's. Geen creditcards of visitekaartjes, niets waaruit zijn identiteit viel af te leiden. Dat had ze kunnen weten. Hij zou nooit iets bij zich hebben dat hem in verband met zijn schip zou brengen of zijn vijanden ook maar enige informatie gaf over wie hij werkelijk was.

Sloane wierp een blik terug in de werkkamer, waar het bureau door de belichting de ruimte leek te domineren. Ze liep er op haar tenen stilletjes naartoe en keek nog even in zijn richting voordat ze onhoorbaar de middelste lade opentrok. Hier hield Cabrillo zijn identiteit verborgen. Er lagen een gouden met onyx ingelegde Dunhill-aansteker en een sierlijke sigarenknipper in. Ze vond er zijn Amerikaanse paspoort, en zag dat vrijwel alle pagina's ervan vol stempels stonden. Zijn korte haar, zoals hij het nu had, beviel haar beter dan hoe hij het op een zes jaar oude foto had. Er lagen nog twee Amerikaanse paspoorten, de ene met een foto van een slonzige vent, een zekere Jeddediah Smith, en het duurde even voordat ze besefte dat het Juan was in een vermomming. Er waren er nog meer, van verschillende landen en met andere namen, steeds vergezeld van bijpassende creditcards voor alle personen en vaarbewijzen op naam van zowel Juan als zijn Smith alias. Ze vond een gouden zakhorloge met de inscriptie: *Voor Hector Cabrillo van Rosa*. Ze nam aan dat het van zijn grootvader was geweest. Tussen alle spulletjes bevonden zich ook een paar brieven van zijn ouders, zijn oude identiteitskaart van de CIA, een antiek vierloops pistooltje, zoals gokkers op rivierboten die vroeger hadden, een vergrootglas met een ivoren handgreep en een verroest Cub Scout-zakmes.

Helemaal achter in de la lag een ingelegd Turks kistje, en daarin ontdekte ze iets wat ze nooit had verwacht: een gouden trouwring. Het was een eenvoudig strak model, en omdat er nauwelijks krassen op zaten, concludeerde ze dat hij niet veel gedragen was. Ze vroeg zich af welke vrouw zo stom kon zijn om een man als Juan te laten gaan. De kans dat je zo'n man tegenkwam was één op de miljoen, en als je dat geluk had, deed je er toch alles aan om er iets van te maken. Ze keek nog wat nauwkeuriger in het kistje en zag een vel papier dat zo opgevouwen was dat het precies op de bodem paste.

Dit rondsnuffelen van haar raakte nu wel heel dicht aan privacyschending, en ze keek nog eens over haar schouder naar de slapende Juan alvorens ze het papier er aan een puntje uittrok. Het was het politierapport van een auto-ongeluk in Falls Church, Virginia, waarbij slechts één auto betrokken was en dat Amy Cabrillo het leven had gekost. Er prikten tranen in Sloanes ogen. In het in ambtelijke taal opgestelde verslag las ze dat het alcoholpromillage in het bloed van Juans vrouw drie keer zo hoog was als het wettelijk toegestane maximum.

Een man als Juan trouwde maar één keer in zijn leven, en met de vrouw met wie hij verwachtte oud te zullen worden. Het feit dat deze vrouw hem dat ontnomen had, maakte de haat die Sloane jegens haar voelde alleen maar sterker. Ze wreef over haar wang, vouwde het rapport weer zorgvuldig op en legde alles in de la terug zoals ze het aangetroffen had. Ze pakte het dienblad op en liep de hut uit.

Net toen Sloane de deur achter zich dichttrok, verscheen Linda Ross om de hoek van de gang.

'Hé, kamergenootje,' zei Sloane snel, om haar verlegenheid te maskeren. 'Ik had Juan niet bij het eten gezien en wilde hem nu wat brengen. Maar hij slaapt.'

'En daarom huil je?'

'Ik eh...' Sloane wist niets te zeggen.

Linda keek haar vriendelijk glimlachend aan. 'Maak je geen zorgen. Ik zeg niks. Wat mij betreft is hij de beste vent die ik ooit heb ontmoet.'

'Heb jij met hem...?'

'Ik geef toe, hij is een bink om op te vreten, en toen ik net aan boord was, heb ik daar wel over gedacht, maar nee, we hebben nooit iets gehad en dat zullen we ook nooit. Hij is mijn baas en mijn vriend, en dat is me allebei te dierbaar om met een affaire in de waagschaal te stellen.'

'Maar meer zal 't ook nooit worden, denk je niet? Ik heb het gevoel dat hij een man voor maar één vrouw is, en die is er al geweest.'

'Weet jij van Amy?'

'Ik was wat aan het rondsnuffelen, en toen heb ik het politierapport gezien.'

'Zeg niet tegen Juan dat je dat gelezen hebt. Hij denkt dat niemand van de bemanning weet dat hij weduwnaar is. Max is zo dom geweest om het aan Maurice te vertellen en, nou ja, Maurice is een roddeltante van de eerste orde. En inderdaad, een affaire zou waarschijnlijk niet lang duren, maar niet omdat hij nog om Amy rouwt. Hij heeft een andere liefde, en daar kan geen vrouw tegenop.'

'De *Oregon*.'

Linda knikte. 'Dus bedenk goed wat je eigenlijk wilt, voordat je ergens aan begint.'

'Bedankt.'

Toen ze wegliepen, ging de deur van Juans hut zachtjes open en hij keek de gang in. Het geluid van de openschuivende lade had hem gewekt, maar hij had zich slapend gehouden om Sloane niet in verlegenheid te brengen. Hij moest Max eens stevig op de vingers tikken dat hij zijn mond niet had gehouden, en dat gold ook voor Maurice. Hij sloot de deur weer, terwijl hij bedacht dat het nemen van het besluit, het besluit waar hij al een tijdje over nadacht, na wat hij nu gehoord had een stuk lastiger zou worden.

Juan zat in de woonkamer van de gastensuite met Moses Ndebele te praten. Zijn mannen lagen allemaal op bed, zogoed als uitgeteld door zeeziekte. Hij genoot van Ndebeles intelligentie en het feit dat hij vergevingsgezind was, ondanks de vernederende manier waarop hij door zijn regering was behandeld. In tegenstelling tot de lieden die, in hun streven naar rijkdom en persoonlijke roem als ze de macht eenmaal in handen hebben, vrijheden aan hun laars lappen en hun volk in armoede storten, wilde Ndebele echt wat voor Zimbabwe het beste was. Hij sprak over economische hervormingen en dat hij de vroeger zo bloeiende agrarische sector weer op het oude peil wilde brengen. Hij had het over het verdelen van de macht tussen de stammen en dat hij een einde wilde maken aan het nepotisme dat zoveel Afrikaanse landen had geruïneerd.

Maar voor alles wilde hij dat het volk geen angst meer voor zijn eigen regering hoefde te hebben.

Cabrillo was er nu meer dan ooit van overtuigd dat hij er juist aan had gedaan om met Moses in zee te gaan. Zij hadden de kans om wat ooit in Centraal-Afrika een lichtend voorbeeld van voorspoed was geweest weer in de oude glans te herstellen. Maar daar moest dan wel eerst nog een schip voor worden gevonden dat een eeuw geleden ergens in een gebied van een paar duizend vierkante kilometer was gezonken.

Hij voelde dat het schip opeens van koers veranderde. Voor zijn gevoel was het een bocht van minstens vijftien graden, en hij sprong op toen zijn telefoon ging.

'Ze hebben het gevonden,' zei hij, omdat hij begreep dat het Max was met het nieuws waar ze nu al dertig uur op zaten te wachten. Hij verontschuldigde zich tegenover Moses, terwijl hij met grote passen de hut uitliep.

'Het is ontdekt door iets wat ze Mag-Star noemen,' zei Hanley. 'Dat is kennelijk een nieuwe satelliet van het leger, die de storing kan waarnemen die de stalen romp van een groot schip in het magnetisch veld van de aarde veroorzaakt.'

Juan kende die technologie. 'Hoever is het van ons vandaan?'

'Nog zo'n honderdvijftig mijl, en om ook je volgende vraag maar meteen te beantwoorden: wij zijn nog steeds het dichtstbij van alle schepen die deze kant opkomen.'

De snelheid en afstand tegen elkaar afwegend, concludeerde Juan: 'Dan zijn we daar zo ongeveer als de zon ondergaat, ook al hebben we die al een poosje niet meer gezien.'

De *Oregon* had al voor zonsondergang urenlang onder een voortdurend dikker wordend wolkendek gevaren, waarbij de zee steeds ruwer werd, met metershoge, tegen de romp beukende golven. Het schip had geen probleem met de woeste zeegang. Het was ontworpen voor veel zwaardere omstandigheden en dat met aanzienlijk hogere snelheden, maar de gewonden hadden het ondanks Hux' inspanningen zwaar te verduren. De wind was tot dertig knopen aangewakkerd, met vlagen van kracht acht op de beaufortschaal. Het was nog droog, maar volgens de voorspellingen zou het over een paar uur gaan regenen.

'In deze storm wordt het al lastig genoeg om de *Gulf of Sidra* te pakken te krijgen,' merkte Max op. 'En in het donker helemaal.'

'Vertel mij wat,' zei Juan. 'Ik kom eraan.'

Even later stoof hij het controlecentrum binnen. De mensen die volgens het rooster dienst hadden, waren vervangen door het topteam van de Corporation. Het was best lastig, want het schip schommelde hevig en de bemanning moest zich voortdurend met

383

één hand ergens aan vasthouden om overeind te blijven. Eric Stone zat al aan het roer, Mark Murphy schoof in een T-shirt met daarop de aansporing walvissen vooral met kernbommen te bestrijden, achter het bedieningspaneel voor de wapensystemen, terwijl Hali zich op de communicatieapparatuur aansloot. Linda Ross kwam binnen, terwijl Eddie en Linc tegen de achterwand leunden.

Nog voordat Juan goed en wel op zijn centrale stoel zat, kwam Max van zijn plek, waar hij zijn geliefde machinekamer in de gaten hield, naar hem toe. Op het grote scherm waren satellietbeelden van de Atlantische Oceaan te zien. De wolken waaierden in het bekende patroon van een ontluikende orkaan. De om de paar seconden verspringende beelden toonden het verloop van de storm gedurende de afgelopen uren. Te zien was dat het oog zich begon te vormen.

'Oké, waar zijn wij en waar is de *Sidra*?' vroeg Juan.

Stone tikte op zijn computer, waarna er twee flitsende icoontjes op het scherm verschenen. De *Gulf of Sidra* bevond zich precies op de rand van het oog dat zich ontwikkelde, en de *Oregon* kwam vanuit het zuidoosten snel dichterbij.

Ruim een uur lang volgden ze de beelden, die continu, door het NRO – het National Reconnaissance Office – werden vernieuwd, de geheime overheidsinstelling die vrijwel alle Amerikaanse spionagesatellieten onder haar hoede had. Hoe meer de storm de uiterlijke vormen van een orkaan aannam, des te kleinere rondjes de tanker van Singer draaide en zo net binnen de zich opbouwende muur rondom het oog bleef.

'Ik krijg net nieuwe informatie van Overholt,' zei Hali, met zijn ogen op zijn computer gericht. 'Hier staat dat het NRO nieuwe gegevens over het doelwit heeft. Door in de opgeslagen data terug te zoeken, hebben ze zijn koers van de twee uur voordat ze hem hadden gelokaliseerd kunnen herleiden. Eric, ik stuur ze naar jou door.'

Nadat hij de e-mail van de andere kant van het controlecentrum had ontvangen, typte Eric de coördinaten in. 'Hier komt-ie,' zei hij, terwijl hij op de entertoets drukte.

Het icoontje voor de *Sidra* sprong een aantal centimeters op het scherm terug, waarna het vooruitschoof. Het leek alsof het oog zich langs zijn koers vormde in plaats van dat het schip langs de rand van het oog voer.

'Wat krijgen we nou?' mompelde Juan.

'Ik had gelijk,' riep Eric.

'Ja, ja, je bent een genie,' zei Mark, die zich vervolgens tot Cabrillo wendde. 'Hij en ik hebben in mijn hut de boel nog eens op een rijtje gezet. En we hebben ook een klein kijkje in de computer van Merrick/ Singer genomen. Susan Donleavy bewaarde niets in de computer. Ofwel ze had er een voor zichzelf, of ze heeft altijd alles op papier genoteerd. Hoe dan ook, het enige wat we over haar project aantroffen, was het oorspronkelijke voorstel, en zelfs dat was vrij summier. Haar idee was het maken van een organische vlokkenvormer.'

'Een wat?'

'Dat is een mengsel dat maakt dat afval en andere vaste stoffen in verbinding met water vlokken vormen,' antwoordde Eric. 'Het wordt bijvoorbeeld in rioolwaterzuiveringsinstallaties gebruikt voor het afscheiden van vervuilende stoffen.'

'Ze was op zoek naar een manier om het in zeewater aanwezige organische materiaal zodanig te binden dat het een gel wordt.'

'Waarom dat dan?' vroeg Max kortaf.

'Dat staat nergens,' antwoordde Mark, 'en kennelijk was daar ook niemand van de beoordelingscommissie in geïnteresseerd, want ze kreeg groen licht zonder dat haar naar de zin van zoiets werd gevraagd.'

'Uit jouw gesprek met Merrick weten we,' vervolgde Stone, 'dat de reactie exotherm is en waarschijnlijk, dat lijkt me tenminste, niet lang houdbaar. Door de warmte zal het organische materiaal afsterven en lost het gel weer op in gewoon zeewater.'

'Dat kan ik volgen,' zei Juan, 'maar de zin van dit alles zie ik nog niet.'

'Als Singer met die vlokkenvormer een streep in zee trekt, zal die zich een poosje verspreiden en dan bruisend verdwijnen.' Met een fluitend sistoontje accentueerde Mark dat laatste effect. 'De orkaan pikt in het voorbijgaan een deel van die warmte op, maar niet zodanig dat het echt van invloed is op de kracht of de richting.'

'Ik denk,' onderbrak Eric, 'dat hij, door die stof te verspreiden op het moment dat de orkaan zich begint te vormen, in staat is te bepalen waar en wanneer het oog ontstaat – en belangrijker nog, hoe groot het wordt.'

'En hoe krapper het oog, hoe sneller de wind eromheen draait,' vulde Max aan.

'Het oog van Andrew had een doorsnee van bijna achttien kilometer toen het bij Miami aan land kwam,' zei Murph. 'De natuurlijke processen bepalen hoe klein het oog kan zijn, maar Singer kan de orkaan oppeppen tot meer dan categorie vijf op de schaal van Saffir-Simpson. Hij is misschien zelfs in staat de richting van de storm bij de oversteek van de Atlantische Oceaan te bepalen en in feite als een geweer te richten op elk kustgebied dat hij verkiest.'

Cabrillo bekeek aandachtig het scherm. Het leek alsof de *Gulf of Sidra* exact deed wat Eric en Murph hadden voorspeld. Het volgde een spiraalvormige koers, in een poging het oog van de storm met behulp van Susan Donleavy's gel, dat het schip ongetwijfeld zo snel als de pompen het aankonden aan het lossen was, steeds strakker aan te trekken. Door het oog van de orkaan te verkleinen, maakte Singer het veel krachtiger dan op de natuurlijke manier mogelijk was.

'Als hij die verdomde cirkel afmaakt, is er voor ons weinig meer te doen,' concludeerde Eric. 'Dan is het oog gevormd en is de orkaan met niets ter wereld nog te stoppen.'

'Enig idee waar hij het op afstuurt?'

'Als het aan mij lag, zou ik weer op New Orleans mikken,' zei Murph, 'maar ik weet niet of hij het zo precies kan bepalen. Het zekerst zou zijn om het op Florida af te sturen, waar het door het warme kustwater niet zal afzwakken. Miami en Jacksonville zijn daar de belangrijkste steden. Andrew heeft er voor zo'n negen miljard schade aangericht, en die was van de vierde categorie. Een orkaan van categorie zes krijgt wolkenkrabbers omver.'

'Max,' zei Juan zonder dat hij in zijn richting keek, 'hoe hard gaan we?'

'Net geen vijfendertig knopen.'

'Roer, opvoeren naar veertig.'

'Dat gaat de dok niet leuk vinden,' sputterde Max tegen.

'Ik heb 't bij haar toch al verbruid door Merrick wakker te laten maken,' reageerde Juan stoïcijns.

Eric gehoorzaamde en joeg de magnetohydrodynamische motoren op meer elektriciteit uit het zeewater op te wekken voor de aandrijving van de pompturbines. Vanaf dat moment boorde de *Oregon* zich nog heviger stampend door de golven. Op de beelden van een buitencamera was te zien hoe de boeg zich met hevige klappen hoog opzwiepend en weer neervallend door het water ploegde. De golven rolden metershoog over het dek als het schip zich weer oprichtte.

Cabrillo toetste op de communicatieconsole het nummer van de hangar in. Een van de technici nam op en ging op Juans verzoek

George Adams halen. 'Ik vind het niet leuk dat je me belt,' zei Adams bij wijze van groet.

'Denk je dat 't lukt, George?'

'Het wordt een nachtmerrie,' antwoordde de piloot, 'maar ik denk 't wel, zolang 't niet gaat regenen. En ik wens geen klachten als ik het landingsgestel van de Robinson naar de klote vlieg.'

'Van mij geen woord. Zorg dat je over tien minuten klaarstaat, en wacht op mijn seintje.'

'Wat jij wil.'

Juan verbrak de verbinding. 'Wepps, hoe staat 't met onze vis?'

Aan beide kanten van de boeg van de *Oregon* zat net onder de waterlijn een lanceerbuis voor Russische Test-71-torpedo's. Het waren geleidewapens van twee ton met een bereik van ruim vijftien kilometer, een maximumsnelheid van veertig knopen en een hoog explosieve lading springstof in de neus. Bij de bouw van de *Oregon* had Cabrillo liever Amerikaanse MK-48 ADCAP-torpedo's gehad, maar hoe hij ook zijn best had gedaan, Langston was blijven weigeren. Als alternatief waren de uit de surplusvoorraden van de voormalige Sovjet-Unie afkomstige torpedo's nog altijd krachtig genoeg om de zwaarst gepantserde schepen tot zinken te brengen.

'Je wilt de *Sidra* toch niet gaan torpederen?' vroeg Mark. 'Dan komt die hele lading gel in één keer geconcentreerd in zee. In die fase zou dat hetzelfde effect kunnen hebben als wanneer het zijn hele cirkel afmaakt.'

'Ik hou alle alternatieven paraat, meer is 't niet,' stelde Juan hem gerust.

'Oké, prima.' Vervolgens meldde Mark de status van de torpedo's. 'Ze zijn drie dagen geleden voor een routine-inspectie uit de buizen gehaald. Daarbij hebben we een accu van de vis in Buis Eén vervangen. Alle accu's in beide systemen zijn op volle sterkte.'

'Hoe wil je het aanpakken?' vroeg Max aan Juan.

'De makkelijkste oplossing is om er een team met de heli heen te brengen, de controle over de tanker over te nemen en de pompen uit te zetten.'

'Baas,' zei Eric, 'als we met dat schip ver genoeg van het oog weg varen en dat gel dan weer gaan dumpen, kan er door de vrijkomende hitte weer een verdamping op gang komen, waardoor er een nieuw lagedrukgebied ontstaat. Dat zou de storm verstoren en hem letterlijk uiteenscheuren.'

'O, mijn god!' riep Hali opeens uit. Hij drukte op een knop van zijn console, waarop er een stem in het controlecentrum opklonk.

'Ik herhaal, hier spreekt Adonis Cassedine, kapitein van de VLCC *Gulf of Sidra.* In de storm is onze romp gebroken. We varen in ballast, dus er lekt geen olie, maar we moeten het schip verlaten als de breuk groter wordt. Alstublieft, hoort u mij? Mayday, mayday, mayday.'

'In ballast, hoe verzint-ie het,' gromde Max. 'Wat wil je dat we doen?'

Cabrillo zat roerloos met zijn hand onder zijn kin gevouwen. 'Laat 'm maar effe zweten. Hij blijft oproepen, ook al krijgt hij geen antwoord. Eric, wat is onze verwachte aankomsttijd?'

'Nog altijd over een uur of drie.'

'Zo lang houdt de *Sidra* het met een gebroken romp in deze zeegang echt niet meer uit,' zei Max. 'Zeker niet als de kiel ook beschadigd is. Dan is het in drie minuten finaal doormidden.'

Daar had Juan niets tegen in te brengen. Ze moesten iets doen, maar hun mogelijkheden waren beperkt. De tanker aan zijn lot overlaten was geen optie, en Erics idee om hem te gebruiken om de storm af te zwakken zat er ook niet meer in. Het beste waar ze op konden gokken was het schip zo tot zinken te brengen dat er zo min mogelijk gel uitstroomde. Met de Test-71-torpedo's was dat mogelijk, maar voor hetzelfde geld duurde het dan nog uren voordat de romp daadwerkelijk zonk en bleef de lading al die tijd naar buiten stromen.

Opeens herinnerde hij zich wat er was gebeurd toen hij en Sloane met de *Or Death* voeren en hun boot werd getroffen door een projectiel dat was afgevuurd door het jacht dat de golfslaggeneratoren bewaakte. De *Or Death* was ogenblikkelijk gezonken omdat haar boeg, terwijl ze op hoge snelheid voeren, in één klap werd weggerukt. Cabrillo dacht verder maar niet aan alle haken en ogen die er aan dit krankzinnige idee kleefden, maar ging meteen aan het werk.

'Linc, Eddie, duik het voorraadhok in en haal zestig meter Hypertherm voor me, dat spul waarin die elektromagneten zitten.' Het plasticbomachtige materiaal was een op magnesium gebaseerde stof die op bijna tweeduizend graden Celsius ontbrandde en bij bergingswerkzaamheden onder water als snijbrander werd gebruikt. 'Dan treffen we elkaar in de hangar en haal onderweg je uitrusting op. Ik heb geen idee wat voor ontvangst we op de *Sidra* kunnen verwachten.'

'En ik?' vroeg Linc.

'Sorry, maar anders worden we te zwaar.'

Max tikte Juan op zijn schouder. 'Kennelijk heb je iets sluws en achterbaks bedacht. Mogen wij 't ook horen?' Nadat Cabrillo zijn plan had uitgelegd, knikte Hanley. 'Zoals ik al zei: sluw en achterbaks.'

'Weet jij iets beters dan?'

31

Het gezicht van George Adams stond strak van de concentratie, en zijn vingers lagen stevig om de joysticks van de Robinson gekromd. Door de wind en de rondzwiepende rotorbladen stond de kleine heli op het verhoogde platform heftig te trillen, maar hij zou pas opstijgen als hij het seintje daartoe kreeg.

De *Oregon* dook over de rug van een golf omlaag en opeens ontstond er een muur van water tot hoog boven het dek. De golftop krulde omlaag en dreigde de helikopter en de drie inzittenden te overspoelen.

'Zeg 's wat, Eric,' zei hij, toen het schip tegen een volgende golf opklom.

'Een moment nog, de camera zit bijna op de top. Oké, ja, er komt zo een breed dal, dan heb je tijd zat.'

Op het moment dat het schip het hoogste punt van de golftop bereikte, gaf Adams net ietsje meer gas, in de wetenschap dat de *Oregon*, wanneer zij opstegen, onder hen zou wegzakken en de Robinson, die niet door een volgende golf werd opgetild, een fatale douw zou geven. Toen ze van het platform loskwamen, dook het vrachtschip omlaag. George liet de neus iets zakken om snelheid te winnen, waarna hij de heli boven de kolkende zee en in een krachtige windstroming weer rechttrok. Hij moest met de wind meedraaien om nog meer snelheid en hoogte te winnen alvorens hij terug de storm in zwenkte. Met een beukende tegenwind van vijftig knopen haalde de Robinson boven zee een snelheid van niet meer dan zestig knopen, nauwelijks sneller dan de *Oregon* zelf, maar Juan wilde toch zo snel mogelijk bij de *Gulf of Sidra* zien te komen.

Als alles volgens plan verliep was het schip op schootsafstand voor de torpedo's tegen de tijd dat hij en Eddie de Hypertherm hadden aangebracht.

'Ik schat onze vluchttijd op ongeveer één uur en twintig minuten,' zei George, nadat hij de heli op koers voor de lastige vlucht had gebracht.

'Juan?' Het was Max via de radio.

'Zeg 't maar.'

'Cassedine zendt weer een SOS uit.'

'Oké, ga je gang en reageer zoals we hebben besproken.'

'Komt-ie.' Max hield de verbinding open, zodat Cabrillo kon meeluisteren. '*Gulf of Sidra*, hier het ms *Oregon*, kapitein Max Hanley. Ik heb uw noodoproep gehoord en ik kom zo snel mogelijk naar u toe, maar we zijn nog twee uur van u vandaan.'

'*Oregon*, godzijdank!'

'Kapitein Cassedine, hoe is uw situatie?'

'Er zit een scheur in de romp, midscheeps aan bakboordzijde, en we maken water. Mijn pompen werken op volle kracht en we zinken nog niet, maar als de scheur groter wordt, zullen we het schip moeten verlaten.'

'Is het gat groter geworden nadat het is ontstaan?'

'Negatief. We zijn door een dwars op de wind rollende golf geraakt, waardoor een dekplaat is gescheurd. Dat is daarna stabiel gebleven.'

'Als u naar het oosten vaart, zijn we sneller bij u.' Dat was niet waar, maar wanneer de *Gulf of Sidra* al gif spuitend van koers veranderde, zou dat het oog van de orkaan al iets vervormen. Het was vooral een test om te zien wie er op het schip het commando had, de kapitein of Daniel Singer.

Bijna een minuut lang kwam er alleen statische ruis uit de luidspreker. Toen Cassedine zich weer meldde, klonk zijn stem nog angstiger. 'Nee, dat is onmogelijk, *Oregon*. Mijn machinist meldt problemen met de stuurinrichting.'

'Waarschijnlijk een wapen tegen zijn hoofd,' zei Juan tegen Max.

Ze hadden dit scenario voorzien, en Max reageerde alsof het geen punt was. 'Schade aan stuurinrichting, begrepen. In dat geval, kapitein, mogen we in deze omstandigheden het gevaar van een aanvaring niet riskeren. Als we op vijftien kilometer afstand zijn, zal ik u verzoeken met uw bemanning in de reddingsboten van boord te gaan.'

'Wat? Zodat u mijn schip later op sleeptouw kunt nemen om het als bergingsloon op te eisen?'

Juan grinnikte. 'Die vent verkeert in levensgevaar en is bang dat we z'n bootje jatten.'

'Kapitein, de *Oregon* is een commerciële vissersboot van duizend ton,' loog Max glashard. 'We kunnen een tanker niet eens op een spiegelgladde zee op sleeptouw nemen, laat staan in een opkomende orkaan. Ik ben alleen niet van plan het risico te lopen dat we midden in deze storm door een op drift geraakt wrak worden geramd.'

'Ik... eh... ik begrijp 't,' reageerde Cassedine ten slotte.

'Hoeveel opvarenden?'

'Drie officieren, twaalf bemanningsleden en één boven de sterkte. In totaal zestien.'

Die extra persoon zou Singer dan wel zijn, dacht Juan, terwijl hij zich realiseerde dat dit vrij weinig was, zelfs voor een tanker. Die waren tegenwoordig zo geautomatiseerd dat ze met een kernbemanning toekonden, maar hij nam aan dat het genoeg was voor wat Singer van plan was.

'Roger,' antwoordde Max. 'Zestien mensen. Ik roep u op als we in de buurt zijn. *Oregon* over en uit.'

'Begrepen, kapitein Hanley. Ik meld me zodra onze situatie verandert. *Gulf of Sidra* over en uit.'

'Ga nou niet te veel aan dat kapitein Hanley-gedoe gewend raken,' zei Juan nadat de verbinding van de tanker verbroken was.

'Dat weet ik zonet nog niet,' zei Max luchtigjes. 'Het klinkt wel aardig, vind ik. Maar denk je dat Singer met hen meegaat van boord?'

'Moeilijk te zeggen. Ondanks de tegenslagen die hij moet verwerken, zal hij misschien toch proberen zijn missie ook zonder bemanning af te maken. Voor het te water laten van de reddingsboot zullen ze vaart moeten minderen, maar als Cassedine hem vertelt hoe hij weer vaart moet maken, lukt 't hem misschien toch nog om de doorsnee van het oog van de orkaan kleiner dan tien kilometer te krijgen.'

'Zou jij dat doen?'

'Als ik hem was en al zover was gekomen, ja, dan denk ik dat ik tot het eind toe door zou gaan.'

'Dat betekent twee dingen. Ten eerste dat Singer echt een klap van de molen heeft gehad, en ten tweede dat jij en Eddie hem maar beter goed in de gaten kunnen houden als jullie de springstof daar aanbrengen.'

'We passen goed op.'

Een uur later liet George via de radio aan de *Oregon* weten dat ze de eerste etappe van hun vlucht achter zich hadden. Het was tijd dat de bemanning van de *Gulf of Sidra* van boord ging.

'Hier de *Oregon* voor kapitein Cassedine,' zei Max via de radio.

'Hier Cassedine, kom maar *Oregon*.'

'Wij bevinden ons op vijftien kilometer van uw positie. Bent u klaar om het schip te verlaten?' vroeg Max.

'Ik wil niks zeggen, kapitein,' antwoordde Cassedine, 'maar volgens mijn radar bevindt u zich nog op bijna vijftig kilometer afstand.'

'Vertrouwt u op uw radar bij een zeegang met golven van zes meter?' reageerde Max schamper. 'Op mijn radar bent u niet eens te zien. Ik vertrouw op mijn gps, en wij schatten dat u zich op zo'n vijftien kilometer van ons bevindt.' Hanley ratelde de lengte- en breedtegraadcoördinaten van een plek op vijftien kilometer ten oosten van de *Gulf of Sidra* af. 'Dit is onze momentane locatie.'

'O ja, ik zie dat dat klopt. U bent binnen de vijftien kilometer.'

'We kunnen dichterbij komen, als u uw roer hebt gerepareerd.'

'Nee, dat is niet gelukt. Maar de extra man blijft vrijwillig aan boord om te proberen het alsnog te repareren.'

'Laat u hem met z'n allen achter?' vroeg Max, in zijn rol van bezorgde zeeman.

'Hij is de eigenaar van het schip en kent de risico's,' reageerde Cassedine.

'Begrepen,' zei Max op een gespeeld bezorgde toon. 'Als u met de boot te water bent en op veilige afstand van de tanker, stuur dan koers op twee zeventig graden en zend een signaaltoon uit op de EPIRB-noodfrequentie, zodat we u tegemoet kunnen komen.'

'Een koers van twee zeventig graden en een signaaltoon van 121,5 megahertz. We gaan over enkele minuten te water.'

'Succes, kapitein. Moge God u bijstaan,' zei Max ernstig. Zelfs als Cassedine en zijn bemanning zich bewust waren van datgene waarmee ze Singer hielpen, kende de zeeman in hem heel goed de gevaren van het onder deze omstandigheden met een reddingsboot te water gaan.

Een kwartier later stelde Hali Kasim het interne luidsprekersysteem op de 121,5 MHz noodfrequentieband af, zodat iedereen de hoge seintoon kon horen.

'Hoor je dit, Juan?'

'Ja, heel goed. We komen dichterbij.'

Zelfs op een vlieghoogte van ruim honderdvijftig meter braken ze pas door het wolkendek toen ze op minder dan anderhalve kilometer van de tanker waren. Omdat hij negentigduizend ton meer mat, lag hij een stuk rustiger op de golven dan de *Oregon* en joeg er alleen wat opspattend over de stompe boeg. Ze zagen nog net een kleine gele stip van het rode dek van de kolos wegvaren. Het was de reddingsboot, en Cassedine voer zoals afgesproken recht naar het westen, steeds verder weg van de *Oregon*, zodat hij in geen geval nog tussenbeide kon komen. Ze zagen dat de tanker weer vaart maakte, nadat hij snelheid had geminderd om de reddingsboot uit te kunnen zetten.

'Kijk daar,' zei George, en wees.

Bij de achtersteven van de *Gulf of Sidra* stroomde op zo'n tweeenhalve meter onder de reling een straal vloeistof in een boog uit de zijkant van de romp. Het was de uitlaat van het zeewatercirculatiesysteem, een installatie van buizen en pompen die het mogelijk maakte om ballastwater op te zuigen of te lozen.

Maar het was geen water dat werd weggepompt. De vloeistof die uit het ongeveer één meter brede gat stroomde, was dik en stroperig, net als de olie die de baai rond de Petromax-terminal in Angola had vervuild. Alleen was deze brij helder en leek zich sneller over het zeeoppervlak te verspreiden dan dat het door de pomp uit het schip werd geloosd.

'Het groeit nog uit zichzelf,' zei Eddie vanaf de achterbank. Naast hem lagen de dikke strengen Hypertherm. 'Het organische materiaal in het gel verbindt zich met het water waarmee het in contact komt en verandert in viscose troep.'

Ze vlogen in een cirkel rond de tanker om de schade aan bakboordzijde op te nemen. Er zat een scheur in de romp die van de waterlijn tot net onder de reling doorliep. Als de romp door een golf werd opgetild, opende en sloot de spleet zich als een verticale mond. Op het water rondom de scheur lag een snel dikker wordende laag van een vlokkige, gelatineachtige stof.

'Waar wil je dat ik jullie afzet?' vroeg George.

'Zo dicht mogelijk bij de boeg,' antwoordde Juan.

'Ik wil niet het risico lopen door we door opspattend water worden neergehaald, dus dan wordt het minstens dertig meter erachter.'

'We hebben geen tijd om achter Singer aan te gaan, dus als je terugkomt om ons weer op te pikken, doe dat dan snel.'

'Reken maar, baas, in deze storm wens ik geen microseconde langer dan absoluut noodzakelijk boven wat dan ook te hangen.'

Adams zwenkte weg en draaide tegen de wind in. Nu ze op een hoogte van minder dan dertig meter de tanker naderden, leek het alsof de woelige zee haast tegen het landingsgestel sloeg. Ze vlogen over de reling van het schip, waarna George de kleine helikopter afremde en in de stormvlagen met de vaardigheid van een kunstvlieger op een vliegshow recht hield en liet zakken. Hij bleef op zes meter boven het niveau dat het dek bereikte als het door de hoogste golven werd opgetild.

'Eddie, nu.'

Eddie Seng duwde de deur naast hem open en trapte, terwijl hij de deur met één voet tegen de beukende wind openhield, met zijn andere voet de strengen Hypertherm de heli uit. De explosieven vielen als een ineengestrengelde kluwen slangen op het dek. Toen de laatste over de rand verdwenen was, trok hij zijn been in, waarop de deur door de wind met een klap dichtsloeg.

'Nu wordt het echt lastig,' mompelde George, terwijl hij angstvallig de horizon in de gaten hield, de golfslag peilde en de opeenvolging van windstoten inschatte. Er spatte wat regendruppels tegen de voorruit. Door deze onheilspellende ontwikkeling liet hij zich niet uit zijn concentratie brengen.

Juan en Eddie zaten allebei klaar, met hun handen om de deurhendels geklemd en met een pistoolmitrailleur over hun schouder.

Terwijl de tanker door weer zo'n gigantische golf dook, spatte over de hele breedte van de stompe boeg een muur van schuim op. Zodra het schip weer omhoogkwam, liet George de Robinson nog iets zakken. Zijn inschatting was perfect. Op het moment dat het schip niet verder omhoogkwam, lag het dek nauwelijks anderhalve meter onder de landingsski's van de heli.

'Tot ziens, jongens.'

Cabrillo en Seng duwden hun deuren open en sprongen zonder enige aarzeling de heli uit, waarna Adams van het schip weg kon zwenken voordat het in de eindeloze cyclus van aanrollende golven opnieuw werd opgezwiept.

Juan kwam op het dek neer en rolde door, waarbij het hem onmiddellijk opviel hoe warm het metaal was. Zelfs door de dikke stof van zijn werkkleding was de hitte nauwelijks uit te houden en hij sprong zo snel mogelijk overeind. Hij begreep dat de warmte binnen enkele minuten ook door de rubberzolen van zijn schoenen zou dringen. Over zijn prothese maakte hij zich geen zorgen, dat deed hij nooit, maar zijn andere voet en die van Eddie zouden eerste- of tweedegraads brandwonden oplopen als dit te lang duurde.

'Dit gaat pijn doen,' zei Eddie, alsof hij Juans gedachten raadde.

'Door het over de boeg slaande water moet het daar toch iets koeler zijn,' zei Juan, terwijl ze naar de stapel Hypertherm liepen. Hij zwaaide naar George, die in de Robinson zo'n honderdvijftig meter boven hen hing. Adams was hun uitkijk voor het geval Singer opdook.

Gezien de traagheid van de *Gulf of Sidra* had Juan geconcludeerd dat het veranderen van de koers van het schip of het in de achteruit rammen van de motoren weinig effect zou hebben. De beste kans om Singer te stoppen was om zo snel mogelijk de Hypertherm aan te brengen.

De door metaal snijdende springstof bestond uit zes meter lange strengen met elektriciteit geleidende klemmen aan de uiteinden waarmee ze tot één lange lading aaneen konden worden gevoegd. De ontsteker en het accupakket konden tussen twee segmenten in worden geklemd, maar voor het bereiken van het gewenste resultaat was het in dit geval noodzakelijk dat ze zoveel mogelijk in het midden werden aangebracht.

Juan tilde de strengen Hypertherm over zijn schouders tot hij voelde dat zijn knieën het haast begaven. Toen ze alles hadden opgepakt, was zijn linkersok drijfnat van de transpiratie.

'Klaar?' gromde hij.

'Laten we gaan.'

Wankelend onder hun last van ruim zeventig kilo liepen de twee mannen naar de boeg. De grijze springstofstrengen bungelden als dreadlocks over hun rug. Door de wind en het stampen van het schip hielden ze zich als een stel dronkaards nauwelijks op de been, maar ze zwoegden hardnekkig door. Toen ze eindelijk een plek bereikten die nat was van het opspattende water, zagen ze dat er stoom van het dek opsteeg. Het deed Juan denken aan de hete bronnen bij Yellowstone, waar hij als kind ooit was geweest. Op een meter of tien van de boeg wierp hij zijn last van zich af. Dichterbij konden ze niet komen zonder het risico te lopen door de overslaande golven overboord te worden geslagen.

'Hoe staan we ervoor, George?' vroeg Juan hijgend.

'Ik ben langs de brug gevlogen, maar heb niemand gezien. Het dek is overal een wirwar van leidingen en spruitstukken. Singer is nergens te zien.'

'En bij jou, Max?'

'We zijn binnen schootsafstand voor de torpedo's en wachten op jou.'

'Oké.'

Wat volgens Juan een muur van over de boeg slaand water was, bleek een plotseling losbarstende hoosbui, die na een paar seconden wel iets afzwakte maar niet helemaal ophield. Ze hadden te maken met twee onverbiddelijke deadlines. De eerste was dat ze moesten voorkomen dat de tanker het rondje afmaakte, en de tweede dat ze na het aanbrengen van de springstof weer aan boord van de *Oregon* moesten zijn voordat de regen het vliegen met de heli onmogelijk maakte. Hij kon alleen maar hopen dat ze met die eerste een beetje geluk zouden hebben.

Eddie begon met het uitleggen van de explosieven over de breedte van de tanker, precies op de naad waarlangs twee delen van de romp aan elkaar waren gelast. Juan was druk in de weer met het aanbrengen de ontsteking, die hij meerdere keren testte met de afstandbediening die hij in zijn zak bij zich had alvorens hij hem aan het eerste stuk Hypertherm haakte. Voor de hele breedte van de tanker hadden ze zes stukken van zes meter nodig. Elke streng was van een batterij voorzien die na inschakeling een magnetisch veld deed ontstaan waardoor de explosieven aan het stalen dek kleefden en niet meer van hun plaats konden rollen.

Eddie en Juan hadden elkaars hulp nodig bij het aanbrengen van de strengen langs de beide zijkanten van de tanker tot het laatste stuk Hypertherm in het water bungelde. Ook hier werden de strengen met elektromagneten langs een lasnaad aan de romp vastgezet. Toen ze klaar waren, lag er een rij explosieven die boven de waterlijn elke centimeter van bakboord- naar stuurboordzijde overbrugde. De stukken die ze overhadden lieten ze op het dek liggen.

Juan liet George via de radio weten dat hij hen kon oppikken zodra Eddie de laatste verbinding had gelegd. Het begon harder te regenen in vrijwel horizontale sluiers die het zicht belemmerden, waardoor de bovenbouw nog slechts als een spookachtig waas in de verte schemerde. Terwijl Adams zich voorbereidde op de gevaarlijkste oppikmanoeuvre uit zijn lange carrière, riep Cabrillo Hanley op.

'Max, de springlading is gelegd. Je kunt de torpedo's nu lanceren. Wij zijn wel weg tegen de tijd dat ze hier zijn.'

'Roger,' antwoordde Max.

In het controlecentrum opende Mark Murphy de beide buitenkleppen van de lanceerbuizen en activeerde het torpedolanceerprogramma op zijn computer. Gestuurd door de radar- en sonarsystemen van het schip verscheen er een grafische weergave van een driedimensionaal netwerk op zijn scherm. Hij zag duidelijk dat de *Gulf of Sidra* op zo'n zeven kilometer afstand van de *Oregon* voer. In het jargon van de duikbootbemanningen uit de Tweede Wereldoorlog was dit een *turkey shoot*, ofwel een makkie.

'Wepps, op mijn teken Buis Een,' zei Max. 'Nu.'

Omsloten door een cocon van hogedrukperslucht schoot de zes komma vier meter lange torpedo de buis uit en had al bijna twintig meter afgelegd alvorens de zilverzinkbatterijen de elektrische motor aanjoegen. Binnen enkele seconden had de Test-71 zijn operationele snelheid van veertig knopen bereikt.

Op zijn scherm zag Mark de torpedo op de tanker af gaan met een lichte schittering van de ragdunne geleidekabels in haar kielzog. Vooralsnog gaf hij de vis alle vrijheid, maar hij had een joystick paraat voor het geval er bijsturing noodzakelijk zou zijn.

'Buis Twee, nu.'

Murph lanceerde de tweede torpedo, en het geluid van de ontsteking galmde als een schorre kuch door het schip. Na een moment stilte zei hij: 'Beide torpedo's onderweg en op koers.'

'Juan,' riep Max, 'de vissen zijn onderweg, dus zorg dat je daar wegkomt.'

'Er wordt aan gewerkt,' antwoordde Cabrillo.

Hij keek naar de storm, terwijl George met de Robinson steeds lager kwam. Het was zijn derde poging om met de heli op het dek te landen. Door de gierende wind had hij de eerste twee al op vijftien meter boven het dek moeten afbreken. Een windstoot sloeg de helikopter uit balans, maar George corrigeerde dat onmiddellijk en zwenkte opzij, om gelijke tred te blijven houden met de voorwaartse snelheid van zeventien knopen waarmee de *Sidra* door de golven ploegde.

'Kom op, Georgie,' zei Eddie, op zijn voeten wippend om te voorkomen dat de hitte door zijn zolen drong. 'Je kunt het.'

De Robinson kwam weer iets lager, waarbij de rotorbladen de regendruppels in een cirkel van het dek bliezen. Ze zagen Adams achter de plexiglazen voorruit zitten. Zijn filmsterachtig knappe gezicht stond strak van de geconcentreerde inspanning, en zelfs zijn ogen knipperden niet. De landingsski's hingen op een tergende zes meter boven het dek, maar die afstand werd onmiddellijk een stuk minder toen de *Sidra* door een volgende golf omhoog werd getild. Eddie en Juan zetten zich schrap, zodat ze de achterdeurtjes van de heli open konden trekken om er vervolgens zo snel mogelijk in te duiken.

Adams slaagde erin de heli bijna vijftien seconden lang in positie te houden, in afwachting van het moment dat de tanker de top van de golf had bereikt. Toen hij weer begon te zakken, drukte hij de Robinson die laatste paar meter omlaag. Cabrillo en Seng rukten hun deuren open en doken met het hoofd naar voren de cabine in, terwijl de heli alweer terug omhoogschoot. Adams draaide de gashendel open, waarop ze bij de tanker vandaan zwenkten.

'Dat was een keurig staaltje vliegkunst,' zei Juan, terwijl hij zich overeind duwde en zijn veiligheidsriem vastklikte.

'Feliciteer me nog maar niet. Ik moet nog op de *Oregon* zien te landen,' reageerde Adams, waarna hij grinnikend vervolgde: 'Maar het ging wel verdomd soepeltjes, al zeg ik het zelf. O ja, dat jullie het weten, maar die scheur midscheeps is groter geworden. Het dek begint ook te splijten.'

'Dat maakt nu niet meer zoveel uit,' zei Juan, terwijl hij de radio aanzette. 'Max, we zijn weg. Waar zijn de torpedo's?'

'Op twee kilometer snel naderend. Zeg vier minuten tot de inslag.'

De Atlantische Oceaan was te ruw om de torpedo's door het water te zien gaan, hoewel de drie mannen in de heli op tweehonderd meter hoogte een spectaculair zicht op de ontploffing zouden hebben.

'Ik ontsteek de Hypertherm tien seconden vóór de inslag,' zei Juan. 'Bij een treffer aan zowel stuur- als bakboordzijde zal de romp onder de waterlijn volledig doorbreken, en de aangebrachte springstof doet de rest boven water. De boeg wordt als een boterham van de romp gesneden.'

Murph meldde zich op de interne verbinding. 'Ik tel de afstand af. Op vijftig meter doe jij je ding.'

Er verstreken drie spannende minuten, waarin Mark de torpedo's zodanig geleidde dat ze de *Gulf of Sidra* aan beide zijkanten net onder de plek zouden treffen waar Juan en Eddie de Hypertherm hadden gelegd. Juan had de detonator in zijn hand en zijn duim op de knop.

'Honderd meter,' meldde Mark.

Terwijl de torpedo's de tanker naderden, kwamen ze dichter bij het wateroppervlak waardoor hun kielzog als een vage lijn zichtbaar was. Vooral Murph volgde ze op de voet.

'Vijfenzeventig.'

Omdat hij er beter zicht op had, was Adams de eerste die het zag. 'Wat is dat, verdomme?' riep hij opeens.

'Wat? Waar?'

'Beweging op het dek.'

Nu zag Cabrillo het ook. Er rende iemand weg van de boeg van de *Gulf of Sidra*. De man droeg een regenjack van vrijwel dezelfde rode kleur als het dek van de tanker. Een perfecte camouflage om ongezien door het netwerk van leidingen naar de boeg te sluipen. 'Dat is Singer. Niet kijken!'

Hij drukte de detonator in en wendde zijn hoofd af om zijn ogen te beschermen tegen de felle flits van het ontbrandende Hypertherm. Maar toen hij in de uiterste hoek van zijn gezichtsveld niets zag oplichten, draaide hij zich terug naar het schip. De Hypertherm lag nog op zijn plek en was niet ontbrand.

'Wepps, stoppen! Stoppen! Stoppen!'

Mark Murphy kon de torpedo's vernietigen door ze tot ontploffing te brengen, maar in plaats daarvan zond hij een signaal uit om ze te vertragen, en stuurde hij ze met beide joysticks dieper het water in. Op zijn scherm volgde hij hun koers omlaag. De hoek waaronder dat gebeurde leek niet scherp genoeg om nog onder het enorme zog van de tanker door te gaan, maar hij kon niets meer doen. Ze waren al zo dichtbij dat door een ontploffing de romp van de *Sidra* lek zou slaan, wat voor het schip tot een langzame dood zou leiden, waarbij alsnog de hele lading gel zou vrijkomen.

'Duiken, baby, duiken,' zei Eric Stone vanachter zijn console naast die van Murph.

Met ingehouden adem keek Max naar het grote scherm, waarop de koers van beide torpedo's te zien was. Op nog geen drieënhalve meter van elkaar schoten ze op nauwelijks twee meter onder de platte bodem van de tanker door. In het controlecentrum klonk een collectieve zucht van opluchting.

'Zet me daar af,' riep Juan, naar de tanker wijzend.

Voordat hij antwoordde, legde Adams de heli in een scherpe duik-vlucht. 'Ik kan niet garanderen dat ik je weer op kan pikken. De brandstof raakt op.'

'Geeft niet.' Er klonk woede in Cabrillo's stem door.

De Robinson scheurde als een aanvallende havik over de boeg van de tanker, en de landingsski's scheerden op nog geen drie meter boven het dek, terwijl Adams de over de lengte van het dek rennende Singer achternajoeg. Juan had zijn veiligheidsriem al losgemaakt en zat met zijn schouder tegen het zijdeurtje gedrukt klaar. Hij haakte zijn MP5 los en wierp die op de stoel. Bij de eerste sprong had de pistoolmitrailleur hem lelijk in zijn rug geprikt. En bij deze sprong zou het nog een stuk ruwer toegaan.

Singer moet de helikopter hebben gehoord, want hij keek over zijn schouder. Hij schrok zichtbaar en begon harder te rennen. Hij had een donker voorwerp in zijn hand, dat Juan herkende als de accu van de detonator. Singer maakte een scherpe bocht naar rechts, in de hoop dat zijn achtervolgers tegen een ruim twaalf meter boven het dek uitstekende bundel leidingen op zouden vliegen, en hij zo de reling kon bereiken om de accu in zee te gooien.

Juan duwde zijn deur open. De afstand was nog een meter of drie, en de heli vloog met een snelheid van minstens vijftien kilometer per uur, maar hij sprong toch.

Hij kwam hard neer en duikelde over de hete stalen dekplaten tot hij tegen een drager van het buizenstelsel tot stilstand kwam. Hij krabbelde overeind en voelde zich over zijn hele lichaam gerad-braakt. Hij zette het op een lopen, waarbij hij zijn pistool uit de hol-ster trok en stevig in zijn hand nam.

Singer had hem uit de heli zien springen en verdubbelde zijn snel-heid. Met de lange passen van een gazelle stoof hij over het dek. Maar hoe graag hij de accu ook overboord had willen gooien om zijn missie te kunnen afmaken, de man die achter hem aan zat was nog sneller. Hij keek opnieuw over zijn schouder en zag dat Cabrillo met een van woede vertrokken gezicht op hem inliep.

Er rolde een nieuwe golf onder de tanker door, wat met vervaar-lijk gekraak van de romp gepaard ging. De scheur aan bakboord-zijde klapte dicht toen de kiel in het golfdal wegzakte, maar brak daarna door de druk van de opkomende golf weer verder open dan tevoren. Singer had de spleet gezien, en hij was nog zo ver van de reling dat hij de dichtklappende scheur kon omzeilen, maar toen het dek weer openbarstte, had hij niet verwacht dat het zo snel zou gaan.

Toen zijn voet erin wegzakte, probeerde Singer nog weg te springen, en met een onbeholpen beweging verlegde hij zijn gewicht, waardoor zijn regenbroek en zijn been langs de vlijmscherpe kartelrand schuurden. De accu, ter grootte van een niet al te dik boek, schoot uit zijn hand. Ook zijn andere been gleed het gat in, waarna hij gillend van de pijn boven het brijachtige oppervlak van de vlokvormende stof die nog in de tank klotste kwam te bungelen. Het scherpe metaal sneed in zijn handen, waarmee hij zich probeerde op te trekken voordat het gat weer dichtklapte.

Net toen Cabrillo op volle snelheid op hem af dook, zakte de tanker weer weg en klapten beide kanten van de scheur met een schaarbeweging dicht. Hij tuimelde met Singer in een plas warm vocht, en er klonk een schrille, hartverscheurende kreet. Zodra hij zich van de val had hersteld, keek hij naar Singer. Alles onder de bovenkant van zijn dijen was afgehakt en in de tank gevallen. Uit de open wonden stroomde het bloed in stralen die in de regen roze kleurden.

Hij kroop naar Singer toe en draaide hem op zijn rug. Zijn gezicht was lijkbleek en zijn lippen liepen al blauw aan. Opeens stopte het gegil. Zijn hersenen weigerden verder nog pijn te voelen en hij gleed weg in een shock.

'Waarom?' vroeg Juan, voordat de man aan zijn trauma bezweek.

'Ik moest wel,' fluisterde Singer. 'De mens moet iets doen voor het te laat is.'

'Heb je er nooit aan gedacht dat de toekomst voor zichzelf zorgt? Honderd jaar geleden kon je in Londen door de luchtvervuiling de zon niet zien. Er werden nieuwe technologieën ontwikkeld en de smog is verdwenen. Tegenwoordig zegt men dat auto's het probleem zijn omdat ze de opwarming van de aarde veroorzaken. Binnen tien, twintig jaar wordt er iets ontwikkeld waardoor verbrandingsmotoren in onbruik raken.'

'Daar kunnen we niet meer op wachten.'

'Dan had u uw miljoenen moeten investeren om dat proces te versnellen in plaats van iets te willen aantonen op een manier die onmogelijk tot een verandering kan leiden. Dat is het probleem met uw beweging, Singer. U houdt zich alleen bezig met propaganda en persverklaringen, maar niet met concrete oplossingen.'

'De mensen zouden daden hebben geëist,' reageerde hij zwakjes.

'Dat duurt een paar dagen, misschien een week. Om iets te veranderen, heb je alternatieven nodig, geen ultimatums.'

Singer antwoordde niet, maar op het moment dat hij stierf, was zijn opstandige trots het laatste wat in zijn ogen doofde.

Fanatici zoals hij zouden nooit de zin van compromissen inzien, en Juan wist dat hij die moeite ook niet had hoeven doen. Hij sprong overeind, pakte de accu op en rende terug naar de boeg.

'Meld je, Max.'

'Je hebt nog drie minuten tot de brandstof van de torpedo's opraakt.'

Door de geleidedraden waarmee de projectielen vanuit de *Oregon* werden bestuurd, was het niet mogelijk om de buitenste kleppen van de lanceerbuizen te sluiten zodat ze de buizen met nieuwe torpedo's konden laden. Wanneer Juan de Hypertherm niet tijdig tot ontbranding bracht, zou het dertig minuten duren om twee nieuwe torpedo's te lanceren, en het was duidelijk dat de *Gulf of Sidra* het zo lang niet meer uithield.

'Wacht hoe dan ook niet op mij. Als het mij met de Hypertherm niet lukt, mik dan toch de torpedo's in de boeg. Misschien hebben we geluk en komt de springstof door de dreun tot ontbranding.'

'Ik hoor je, maar dat bevalt me niet.'

'Hoe dacht je, verdomme, dat ik me voel?' reageerde Juan onder het rennen.

De tanker leek eindeloos lang, met de boeg als een horizon die maar niet dichterbij wilde komen. Door de hitte die van het dek straalde, liep het zweet uit al zijn poriën, en steeds als zijn linkervoet het dek raakte, voelde hij de blaren steken. Hij schonk er geen aandacht aan en rende door.

'Twee minuten,' zei Max over de radio, toen Cabrillo ten slotte de lijn Hypertherm bereikte die het schip in tweeën deelde.

Toen Singer de accu van de detonator had losgerukt, had hij de elektriciteitsdraden naar de springstof losgetrokken. Juan moest eerst de detonator loskoppelen van de twee strengen waartussen hij zat om, te voorkomen dat hij per ongeluk te vroeg contact maakte. Met behulp van het zakmes dat Eddie uit de Duivelsoase had meegenomen, moest hij stukjes isolatiemateriaal van de draden schrapen voordat hij de stukken koperdraad aan elkaar kon draaien. Er waren drie draden, en het kostte hem twintig seconden per draad.

Een controlelampje in de detonator kleurde groen. Het circuit was gesloten.

'Eén minuut, Juan.'

Hij haakte een streng Hypertherm aan de ene kant van de detonator en wilde de tweede streng pakken toen hij zijn radio weer hoorde. 'Baas, hier Murph. De torpedo's zijn op honderdvijftig meter.'

'Laat maar komen. Ik ben bijna klaar. Ja, nu.'

Het snoer was weer compleet. Hij draaide zich om en spurtte in de richting van het achterschip, gehinderd door de stekende pijn in zijn verbrande voet. Het was nu een race tegen twee torpedo's die met een snelheid van veertig knopen het schip naderden. Hij had zo'n dertig meter afgelegd toen Murph meldde dat de torpedo's op honderd meter afstand waren. De pijngrens verdringend, versnelde hij nog meer en het interesseerde hem niet meer dat hij het bij elke stap uitschreeuwde van de pijn.

'Vijftig meter, baas,' zei Mark, alsof het zijn schuld was.

Juan sprintte nog een paar seconden door, zodat hij nog een paar meter won voordat hij op de knop van de afstandbediening drukte.

In een opflitsende boog die qua felheid niet voor de zon onderdeed, ontbrandde de Hypertherm, waarbij het magnesium een piekflits van tweeduizend graden bereikte. De brandlijn schoot vanuit het midden als een bliksemschicht over het dek, waarvan het metaal zo zacht als was werd, door de toenemende verhitting smolt en vervolgens als water in het ruim drupte. De boeg ging gehuld in een verstikkende wolk van rook en smeltend metaal. Het licht dat ervan afstraalde, kleurde de lucht en veranderde het vreugdeloze grijs in een schitterende witte gloed. De springstof sneed het dek finaal door en schoot in een oogwenk langs de opensplijtende romp tot aan de waterlijn.

Op negentig meter afstand voelde Juan de zware thermische schok tegen zijn rug, en als het niet zo hard had geregend, zou zijn haar waarschijnlijk van zijn hoofd zijn geschroeid.

Zo snel als hij was ontbrand en zich een weg door het staal van het schip had gevreten, zo snel doofde de Hypertherm ook weer uit. Er bleef slechts een lange smalle spleet met nagloeiende randen achter.

Hij wist nog zo'n twintig meter af te leggen voordat de Test-71-projectielen het schip vlak onder de plek troffen waar de springstof door de romp was gebrand. Door de dreun van de beide explosies werd hij opgetild en in een golf van opzwiepend water en losgerukte stukken metaal over het dek geslingerd. De boeg was volledig losgescheurd van het schip en zonk ogenblikkelijk. Door de voorwaartse vaart van de tanker stroomde het water rechtstreeks het ruim in en drukte de lading vlokvormende stof in de nog voor driekwart gevulde tanks door het stelsel van verbindingsbuizen naar achteren. Door de scheur in de zijkant van de romp gulpte een straal van het gel tot ruim dertig meter van het schip in zee. Ze wisten dat dit zou gebeuren, en ze hadden het ingecalculeerd als een klein offer wanneer ze erin slaagden op deze manier de rest van de organische vlokvormer in het schip vast te houden.

Met een verschrikkelijk doordreunende zoemtoon in zijn hoofd wist Juan weer overeind te komen. Als hij naar voren keek, zag hij op de plek waar de boeg was weggeslagen het zeewater oprijzen als een muur, die groter leek te worden naarmate het schip zich dieper in zee boorde. De *Gulf of Sidra* voer zijn eigen noodlot tegemoet zolang de krachtige dieselmotor de schroef draaiend hield en het schip zo met zeventien knopen de golven injoeg.

'Juan, hier George.' Juan keek omhoog en zag de helikopter boven zich hangen. 'Voor één poging heb ik, denk ik, nog net brandstof genoeg.'

'Daar heb je de tijd niet meer voor,' antwoordde Juan, terwijl hij verder naar het achterschip rende. 'Deze schuit zinkt veel sneller dan ik had verwacht. Dit gaat geen minuut meer duren.'

'Ik ga 't toch proberen. Ik zie je bij de reling aan de achtersteven.' Cabrillo bleef rennen.

'En wij komen eraan,' meldde Max Hanley van de *Oregon*. 'Er staan reddingsteams paraat voor als je het water ingaat.'

Juan rende door, nu meer aan stuurboordzijde, om zo de scheur te vermijden die in de romp aan de andere kant gaapte. Achter hem rees de zee steeds hoger op. Een derde van de tanker stak al onder water, en per seconde zag hij hem dieper wegzakken.

Hij bereikte de bovenbouw en spurtte door de smalle gang langs de reling, met zijn benen zwaar stampend tegen het steeds sterker hellende dek. Net toen het water tot aan de voorkant van de bemanningsverblijven kwam, sprong hij naar de achterreling met de vlaggenstok waaraan een drijfnatte Liberiaanse vlag wapperde. George Adams in de Robinson was nergens te zien. Cabrillo moest zich stevig vasthouden en kon alleen nog maar bidden dat hij niet te diep werd meegezogen wanneer het schip onder hem wegzakte.

Hij was net op de reling geklauterd toen de heli om de hoek van de krankzinnig ver overhellende bovenbouw opdoemde. Uit de achterdeur bungelde een geïmproviseerd touw van een stel aaneengeknoopte draagriemen van aanvalsgeweren, een werkjas, een paar in de cockpit rondslingerende stukken draad en aan het uiteinde de broek van Eddie Seng.

Een rij patrijspoorten op de verdieping boven Cabrillo explodeerde. Door het binnenstromende water werd de lucht in de bovenbouw zo krachtig samengeperst dat de druk op het glas te groot werd. Hij wendde zich af van de glassplinters, die als een regen op hem neerdaalden, en keek juist op tijd weer omhoog om te zien dat Eddies broek in zijn richting slingerde.

Hij sprong op het moment dat die over zijn hoofd zwiepte, klemde een arm om een van de broekspijpen en werd tollend en stuiterend als een munt aan het uiteinde van een touwtje de lucht in gehesen. Onder hem verdween de *Gulf of Sidra* in de golven, zijn graf markerend met een plas gel die duizenden keren kleiner was dan Daniel Singers bedoeling was geweest.

De eerste die hem na een onwaarschijnlijk knappe landing van George in de hangar van de *Oregon* verwelkomde, was Maurice. Hij ging onberispelijk gekleed in zijn karakteristieke zwarte kostuum met een witte doek over zijn ene arm. Met de andere hield hij een dienblad met een zilveren stolp omhoog. Terwijl Juan wankelend uit de Robinson stapte en Max, Linda en Sloane jubelend de hal binnenstormden, liep Maurice hem tegemoet en tilde met een zwierig gebaar de stolp van het dienblad.

'Zoals u voorheen had gewenst, kapitein.'

'Voorheen heb gewenst?' Versuft van vermoeidheid had Juan geen flauw idee waar de steward het over had.

Maurice was te streng voor zichzelf om te glimlachen, maar zijn ogen glinsterden van plezier. 'Ik weet dat dit technisch gezien geen orkaan is, maar ik denk dat u een stuk gruyère-kaas, een kreeftensoufflé en een omelet sibérienne als dessert wel zult kunnen waarderen.'

Zijn timing was zo perfect dat de delicate soufflé niet was ingezakt en de damp er nog van afsloeg. Er steeg een klaterend gelach op in de hangar.

Het zou dat jaar de tiende equatoriale depressie zijn die zich op de Atlantische Oceaan tot een tropische cycloon ontwikkelde en dus ook een naam kreeg. Hoewel hij aanvankelijk leek uit te groeien tot een orkaan met een onheilspellende vernietigingskracht, kwam het oog niet tot volle wasdom. De meteorologen konden niet verklaren waarom dat zo was. Een dergelijk fenomeen hadden ze nog niet eerder waargenomen.

Het deed er ook niet toe. Er waren zo vroeg in het seizoen al veel cyclonen geweest, en het overvoerde publiek maakte zich niet echt zorgen over een orkaan die er niet kwam. De traditie wil dat tropische cyclonen steeds met namen worden aangeduid die per seizoen achtereenvolgens met de letters van het alfabet beginnen, dus de eerste met de letter A, de tweede met de letter B, enzovoort. En deze tiende orkaan, een orkaan die nooit het vasteland bereikte, zullen maar weinig mensen zich herinneren als de tropische cycloon Juan.

32

De strandbuggy met Cabrillo, Max, Sloane en Mafana stoof op zijn dikke banden over het woestijnzand; de opgevoerde motor luid loeiend onder de halsbrekende snelheid waarmee Juan het voertuig over de rulle ondergrond joeg. Moses Ndebele had eigenlijk mee willen gaan, maar zijn artsen in een Zuid-Afrikaans particulier ziekenhuis konden dat niet toestaan zo snel na de operaties aan zijn verbrijzelde voet. Als plaatsvervanger had hij zijn oude sergeant meegestuurd, ook al vertrouwde hij Cabrillo onvoorwaardelijk.

Ze waren laat voor hun afspraak. De man van het bedrijf waar ze de strandbuggy hadden gehuurd was ook vrijwilliger bij de politie van Swakopmund. Hij was opgehouden omdat hij het druk had gehad met de arrestatie van een groep in de woestijn gestrande Europeanen die bij een ontvoering in Zwitserland betrokken waren.

De buggy zonder dak dook over een duintop, waarna Juan hem in een slip legde waarmee hij diepe sporen door het zand trok. Het voertuig kwam deinend op de vering tot stilstand en de vier passagiers staarden met open monden van verbazing het dal in.

De *Rove* zag eruit alsof het schip door een zee van zand voer. Langs de romp bolden lage duinen als een rustige deining. Als het zijn schoorsteen nog had gehad, de laadkranen nog keurig op hun plaats hadden gestaan en niet alle verf tot op het laatste flintertje was afgebladderd, was aan niets te zien dat het schip honderd jaar lang onder het zand van de ergste zandstorm van de eeuw bedolven was geweest.

Niet ver ervandaan stond een enorme, in een opvallende turquoise kleur geschilderde vrachthelikopter met op de rotorkop de letters

NUMA. Ernaast stonden twee kleine graafmachines, waarmee men de tien meter dikke laag zand waaronder het schip verborgen lag had verwijderd. In de schaduw onder een witte partytent zat een groepje arbeiders uit te rusten.

Juan boog opzij om Sloane op haar wang te kussen. 'Je had gelijk. Gefeliciteerd.'

Stralend nam ze het compliment in ontvangst. 'Was er twijfel dan?'

'Volop,' zei Max vanaf de achterbank. Sloane draaide zich half om en sloeg hem plagend op zijn knie.

Juan schakelde en scheurde de helling af. Toen ze hen zagen naderen, sprongen de arbeiders overeind. Twee van hen scheidden zich van de anderen af en liepen over het zand naar een in de woestijngrond uitgespaarde helling die naar het hoofddek van de *Rove* liep. Een van beiden droeg een koelbox onder zijn arm.

Cabrillo remde vlak voor de opgang en zette de motor uit. Het enige geluid kwam van een zacht briesje dat de lucht bewoog. Hij klikte zijn veiligheidsriem los en stapte uit het kuipstoeltje toen de beide mannen op hem afkwamen. Ze waren allebei forsgebouwd en waarschijnlijk een jaar of twee jonger dan hij, hoewel een van beiden spierwitte haren had en ogen die niet minder blauw waren dan die van Cabrillo. De ander was donkerder, een latino met een onverbeterlijk vrolijke trek op zijn gezicht.

'Ik ken niet veel mensen op deze wereld die erin slagen Dirk Pitt te imponeren,' zei de witharige man van de NUMA. 'Dus toen ik de kans kreeg er een te ontmoeten, heb ik de gelegenheid maar aangegrepen. Directeur Cabrillo, neem ik aan?'

'*Juan* Cabrillo.' Ze schudden elkaar de hand.

'Ik ben Kurt Austin, en deze boef is Joe Zavala. Tussen haakjes, bedankt dat je ons weg hebt laten halen bij die schoonmaakklus in Angola, waaraan wij van de NUMA ook een handje meehelpen.'

'Prettig kennis te maken. Schiet 't een beetje op?'

'Beter dan verwacht. Ons schip was toevallig in de buurt op inspectie. Joe heeft een baggerzuiger kunnen ombouwen die voor het nemen van monsters in een effectief olievacuüm werd gebruikt. Hiermee kunnen we de aardolie rechtstreeks naar opslagtanks aan de wal pompen. Petromax heeft alle apparatuur die op andere installaties in Nigeria voorhanden was laten aanrukken, en daarmee moet de gelekte olie binnen veertien dagen volledig opgeruimd kunnen zijn.'

'Dat is goed om te horen,' zei Juan, om met een licht schuldgevoel te vervolgen: 'Als we een paar uur eerder waren geweest, was die hele schoonmaakactie niet nodig geweest.'

'Of een paar uur later en het zou twee keer zo erg zijn geweest.'

'Klopt.' Cabrillo draaide zich om naar zijn metgezellen. 'Dit is Max Hanley, directeur van de Corporation. Mafana is hier namens Moses Ndebele, en dit is Sloane Macintyre. Zij is de reden dat wij hier nu op dertien kilometer van de oceaan naar een stoomschip staan te kijken.'

'Machtig gezicht, hè?'

'Niet dat ik iets te klagen heb, maar hoe heb je 't zo snel gevonden?'

Voordat hij antwoord gaf, diepte Joe Zavala flesjes Tusker-bier op uit de koeltas. Het glas was ijskoud en glinsterde van condensatievocht. Hij trok ze open en deelde ze rond. 'Ik heb ontdekt dat dit de beste manier is om het zand weg te spoelen.'

Ze klonken met elkaar en namen een flinke slok.

'Hèèèhhh...' Zavala slaakte een diepe zucht. 'Héérlijk!'

'Om op je vraag terug te komen,' zei Austin, zijn mond afvegend. 'We hebben het probleem voorgelegd aan ons inpandige computergenie Hiram Yeager. Hij heeft tot in de kleinste details alle informatie bijeengezocht over de storm die opstak in de nacht dat de *Rove* verdween. Info die hij vond in oude scheepsjournaals, memoires van inwoners van Swakopmund, dagboeken van missionarissen en een in samenwerking met de Britse Admiraliteit na afloop van de storm opgesteld verslag over navigatiecorrecties langs de kust van Zuidwest-Afrika.

'Hij heeft het allemaal in zijn computer ingevoerd, plus alle meteorologische gegevens over dit gebied van de honderd jaren die sinds de storm verstreken zijn. Ongeveer een dag later kwam Max al met het antwoord.'

'Max?' vroeg Hanley.

'Zo noemt hij zijn computer. Die had een kaart van de kustlijn gemaakt zoals hij nu is, met een tweede lijn erlangs die daar tussen één en vijftien kilometer landinwaarts van afweek. Als de *Rove* zich vlak bij de kust had bevonden, bijvoorbeeld, om de passagiers met hun fortuin aan diamanten op te pikken, zou ze ergens langs die lijn onder het zand moeten liggen.'

'Dat die afstand zo wisselt, komt door het verschil in geologische omstandigheden en windpatronen,' vulde Zavala aan.

'Toen we die kaart eenmaal hadden, zijn we in een helikopter met een magnetometer die lijn gaan volgen.'

'Dat heb ik dagenlang net zo gedaan,' vertelde Sloane, 'maar ik heb boven zee gezocht. Ik denk dat ik iets meer vooronderzoek had moeten doen.'

'Het heeft twee dagen geduurd tot we iets vonden wat de *Rove* zou kunnen zijn, en dat was op nog geen tien meter van de plek waar het schip volgens Max zou liggen.'

'Waanzinnig.'

'Ik heb geprobeerd om Hiram over te halen zijn computer in te zetten voor het voorspellen van lottogetallen,' merkte Zavala grinnikend op. 'Hij zegt dat het mogelijk is, maar dat hij het voor mij niet doet.'

'Met behulp van radarapparatuur die in de grond doordringt, hebben we vastgesteld dat het een schip was en niet een willekeurige verzameling ijzer, zoals een meteoriet bijvoorbeeld,' vervolgde Austin. 'Voor de rest was het een kwestie van zand verwijderen.'

Zavala opende een tweede rondje bier. 'Héél veel zand verwijderen.'

'Zijn jullie er al in geweest?' vroeg Sloane.

'We hebben op jullie komst gewacht, die eer is aan jullie. Welkom aan boord.'

Hij ging hen voor de loopplank over en liep het teakhouten dek van de *Rove* op. Met dat verwijderen van het zand hadden ze een meesterlijk stukje werk afgeleverd, want zelfs de kleinste hoekjes waren schoongeveegd, en het enige zand dat er lag, was er door de wind weer opgeblazen.

'De ruiten van de brug waren kapotgeslagen, door de storm, of later door het zand toen het bedolven werd, dus die zat vol met zand. Maar...' Zonder de zin af te maken, gaf hij een klap op een luik. Het metaal galmde. 'De woestijn is niet tot de bemanningsverblijven doorgedrongen.'

'Ik heb het sluitwiel alvast losgemaakt,' zei Zavala. 'Dus mevrouw Macintyre, ga uw gang.'

Sloane stapte naar voren en draaide het wiel een halve slag, waardoor de grendels openschoven. Ze trok het luik open en er sijpelden wat zandkorrels over het luikhoofd. De officiersmess erachter werd uitsluitend verlicht door een stel iele stralen daglicht die door de patrijspoorten in de beide zijwanden vielen. Afgezien van de paar vegen zand op de grond leek het alsof er in honderd jaar niets was

411

gebeurd. Al het meubilair stond nog op zijn plaats. Het fornuis stond erbij alsof het de theeketel die erop stond zo weer kon opwarmen, en de lamp aan het plafond zag eruit alsof één lucifer voldoende zou zijn om hem aan te steken.

Maar toen hun ogen beter aan de duisternis gewend waren, zagen ze allemaal dat de dikke lappen stof die over de tafel gedrapeerd leken, in feite de gemummificeerde resten van twee mannen waren, die daar tegenover elkaar zittend waren gestorven. Hun huid was door het uitdrogen van hun lichaam grijs geworden en leek zo broos als papier. De een droeg alleen een lendendoek om zijn middel en een verentooi waarvan de pennen uit een band om zijn schedel waren losgeraakt. De ander was in junglekleren gekleed, en naast zijn hoofd lag een enorme slappe vilthoed die elf decennia eerder wit was geweest.

'H.A. Ryder,' zei Sloane, naar adem happend. 'De andere man is waarschijnlijk een van de Herero-krijgers die hun koning op pad had gestuurd om de stenen terug te halen.'

'Ze hebben precies aangevallen op het moment dat de storm opstak,' zei Austin, die terugkwam uit een korte gang. 'Er liggen nog minstens tien lijken in de hutten. Bij de meeste lijkt het of ze in een gevecht zijn gedood. Veel steekwonden. De lichamen van de Herero's zijn nog helemaal gaaf, dus zij zijn waarschijnlijk doodgehongerd nadat de *Rove* door het zand was bedolven.'

'Maar hem hebben ze niet gedood.' Juan wees op het lijk van Ryder. 'Waarom eigenlijk niet?'

'Zo te zien waren deze twee de laatste overlevenden,' merkte Zavala op. 'Ze zijn waarschijnlijk door uitdroging gestorven toen de watervoorraad van het schip opraakte.'

'Ryder was in zijn tijd algemeen bekend,' zei Sloane. 'Mogelijk kenden ze elkaar. Voor de roof zijn ze misschien wel bevriend geweest.'

'Dat is een van de mysteries die we nooit zullen oplossen,' zei Max, terwijl hij naar voren stapte en een van de zakken die onder de tafel stonden naar zich toe trok. 'En dit is een ander.'

Toen hij de zadeltas optilde, scheurde het verdroogde leer en kletterde er een waterval van diamanten op de vloer. In het schaarse licht glansden de onbewerkte stenen toch nog als opgesloten zonnestralen. Als één man barstten ze allemaal in juichen uit. Sloane pakte een steen van twintig karaat op en hield hem voor een patrijspoort om de diepe glans beter te bekijken. Mafana schepte de diamanten met handenvol tegelijk op en liet ze weer door zijn vingers glijden. Van het gezicht dat hij daarbij trok leidde Juan af dat hij niet aan zichzelf dacht maar aan de rijkdom die deze stenen voor zijn volk betekenden.

De oude sergeant rukte ook de andere tassen open en begon de stenen te sorteren, om er vervolgens de grootste en helderste uit te pikken. Er was een enorme keuze, omdat de oorspronkelijke arbeiders die de diamanten naar hun koning hadden gebracht, alleen het beste wat ze uit de aarde haalden hadden meegenomen. Toen zijn handen overliepen, wendde hij zich tot Cabrillo.

'Moses zei dat u hem een handvol stenen als voorschot hebt gegeven,' sprak Mafana plechtig. 'Hij heeft mij opgedragen u er twee terug te geven, als bewijs van dank namens ons volk.'

Juan was overdonderd door dit gebaar. 'Mafana, dat is niet nodig. U en uw mannen hebben voor deze stenen gevochten en zijn er vaak voor gestorven. Dat was onze afspraak.'

'Moses zei al dat u zo zou reageren, en dat ik dan de stenen aan de heer Hanley moet geven. Volgens Moses is hij niet zo sentimenteel als u en zal hij ze namens uw bemanning graag in ontvangst nemen.'

'Daar heeft hij wel een punt,' zei Max, waarop hij zijn handen uitstak. Mafana gaf hem de stenen. 'Nadat ik nog niet zo lang geleden voor gediplomeerd juwelier heb gespeeld, zou ik nu zeggen dat dit toch algauw een miljoentje waard is.'

'Dan ben je in die rol toch niet zo heel erg goed geweest.' Sloane plukte de grootste steen tussen de andere uit en hield hem voor hem op. 'Deze alleen al zal, als hij gekliefd en gepolijst is, ongeveer een miljoen opbrengen.'

Max stond er met grote ogen naar te kijken, waardoor de anderen opnieuw in de lach schoten.

Een uur later, nadat iedereen het schip had verkend, trof Sloane Juan in de voorsteven aan, waar hij met zijn handen op zijn rug in gepeins verzonken stond.

'Ken je deze regel?' vroeg ze, terwijl ze naar hem toe liep. 'Geef me een groot schip en een ster om de weg ermee te vinden.'

Hij draaide zich om en glimlachte. 'Op de uitkijk naar zandduinen.'

'Ik heb het scheepsjournaal gelezen. H.A. Ryder heeft er nog in geschreven nadat ze onder het zand bedolven werden. Kurt had ge-

lijk dat de Herero's op het hoogtepunt van de storm hebben aangevallen. Ze hebben de hele bemanning afgeslacht, allemaal, behalve
Ryder. De Herero-leider had ooit als gids voor hem gewerkt, en
Ryder had hem bij een aanval van een leeuw het leven gered. Niet
dat het veel uitmaakte. Het was uitstel van executie.'

'Wat is er gebeurd?'

'De storm heeft een volle week gewoed. Toen hij eindelijk ging liggen, konden ze geen enkele deur meer openduwen, ook de deur naar
de brug niet. En de patrijspoorten waren te klein om doorheen te
kunnen. Ze zaten in de val. Ze hadden voedsel en water om het een
maand uit te houden, maar het einde was onvermijdelijk. De een na
de ander stierf, tot alleen Ryder en de Herero-leider over waren. Ik
ga ervan uit dat Ryder de eerstvolgende was, want in het logboek
staat niets over het sterven van zijn metgezel.'

'Deze staat bovenaan mijn lijstje met tien manieren waarop ik niet
wil doodgaan,' zei Juan huiverend.

'Ryder heeft het in zijn logboek nog over iets heel anders, en dat is
behoorlijk interessant. Hij schreef dat ze, toen hij en zijn metgezellen de diamanten van de Herero's roofden, vier tot de rand met edelstenen gevulde bierkruiken hebben laten liggen. Uit de annalen van
de geschiedenis weet ik dat hun koning ze nooit heeft gebruikt om
bescherming van de Britten te kopen tegen de Duitsers toen die zijn
land bezetten. Dus moeten die stenen daar nog zijn.'

'Vergeet 't maar,' zei Juan grijnzend. 'De laatste keer dat ik je hielp,
kwam ik midden op zee op een gigantische ijzeren slang terecht en
zonk er een tanker onder mijn voeten naar de bodem van de oceaan.
Als jij nog achter diamanten aan wilt gaan, zal ik je niet tegenhouden. Maar ik hou het verder liever veilig en ga op terroristenjacht.'

'Het was maar een ideetje,' zei ze plagerig.

Cabrillo schudde zijn hoofd. 'Nu we het toch over diamanten hebben, er zijn nog een paar dingen die ik je wilde vragen.'

'Kom maar op.'

'Weet je zeker dat je een goede prijs kunt krijgen voor die stenen?'

'Mijn bedrijf zal er zogoed als de volledige marktwaarde voor willen betalen, alleen al voor het behoud van hun monopolie. Ze zullen
het niet leuk vinden dat ik ze niet zelf voor hen heb gevonden, maar
op de lange termijn hebben ze geen andere keuze. Maak je geen zorgen. Moses zal er meer geld voor krijgen dan hij nodig heeft om de
leiders van zijn land naar huis te kunnen sturen.'

414

'Daarmee zijn we bij mijn tweede vraag. Ik neem niet aan dat jij na afronding van deze deal nog binnenkort de prijs van de medewerker van de maand zult winnen. Ik vroeg me af of jij je carrière niet eens een andere kant op zou willen sturen.'

'Ben je me een baan aan het aanbieden, directeur Cabrillo?' Haar glimlach straalde meer dan een van de door hen gevonden diamanten ooit zou evenaren.

'Lange werkdagen, en het werk is gevaarlijk, maar de betaling kan, zoals je zonet zag, behoorlijk de moeite waard zijn.'

Ze kwam een stapje dichterbij, zodat ze elkaar met het bovenlijf haast raakten. 'Ik heb niet zo lang geleden met Linda gesproken, en daarbij kreeg ik het gevoel dat een hechte verbroedering onder het personeel hier nauwelijks voorkomt.'

'Avontuurtjes op het werk zijn niet aan te raden. En dat geldt nog sterker als je met z'n allen zo dicht op elkaars lip leeft.'

Ze streek met haar vingertopje over zijn blote arm en keek hem in zijn ogen. 'In dat geval is er iets wat ik eerst uit mijn systeem moet zien te krijgen voordat ik er zelfs maar aan kan denken om ontslag te nemen en piraatje te gaan spelen.'

'En dat is?' vroeg hij met een hese stem.

'Dit,' antwoordde ze, terwijl hun lippen elkaar beroerden.